LA CHUTE D'ATLANTIS

Marion Zimmer Bradley

LA CHUTE D'ATLANTIS

FRANCE LOISIRS
123, boulevard de Grenelle, Paris

Titre original : *The Fall of Atlantis*
Traduit par Elisabeth Vonarburg

Édition du Club France Loisirs, Paris,
réalisée avec l'autorisation des Presses de la Cité

ISBN 2-7242-9669-9

Remerciements

D'abord, à mon amie très chère et mentor, Dorothy G. Quinn.

Il y a bien plus d'années que je n'aime à y penser, nous avons, ensemble, visité le passé et rédigé quelques scènes qui exploraient les personnages de Domaris et de Micon. Le roman a connu quatre réécritures depuis et Dorothy ne reconnaîtrait sans doute pas son enfant. Mais c'est en sa compagnie que j'ai pour la première fois parcouru ce chemin, et ma dette envers elle est inestimable.

Ensuite à David R. Bradley, mon fils, qui a préparé la version de ce manuscrit pour la publication et qui m'a procuré, à partir de plusieurs sources, dont les textes inédits de son défunt père, Robert A. Bradley, les passages à caractère philosophique qui apparaissent en tête de partie dans ce roman.

Marion ZIMMER BRADLEY

LIVRE I

Micon

Tout événement n'est que le résultat final de causes premières perçues clairement sans être appréhendées de façon distincte. Quand l'accord résonne, l'auditeur le plus ignorant peut prédire qu'il doit se résoudre avec la tonique, même si l'on ne peut voir pourquoi chaque mesure successive doit nécessairement conduire à l'accord final. La loi du karma est la force qui mène tous les accords à la note fondamentale, élargissant les cercles dans l'eau après qu'on y a jeté le galet, jusqu'à ce que les raz de marée engloutissent un continent, alors que le galet a disparu depuis longtemps dans les profondeurs, oublié.

Ceci est l'histoire d'un de ces galets, lancé dans les eaux d'un monde qui fut englouti bien avant que les pharaons d'Egypte n'eussent commencé à empiler pierre sur pierre.

Extrait des Enseignements du mage Rajasta

LIVRE I

Micon

1

Emissaires

I

Au bruit des sandales sur la pierre, Rajasta leva les yeux du manuscrit qu'il tenait déroulé sur l'un de ses genoux. La bibliothèque du temple était habituellement déserte à cette heure, et le prêtre en était venu à considérer comme son privilège personnel d'y étudier chaque jour sans être dérangé. Son front se plissa légèrement. Ce n'était pas de l'irritation — il n'était pas irascible —, mais plutôt une onde d'agacement, car il était plongé dans des réflexions profondes.

Les deux hommes qui étaient entrés dans la bibliothèque avaient cependant éveillé son intérêt et il se redressa pour les observer, sans pourtant lâcher le rouleau manuscrit, ou se lever.

Il connaissait le plus âgé d'entre eux : Talkannon, le grand prêtre du temple de la Lumière, était un homme de forte carrure, au visage souriant, dont l'apparente jovialité dissimulait habilement un tempérament froid voire sévère, et même impitoyable. L'autre était un étranger, un homme au corps gracieux de danseur qui se déplaçait pourtant avec lenteur et difficulté. Son sourire sombre n'était pas dépourvu d'ironie, comme si la grimace venait plus aisément à des lèvres serrées par la douleur. C'était un homme de haute taille, cet étranger séduisant avec sa peau basanée et sa tunique blanche d'une coupe inusitée qui scintillait d'une faible luminescence dans la pièce aux ombres transpercées de soleil.

— Rajasta, dit le grand prêtre, notre frère désire approfondir son savoir. Il est libre d'étudier autant qu'il le désire. Qu'il soit notre hôte.

Talkannon s'inclina légèrement devant Rajasta toujours assis et se tourna vers l'étranger.

— Micon d'Ahtarrath, je vous laisse avec le meilleur de nos disciples. Le temple et la cité du temple sont à vous, mon frère. N'hésitez pas à faire appel à moi, à tout moment.

Il s'inclina de nouveau, puis tourna les talons pour laisser les deux hommes faire connaissance.

Tandis que la porte se refermait avec lenteur, en chuchotant, sur la silhouette puissante du grand prêtre, Rajasta fronça de nouveau les sourcils. Il était habitué aux façons abruptes de Talkannon, mais il craignait que cet étranger ne les crût tous dépourvus de civilité. Il déposa le rouleau, se leva et s'approcha de l'invité, les mains tendues en un geste courtois de bienvenue. Rajasta était un homme de très haute taille, qui avait dépassé depuis longtemps le médian de la vie ; son maintien comme ses manières étaient empreints d'une méticuleuse discipline.

Micon se tenait totalement immobile, là où Talkannon l'avait laissé, avec ce sourire grave qui retroussait un seul coin de sa bouche. Ses yeux étaient d'un bleu profond comme les ciels d'orage, cernés de petites rides révélant l'humour et l'esprit de tolérance du personnage.

Cet homme est l'un des nôtres, assurément, se dit le prêtre de la Lumière en lui adressant un salut rituel. Il attendit. Mais l'étranger restait là, souriant, sans réagir. Le front de Rajasta se plissa de nouveau légèrement :

— Micon d'Ahtarrath...

— C'est ainsi qu'on m'appelle, dit l'étranger d'une voix polie. Je suis venu vous demander la possibilité de poursuivre mes études avec vous.

Sa voix était grave et sonore, mais traversée d'une sorte de tension, comme s'il s'efforçait de la contrôler soigneusement.

— Je vous invite volontiers à partager ce que je possède de savoir, dit Rajasta avec une courtoisie non dénuée de gravité, et vous êtes le bienvenu...

Il hésita puis ajouta, poussé par une intuition soudaine :

— ... Fils du Soleil.

Et sa main esquissa un certain signe.

— Un simple enfant adoptif, je le crains, et bien trop fier de cette parenté, dit Micon avec un bref sourire amusé.

Néanmoins, en réponse aux termes rituels qui l'identifiaient, il leva une main et fit le geste archaïque.

Rajasta s'avança pour étreindre son hôte. Ils étaient liés, non par leur quête et leur savoir communs, mais par la puissance dont procédait la magie la plus secrète des prêtres de la Lumière : comme Rajasta, Micon était l'un de leurs plus hauts initiés. Rajasta s'en étonna, Micon semblait si jeune ! Puis, tandis qu'ils se séparaient, il vit ce qu'il n'avait pas encore remarqué. Son visage s'assombrit de compassion —, et il prit les mains émaciées de Micon pour le conduire vers un siège en disant :

— Micon, mon frère !

— Un frère adoptif, comme je l'ai dit, dit Micon en inclinant la tête. Comment avez-vous compris ? On m'a... dit qu'il n'y avait aucune cicatrice visible, aucune...

— Non, j'ai deviné. Votre immobilité... puis quelque chose dans votre façon de bouger. Mais comment cela vous est-il arrivé, mon frère ?

— Puis-je en parler une autre fois ? Ce qui est... (Micon hésita de nouveau, et conclut d'une voix tendue :) ... ne peut être modifié. Qu'il suffise que j'aie... répondu à votre signe.

— Vous êtes véritablement un fils de la Lumière, même si vous marchez dans les ténèbres, répondit Rajasta d'une voix tremblante d'émotion. Peut-être... peut-être le seul fils de cette Lumière qui soit capable de se confronter à Sa splendeur.

— Uniquement parce que je ne pourrai jamais la voir, murmura Micon, et son regard aveugle semblait contempler le visage du prêtre, qu'il ne verrait jamais. Il y eut un silence, tandis qu'un sourire sarcastique et douloureux passait sur son propre visage.

Rajasta osa enfin dire :

— Mais... vous m'avez retourné le signe, et je pensais que sûrement je me trompais... que sûrement vous voyiez...

— Je crois... que je peux lire les pensées, quelquefois, dit Micon. Un peu. Et seulement quand c'est nécessaire. Je ne sais encore à quel point je dois me fier à cette capacité. Mais avec vous... (Un sourire illumina son visage las et basané.) ... je n'ai ressenti aucune hésitation.

De nouveau le silence, plein d'émotions, apparemment trop intenses pour les mots. Puis, d'un couloir, la voix d'une jeune femme s'éleva :

— Seigneur Rajasta !

L'expression concentrée de Rajasta s'effaça :

— Je suis là, Domaris, répondit-il ; ma disciple, expliqua-t-il à Micon, une jeune femme, la fille de Talkannon. Elle n'est pas encore éveillée, mais quand elle aura appris et sera... complète... Il y a en elle des germes de grandeur.

— Que la lumière des cieux lui accorde savoir et sagesse, dit Micon avec une indifférence polie.

Domaris entra dans la pièce : une grande jeune fille au maintien plein de fierté, avec des cheveux couleur de cuivre martelé qui illuminaient les espaces sombres. Tel un oiseau léger elle entra, pour s'arrêter à quelque distance des deux hommes, trop intimidée pour parler en présence d'un étranger.

— Mon enfant, dit Rajasta avec bonté, voici Micon d'Ahtarrath, mon frère en la Lumière, qu'il faudra traiter comme moi en toute occasion.

Domaris se tourna avec courtoisie vers l'étranger, puis ses yeux s'agrandirent, une expression d'admiration respectueuse passa sur ses traits et, d'un geste qui parut forcé, comme si elle l'avait exécuté contre son gré, elle posa sa main droite sur sa poitrine puis la porta lentement à son front, en un salut accordé seulement aux initiés du plus haut niveau parmi les prêtres de la Lumière. Rajasta sourit : l'instinct de Domaris était le bon, et il en était heureux. Mais il laissa sa voix briser l'enchantement, car Micon était soudain devenu d'une intense pâleur.

— Micon est mon hôte, Domaris, il logera chez moi. Si cela vous convient, mon frère ?

Micon hocha la tête en signe d'acquiescement.

— Va, mon enfant, poursuivit Rajasta, va trouver la mère-scribe et demande-lui d'avoir toujours un scribe à la disposition de mon frère.

Avec un léger frisson, Domaris sursauta, adressa un regard respectueux à Micon puis inclina la tête pour saluer son maître et s'éloigna pour remplir sa mission.

— Micon, c'est du temple noir que vous arrivez ! dit Rajasta avec une sévérité abrupte.

Micon hocha la tête :

— De leurs cachots souterrains, précisa-t-il aussitôt.

— Je... craignais que...

— Je ne suis pas un apostat, le rassura Micon avec fermeté. Je n'ai pas servi à leurs autels. Mon service n'est pas sujet à compulsion !

— Compulsion ?

Micon ne bougea pas, mais ses sourcils arqués et ses lèvres retroussées en disaient aussi long qu'un haussement d'épaules.

— Ils voulaient me contraindre.

Il tendit une main mutilée.

— Vous pouvez constater qu'ils ont été... éloquents dans leur tentative de persuasion.

Devant l'exclamation d'horreur qu'étouffait Rajasta, Micon dissimula dans les manches de sa tunique ses mains trop révélatrices :

— Mais ma tâche est inachevée. Et tant qu'elle ne sera pas menée à bien, ces mains tiennent la mort à distance, même si elle me suit de près.

Il aurait pu être en train de parler de la pluie de la nuit précédente, et Rajasta baissa la tête devant ce visage impassible.

— Il y a ceux que nous appelons les tuniques noires, dit-il avec âpreté. Ils se dissimulent parmi les membres de la secte des magiciens, ceux qui gardent l'autel du dieu inconnu, nous les appelons tuniques grises ici. J'ai entendu dire que ces... tuniques noires se livrent à la torture ! Mais ils œuvrent dans le secret. Ils font bien ! Qu'ils soient maudits !

Micon s'agita :

— Ne maudissez point, mon frère, dit-il avec sévérité. Vous entre tous, vous devez en connaître les dangers.

— Nous n'avons aucun moyen d'action contre eux, dit Rajasta d'une voix atone. Comme je l'ai dit, nous soupçonnons les membres de la secte des tuniques grises. Mais ils sont tous... gris !

— Je sais. J'ai vu trop clairement et maintenant... je ne vois rien. C'est assez, implora Micon. Je porte en moi ma propre libération, mon frère, mais je ne suis peut-être pas encore prêt à l'accepter. Nous ne parlerons plus de tout cela, Rajasta.

Il se leva, avec une lenteur circonspecte, et marcha d'un pas

15

délibéré vers la fenêtre, où il se tint, le visage offert à la chaleur du soleil.

Avec un soupir, Rajasta accepta l'interdiction qui venait de lui être imposée. En vérité, les tuniques noires se dissimulaient toujours si bien qu'aucune victime ne pouvait jamais identifier ses tortionnaires. Mais pourquoi lui ? Micon était un étranger, et ne pouvait donc s'en être fait des ennemis. Et jamais auparavant ils n'avaient osé s'en prendre à quelqu'un d'aussi haut rang. La découverte de ce qui était arrivé à Micon marquait le début d'un nouvel engagement dans une guerre aussi ancienne que le temple de la Lumière.

Et cette perspective inquiétait fort Rajasta.

II

A l'école des scribes, mère Lydara était en train de discipliner l'une de ses plus jeunes élèves. Les scribes étaient des garçons et des filles appartenant à la caste des prêtres et qui manifestaient, vers leur douzième ou treizième année, un talent pour la lecture ou l'écriture. Et il n'est pas facile de maintenir l'ordre parmi une trentaine de jeunes gens intelligents.

Mère Lydara avait le sentiment qu'aucune enfant n'avait jamais causé autant de problèmes que cette fillette renfrognée qui lui faisait face à présent ; âgée de treize ans environ, mince et anguleuse, elle avait des yeux d'orage et des cheveux noirs qui cascadaient sur ses épaules en boucles désordonnées. Elle se tenait très droite, très raide, ses petites mains nerveuses obstinément refermées, son visage très blanc figé dans une expression de défi.

— Déoris, ma petite fille, l'admonesta la mère-scribe, patiente et immuable comme un roc, tu dois apprendre à contrôler ta langue et ton mauvais caractère si tu espères servir un jour dans les hautes sphères du savoir. La fille de Talkannon devrait être un exemple et un modèle pour autrui. Tu vas me présenter des excuses, à présent, ainsi qu'à ta compagne de jeu, Ista, puis tu iras faire rapport à ton père.

La vieille prêtresse attendit, les bras croisés sur son ample poitrine, une contrition qui ne se manifesta pas. Bien au contraire, la fillette s'écria, prête à pleurer :

— Non ! Je n'ai rien fait de mal, mère, et je ne m'excuserai pour rien du tout !

Elle avait une voix sonore, d'un timbre clair et doux qui l'avait désignée, parmi ceux du temple, comme une future chanteuse de sortilèges. Elle semblait vibrer de passion, telle une harpe.

La mère-scribe la contempla avec une patience à la fois lasse et déconcertée :

— Ce n'est pas une façon de parler à une aînée, mon enfant. Obéis-moi, Déoris.

— Non !

La vieille femme leva une main, prise entre le désir d'apaiser l'enfant et celui de la gifler, quand on frappa à la porte :

— Qui est là ? demanda-t-elle, impatiente.

La porte s'ouvrit et Domaris passa la tête dans l'embrasure :

— Puis-je vous parler, mère ?

Le visage soucieux de mère Lydara se détendit, car Domaris avait été sa favorite pendant bien des années :

— Entre, mon enfant, j'ai toujours du temps à te consacrer.

Domaris s'arrêta sur le seuil, en contemplant le visage bouleversé de la fillette en robe de scribe.

— Domaris, je n'ai rien fait ! s'écria Déoris et, petit cyclone désolé, elle se jeta sur Domaris et noua ses bras autour du cou de sa sœur, avec des hoquets hystériques. Je n'ai rien fait !

— Déoris, petite sœur, la gronda Domaris, en se dégageant avec fermeté des bras qui l'enserraient. Pardonnez-moi, mère Lydara, a-t-elle encore fait des bêtises ? Non, reste tranquille, Déoris. Ce n'est pas à toi que j'ai posé la question.

— Elle est impertinente, impudente, impatiente quand on la reprend, et absolument impossible à contrôler, dit mère Lydara. Elle donne le mauvais exemple à l'école, et elle est déchaînée dans les dortoirs. Je n'aime pas la punir, mais...

— Avec Déoris, les punitions ne font qu'aggraver la situation, dit Domaris d'un ton égal. On ne doit jamais être sévère avec elle.

Elle attira Déoris vers elle, lissant les boucles en désordre ; elle savait si bien contrôler elle-même Déoris par l'affection qu'elle en voulait à mère Lydara de sa sévérité.

— Quand Déoris est à l'école, dit la mère-scribe d'un ton calme et définitif, elle doit être traitée comme tous les autres, et punie comme ils le sont. Et à moins qu'elle ne fasse un effort pour se conduire comme eux, elle ne restera pas longtemps à l'école.

Les sourcils réguliers de Domaris se haussèrent :

— Je vois... C'est le seigneur Rajasta qui m'envoie. Il a besoin d'un scribe pour un hôte, et Déoris a la compétence voulue. Elle n'est pas heureuse à l'école, et vous ne désirez pas non plus sa présence. Laissez-la se mettre au service de cet homme.

Elle jeta un coup d'œil à la tête baissée de Déoris, qui était maintenant enfouie contre son épaule ; Déoris leva vers elle un regard débordant d'adoration émerveillée. Domaris arrangeait toujours tout !

Mère Lydara fronça les sourcils, mais elle était secrètement soulagée : Déoris était un problème qui dépassait ses capacités limitées, et que cette enfant gâtée fût une fille de Talkannon compliquait encore la situation. Théoriquement, Déoris était ici sur un pied d'égalité avec les autres, mais la fille du grand prêtre ne pouvait être punie ou commandée comme l'enfant d'un prêtre ordinaire.

— Comme il te plaira, fille de la Lumière, dit la mère-scribe d'un ton bourru, mais elle devra continuer ses études, il te faudra y veiller !

— Soyez assurée que je ne négligerai pas ses devoirs, dit Domaris avec froideur.

Tandis qu'elles quittaient l'édifice bas, elle étudia Déoris, les sourcils froncés. Elle avait peu vu sa sœur au cours des derniers mois. Quand on avait choisi Domaris comme acolyte de Rajasta, l'enfant avait été envoyée à l'école des scribes. Auparavant, elles étaient inséparables malgré leurs huit années de différence qui faisaient de leur relation plutôt celle d'une mère avec sa fille que celle de deux sœurs. Domaris sentait à présent chez sa cadette un changement qui l'inquiétait. Déoris avait toujours été joyeuse et docile. Que lui avait-on fait pour la transformer en cette petite rebelle maussade ? Elle décida, avec un éclair d'irritation, de demander à Talkannon la permission de s'occuper de nouveau de Déoris.

— Je peux vraiment rester avec toi ?

— Je ne peux te le promettre, mais nous verrons, sourit Domaris. Tu en as envie ?

— Oh oui ! dit passionnément Déoris, et elle entoura de nouveau sa sœur de ses bras, avec un tel emportement que le front de Domaris se creusa de profondes rides d'inquiétude.

Qu'avait-on bien pu faire à Déoris ?

En se libérant des bras de la fillette qui se cramponnait à elle, Domaris la sermonna :

— Doucement, doucement, petite sœur.

Et elles se dirigèrent vers la demeure des Douze.

III

Domaris était l'une des douze acolytes, six jeunes hommes et six jeunes femmes choisis tous les trois ans parmi les enfants de la caste des prêtres pour leur perfection physique, la beauté de leur visage et un talent particulier qui en faisaient les archétypes de la caste des prêtres telle qu'elle était dans l'ancien pays. Quand ils atteignaient leur maturité, ils résidaient pendant trois ans à la demeure des Douze, où ils étudiaient l'antique sagesse de leur caste et se préparaient au service des dieux et de leur peuple. On disait que, si une calamité venait à détruire toute la caste des prêtres à l'exception des Douze, on pourrait reconstruire grâce à eux seuls l'ensemble du savoir de tous les temples. A la fin de cette période de trois ans, ils épousaient la compagne ou le compagnon qui leur avait été attribué. On choisissait si bien ces six jeunes couples que leurs enfants manquaient rarement de s'élever très haut dans les rangs de leur caste.

La demeure des Douze était un édifice spacieux qui couronnait une haute colline verte à l'écart des bâtiments regroupés dans l'enceinte du temple, entouré de vastes pelouses, de verts jardins enclos et de fontaines fraîches. Les deux sœurs marchaient d'un pas vif le long du chemin qui montait entre des bordures de buissons fleuris vers les murs blancs de la retraite, quand une jeune femme à peine sortie de l'enfance se hâta à leur rencontre à travers les pelouses.

— Domaris ! Viens là, je veux que tu... Oh, Déoris ! As-tu été libérée de la prison des scribes ?

— J'espère bien, dit Déoris intimidée, et elles s'étreignirent.

L'âge de la nouvelle venue se situait entre ceux de Domaris et de Déoris ; elle aurait presque pu être leur sœur, tant leur taille et leur aspect physique se ressemblaient : toutes trois fort grandes et minces, dotées d'une fine ossature, les mains et les bras délicats, et les traits ciselés de la caste des prêtres. Seules différaient les couleurs de leurs cheveux et de leurs yeux. Domaris, la plus grande, avait de longs cheveux de flamme ondoyants et de calmes yeux d'ombre grise ; Déoris, plus petite, plus mince, de lourdes boucles noires et des yeux de violettes froissées ; Elis, des mèches brun-roux comme le bois poli, et des yeux d'un bleu clair et joyeux. De tous ceux qui vivaient en la demeure des Douze, ou au temple, les filles de Talkannon aimaient par-dessus tout leur cousine Elis.

— Des émissaires d'Atlantis sont arrivés, leur dit Elis, excitée.

— Du royaume de la mer ? Vraiment ?

— Oui, du temple d'Ahtarrath. On avait envoyé ici le jeune prince d'Ahtarrath et son frère cadet, mais ils ne sont jamais arrivés. Ils ont été enlevés, ils ont fait naufrage ou ils ont été assassinés, et maintenant on fait des recherches tout le long de la côte pour les retrouver, eux ou leurs cadavres.

Domaris contempla sa cousine, stupéfaite. Ahtarrath était un nom redoutable. Ici, dans l'ancien pays, le temple de la Mère avait peu de contacts avec les royaumes de la mer, dont Ahtarrath était le plus puissant. Et maintenant, pour la deuxième fois de la journée, elle entendait ce nom.

Elis poursuivait, toujours excitée :

— Il semble y avoir des preuves que le prince a abordé au rivage, et on parle des tuniques noires ! Rajasta t'a-t-il parlé de cela, Domaris ?

Domaris fronça les sourcils. Comme Elis, elle appartenait au cercle intérieur de la caste des prêtres, mais elles n'avaient pas le droit de parler de leurs aînés, et la présence de Déoris aurait de toute façon dû contenir de tels bavardages.

— Rajasta ne me fait pas de confidence. Et une acolyte ne devrait pas non plus écouter les rumeurs aux portes du temple !

Elis rosit, et Domaris se détendit un peu :

— Il n'est pas d'essaim qui ne naisse d'une unique abeille,

dit-elle d'un ton plus doux. Rajasta a un hôte d'Ahtarrath. Il s'appelle Micon.

— Micon ! s'exclama Elis. C'est comme de dire qu'une esclave s'appelle Lia ! Il y a davantage de Micon dans les royaumes de la mer que de feuilles sur un arbre à chansons...

Elis s'interrompit : une toute petite fille, à peine capable de se tenir debout, lui tirait la jupe ; elle baissa les yeux sur elle avec impatience, puis se pencha pour la prendre. Mais le bébé plein de fossettes se mit à rire, trotta vers Déoris puis tomba et resta là à pleurer. Déoris le prit aussitôt dans ses bras et Elis jeta un regard agacé à la petite femme brune qui approchait, poursuivant le bébé :

— Simila, lui reprocha-t-elle, ne peux-tu empêcher Lissa d'être dans nos jambes, ou bien lui apprendre à tomber ?

La nourrice s'apprêtait à prendre l'enfant, mais Déoris se déroba :

— Oh, Elis, laisse-moi la tenir, je ne l'ai pas vue depuis si longtemps, elle ne pouvait même pas ramper, et maintenant elle marche ! Est-elle sevrée ?... Comment peux-tu la supporter... Là, Lissa, ma chérie, tu te souviens de moi, n'est-ce pas ?

La petite poussa un glapissement de plaisir en plongeant les mains dans les boucles épaisses de Déoris.

— Oh, mon petit trésor dodu ! roucoula Déoris, en couvrant de baisers les joues potelées.

— Petite peste dodue !

Elis regardait sa fille en riant nerveusement et Domaris lui donna une petite tape compréhensive. Les acolytes étaient mariés sans égard pour leurs propres souhaits, et ils étaient donc entièrement libres jusqu'au jour même de leur mariage ; Elis avait pris avantage de cette liberté en choisissant un amant et en portant son enfant. C'était parfaitement légitime au temple, mais ce ne l'était nullement que l'amant eût manqué à reconnaître la paternité de l'enfant. Un enfant non reconnu était soumis à de terribles handicaps ; pour donner une caste au sien, Elis avait été contrainte de faire appel à la compassion de l'époux qu'on lui avait désigné, un acolyte comme elle, nommé Chédan. Il avait fait preuve de générosité et reconnu Lissa, mais tout le monde savait qu'il n'en était pas le père. Même Domaris ignorait qui avait engendré la petite Lissa. Le véritable père aurait subi un grave châtiment pour sa lâcheté si Elis l'avait dénoncé ; mais elle avait obstinément refusé de le faire.

— Pourquoi ne te sépares-tu pas de l'enfant, Elis ? dit Domaris avec douceur devant le regard amer d'Elis, puisque Chédan en prend tellement ombrage ? Elle n'est sûrement pas assez importante pour troubler ainsi la paix des acolytes, et tu auras d'autres enfants...

La bouche d'Elis se tordit en une moue cynique :

— Attends de savoir de quoi tu parles avant de me donner des conseils, dit-elle en tendant les bras pour reprendre son enfant à Déoris. Redonne-moi cette petite peste, je dois rentrer.

— Nous rentrons aussi, dit Domaris, mais Elis fourra l'enfant sous son bras, fit signe à la nourrice et s'éloigna à pas pressés.

Domaris la regarda partir, troublée. Jusqu'à ce jour, sa vie avait suivi des voies ordonnées et prédéterminées, aussi prévisibles que le cours d'une rivière. Il semblait à présent que le monde eût changé : ces rumeurs sur les tuniques noires, cet étranger d'Ahtarrath qui l'avait tant impressionnée... Sa vie paisible semblait soudain remplie d'étrangetés et de dangers. Elle n'arrivait pas à imaginer pourquoi Micon lui avait fait une impression aussi profonde.

Déoris la regardait, une expression inquiète et indécise dans ses yeux violets. Avec soulagement, Domaris revint au monde des devoirs familiers, et partit organiser le séjour de sa sœur auprès d'elle à la demeure des Douze.

Plus tard, ce jour-là, Micon lui envoya une requête à l'énoncé courtois lui demandant de lui amener le scribe dans la soirée.

IV

A la bibliothèque, Micon était assis dans la pénombre, solitaire près d'une croisée, mais une vague luminescence émanait de ses vêtements blancs. A l'exception de sa silhouette silencieuse, la bibliothèque était déserte et plongée dans l'obscurité : il n'y avait que cette faible lueur.

Domaris chanta à voix basse, et une lumière dorée, dansante, surgit autour d'eux ; une autre note, plus douce, approfondit la lumière jusqu'à ce qu'elle devînt un rayonnement fixe sans source apparente.

L'Atlante se tourna vers l'endroit d'où la voix provenait :

— Qui est là ? Est-ce vous, fille de Talkannon ?

Domaris s'avança, la petite main de Déoris timidement blottie au creux de la sienne.

— Seigneur Micon, je vous amène l'apprentie scribe Déoris. Elle vous a été assignée et vous servira à votre convenance, en tout temps.

Encouragée par le sourire chaleureux de Micon, elle ajouta :

— Déoris est ma sœur.

— Déoris, répéta Micon avec un léger accent qui brouillait les sonorités. Merci. Et comment vous appelle-t-on, acolyte de Rajasta ? Domaris, se rappela-t-il, et sa voix douce et vibrante s'attarda sur ces syllabes. Et la petite scribe est votre sœur, alors ? Venez ici, Déoris.

Domaris s'écarta tandis que Déoris allait s'agenouiller avec timidité devant Micon. L'Atlante dit, troublé :

— Il ne faut pas vous agenouiller devant moi, petite !

— C'est la coutume, seigneur.

— Sans aucun doute une fille de prêtre, et bien éduquée, répondit-il en souriant. Mais si je vous l'interdis ?

Déoris se releva, obéissante, pour se tenir devant lui.

— Connaissez-vous bien les contenus de cette bibliothèque, petite Déoris ? Vous semblez bien jeune, et j'aurai à dépendre entièrement de vous pour écrire aussi bien que pour lire.

— Pourquoi ? laissa échapper Déoris malgré elle. Vous parlez notre langue comme si c'était votre langue natale ! Ne pouvez-vous la lire ?

Une expression tourmentée passa fugitivement sur le visage basané aux traits tirés.

— Je pensais que votre sœur vous avait mise au courant, dit-il à voix basse. Je suis aveugle.

Déoris resta un moment frappée de stupeur. Un regard à Domaris, qui se tenait un peu à l'écart, lui montra que sa sœur était d'une pâleur crayeuse : elle non plus ne le savait pas.

Il y eut un silence embarrassé. Puis Micon prit un rouleau qui se trouvait près de lui :

— Rajasta m'a laissé ceci. J'aimerais vous entendre lire.

Il tendit le rouleau à Déoris, d'un geste courtois ; et la fillette détourna avec effort son regard de sa sœur et déroula le manuscrit ; elle s'assit sur le tabouret de scribe placé au pied du fauteuil de Micon et commença à lire, de la voix égale et calme qui ne trahissait jamais une scribe bien entraînée, quelles que fussent ses émotions.

Laissée à elle-même, Domaris reprit ses esprits. Elle se retira dans une niche aménagée dans le mur et chanta tout doucement une note qui l'illumina d'une lumière éclatante. Elle essaya de s'absorber dans un texte mais, malgré tous ses efforts pour se concentrer sur ses propres tâches, son regard s'obstinait à revenir, comme de sa propre volonté, à l'homme qui se tenait assis, immobile, écoutant le murmure doux et monocorde de la petite lectrice. Elle n'avait même pas deviné ! Ses mouvements étaient si normaux, ses yeux profonds étaient si beaux ! Pourquoi en était-elle tellement affectée ? Etait-ce lui, alors, qui avait été le prisonnier des tuniques noires ? Elle avait vu ses mains, ou ce qui lui en tenait lieu, ramassis maigre et tordu de chair et d'os, qui avaient peut-être autrefois été fortes et habiles. Qui était cet homme, qu'était-il ?

Dans son étrange confusion, il n'y avait pas une ombre de pitié. Pourquoi ne pouvait-elle avoir pitié de lui comme d'autres qui avaient été aveuglés, torturés, mutilés ? Un instant, elle en ressentit une rancune aiguë. Pourquoi semblait-il refuser, écarter toute pitié ? Mais j'envie Déoris. Une pensée bien irrationnelle, pensa-t-elle. Pourquoi envierais-je Déoris ?

2

Des orages lointains

I

Il n'y avait pas de tonnerre, mais les éclairs d'été allaient et venaient par les volets ouverts, en une danse obstinée. A l'intérieur, il faisait une chaleur humide. Les deux jeunes filles étaient étendues sur des couches étroites placées côte à côte sur le sol de briques fraîches, toutes deux presque nues sous un mince drap de lin. Un baldaquin de la mousseline la plus fine pendait immobile au-dessus de leurs têtes. La chaleur collait à la peau comme une épaisse tunique.

Domaris, qui avait prétendu être endormie, roula soudain sur le côté et s'assit, en libérant l'une de ses longues tresses prise sous le bras de Déoris.

— Tu n'as pas besoin de rester si tranquille, petite, je ne dors pas non plus.

Déoris s'assit à son tour, les bras autour de ses genoux osseux. Ses boucles lourdes collaient à ses tempes ; elle les rejeta en arrière, impatiente.

— Nous ne sommes pas les seules à veiller, dit-elle avec conviction. J'ai entendu des bruits. Des voix, des pas, et puis un chant, quelque part. Non, pas un chant, une incantation. Une incantation effrayante, très loin, très, très loin.

Domaris paraissait bien jeune, assise dans son vêtement de nuit transparent, dessinée en touches contrastées d'ombre et de lumière par les éclairs incessants ; de fait, elle ne se sentait guère plus vieille que sa sœur, en cette nuit bien particulière.

— Je crois que je l'ai entendue aussi.

25

— Comme ça.

Et Déoris esquissa une mélodie, tout bas.

Domaris frissonna :

— Non, Déoris ! Où as-tu entendu cette incantation ?

— Je ne sais pas. (Déoris fronça les sourcils en se concentrant.) Loin. Comme si ça venait des profondeurs de la terre, ou du ciel... Non, je ne suis même pas sûre de l'avoir entendue ou de l'avoir rêvée.

Elle se saisit d'une tresse de sa sœur et commença distraitement à la dénatter :

— Il y a tellement d'éclairs, mais pas de tonnerre ! Et quand j'ai entendu l'incantation, les éclairs semblaient plus forts...

— Déoris, *non* ! C'est impossible !

— Pourquoi ? demanda Déoris sans crainte. Chanter une certaine note dans certaines pièces y amène de la lumière. Pourquoi cela ne devrait-il pas allumer une autre sorte de lumière ?

— Parce que c'est un blasphème, c'est mal, de toucher ainsi aux forces de la nature !

Un froid glacé, presque de la peur, enserra son esprit.

— Il y a un pouvoir dans la voix. Quand tu seras une prêtresse plus âgée, tu apprendras tout cela. Mais tu ne dois pas parler de ces forces maléfiques !

Les pensées de Déoris étaient déjà ailleurs :

— Arvath est jaloux que je sois près de toi alors que lui ne le peut pas !

Son regard était plein d'un rire joyeux qui explosa en bulles sonores :

— Domaris ! C'est pour ça que tu veux que je dorme dans tes appartements ?

— Peut-être.

Le visage délicat de Domaris s'était légèrement coloré.

— Tu es amoureuse d'Arvath ?

Domaris détourna les yeux sous le regard insistant de sa sœur.

— Je suis promise à Arvath, dit-elle avec gravité. L'amour viendra quand nous serons prêts. Il ne faut pas être trop avide des dons de la vie.

Elle se sentait sentencieuse et hypocrite, mais son intonation calma Déoris. La perspective de se séparer de sa sœur, même pour un mariage, emplissait la fillette d'une jalousie qui s'adressait en partie aux enfants que Domaris, elle le savait bien, aurait un jour... Toute sa vie, c'était elle qui avait été le bébé et la favorite.

Comme pour conjurer la séparation, elle dit d'une voix implorante :

— Ne me laisse jamais partir de nouveau !

Domaris étreignit les frêles épaules de la fillette :

— Jamais. A moins que tu ne le désires, ma petite sœur, promit-elle.

Mais elle était troublée par l'adoration qu'exprimait la voix enfantine.

— Déoris, dit-elle, en glissant une main sous le menton de la fillette, tournant vers elle le visage enfantin, tu ne dois pas faire ainsi de moi une idole, je n'aime pas cela.

Déoris ne répondit pas, et Domaris poussa un soupir. Déoris était une étrange enfant. La plupart du temps réservée, réticente, elle était capable d'aimer quelques rares personnes d'une façon si intense que cela effrayait Domaris : il ne semblait y avoir aucune modération dans les amours et les haines de Déoris. Suis-je responsable, se demanda-t-elle, l'ai-je laissée m'adorer d'une façon si irrationnelle quand elle était petite ?

Leur mère était morte à la naissance de Déoris. Domaris, alors âgée de huit ans, avait décidé cette nuit-là que sa sœur ne manquerait jamais d'affection maternelle. La nourrice de Déoris avait bien essayé de la forcer à quelque retenue en la matière, mais lorsque le bébé avait été sevré, l'influence de la nourrice avait cessé : les deux enfants étaient inséparables. Pour Domaris... sa petite sœur remplaçait les poupées auxquelles elle avait renoncé. Même quand Domaris avait grandi, commencé l'école, et plus tard accompli ses devoirs dans l'univers du temple, elle avait toujours eu Déoris sur les talons. Elles n'avaient jamais été séparées une seule journée jusqu'à l'entrée de Domaris en la demeure des Douze.

Elle n'avait que treize ans lorsqu'on l'avait fiancée à Arvath d'Alkonath. C'était aussi un acolyte, celui des Douze dont le signe astral était l'opposé et le complément du sien. Elle avait toujours accepté le fait qu'elle épouserait un jour Arvath, tout comme elle acceptait le lever et le coucher du soleil — et cela lui faisait à peu près autant d'effet. Domaris n'avait réellement pas la moindre idée de sa propre beauté. Les prêtres qui l'avaient élevée la traitaient tous avec la même affection à la fois négligente et familière ; Arvath avait été le seul à chercher une relation plus intime. La réaction de Domaris était partagée. La jeunesse d'Arvath, son amour pour la vie lui plaisaient ; mais d'amour réel, ou même de désir conscient, il n'y en avait pas en elle. Trop honnête pour réclamer de lui un sentiment qu'elle n'éprouvait pas, elle était aussi trop généreuse pour repousser clairement le jeune homme, et trop innocente pour chercher un autre amant. Arvath était un problème qui, par moments, occupait son attention, mais qui ne la troublait pas énormément.

Elle resta assise en silence près de Déoris, saisie d'un malaise vague. Les éclairs vacillaient en éclats déchiquetés comme les phrases d'une incantation, et quelque chose de froid murmurait dans l'air étouffant.

Un long frisson secoua Domaris et elle s'accrocha à sa sœur, en tremblant, sous l'emprise soudaine d'une peur glacée.

— Domaris, qu'y a-t-il ? s'écria Déoris.

Domaris haletait convulsivement, et ses doigts s'enfoncèrent, douloureux, dans l'épaule de la fillette.

— Je ne... je voudrais bien le savoir, souffla-t-elle, terrifiée.

Soudain, au prix d'un effort délibéré, elle recouvra ses esprits. Les enseignements de Rajasta se déployèrent dans son esprit, et elle essaya de les appliquer.

— Déoris, aucune force malfaisante ne peut nous toucher à moins que nous ne le lui permettions. Etends-toi...

Elle donna l'exemple, tendit les mains dans l'obscurité pour trouver celles de sa sœur.

— Maintenant, nous allons dire les prières que nous disions quand nous étions petites, et nous allons dormir.

Malgré sa voix calme et ses paroles rassurantes, elle s'agrippait un peu trop fort aux petits doigts froids.

C'était la nuit du Nadir, où toutes les forces chthoniennes étaient libérées, les bonnes comme les mauvaises. Elles s'équilibraient, et les humains pouvaient s'en saisir comme ils le désiraient.

— Toi qui as créé toutes choses mortelles, commença-t-elle

d'une voix basse, enrouée par le strict contrôle qu'elle exerçait sur elle-même.

Ebranlée, Déoris se joignit à elle, et la béatitude de l'ancienne prière les enveloppa toutes deux. La nuit, qui avait été d'un calme anormal jusque-là, semblait soudain moins inquiétante, et la chaleur n'était plus aussi moite, aussi oppressante. Domaris sentit ses muscles crispés se détendre, comme ses nerfs.

Mais Déoris, elle, gémit un peu et se serra contre sa sœur comme un chaton effrayé.

— Domaris, parle-moi. J'ai peur, et ces voix continuent à...

Domaris l'interrompit, gentiment moqueuse :

— Rien ne peut te faire de mal ici, même s'ils chantent leurs chants maléfiques au sanctuaire des Ténèbres !

Elle se rendit compte qu'elle avait parlé avec plus de dureté qu'il n'était sage en la circonstance, et poursuivit en hâte :

— Eh bien, parle-moi du seigneur Micon, alors.

Déoris s'illumina aussitôt :

— Oh, il est tellement bon, tellement gentil, dit-elle presque avec révérence, mais pas *inhumain*. Comme tant d'autres initiés, comme père, ou Cadamiri !

Elle poursuivit, d'une voix contenue :

— Et il souffre, aussi ! Il semble avoir mal tout le temps, Domaris, et il n'en parle jamais. Mais ses yeux, sa bouche, ses mains me le disent. Et parfois... parfois, je fais semblant d'être fatiguée, pour qu'il me renvoie et se repose un peu.

Le petit visage de Déoris exprimait de façon transparente sa pitié et son adoration, mais pour une fois Domaris ne l'en blâmait pas. Elle éprouvait un sentiment équivalent, et avec bien moins de raisons que Déoris. Elle avait vu Micon assez souvent pendant les semaines qui venaient de s'écouler, mais ils avaient à peine échangé une douzaine de paroles en dehors de salutations réduites à leur plus simple expression. Il y avait toujours là pour elle quelque chose d'à demi perçu, un sentiment plus qu'une idée claire ; elle se contentait de le laisser mûrir lentement.

Déoris poursuivit, toujours avec adoration :

— Il est bon avec tout le monde, mais il me traite comme... presque comme une petite sœur. Souvent, quand je lis, il m'arrête juste pour m'expliquer quelque chose que je viens de lire, comme si j'étais sa disciple, sa *chéla*...

— C'est généreux de sa part, acquiesça Domaris.

Comme la plupart des enfants, elle avait servi de lectrice quand elle était petite et savait à quel point une telle conduite était inhabituelle ; traiter une petite scribe comme autre chose qu'un outil commode, impersonnel, à l'instar d'une lampe ou d'un tabouret. Mais on pouvait s'attendre à l'inattendu de la part de Micon.

Acolyte choisie par Rajasta, elle entendait bien des bavardages au temple. Le prince perdu d'Ahtarrath n'avait pas été retrouvé, et les émissaires projetaient maintenant de rentrer chez eux après avoir échoué dans leur mission. Par des voies détournées, Domaris avait découvert que Micon ne s'était pas fait connaître d'eux, qu'il ne leur avait pas même laissé deviner sa présence au temple de la Lumière. Elle ne pouvait discerner ses motifs — mais nul ne pouvait imaginer à Micon d'autres motivations que les plus sacrées. Même si elle n'en avait aucune preuve, Domaris était certaine que Micon était celui que cherchaient les envoyés. Peut-être le jeune frère du prince...

Les pensées de Déoris avaient encore dérivé.

— Micon parle souvent de toi, Domaris. Tu sais comment il t'appelle ?

— Comment ? souffla Domaris, tout bas.

— La femme vêtue de soleil.

L'obscurité bienveillante dissimula le bref éclat liquide d'une larme de femme.

II

Un éclair dansa et s'éteignit autour de la silhouette d'un jeune homme qui se tenait dans l'embrasure de la porte.

— Domaris ? demanda une voix grave. Tout va bien ? J'étais inquiet... une nuit comme celle-ci...

Domaris plissa les yeux pour voir à travers la pénombre.

— Arvath ! Entre si tu veux, nous ne dormons pas.

Le jeune homme s'avança, souleva la mince mousseline et

30

se laissa tomber les jambes croisées sur le bord de la couche la plus proche, près de Domaris.

Arvath d'Alkonath — un Atlante, fils d'une femme de la caste des prêtres qui était partie épouser un homme des royaumes de la mer — était le plus âgé des Douze, de presque deux ans l'aîné de Domaris. La lumière et l'ombre alternées des éclairs révélaient des traits calmes, à la fois ouverts, graves et encore empreints d'un amour ferme et convaincu de la vie. Les rides autour de sa bouche ne provenaient qu'en partie de l'autodiscipline ; c'étaient aussi des marques laissées par le rire.

— Plus tôt, nous avons entendu des incantations, dit Domaris avec une scrupuleuse honnêteté, nous avons ressenti... comme quelque chose de pervers. Mais je ne permettrai à rien de tel de m'effrayer ou de m'irriter.

— Et tu fais bien, acquiesça Arvath avec conviction. Mais il se peut qu'il y ait davantage. Des forces étranges s'agitent : c'est la nuit du Nadir. Personne ne dort en la Demeure. Chédan et moi étions en train de nous baigner à la fontaine. Le seigneur Rajasta fait le tour des lieux, en grand apparat, dans ses habits de gardien, et... eh bien, je n'aimerais pas croiser son chemin !

Il fit une pause.

— Il y a des rumeurs...

— Des rumeurs, des rumeurs ! Chaque souffle de la brise est lourd de scandale ! Elis en est pleine ! Je ne peux me tourner nulle part sans en entendre encore d'autres ! (Domaris haussa un peu les épaules.) Et Arvath d'Alkonath lui-même n'a-t-il rien de mieux à faire que d'écouter les bruits de la place du marché ?

— Ce ne sont pas des bruits, lui rétorqua Arvath, et il jeta un coup d'œil à Déoris, qui s'était enfouie dans le drap jusqu'à ce que seul un brin de boucle noire fût visible. Dort-elle ?

Domaris haussa de nouveau les épaules.

— Aucune voile ne frémit sans un souffle de vent, poursuivit Arvath, en changeant de position et en se penchant un peu vers Domaris. Tu as entendu parler des tuniques noires ?

— Qui n'en a entendu parler ? Il me semble que je n'ai rien entendu d'autre pendant des jours entiers !

Arvath l'observa un instant en silence, les yeux plissés, avant de dire :

— Sais-tu, alors, que, d'après les rumeurs, ils se dissimulent parmi les tuniques grises ?

— Je ne sais presque rien des tuniques grises, Arvath, sinon qu'ils gardent le dieu caché. Nous qui appartenons à la caste des prêtres, nous ne sommes pas admis parmi les magiciens.

— Et pourtant nombre d'entre vous se joignent à leurs adeptes pour apprendre les arts de la guérison, observa Arvath. En Atlantis, les tuniques grises sont tenus en haute estime... Eh bien, on dit que, sous le temple gris, là où se tient l'avatar, l'homme aux mains croisées, on parle d'un rituel qui n'a pas été accompli depuis des siècles, un rite proscrit depuis longtemps — un rite ténébreux — et d'un apostat du cercle des chélas...

Sa voix s'était transformée en un murmure inquiétant.

Domaris sentit ses craintes ranimées par les termes inhabituels, les horreurs secrètes qu'ils suggéraient, et elle s'écria :

— Où as-tu entendu de telles choses ?

Arvath rit tout bas :

— C'est seulement du bavardage. Mais s'il revient aux oreilles de Rajasta...

— Les tuniques grises auront des ennuis, si l'histoire est vraie, lui assura Domaris d'un petit air sage. Et si elle est fausse, ce sont les bavards qui devront rendre des comptes.

— Tu as raison, cela ne nous concerne pas.

Arvath lui serra la main et sourit, acceptant la réprimande. Il s'étendit lui-même sur la couche près d'elle, mais sans la toucher — il l'avait appris depuis longtemps. Déoris dormait profondément près d'eux, mais sa présence permit à Domaris de pousser la conversation dans des voies impersonnelles, comme elle le désirait, d'éviter de parler d'eux-mêmes, ou des affaires du temple. Et quand Arvath se glissa vers ses propres appartements, très tard, Domaris resta éveillée, traversée de pensées si insistantes qu'une pulsation faisait battre ses tempes.

Pour la première fois au cours des vingt-deux étés de son existence, Domaris mettait en question sa propre sagesse, qui l'avait amenée à suivre la voie des prêtresses et disciples sous la houlette de Rajasta, à devenir simplement une femme de plus, contente d'être une épouse de prêtre dans le temple où elle était née, l'une des nombreuses femmes qui appartenaient à l'univers du temple, épouses et filles de prêtres, qui se pressaient dans la cité sans la moindre idée de la vie intérieure de ce vaste berceau de sagesse où elles résidaient, satisfaites de leurs maisons, de leurs bébés, et de l'apparat superficiel de la prêtrise... Que m'arrive-t-il ? se demandait Domaris, inquiète. Pourquoi ne puis-je être comme elles ? J'épouserai Arvath, comme je le dois, et alors...

Alors quoi ?

Des enfants, certainement. Des années de croissance, de transformation. Elle ne pouvait projeter ses pensées à une distance aussi lointaine ; elle essayait encore vainement d'imaginer cet avenir quand elle s'endormit.

3

Le métier à tisser du destin

I

Le temple de la Lumière, situé sur les rives de l'ancien pays, se trouvait près de la mer, sur les hauteurs qui dominaient la cité du Serpent en cercle. La cité l'entourait comme un croissant de lune. Bâti entre les cornes allongées du croissant, étendu comme une femme dans la tendre lumière des bras de son amant, le temple se trouvait au point de convergence de forces naturelles que ses murailles étaient conçues pour intercepter et canaliser.

C'était l'après-midi ; le soleil de l'été semblait napper la ville d'une coulée d'or, et la mer étincelait, couleur de topaze, dans un rêve de brise qui portait l'odeur amère et salée de la marée.

Trois grands vaisseaux entraient au port, soulevés par les voiles et la mer. A quelques mètres des quais, des marchands avaient déjà installé leurs étals et vantaient à grands cris leurs marchandises. L'arrivée des bateaux était un événement pour les citadins comme pour les fermiers, pour les paysans comme pour les aristocrates. Des prêtres en tuniques lumineuses côtoyaient sans leur prêter attention de flegmatiques négociants et des mendiants en haillons. La bourrade accidentelle de quelque rustaud distrait qui, en d'autres occasions, lui aurait valu le fouet n'attirait aujourd'hui à l'imprudent qu'un regard sévère.

Des gamins déguenillés couraient dans la foule sans même faire les poches d'un seul riche marchand.

Un petit groupe, cependant, s'avançait, qui ne se faisait ni bousculer ni interpeller de façon familière. Des sourires respectueux suivaient Micon tandis qu'il arpentait les rues, une main légère posée sur le bras de Déoris. Ses robes lumineuses, au tissu d'un blanc particulièrement pur, à la coupe inusitée et aux ornements étranges, signalaient que ce n'était pas là un prêtre ordinaire venu bénir les enfants ou prodiguer à la terre l'énergie vitale. Et tous connaissaient, bien entendu, les filles du puissant Talkannon. Bien des jeunes filles souriaient dans la foule en voyant passer Arvath ; mais celui-ci n'avait d'yeux, jalousement, que pour Domaris. Il n'aimait pas l'effet que Micon avait sur sa fiancée et s'était presque imposé à eux pour les accompagner dans leur promenade.

Ils s'arrêtèrent au sommet d'une crête sablonneuse et regardèrent la mer en contrebas des dunes.

— Oh, s'écria Déoris avec un plaisir enfantin, les bateaux !

Par habitude, Micon se tourna vers elle :

— Quelle sorte de bateaux ? Dis-moi, petite sœur, demanda-t-il avec un intérêt affectueux.

Tout excitée, Déoris décrivit de façon pittoresque les grands vaisseaux qui se balançaient haut sur les vagues, avec à la proue leurs étendards qui serpentaient dans le vent, éclatantes taches écarlates. L'expression de Micon se fit lointaine et rêveuse :

— Des vaisseaux de mon pays, murmura-t-il, nostalgique. Il n'y a pas de vaisseaux semblables à ceux d'Ahtarrath dans tous les royaumes de la mer. Le serpent écarlate est l'étendard de mon cousin...

— Moi aussi, je suis des îles d'Or, seigneur Micon, dit brusquement Arvath.

— Quelle est votre lignée ? s'enquit Micon avec intérêt. J'ai bien envie d'entendre un nom familier, après tout ce temps. Etes-vous déjà allé à Ahtarrath ?

— J'ai passé la plus grande partie de ma jeunesse au pied du mont de l'Etoile, dit le jeune homme. Mani-Toret, mon père, était prêtre des Portes extérieures au nouveau temple, et je suis fils par adoption de Rathor d'Ahtarrath.

Le visage de Micon s'illumina et il tendit joyeusement au jeune homme ses mains émaciées :

— Alors vous êtes mon frère, en vérité, jeune Arvath ! Car Rathor a été mon premier maître pendant mon noviciat, et le premier à me guider vers l'initiation !

Les yeux d'Arvath s'agrandirent :

— Mais... vous êtes ce Micon ! murmura-t-il. Toute ma vie on m'a parlé de votre...

Micon fronça les sourcils :

— Laissons cela, dit-il sur un ton d'avertissement. N'en dites rien.

Avec un respect mêlé de malaise, le jeune homme reprit :

— Vous lisez bel et bien dans les pensées !

— Ce n'était pas bien difficile, en l'occurrence, mon jeune frère, sourit Micon, un peu ironique. Connaissez-vous ces vaisseaux ?

Arvath ne le quittait pas des yeux :

— Je les connais. Et si vous désirez dissimuler votre présence, vous n'auriez pas dû venir ici. Vous avez changé, c'est vrai, car je ne vous avais pas reconnu. Mais d'autres pourraient le faire.

Déconcertées, intriguées, les deux jeunes filles s'étaient rapprochées l'une de l'autre, regardant les deux hommes et échangeant des regards.

— Vous ne... (Micon fit une pause.)... m'avez pas reconnu ? Nous sommes-nous déjà rencontrés ?

Arvath laissa échapper un rire sonore :

— Je ne m'attendais pas à ce que vous me reconnaissiez ! Ecoutez, Domaris, Déoris, et je vais vous raconter une histoire sur Micon ! Quand j'étais enfant, pas même âgé de sept ans, on m'a envoyé chez Rathor, le vieil ermite du mont de l'Etoile. C'est le genre d'homme que les anciens nomment « saint ». Sa sagesse est si renommée que même ici on révère son nom. Mais en ce temps-là, je savais seulement que bien des jeunes gens fort sérieux et fort graves venaient étudier avec lui. Tout le monde me donnait des sucreries et des jouets, et me traitait avec gentillesse. Tandis que Rathor les instruisait, je jouais dans les collines avec un félin apprivoisé. Un jour, je suis tombé dans une pente caillouteuse, j'ai roulé jusqu'en bas, et je me suis retrouvé avec un bras cassé replié sous moi...

Micon sourit en s'exclamant :

— Vous êtes donc cet enfant-là ? Je m'en souviens, maintenant !

Arvath poursuivit avec la voix du souvenir :

— Je me suis évanoui à cause de la douleur, Domaris, et

j'ai perdu conscience jusqu'à ce que je rouvre les yeux pour voir un jeune prêtre près de moi, l'un de ceux qui venaient étudier avec Rathor. Il m'a relevé, m'a pris sur ses genoux, a essuyé le sang sur ma figure. Ses mains semblaient posséder un pouvoir de guérison...

Avec un geste brusque, Micon se détourna :

— Il suffit, dit-il d'une voix étouffée.

— Non, je leur dirai, mon frère ! Quand il eut fini de nettoyer le sang et la terre, je ne sentais plus aucune douleur, même si les os avaient transpercé ma chair. Il a dit : « Je ne suis pas capable de soigner ceci. » Puis il m'a emporté dans ses bras jusque chez Rathor, parce que j'étais trop meurtri pour marcher. Comme j'avais peur du prêtre guérisseur qui était venu réduire la fracture, il m'a gardé sur ses genoux jusqu'à ce que ce soit fait, et que la blessure soit pansée. Et toute cette nuit-là, comme j'avais de la fièvre et ne pouvais dormir, il est resté avec moi et m'a nourri de pain, de lait et de miel, et il a chanté et m'a raconté des histoires jusqu'à ce que j'oublie que j'avais mal... Est-ce un récit si terrible ? ajouta doucement Arvath. Craignez-vous que ces jeunes filles ne vous jugent efféminé pour avoir été bon avec un enfant qui souffrait ?

— Assez, vous ai-je dit, implora de nouveau Micon.

Arvath le dévisagea d'un regard incrédule, mais ce qu'il vit sur le visage aveugle et basané adoucit sa propre expression.

— Qu'il en soit ainsi, dit-il. Mais je n'ai pas oublié, mon frère, et je n'oublierai pas.

Il releva la manche de sa tunique de prêtre pour montrer à Domaris la longue marque blanchâtre sur sa peau bronzée :

— Vois, c'est là que l'os a percé la chair...

— Et ce jeune prêtre était Micon ? demanda Déoris.

— Oui. Et il m'a apporté des gâteries et des jouets tout le temps que je suis resté au lit. Mais depuis cet été-là, je ne l'avais jamais revu.

— Comme c'est étrange que vous vous rencontriez de nouveau si loin de chez vous !

— Ce n'est pas si étrange, petite sœur, dit Micon, de sa voix aux résonances riches et douces. Nos destins tissent leurs réseaux et nos actions portent leurs fruits. Ceux qui se sont rencontrés et aimés ne peuvent être séparés. S'ils ne se retrouvent pas dans cette vie, ils se retrouvent dans une autre.

Déoris accepta ces paroles sans commentaire, mais Arvath demanda, agressif :

— Croyez-vous donc que nous sommes ainsi liés, vous et moi ?

Un léger sourire ironique étira les lèvres de Micon :

— Qui peut le dire ? Quand je vous ai ramassé dans les rochers, ce jour-là, peut-être ai-je simplement retourné un service que vous m'aviez rendu il y a très longtemps, avant que ces collines ne se fussent dressées.

Il fit un geste amusé en direction du temple qui se trouvait derrière eux :

— Je ne suis pas un voyant. Interrogez votre propre sagesse, mon frère. Peut-être le service est-il encore à rendre. Puissent les dieux nous permettre à tous deux de faire face en homme à nos obligations.

— Les dieux le veuillent, en effet, dit Arvath, grave. (Puis, parce qu'il avait été profondément ému, il changea vivement d'humeur :) Domaris est venue en ville pour faire quelques courses. Retournerons-nous au bazar ?

Domaris sortit brusquement de sa profonde réflexion.

— Les hommes n'ont pas d'amour particulier pour les étoffes et les rubans colorés, dit-elle gaiement. Pourquoi ne resteriez-vous pas ici sur les quais ?

— Je n'oserais pas te quitter des yeux dans la cité, Domaris, l'informa Arvath.

Domaris, piquée, leva fièrement la tête :

— Ne t'imagine pas que tu peux me précéder pour me guider ! Si tu viens avec moi, tu me *suivras* !

Elle saisit la main de Déoris et elles prirent les devants, en direction du marché.

II

Le bazar ensommeillé, ramené à la vie par les vaisseaux arrivés des royaumes de la mer, bourdonnait d'activités mercantiles. Une femme vendait des oiseaux chanteurs dans des cages de roseaux tressés ; Déoris s'arrêta, ravie, pour les regarder et les écouter ; avec un rire indulgent, Domaris ordonna qu'on en envoie un à la demeure des Douze. Déoris débordait de joie et d'excitation tandis qu'elles poursuivaient lentement leur chemin.

Un vieil homme somnolent surveillait des sacs de grain et des jarres luisantes d'huile ; un gamin nu, assis en tailleur entre des bonbonnes de vin, était prêt à réveiller son maître si des acheteurs se présentaient. Domaris s'arrêta de nouveau devant un étal bien plus large, où se trouvaient exposées des balles de tissus aux dessins éclatants. Micon et Arvath, qui suivaient à pas lents, écoutèrent un moment les voix affairées des jeunes filles, puis échangèrent spontanément un sourire et continuèrent leur route entre les marchands de fleurs et les vieilles paysannes. Des poulets caquetaient dans leurs cages, rivalisant avec les cris des vendeurs de poissons séchés et de poissons frais, de fruits rebondis, de gâteaux et de douceurs diverses, et de bière aigre à bon marché, entre les étals de tapis aux couleurs vives et de bijoux étincelants, et les étals plus modestes de poteries et de marmites.

Sous une tente rayée, un petit homme des îles tout ratatiné vendait des parfums. Comme Micon et Arvath passaient près de lui, son visage ridé prit une expression fort intéressée. Il se redressa, plongea un pinceau miniature dans un flacon et l'agita dans l'air regorgeant déjà de multiples fragrances à la douceur de miel.

— Des parfums de Kei-Lin, seigneurs ! s'écria-t-il d'une voix de basse caverneuse mais poussive, des épices de l'Ouest ! Les plus fines fleurs, les plus doux des arbres à épices...

Micon s'arrêta. Puis, de son habituelle démarche mesurée, il revint à pas précautionneux vers la tente rayée. Le marchand de parfums, qui avait reconnu des nobles du temple, était respectueux, mais volubile :

— De précieux parfums, de fines essences, mes seigneurs, des épices douces et des onguents de Kei-Lin, des parfums et des huiles pour le bain, toutes les merveilleuses fragrances du vaste monde pour votre bien-aimée... (Le petit homme bavard s'interrompit pour rectifier en hâte:)... pour votre épouse ou votre sœur, seigneur prêtre...

Le sourire en biais de Micon se fit rassurant :

— Ni épouse ni bien-aimée pour moi, vieil homme,

commenta-t-il avec ironie, et je ne te dérangerai pas non plus pour des onguents ou des lotions. Mais tu peux nous rendre service. Il existe un parfum qu'on fabrique en Ahtarrath et là seulement, à partir du lys écarlate qui fleurit au pied du mont de l'Etoile.

Le vendeur de parfums jeta un regard curieux à l'initié avant de fouiller longuement dans sa tente, furetant comme une souris dans un tas de paille.

— Peu de gens en demandent, marmonna-t-il en guise d'excuse.

Mais il trouva finalement ce qu'on lui demandait et ne perdit pas de temps à en chanter les vertus : il se contenta d'en diffuser le parfum, laissant échapper une goutte qui s'évanouit sur le sol brûlant.

Domaris et Déoris, qui les avaient rejoints, s'immobilisèrent pour respirer le parfum épicé, et les yeux de Domaris s'agrandirent :

— Exquis !

Le parfum s'attardait dans l'air, entêtant, tandis que Micon déposait quelques pièces sur l'étal et prenait le petit flacon. Il l'examina du bout des doigts avec attention, palpant avec délicatesse les gravures en filigrane.

— La marque d'Ahtarrath... je peux l'identifier même maintenant. (Il sourit à Arvath :) On ne fait ce genre de travail nulle part ailleurs, ces dessins...

Toujours en souriant, il tendit la fiole aux jeunes filles, qui se penchèrent et s'exclamèrent en admirant le fin réseau des gravures.

— Quel est ce parfum ? demanda Domaris en approchant le flacon de son visage.

— Une fleur d'Ahtarrath, une plante sauvage bien commune, dit Arvath d'un ton brusque.

Micon semblait partager un secret avec Domaris quand il demanda :

— Vous pensez comme moi que c'est un parfum délicieux ?

— Exquis, répéta Domaris d'une voix rêveuse. Mais étrange. Très étrange, et ravissant.

— C'est une fleur d'Ahtarrath, oui, murmura Micon, un lys écarlate qui fleurit au pied du mont de l'Etoile. Une fleur sauvage que les cantonniers arrachent parce qu'elle prolifère.

L'atmosphère est tout alourdie de son parfum. Mais je la trouve plus plaisante que n'importe quelle fleur cultivée dans un jardin bien entretenu, et plus belle. Elle est écarlate. Un écarlate si éclatant qu'on en a mal aux yeux quand le soleil brille. Une couleur joyeuse, radieuse... la fleur du soleil.

Sa voix était soudain lasse, et il alla chercher la main de Domaris pour y déposer le flacon d'un geste sans appel, refermant avec douceur sur l'objet les doigts de la jeune fille.

— Non, c'est pour vous, Domaris, dit-il avec un petit sourire. Vous aussi, vous êtes couronnée de soleil.

C'était dit sur un ton léger, mais Domaris ravala des larmes soudaines. Elle essaya de remercier Micon, mais ses mains tremblaient et les mots lui manquèrent. Micon ne semblait pas les attendre car il dit, d'un murmure destiné à ses seules oreilles :

— Couronnée de lumière, j'aimerais pouvoir contempler votre visage... Fleur éclatante...

Arvath se tenait près d'eux, bien planté sur ses pieds, ses sourcils durement froncés, et ce fut lui qui rompit le silence d'une voix agressive :

— On continue ? La nuit va arriver et nous y serons encore !

Mais Déoris s'approcha vivement du jeune homme et lui prit le bras d'un air possessif, laissant Domaris marcher devant avec Micon — un privilège que d'habitude Déoris réclamait jalousement pour elle-même.

— Je lui remplirai les bras de ces lys, un de ces jours, marmonna Arvath en regardant fixement la grande jeune fille qui marchait au côté de Micon et dont les cheveux de flamme semblaient ondoyer comme l'eau sous le soleil.

Mais quand Déoris lui demanda ce qu'il avait dit, il ne voulut pas le répéter.

4

Les mains du guérisseur

I

En levant les yeux du rouleau qui avait accaparé son attention, Rajasta put constater que la grande bibliothèque était déserte. Quelques instant seulement auparavant, semblait-il, il était pratiquement enveloppé par le bruissement du papier, les murmures retenus des scribes. A présent les niches étaient obscures, et la seule autre personne qu'il pouvait voir, c'était un bibliothécaire au sexe indéterminé, sous sa tunique, qui récupérait divers rouleaux sur les tables où on les avait abandonnés.

En secouant la tête, Rajasta remit le rouleau dans son enveloppe protectrice et le posa près de lui. Il n'avait aucun rendez-vous ce jour-là, mais il trouvait vaguement agaçant d'avoir passé tant de temps à lire et à relire un seul et même rouleau — un texte qu'il aurait pu réciter mot pour mot, de surcroît. Un peu irrité, il se leva et s'apprêtait à s'en aller quand il découvrit que la bibliothèque n'était pas aussi déserte qu'il l'avait cru.

Micon était assis à une table dépourvue de lampe, non loin de là ; son habituel sourire ironique était presque perdu dans les ombres qui dissimulaient son visage. Rajasta s'arrêta près de lui et resta là un moment à contempler les mains de l'initié et ce qu'elles révélaient ; des mains à l'aspect étrangement amaigri, comme si les doigts en avaient été étirés de force. Elles reposaient sur la table, à l'abandon et pourtant contractées, tordues. Avec une douceur habile, Rajasta prit les doigts

42

sans force dans ses mains puissantes. Micon leva vers lui un visage interrogateur.

— Elles semblent vous causer... une douleur si vive, s'entendit dire le prêtre de la Lumière.

— Ce serait le cas, si je les laissais faire.

Micon se contrôlait et son visage était impassible, mais les doigts abandonnés eurent un léger frémissement.

— Je peux, dans certaines limites, m'élever au-dessus de la souffrance. Je la ressens (il eut un sourire las), mais mon être essentiel peut la tenir à distance... jusqu'à ce que vienne la fatigue. Je tiens ma mort à distance de la même façon.

Le calme de l'Atlante fit frissonner Rajasta. Les mains qu'il tenait remuèrent, doucement mais délibérément, pour se dégager des siennes.

— Restez un peu, plaida Rajasta. Je suis en mesure de vous procurer un peu de soulagement. Pourquoi refuser ma force ?

— Je peux y pourvoir moi-même. (Les rides qui entouraient la bouche de Micon se durcirent, puis son visage se détendit :) Pardonnez-moi, mon frère. Mais je suis d'Ahtarrath. Mon devoir n'a pas été accompli. Je n'ai pas encore le droit de mourir, car je suis sans fils... Je dois laisser un fils, poursuivit-il, comme s'il poursuivait à haute voix une discussion qu'il avait souvent eue avec lui-même. Ou d'autres, qui n'y ont pas droit, s'empareront des pouvoirs que je détiens.

— Qu'il en soit ainsi, alors, dit Rajasta, avec douceur, car il vivait lui aussi dans l'observance de cette loi. Et la mère ?

Un instant, Micon resta silencieux, avec une expression d'une prudente neutralité ; mais son hésitation fut brève :

— Domaris.

— Domaris ?

— Oui, soupira Micon. Ce n'est pas une surprise pour vous, je gage ?

— Pas vraiment, dit enfin Rajasta. C'est un choix plein de sagesse. Cependant, elle est promise à votre compatriote, le jeune Arvath... (Rajasta fronça les sourcils, pensif.) Mais c'est à elle de choisir. Elle a le droit de porter l'enfant d'un autre, si elle le désire. Vous... vous l'aimez ?

Les traits tirés de Micon s'illuminèrent, et Rajasta se surprit à se demander ce que voyait ce regard aveugle.

— Oui, dit Micon à mi-voix, comme je n'ai jamais rêvé que je pourrais aimer...

Les mains de Rajasta se resserrèrent sur les siennes et l'Atlante s'interrompit avec un gémissement. Contrit, le prêtre de la Lumière relâcha les mains torturées. Il y eut un long silence un peu embarrassé tandis que Micon, avec patience, maîtrisait de nouveau sa douleur, et que Rajasta restait à le contempler, impuissant puisque Micon avait refusé son aide.

— Vous avez atteint un très haut niveau, dit soudain Rajasta, et je n'ai pas encore quant à moi été vraiment touché par la Lumière. Pour le temps qui vous reste... m'accepteriez-vous comme disciple ?

Micon leva vers lui son visage, et son sourire avait un éclat transcendant :

— Quelle que soit la force de la Lumière que je puis dispenser, elle brillera certainement en vous sans moi, assura-t-il. Mais je vous accepte. (Puis d'un ton plus bas, plus grave :) Je crois... j'espère pouvoir vous accorder un an. Cela devrait suffire. Et sinon, vous serez à même d'en venir seul au dernier sceau. Cela, je vous le jure.

Avec lenteur, comme il faisait toute chose, Micon se leva pour faire face à Rajasta. Grand et maigre, presque transparent dans le soleil traversé d'ombre qui tombait sur eux des fenêtres de la bibliothèque, l'Atlante posa avec légèreté ses mains tordues sur les épaules du prêtre pour l'attirer à lui. Il traça un signe sur le front et la poitrine de Rajasta ; puis, légers comme des plumes, ses doigts expressifs coururent sur le visage du vieil homme.

Rajasta avait les yeux humides. Pour lui, c'était là un acte incroyable : il avait invité un étranger à partager la plus profondément signifiante des relations ; lui, Rajasta, prêtre de la Lumière, descendant d'une lignée ancienne de prêtres, avait demandé à être le disciple d'un étranger issu d'un temple qu'on qualifiait avec dédain dans la caste des prêtres de « ramassis de prêtres parvenus au fin fond de l'océan » !

Et pourtant, il n'éprouvait aucun regret mais seulement, pour la première fois de sa vie, une véritable humilité. Ma caste est peut-être devenue trop orgueilleuse, pensa-t-il, et les dieux se révèlent par l'intermédiaire de cet étranger aveugle et torturé, pour nous rappeler que la Lumière ne touche pas uni-

quement ceux qui sont intronisés à cause de leur ascendance...
La simplicité de cet homme, son courage seront mes talismans.

Puis les lèvres de Rajasta se durcirent en une expression sévère et sombre :

— Qui vous a torturé ? demanda-t-il alors que Micon le relâchait. Guerrier de la Lumière, qui ?

— Je l'ignore. (La voix de Micon était d'un calme absolu.) Ils étaient tous masqués et vêtus de noir. Pourtant, un instant, j'ai trop bien vu, et c'est pourquoi je ne vois plus. Qu'il en soit ainsi. Le crime portera son propre châtiment.

— Non. Il en est parfois ainsi, mais un châtiment retardé ne fait surtout que permettre d'autres crimes. Pourquoi m'avez-vous supplié de vous cacher tandis que les envoyés d'Ahtarrath étaient parmi nous ? insista Rajasta.

— Ils auraient tué et torturé davantage pour me venger, engendrant ainsi un mal encore plus terrible.

Rajasta allait répliquer, mais il hésita, admirant une fois de plus la force de cet homme.

— Je ne mettrai pas votre sagesse en doute, mais... est-il juste de laisser vos parents vous pleurer inutilement ?

Micon, qui s'était rassis, eut un rire léger :

— Que cela ne vous trouble point, mon frère. Mes parents sont morts alors que j'étais bébé. Et j'ai écrit pour dire que je suis vivant, et comment, et pour combien de temps, une lettre que j'ai scellée avec... avec un sceau que mon grand-père saura reconnaître sans erreur. Mon message a pris le même bateau que les nouvelles de ma mort. Ils comprendront.

Rajasta eut un hochement de tête approbateur puis, en se rappelant que l'Atlante ne pouvait le voir même si ses yeux semblaient plonger au fond de son âme, il dit à haute voix :

— Tout est comme il se doit, dans ce cas. Mais que vous a-t-on fait ? Et pourquoi ? Non, poursuivit-il d'une voix forte, en écartant la protestation de Micon, c'est mon droit, bien plus, c'est mon *devoir* de savoir. Je suis un gardien, ici.

A l'insu de Rajasta, et oubliée de Micon, Déoris était perchée sur son tabouret de scribe un peu à l'écart. Aussi silencieuse qu'une blanche petite statue, elle avait écouté toutes leurs paroles avec une concentration muette. Elle n'en comprenait presque rien, mais ils avaient mentionné Domaris et elle était anxieuse d'en savoir davantage. Que cette conversation ne lui eût point été destinée ne la tracassait nullement : ce qui concernait Domaris la concernait elle-même, c'était son sentiment. Elle espérait ardemment que Micon continuerait à parler, oublieux de sa présence. Domaris devait apprendre tout cela ! Les mains de Déoris se serrèrent en petits poings à l'idée de sa sœur mère d'un bébé... Une jalousie infantile, étouffée, dont Déoris ne devait jamais prendre tout à fait conscience, transforma sa détresse en chagrin. Pourquoi Micon devait-il choisir *Domaris* ? Déoris savait que sa sœur était fiancée à Arvath, mais ce mariage était encore lointain. Ce dont Micon parlait, c'était pour maintenant ! Comment Rajasta et lui pouvaient-ils parler ainsi de sa sœur ? Comment Micon osait-il aimer Domaris ? Pourvu qu'ils ne la remarquent pas !

Ils ne la remarquèrent pas. Les yeux de Micon s'étaient assombris, une émotion contenue avait voilé leur étrange luminosité.

— Le chevalet et la corde, dit-il, et le feu pour m'aveugler parce que j'ai arraché un masque avant qu'ils ne puissent m'attacher.

Sa voix était basse et rauque de fatigue, comme si Rajasta et lui n'avaient pas été des prêtres en tuniques dans un lieu ancien et sacré, mais des lutteurs sur un tapis.

— La raison ? Nous autres, d'Ahtarrath, nous avons une capacité innée d'utiliser... certaines forces de la nature : la pluie, le tonnerre, les éclairs, et même la puissance terrifiante des tremblements de terre et des volcans. C'est... notre héritage, et notre vérité, sans laquelle la vie dans les royaumes de la mer serait peut-être impossible. Il y a des légendes...

Il secoua soudain la tête en souriant et dit d'une voix plus légère :

— Vous devez savoir cela, ou vous l'avez deviné. Nous usons de ces pouvoirs pour le bien de tous, même de ceux qui se déclarent nos ennemis. Mais le pouvoir de contrôler cette force peut être... dérobé, et abâtardi pour devenir la plus révoltante des sorcelleries ! Ils n'ont rien obtenu de moi, cependant. Je ne suis pas un apostat et j'ai la force de contrarier leurs machinations, sinon de me sauver moi-même... Je ne suis pas sûr de ce qui est arrivé à mon demi-frère et je dois donc me contraindre à vivre encore, dans ce corps-ci, jusqu'à ce que je sois certain de pouvoir mourir en toute sécurité.

— Oh, mon frère, murmura Rajasta, en se rapprochant instinctivement de Micon.

L'Atlante baissa la tête :

— Je crains que Réio-Ta n'ait été circonvenu par les tuniques noires... Mon grand-père est vieux, et faible. A ma mort, le pouvoir passera à mon frère si je meurs sans héritier. Et je ne laisserai pas un tel pouvoir entre les mains de sorciers et d'apostats ! Vous connaissez la loi ! C'est cela qui est important, et non ce corps fragile, ou ce qui l'habite et souffre. Moi, mon être essentiel, je demeure intact, car rien ne peut me toucher si je ne le permets pas !

— Laissez-moi vous prêter ma force, implora de nouveau Rajasta. Avec ce que je sais...

— Si cela devient nécessaire, je le ferai peut-être, répliqua Micon, redevenu calme, mais, pour l'heure, j'ai seulement besoin de repos. Le besoin peut se faire sentir n'importe quand, pourtant. Dans ce cas, je vous prendrai au mot... (La riche résonance de la voix de Micon se fit alors entendre de nouveau, et son visage s'illumina d'un de ses rares et magnifiques sourires :) Et je vous remercie !

Déoris avait les yeux studieusement rivés à son rouleau, pour paraître absorbée, mais elle sentait maintenant le regard sévère de Rajasta posé sur elle.

— Déoris, dit le prêtre rudement, que fais-tu ici ?

Micon se mit à rire :

— C'est ma scribe, Rajasta, et j'ai oublié de la renvoyer.

Il se leva, s'approcha de Déoris et posa une main sur sa tête bouclée :

— Il suffit pour aujourd'hui. Va, mon enfant, va jouer.

II

Congédiée sur un demi-sourire de Micon, Déoris s'enfuit à la recherche de Domaris, son jeune cerveau bourdonnant de mots : tuniques noires, vie, mort, apostasie — quel que fût le sens de ce mot-là ! —, Domaris qui devait porter un fils. Comme dans un kaléidoscope, des images mouvantes et brillantes défilaient dans son esprit inquiet, lorsqu'elle fit irruption dans leurs appartements, tout essoufflée.

Domaris surveillait les esclaves qui pliaient et rangeaient des vêtements propres. Le soleil de l'après-midi et le parfum du lin frais et lisse emplissaient la pièce. Les femmes — les petites femmes basanées aux cheveux nattés et aux traits pointus qui appartenaient à la race pygmée des esclaves du temple — échangeaient des paroles semblables à des trilles d'oiseaux tandis que leurs petits corps bruns se mouvaient sans relâche autour de la grande jeune fille qui leur donnait des ordres avec douceur en écoutant leur mince voix aiguë.

La chevelure dénouée de Domaris glissa souplement sur ses épaules tandis qu'elle se retournait, l'air interrogateur, vers la porte :

— Déoris ! A cette heure ! Micon est-il ?...

Elle s'interrompit et se tourna vers une femme plus âgée, qui n'était pas une esclave mais une femme de la cité, sa servante personnelle :

— Continue avec elles, Elara, demanda-t-elle avec gentillesse, puis elle fit signe à Déoris de s'approcher et retint son souffle en voyant l'expression de la fillette :

— Tu pleures, Déoris ! Que se passe-t-il ?

— Non, se défendit Déoris en levant vers sa sœur un visage empourpré mais sans larmes. J'ai seulement... quelque chose à te dire...

— Attends. Pas ici. Viens.

Elle attira Déoris dans la pièce où elles dormaient et observa de nouveau avec inquiétude les joues empourprées de la fillette :

— Que fais-tu ici à cette heure ? Micon est-il souffrant ? Ou bien...

Elle s'interrompit, incapable de formuler à haute voix ce qui la torturait, ou même de le définir clairement dans son esprit.

Déoris secoua la tête. Maintenant qu'elle se trouvait en face de Domaris, elle ne savait plus comment commencer.

— Micon et Rajasta parlaient de toi... dit-elle, bouleversée, ils disaient...

— Déoris, chut ! (Choquée, Domaris tendit la main pour couvrir les lèvres trop bavardes :) Tu ne dois jamais me dire ce que tu entends parmi les prêtres !

Déoris se dégagea, piquée par la réprimande implicite.

— Mais ils parlaient devant moi, ils savaient tous les deux que j'étais là ! Et ils parlaient de toi, Domaris, Micon disait que tu...

— *Déoris !*

Devant le regard étincelant de sa sœur, la fillette comprit que c'était l'une de ces rares occasions où elle ne pourrait désobéir. Elle baissa les yeux, boudeuse.

Domaris contempla avec détresse le visage de sa jeune sœur :

— Déoris, tu sais qu'un scribe ne doit jamais répéter ce qui se dit chez les prêtres. C'est la première règle que tu aurais dû apprendre !

— Oh, laisse-moi tranquille ! laissa échapper Déoris, furieuse.

Elle sortit en courant de la pièce, des sanglots de rage lui serrant la gorge, mue par une angoisse qu'elle ne pouvait ni contrôler ni dissimuler. Quel droit avait Micon, ou Rajasta ? Ce n'était pas juste, rien de tout cela n'était juste. Et si Domaris ne voulait même pas écouter, que pouvait-elle bien faire ?

III

Déoris n'avait pas plutôt quitté la bibliothèque que Rajasta se tourna vers Micon.

— Nous devons porter cette affaire à l'attention de Rivéda.

Micon eut un soupir las :

— Pourquoi ? Qui est Rivéda ?

— Le premier adepte des tuniques grises. Cela le concerne.

Micon secoua la tête en signe de dénégation :

— Je préférerais ne pas le déranger avec...

— Il le faut, Micon. Ceux qui prostituent la magie légitime en une répugnante sorcellerie doivent rendre des comptes aux gardiens pour leurs profanations. Sinon ils causeront bientôt des catastrophes peut-être trop graves pour être réparées. Il est facile de dire, comme vous l'avez fait, « laissons-les récolter ce qu'ils ont semé », et je ne doute point que ce sera une amère récolte ! Pensons à ceux qu'ils ont torturés et à ceux qu'ils tortureront si nous leur en laissons la liberté !

49

Micon restait muet devant ces paroles, et son regard aveugle errait dans le vague ; Rajasta songea avec malaise aux visions qui pouvaient en cet instant occuper l'esprit de l'Atlante. Micon trouva enfin un sourire, et une sorte de rire :

— Je pensais que j'allais être le maître, et vous le disciple ! Mais vous avez raison (Il y avait pourtant une note de protestation bien humaine dans sa voix quand il ajouta :) J'appréhende d'en parler, pourtant. Les questions. Et tout le reste...

— Je vous épargnerais cela si je le pouvais.

Micon soupira :

— Je sais. Qu'il en soit selon votre désir. Je... j'espère seulement que Déoris n'a pas entendu notre conversation ! J'avais oublié que l'enfant se trouvait là.

— Et je ne l'ai même pas vue. Les scribes font vœu de garder le silence sur ce qu'ils entendent, bien sûr... Mais Déoris est jeune, et il est bien difficile pour des enfants de faire taire leur langue. Déoris ! Cette enfant !

L'exaspération lasse qui transparaissait dans la voix de Rajasta poussa Micon à demander, un peu surpris :

— Vous ne l'aimez pas ?

— Si, si, se hâta de le rassurer Rajasta. Je l'aime beaucoup, autant que j'aime Domaris. En fait, je pense souvent que Déoris est la plus brillante des deux. Mais c'est seulement... de l'astuce. Elle ne sera jamais aussi... *complète* que Domaris. Elle manque de... patience. La persévérance n'est pas la principale vertu de Déoris !

— Oh, voyons, le contredit Micon. Elle m'a souvent tenu compagnie et je l'ai trouvée extrêmement patiente, un secours précieux. Pleine de tact et de bonté, aussi. Et je dirais qu'elle est plus brillante que Domaris, en effet, mais ce n'est qu'une enfant et Domaris est...

Sa voix se perdit dans le silence, tout à coup, et il sourit. Puis, reprenant ses esprits :

— Dois-je rencontrer ce... Rivéda ?

— Il vaudrait mieux, je pense, répondit Rajasta.

Il allait en dire davantage, mais il se tut et se pencha pour scruter le visage de Micon. Les rides qui s'y creusaient le firent se détourner pour appeler un serviteur :

— Je vais trouver Rivéda, dit-il quand le serviteur s'approcha. Conduis le seigneur Micon à ses appartements.

Micon se laissa faire assez volontiers, mais Rajasta le regarda partir avec une expression tendue, plein d'inquiétude et de doute. Il avait entendu dire que les Atlantes manifestaient aux tuniques grises une révérence qui frisait la dévotion — et c'était compréhensible, d'une certaine façon, quand on considérait les maux et maladies qui affligeaient constamment les royaumes de la mer ; les tuniques grises y avaient fait des miracles en contrôlant les épidémies... Rajasta n'avait cependant pas prévu que Micon réagirait de cette façon.

Il écarta rapidement ses vagues inquiétudes. Ce ne pourrait être que pour le mieux. Rivéda était le meilleur de leurs guérisseurs et pourrait peut-être aider Micon là où lui-même ne le pouvait pas ; c'était peut-être la raison du malaise de l'Atlante. Après tout, se dit Rajasta, Micon est d'une noble lignée ; malgré son humilité, il a de la fierté, et si un tunique grise lui dit de se ménager davantage, il sera obligé d'en tenir compte !

Il tourna les talons et quitta la pièce, dans un murmure de tissu froissé. Avant même toutes ces confidences, il avait entendu des rumeurs à propos de rituels interdits parmi les tuniques grises, de sorciers vêtus de noir qui œuvraient en secret avec des forces anciennes et maléfiques dissimulées au cœur de la nature, des forces qui ne se souciaient pas de l'humanité et déshumanisaient peu à peu ceux qui y faisaient appel.

Le prêtre fit une pause dans la grande salle et secoua la tête, songeur. Se pouvait-il que Micon crût en ces rumeurs et craignît de voir Rivéda ouvrir le chemin aux tuniques noires qui le captureraient à nouveau ? De tels doutes s'évanouiraient assurément après leur rencontre. Oui, Rivéda, premier adepte des tuniques grises, était certainement le plus à même de s'occuper de cette affaire. Et Rajasta ne doutait plus que justice serait faite. Il connaissait Rivéda.

Ayant pris sa décision, Rajasta quitta à grands pas la salle, traversa un passage voûté et pénétra dans un autre édifice où il s'arrêta devant une porte. Il y frappa trois coups d'un poing ferme, à intervalles réguliers.

Le magicien Rivéda était un homme à la forte carrure, de plus haute taille encore que Rajasta. Il était carré et musclé ; ses larges épaules paraissaient assez puissantes pour renverser un taureau, et elles l'étaient. Dans sa tunique à capuchon bordée d'un motif gris régulier à peine esquissé, il paraissait plus grand que nature alors qu'il s'arrachait à la contemplation du ciel qui s'assombrissait.

— Seigneur gardien, dit-il, avec un salut courtois, quel motif vous amène ici ?

Sans rien dire, Rajasta continua à l'observer. Le capuchon rabattu sur les épaules de Rivéda révélait une tête imposante, bien plantée sur un cou massif et couronnée d'abondants cheveux coupés court, parsemés d'argent, d'une teinte étrange au-dessus d'un visage aux traits plus étranges encore. Rivéda n'appartenait pas réellement à la caste des prêtres ; c'était un homme du Nord venu du royaume de Zaïadan ; la rudesse de son visage rappelait un âge plus dur et contrastait curieusement avec les traits plus délicats, plus finement ciselés, des membres de la caste des prêtres.

Sous le regard scrutateur de Rajasta, Rivéda rejeta la tête en arrière et se mit à rire :

— Ce doit être un besoin urgent, en vérité !

Rajasta retint son irritation : Rivéda avait toujours le pouvoir de l'exaspérer ; d'une voix égale qui calma l'adepte, il répondit :

— Ahtarrath a envoyé l'un de ses fils au temple, le prince Micon. Il a été capturé par les tuniques noires, torturé, et aveuglé. Tout cela pour servir leurs chimères. Je suis venu vous avertir : surveillez votre ordre.

Les yeux de Rivéda, d'un bleu glacé, s'étaient assombris, préoccupés :

— Je ne savais rien de tout ceci, dit-il, j'étais plongé dans mes études... Je ne mets nullement vos paroles en doute. Rajasta, mais que pensaient donc obtenir ces conspirateurs ?

Rajasta hésita :

— Que savez-vous des pouvoirs d'Ahtarrath ?

Rivéda haussa les sourcils.

— Presque rien, dit-il avec franchise, et ce rien même n'est guère plus qu'une rumeur. On dit que certains membres de cette lignée peuvent faire tomber la pluie des nuages qui s'y refusent et déchaîner les éclairs, qu'ils chevauchent l'ouragan, ce genre de choses. (Il eut un sourire sardonique.) Personne ne m'a dit comment ils le font, ou pourquoi, et j'ai donc préféré réserver mon jugement, jusqu'à présent.

— Les pouvoirs d'Ahtarrath sont bien réels, dit Rajasta. Les tuniques noires voulaient dévoyer cette puissance, la... prostituer spirituellement. Leur but était que Micon devînt apostat et... servît leurs démons.

Les yeux de Rivéda se plissèrent :

— Et ?

— Ils ont échoué, dit Rajasta sans épiloguer. Micon mourra, mais seulement quand il le choisira.

Son visage était impassible, mais Rivéda, habile à déceler les aveux involontaires, pouvait y déchiffrer son émotion.

— Même aveugle et brisé comme il l'est... la Libératrice ne le conquerra pas tant qu'il ne le voudra pas. Cet homme est... une coupe de lumière !

Rivéda hocha la tête, un peu impatient :

— Ainsi, votre ami n'a pas voulu servir au sanctuaire des Ténèbres, et ils ont essayé de le forcer à l'apostasie ? Hmmm... il est bel et bien possible... je pourrais admirer ce prince d'Ahtarrath, murmura-t-il, si tout ce que vous en dites est vrai. Ce doit être un homme admirable, en vérité.

Le visage sévère du tunique grise se détendit un instant en un sourire ; puis ses lèvres se durcirent à nouveau :

— Je découvrirai la vérité sur cette affaire, Rajasta, croyez-moi.

— Je le crois, dit simplement Rajasta, et les deux hommes échangèrent un regard de respect mutuel.

— J'aurai besoin d'interroger Micon.

— Venez me trouver, alors, dans quatre heures d'ici, dit Rajasta. Il se détournait, prêt à s'éloigner, quand Rivéda le retint d'un geste.

— Vous oubliez que le rituel de mon ordre exige de moi certaines préparations fort longues. C'est seulement quand...

— Je n'ai pas oublié, dit Rajasta, très calme. Mais cette

affaire est urgente. Et dans ce genre de cas, vous avez quelque latitude.

Sur ces paroles, il quitta les lieux d'un pas vif.

Rivéda resta à regarder la porte refermée. Ce n'était pas l'arrogance de Rajasta qui le troublait : on s'attendait à un tel comportement de la part des gardiens, et les circonstances, en général, le justifiaient.

Il y avait toujours — il y aurait toujours, Rivéda le soupçonnait — des magiciens qu'on ne pouvait empêcher de tremper dans les ténébreux artifices d'un passé proscrit. Et il savait trop bien que son ordre était automatiquement soupçonné quand des troubles se déclaraient au temple. C'était folie de s'être ainsi plongé dans ses études en laissant des adeptes subalternes gouverner les tuniques grises ; il se pouvait à présent que des innocents même eussent à souffrir à cause de la stupide cruauté de quelques-uns.

Des insensés, et pis encore, se dit Rivéda, de n'avoir pas limité leurs jeux infernaux à des personnes sans importance ! Ou bien, après avoir osé frapper si haut, des imbéciles de ne s'être pas assuré que leurs victimes ne vivraient pas pour s'échapper et raconter leur histoire !

Une expression sombre et impitoyable se lisait sur le visage austère de Rivéda. L'adepte ramassa et rangea en hâte l'élégant désordre des études qui avaient si longtemps monopolisé son attention.

Il était temps pour lui, en vérité, de surveiller son ordre.

V

Dans un coin de la pièce réservée au travail administratif de Rajasta, le grand prêtre Talkannon était assis en silence, apparemment détaché pour l'instant de l'humanité et de ses tracas. Près de lui, Domaris, immobile, jetait des regards dérobés à Micon.

L'Atlante avait refusé de s'asseoir et se tenait appuyé à une table. Son attitude était étrange — une immobilité apprise, délibérée, qui remplissait Rajasta de malaise : il savait ce qu'elle dissimulait. Avec un froncement de sourcils pensif, il détourna les yeux et vit Rivéda par la fenêtre, silhouette vêtue de gris, aisément identifiable même à distance ; l'adepte venait à grands pas dans leur direction.

Sans bouger, Micon dit :

— Qui s'en vient ?

Rajasta sursauta. La finesse des perceptions de l'Atlante était pour lui une source constante d'étonnement. Malgré sa cécité, Micon avait remarqué ce que ni Talkannon ni Domaris n'avaient vu.

— C'est Rivéda, n'est-ce pas ? ajouta-t-il avant même la réponse de Rajasta.

Talkannon releva la tête mais resta silencieux. Rivéda entra, salua les prêtres avec une certaine familiarité, assez courtoise cependant. Il ignora totalement Domaris, bien entendu. Elle l'avait déjà vu auparavant mais elle eut un mouvement de recul accompagné d'une certaine surprise ; son regard rencontra un bref instant celui de l'adepte et elle baissa aussitôt la tête, luttant contre une peur irraisonnée et une immédiate aversion. En cet instant, elle sut qu'elle pourrait haïr cet homme qui ne lui avait jamais fait aucun mal — et qu'elle ne devrait jamais en trahir le moindre signe.

Micon, en effleurant les doigts de Rivéda, pensa : Cet homme pourrait aller loin...

Mais l'Atlante aussi était mal à l'aise, sans savoir pourquoi.

— Soyez le bienvenu, seigneur d'Ahtarrath, était en train de dire Rivéda avec une aisance polie, dénuée de cérémonie. Je regrette profondément de n'avoir pas su...

Il se tut, et les pensées qui couraient dans les profondeurs de son esprit firent soudain surface. Cet homme était marqué pour la mort, destiné. Tout parlait de mort en lui : sa force contrôlée qui se manifestait par à-coups, la lenteur prudente de ses mouvements, le feu latent de sa volonté, son énergie utilisée avec parcimonie... tout cela, et la quasi-transparence de ce corps mince, proclamait que cet homme n'avait pas de forces à gaspiller. Et cependant, d'une façon tout aussi claire, il était évident que l'Atlante était un adepte — la sorte d'adepte façonnée par la connaissance des mystères les plus sacrés.

Rivéda, qui était un homme assoiffé de savoir, et du pouvoir que conférait le savoir, ressentit un curieux mélange d'envie et de regret. Quel terrible gâchis ! pensa-t-il. Cet homme se servirait bien mieux lui-même, et ses idéaux, en se tournant vers les aspects plus sombres de la Lumière ! La Lumière et l'Ombre, après tout, n'étaient que les manifestations complémentaires de la Totalité. Il y avait à gagner du combat avec la mort une sorte de pouvoir que la Lumière ne pouvait ni révéler ni accorder...

La salutation que lui adressa d'abord Micon n'était que mots indifférents, des formules de politesse, et Rivéda ne les écouta que d'une oreille ; puis, stupéfait et incrédule, il comprit enfin ce que Micon disait :

— J'ai été imprudent. (La voix sonore de l'Atlante éveillait des échos dans la pièce close.) Ce qui m'est arrivé est sans importance. Mais il y avait, il y a, un être qui doit retourner à la voie de la Lumière. Trouvez mon demi-frère si vous le pouvez. Pour ce qui est du reste... je ne pourrais, maintenant, vous désigner les coupables. Et je ne le ferai pas. (Il eut un petit geste indiquant l'irrévocabilité de sa décision.) Il n'y aura pas de vengeance ! Le crime porte en lui son propre châtiment.

Rivéda secoua la tête :

— Mon ordre doit être épuré.

— C'est à vous d'en décider. Je ne puis vous aider en rien.

Micon sourit et, pour la première fois, Rivéda put sentir la chaleureuse générosité qui émanait de lui.

L'Atlante tourna la tête vers Domaris :

— Qu'en dites-vous, couronnée de lumière ? demanda-t-il, tandis que Rivéda et Talkannon restaient scandalisés par cette question posée à une simple acolyte, et une femme, de surcroît !

— Vous avez raison, dit Domaris avec lenteur, mais Rivéda a raison aussi. De nombreux disciples viennent ici en quête de savoir. Si la sorcellerie et la torture restent impunies, les adeptes du mal triompheront.

— Et vous, mon frère, qu'en dites-vous ? demanda Micon à Rajasta.

Une vague de ressentiment jaloux traversa Rivéda : lui aussi, il était un adepte, un initié, et pourtant, dans ses paroles, Micon n'affirmait avec lui aucune parenté spirituelle !

— Domaris est sage, Micon. (La main de Rajasta se referma très doucement sur le maigre bras de l'Atlante.) Sorcellerie et torture profanent notre temple. Le devoir exige que d'autres n'aient pas à affronter les périls que vous avez encourus.

Micon soupira, avec un geste d'impuissance :

— Vous en êtes juges, alors. Mais je n'ai désormais aucune façon de reconnaître ceux qui y ont été impliqués... Ils nous ont emmenés à la digue en nous traitant avec courtoisie, et nous ont logés parmi les tuniques grises. A la tombée de la nuit, on nous a conduits dans une crypte, on a exigé de nous certaines choses, sous peine de torture et de mort. Nous avons refusé.

Un sourire curieux passa sur ses traits maigres et basanés ; il étendit ses mains émaciées.

— Vous pouvez constater que ce n'étaient pas des menaces en l'air. Et mon demi-frère... (Il s'interrompit de nouveau, et il y eut un bref silence affligé avant qu'il ne reprît, presque sur un ton d'excuse :) Ce n'est guère plus qu'un enfant. Et lui, ils pouvaient s'en servir, même de façon partielle. Je me suis libéré un instant, avant qu'ils ne me ligotent, et j'ai arraché un masque. Et alors... je n'ai plus rien vu. Ensuite... plus tard, beaucoup plus tard, je pense, on m'a libéré. Et des gens pleins de bonté, qui ne me connaissaient pas, m'ont amené à la demeure de Talkannon, où j'ai retrouvé mes serviteurs. Je ne sais quelle histoire on leur a racontée à mon sujet. (Il fit encore une pause puis, d'une voix plus basse :) Talkannon m'a dit que j'ai été souffrant pendant longtemps. Il y a assurément toute une période dont je ne me rappelle rien.

La main de Talkannon sur le bras de Domaris, tel un étau, la força au silence.

Rivéda resta debout, les mains croisées, à contempler Micon dans un silence pensif. Puis il demanda :

— Il y a combien de temps ?

Micon haussa les épaules, presque embarrassé :

— Je n'en ai pas la moindre idée. Mes blessures étaient guéries, autant qu'il leur était possible de guérir, quand je me suis éveillé chez Talkannon.

Talkannon, qui n'avait presque rien dit jusque-là, sortit de son silence et dit d'une voix pesante :

— On me l'a amené, des gens du peuple, des pêcheurs, qui ont dit l'avoir trouvé sur le rivage, inconscient et presque nu. Ils l'ont reconnu comme prêtre aux bijoux qu'il portait encore autour du cou. Je les ai interrogés. Ils ne savaient rien de plus.

— *Vous* les avez interrogés ! dit Rivéda avec un dédain écrasant. Comment savez-vous qu'ils disaient la vérité ?

La voix sévère de Talkannon claqua comme un coup de fouet :

— Je ne pouvais tout de même pas les interroger sous la torture !

— Assez, demanda Rajasta, car Micon tremblait.

Rivéda ravala ses commentaires et se tourna vers l'Atlante :

— Dites-m'en davantage à propos de votre frère, au moins.

— C'est seulement mon demi-frère, répondit Micon, avec une légère hésitation.

Son étrange immobilité avait disparu ; un frémissement agitait ses doigts tordus et sans force, et il s'appuyait plus lourdement contre la table.

— Il se nomme Réio-ta. Il est beaucoup plus jeune que moi, mais quant à notre apparence nous ne sommes pas, n'étions pas, très différents.

Ses paroles se perdirent dans le silence, et il vacilla.

— Je ferai ce que je pourrai, dit Rivéda avec une soudaine et surprenante douceur. Si on me l'avait dit plus tôt... Je ne peux dire à quel point je regrette... (Il baissa la tête, exaspéré par la futilité de ses paroles.) Après tout ce temps, je ne peux rien promettre...

— Et je ne demande rien, seigneur Rivéda. Je sais que vous ferez ce que vous avez à faire. Mais je vous en prie... ne me demandez pas de vous aider dans vos... investigations. (Son intonation implorait le pardon plus que n'auraient pu le faire les paroles.) Je n'en ai pas la force. Et je ne pourrais pas non plus vous être bien utile, puisque je n'ai aucun moyen de...

Rivéda se redressa avec un rictus, l'expression concentrée d'un homme à l'esprit pratique :

— Vous m'avez dit avoir vu un visage. Décrivez-le !

Tous se penchèrent vers Micon, dans l'expectative. L'Atlante se redressa et dit d'une voix claire :

— C'est un secret qui mourra avec moi. Je l'ai dit, *il n'y aura pas de vengeance* !

Talkannon s'appuya au dossier de son siège avec un soupir, et le visage de Domaris trahit des émotions contradictoires. Rajasta ne songea pas même à critiquer Micon ; c'était lui qui, d'eux tous, connaissait le mieux l'Atlante, et il en était venu à accepter son attitude, même s'il ne l'approuvait pas réellement.

Le rictus de Rivéda se fit plus prononcé :

— Je vous supplie de revenir sur cette décision, seigneur Micon ! Je sais que vos vœux vous interdisent de vous venger si vous avez été personnellement lésé, mais... (Il serra les poings.) N'avez-vous pas aussi prêté serment de protéger autrui du mal ?

Micon restait toutefois inflexible :

— J'ai dit que je ne parlerais pas et ne me porterais pas témoin.

— Qu'il en soit ainsi ! dit Rivéda, d'une voix âpre. Je ne peux vous contraindre à parler contre votre volonté. Pour l'honneur de mon ordre, je dois faire une enquête... Mais soyez certain que je ne vous dérangerai plus !

La colère que trahissait sa voix transperça Micon, qui s'affaissa lourdement contre Rajasta ; celui-ci oublia aussitôt tout le reste et aida l'Atlante à s'asseoir dans le siège qu'il avait jusque-là refusé.

Une expression de profonde compassion apparut sur le visage sévère de l'adepte des tuniques grises ; Rivéda pouvait être aimable quand cela lui convenait, et son impulsion était maintenant à la conciliation :

— Si je vous ai offensé, seigneur Micon, dit-il avec conviction, que ceci me soit une excuse : ce qui vous est arrivé concerne l'honneur de mon ordre, que je me dois de préserver avec autant de soin que vous préservez vos vœux. Je démolirai ce nid d'oiseaux malfaisants, plumes, ailes et œufs ! Pas seulement pour vous, mais pour tous ceux qui passeront les portes du temple après vous.

— Ce sont là des buts auxquels je peux souscrire, dit Micon, presque avec humilité, ses yeux aveugles levés vers Rivéda. Les moyens que vous employez ne me regardent pas.

Il soupira, et ses nerfs tendus semblèrent se relâcher un peu.

Personne, sinon peut-être Domaris, avec sa sensibilité hors du commun, n'avait su à quel point l'Atlante avait craint cette entrevue. Maintenant, enfin, il savait que Rivéda lui-même n'avait pas fait partie de ses tortionnaires ; il s'était crispé dans cette perspective, prêt à dissimuler si tel avait été le cas, et il était maintenant affaibli autant par le soulagement que par la fatigue.

— Ma gratitude ne vaut rien, seigneur Rivéda, dit-il, mais acceptez mon amitié avec elle.

Avec douceur, Rivéda prit les doigts torturés, en les examinant à la dérobée de son œil de guérisseur pour voir depuis combien de temps ils étaient guéris. Ses mains à lui, larges et dures, étaient devenues calleuses à la suite des travaux manuels de son enfance, mais elles étaient pourtant aussi sensibles que celles de Micon. L'Atlante sentit que les mains de Rivéda retenaient une force puissante, rebelle, plus forte encore d'être apprivoisée. Leurs forces à tous deux se touchèrent. Mais entrer en contact avec une telle vitalité, même pour un très bref instant, dépassait les capacités de Micon, et il libéra vivement sa main, gris comme la cendre. Sans un autre mot, déployant, pour rester calme, un effort qui le faisait trembler, il se détourna et se dirigea vers la porte.

Rajasta fit un pas pour le suivre, puis s'immobilisa, obéissant à un ordre inaudible qui lui disait, très clairement : *Non*.

VI

Tandis que la porte se fermait en grinçant, Rajasta se tourna vers Rivéda :

— Eh bien ?

Rivéda restait figé ; il regardait ses mains, les sourcils froncés.

— Cet homme est un inducteur de force brute, un faisceau d'inducteurs, dit-il, confondu.

— Que voulez-vous dire ? demanda Talkannon avec brusquerie.

— Quand nos mains se sont touchées, marmonna Rivéda, j'ai pu sentir que ma force vitale me quittait. Il semblait l'aspirer...

Rajasta et Talkannon le contemplèrent, consternés. Ce que Rivéda décrivait là était un secret de la caste des prêtres, évoqué très rarement et avec une prudence infinie. Une fureur absurde envahit Rajasta : Micon avait refusé de lui un tel secours, sur un ton définitif qui ne laissait pas place à la discussion... Brutalement, il comprit que Rivéda n'avait pas la moindre idée de ce qui s'était passé.

Le murmure rauque du tunique grise avait une intonation presque effrayée :

— Je crois qu'il le savait aussi. Il s'est écarté de moi, il n'a pas voulu me toucher de nouveau.

Talkannon dit d'une voix enrouée :

— Ne parlez de cela à personne, Rivéda !

— N'ayez crainte.

D'une façon surprenante chez lui, Rivéda se couvrit le visage de ses mains avec un frisson, en se détournant d'eux :

— Je ne pouvais pas... je ne pouvais pas... j'étais trop fort, j'aurais pu le tuer !

Domaris s'appuyait encore contre son père, le visage aussi blanc que les robes de Talkannon ; sa main libre s'agrippait si fort à la table que ses articulations en étaient livides.

Talkannon releva brusquement la tête :

— Qu'est-ce qui te tracasse, ma fille ?

Rajasta, recouvrant aussitôt sa sévère maîtrise de soi, se tourna vers elle, soucieux :

— Domaris ! Es-tu souffrante, mon enfant ?

— Je... non, balbutia-t-elle, mais Micon...

Le visage soudain couvert de pleurs, elle s'arracha au bras de son père et s'enfuit.

Ils la regardèrent partir, déconcertés. Un silence oppressant pesa un moment sur la pièce. Rivéda alla enfin fermer la porte que Domaris avait laissée ouverte dans sa fuite, en déclarant d'un ton sarcastique :

— Je crois remarquer un certain flottement de l'étiquette parmi vos acolytes, Rajasta.

Pour une fois, Rajasta ne fut pas offensé par les manières acerbes de Rivéda :

— Ce n'est qu'une enfant, dit-il avec retenue. Tout ceci est bien dur pour elle.

— Oui, dit Rivéda d'une voix sourde. Commençons, alors.

Il riva sur Talkannon la froideur de ses yeux bleus et commença à interroger le grand prêtre avec une insistance laconique, demandant le nom des pêcheurs qui avaient « découvert » Micon, ce fameux jour, à la recherche de la plus petite circonstance révélatrice, du détail à demi oublié qui pouvait être significatif. Il avait espéré rassembler des parcelles d'information négligées pour constituer une base plus solide à sa future enquête, mais il n'apprit guère plus que ce qu'il savait déjà.

Le contre-examen de Rajasta fut encore moins productif et Rivéda, dont l'humeur était au mieux instable, finit par se mettre en colère, criant presque :

— Puis-je travailler dans le noir ? Vous feriez de moi aussi un aveugle !

Pourtant, alors même que sa stupeur et son irritation croissaient, il comprit qu'il avait bel et bien atteint les limites de leurs connaissances en la matière. L'adepte leva le menton, comme pour répondre à un défi :

— Eh bien ! Si des prêtres de la Lumière ne peuvent illuminer ce mystère pour moi, j'apprendrai à voir les formes noires qui se meuvent dans l'obscurité totale !

Il se détourna pour s'en aller, en lançant par-dessus son épaule :

— Merci pour cette occasion d'affiner mes perceptions !

VII

Dans ses appartements retirés, Micon gisait sur sa couche étroite, les bras sur le visage, respirant lentement, avec circonspection. La vitalité de Rivéda, qui l'avait submergé dans un instant d'imprudence, avait bousculé le contrôle précaire qu'il exerçait sur son organisme, et les répercussions croissantes de ce déséquilibre le laissaient raide et muet de terreur. Quel paradoxe ! Ce qui, dans une situation moins critique, aurait accéléré sa convalescence, le menaçait en l'occurrence d'une totale rechute, ou pis encore. Il était presque trop faible pour maîtriser cet influx de force !

Il se prit à penser, avec une sombre certitude, que la torture initiale et ce qu'il souffrait à présent n'étaient que les préliminaires d'un âpre et long châtiment — et pourquoi ? Pour avoir résisté au mal !

Même s'il était prêtre, Micon était assez jeune pour éprouver de l'amertume. L'intégrité, se dit-il, soudain pris de fureur, est un luxe bien trop coûteux ! Mais il enraya cet accès de mauvaise humeur envahissant, sachant que de telles pensées lui étaient envoyées par les tuniques noires. Il lutta désespérément pour calmer sa rébellion mentale : elle restreindrait encore davantage le contrôle faiblissant qu'il exerçait à grand-peine, et devait conserver, sur son tourment physique.

Un an ! Je pensais que je pourrais le supporter pendant un an !

Il avait une tâche à mener à bien, cependant, quoi qu'il arrivât. Il avait fait certaines promesses, et devait les tenir. Il avait accepté Rajasta comme disciple. Et il y avait Domaris.

Domaris...

5

La nuit du Zénith

Le ciel nocturne était une voûte silencieuse aux mille nuances de bleu, du violet à l'indigo, où s'éparpillait une poignée d'étoiles naissantes. Dans cette nuit sans lune, une luminescence ténue trop obscure pour être la lueur des étoiles, trop fantomatique pour être issue de la terre, flottait, légère, aux alentours du chemin. Rajasta s'y mouvait d'un pas sûr, et Micon, à son côté, marchait avec une détermination tranquille, sans trébucher.

— Mais pourquoi allons-nous au champ des étoiles cette nuit, Rajasta ?

— Cette nuit... Je pensais vous l'avoir dit, c'est la nuit où Caratra, l'étoile des femmes, est à son zénith. Les douze acolytes observeront les cieux, et chacun interprétera les augures selon ses capacités. Cela devrait vous intéresser... (Rajasta sourit à son compagnon.) Domaris sera là, tout comme sa sœur, je pense. C'est elle qui m'a demandé de vous amener.

Il prit le bras de Micon et guida l'Atlante, avec douceur, dans le chemin qui commençait à monter vers le sommet d'une colline.

— J'y prendrai assurément plaisir, sourit Micon, sans le léger rictus de souffrance qui déformait si souvent ses traits.

Là où se trouvait Domaris, il trouvait l'oubli, il ne se raidissait plus aussi constamment. Elle semblait avoir la capacité de lui insuffler une force qui n'était pas entièrement physique, mais semblait un excédent de sa propre vitalité. Il se demandait si c'était délibéré de sa part. Qu'elle fût précisément capable de cette générosité débordante, il n'en doutait pas un instant ; sa bonté et sa grâce étaient des dons des dieux. Elle était belle : il le savait, d'un savoir qui allait au-delà des apparences.

Les yeux de Rajasta étaient pleins de tristesse. Il aimait Domaris. A quel point ? Il ne l'avait jamais compris comme en cet instant où il voyait sa tranquillité menacée. Cet homme qu'il aimait aussi était de plus en plus proche de la mort. Le sentiment que Rajasta percevait entre Micon et Domaris était une chose trop fragile et trop belle pour receler les germes d'une si grande peine ! Il savait aussi que Domaris donnerait avec tant de générosité qu'elle se dépouillerait elle-même. Il ne voulait ni ne pouvait interdire, mais il était attristé par l'inévitable issue qu'il anticipait avec tant de clarté.

— Je ne suis pas entièrement centré sur moi-même, mon frère, dit Micon, avec une retenue qui donnait du relief à ses paroles. Moi aussi je peux voir quelque chose de la lutte à venir. Mais vous savez pourtant que ma lignée doit se perpétuer, ou bien le dessein divin devra affronter des forces trop puissantes. Ce n'est pas de l'orgueil de ma part.

Il tremblait comme s'il avait froid, et Rajasta se hâta de lui prêter un bras secourable et discret.

— Je sais, dit le prêtre de la Lumière, nous en avons souvent discuté. La cause est déjà en mouvement, et nous devons faire en sorte qu'elle ne se retourne pas contre nous. Je comprends bien tout cela. Essayez de ne pas trop y penser cette nuit. Venez, ce n'est plus très loin maintenant.

Il avait vu Micon lorsque celui-ci cédait à sa souffrance, et ce n'était pas un souvenir plaisant.

Pour des yeux accoutumés à la luminescence stellaire, le champ des étoiles était d'une beauté éthérée. Rehaussé d'innombrables étoiles scintillantes, le ciel était comme de vastes ailes repliées ; la terre respirait, exhalant un doux parfum, on parlait à voix basse dans les ombres noires et veloutées ; c'était une atmosphère onirique, on avait l'impression qu'une parole trop dure aurait dissipé la matérialité du décor, laissant à sa place un vide profond.

— C'est... inexprimable... ravissant, dit Rajasta à voix basse.

Le visage tendu et basané de Micon eut une brève expression tourmentée.

— Je sais. Je peux le sentir.

Les robes pâles de Domaris, à l'éclat argenté, comme frottées de givre, semblèrent flotter vers eux :

— Venez vous asseoir avec nous, maîtres de sagesse, dit-elle, et elle attira Déoris vers elle pour leur faire de la place.

— Bien volontiers, répondit Rajasta, en guidant Micon vers la haute et gracieuse silhouette de la jeune fille.

Déoris se dégagea soudain du bras qui lui entourait la taille et s'approcha de Micon ; sa jeunesse et sa minceur faisaient écho à l'aspect fantastique du lieu et de l'heure.

— Petite Déoris, dit l'Atlante avec un sourire plein de bonté.

La fillette, avec une audace timide, lui prit le bras. Elle avait un sourire ravi et pourtant protecteur ; la femme qui s'éveillait en elle remarquait sans se le dissimuler tout ce que Domaris, pourtant plus sage, n'osait elle-même admettre.

Ils s'arrêtèrent près d'un buisson bas à l'odeur pénétrante, dont les fleurs blanches se détachaient dans la pénombre, et Domaris s'assit, rejetant d'un mouvement d'épaules son manteau d'argent arachnéen. Avec précaution, Déoris fit asseoir Micon entre elles, et Rajasta s'installa près de son acolyte.

— Tu as observé les astres, Domaris. Qu'y as-tu vu ?

— Seigneur Rajasta, dit la jeune fille avec déférence, Caratra prend une position curieuse, cette nuit, en conjonction avec le Harpiste et la Faucille. Si je devais l'interpréter... (Elle hésita, tourna de nouveau son visage vers le ciel :) Le Serpent s'oppose à elle, murmura-t-elle. Je dirais... qu'une femme ouvrira la porte au mal, et qu'une femme la refermera. La même femme. Mais c'est l'influence d'une autre femme qui rend possible la fermeture de la porte.

Domaris resta silencieuse un moment mais, avant que ses compagnons ne pussent prendre la parole, elle poursuivit :

— Un enfant naîtra. Un enfant qui donnera naissance à une lignée destinée à contrecarrer ce mal pour toujours.

D'un geste impulsif, le premier qu'on lui voyait faire, Micon lui toucha l'épaule :

— C'est ce que disent les astres ? demanda-t-il d'une voix rauque.

Domaris croisa un instant son regard aveugle, mal à l'aise, presque heureuse pour une fois de sa cécité :

— Oui, dit-elle, d'une voix contrôlée mais un peu rauque elle-même, Caratra s'approche du Zénith, et sa suivante, Adérès, lui tient compagnie. Les Sept Gardiens l'entourent, ils la protègent non seulement du Serpent mais du Guerrier noir, el-Cherkan, qui menace depuis les pinces du Scorpion...

Micon se détendit et, pendant quelques instants, se laissa aller contre elle avec une soudaine faiblesse. Domaris le retint avec douceur, lui laissant poser sa tête contre sa poitrine et, délibérément, elle lui insuffla sa propre force. C'était discret, miséricordieux, une réponse à un besoin urgent, et cette action instinctive établit entre Domaris et Micon un rapport psychique immédiat. C'était une acolyte des mystères, mais les perspectives qui s'ouvrirent à elle dans l'esprit de l'initié dépassaient de loin ce qu'elle connaissait ou avait pu imaginer. L'étendue et l'assurance de ses perceptions, la profondeur de sa conscience, la remplirent d'un respect qu'elle ne perdrait jamais par la suite ; et le courage avec lequel il endurait sa souffrance, la force de sa volonté, l'émurent au point de lui faire éprouver un sentiment proche de l'adoration. Les limites mêmes de cet homme proclamaient son humanité essentielle, son immense humilité se confondait avec une sorte de fierté qui oblitérait le sens habituel de ce terme. Un contrôle péniblement acquis, Domaris pouvait le voir, retenait des émotions qui auraient rendu un autre homme féroce ou rebelle. Soudain, elle sursauta : elle se trouvait au premier plan de ses pensées ! Une rougeur brûlante, visible même à la lueur des étoiles, envahit le visage de la jeune fille.

Elle se hâta de rompre le contact, mais avec une douceur qui ne laissait derrière elle, avec le vide soudain, aucune peine. La pensée qu'elle avait surprise était si délicate, si ravissante, qu'elle l'éprouvait comme une bénédiction ; mais c'était aussi une pensée si intime qu'elle ressentait une délicieuse culpabilité à l'avoir surprise.

Avec un regret mêlé de compréhension, Micon s'écarta d'elle. Il savait qu'elle était désorientée. Domaris n'était pas portée à spéculer sur l'effet qu'elle avait sur les hommes.

Déoris, qui les observait avec un ressentiment étonné, brisa le lien ténu qui les unissait encore :

— Seigneur Micon, vous vous fatiguez, reprocha-t-elle, et elle étendit pour lui sur l'herbe son manteau de laine.

Rajasta ajouta :

— Reposez-vous, mon frère.

— Ce n'était qu'une faiblesse passagère, murmura Micon, mais il les laissa faire, content d'être étendu près de Domaris ; et au bout d'un moment, il sentit sa main tiède sur la sienne, une étreinte à la douceur de plume qui n'était absolument pas douloureuse pour ses doigts ravagés.

Rajasta avait une expression bienveillante, et Déoris avala sa salive. *Qu'arrive-t-il à Domaris ?* Sa sœur changeait sous ses yeux, et Déoris, attachée à ce qui avait été son seul élément de certitude dans l'univers mouvant du temple, se sentit brusquement terrifiée. Pendant un instant, elle éprouva presque de la haine envers Micon, et l'acceptation évidente de la situation par Rajasta la rendit furieuse. Elle leva des yeux pleins de larmes rageuses vers le ciel, et contempla durement les étoiles qui se brouillaient.

II

Une nouvelle voix s'éleva, apportant une salutation familière, et Déoris sursauta en se retournant, avec un frisson d'excitation curieuse, inhabituelle, un mélange d'attirance et de fascination craintive. *Rivéda !* Saisie d'un énervement fébrile, elle sentit comme un recul intérieur tandis que l'ombre noire passait sur eux, effaçant la lumière des étoiles. C'était un homme étrange ; elle ne pouvait en détacher les yeux.

Le salut courtois, presque rituel, de Rivéda s'adressait à l'ensemble de leur groupe, et il se laissa tomber sur l'herbe.

— Vous observez donc les astres avec vos acolytes, Rajasta ? Domaris, que disent-ils de moi ?

Avec un petit froncement de sourcils et un certain effort, Domaris revint à ce qui l'entourait :

— Je ne suis pas une diseuse de bonne aventure, seigneur Rivéda, dit-elle avec une froideur polie. Devraient-ils parler de vous ?

— De moi aussi bien que de tout autre, répliqua Rivéda

avec un rire moqueur. Ou aussi mal... Viens, Déoris, assieds-toi près de moi.

La fillette jeta un regard implorant à Domaris, mais personne ne dit mot ou ne lui adressa un regard d'interdiction, et, dans sa robe courte bien serrée à la taille, qui l'entourait d'un scintillement d'étoiles bleues, elle se leva donc pour venir au côté de Rivéda. L'adepte sourit quand elle s'assit dans l'herbe près de lui.

— Raconte-nous une histoire, petite scribe, dit-il, en plaisantant à demi...

Déoris secoua timidement la tête, mais Rivéda insista :

— Chante pour nous, alors. Je t'ai déjà entendue. Tu as une jolie voix.

L'embarras de la fillette était maintenant considérable ; elle retira sa main à Rivéda, confuse, en secouant les boucles noires qui lui retombaient dans les yeux. Mais on ne venait toujours pas à son secours et Micon dit avec douceur, dans l'obscurité :

— Ne veux-tu pas chanter, ma petite Déoris ? Rajasta aussi m'a parlé de ta jolie voix.

Une requête de Micon était chose si rare, on ne pouvait la refuser. Déoris dit, intimidée :

— Je chanterai les Sept Gardiens... si le seigneur Rajasta chante la strophe de la chute.

Rajasta rit tout haut :

— Moi, chanter ? Ma voix ferait de nouveau dégringoler les gardiens du ciel, mon enfant !

— Je la chanterai, dit soudain Rivéda d'un ton définitif. Chante, Déoris, répéta-t-il, et cette fois il y avait dans sa voix quelque chose qui poussa Déoris à obéir.

Elle passa ses bras autour de ses genoux, tourna son visage vers les cieux et se mit à chanter : un soprano clair et paisible s'éleva, tel un filet de fumée argentée, vers les étoiles muettes :

Lors d'une nuit lointaine, oubliée,
Sept étaient les guetteurs
Vigilants dans les cieux,
Vigilants ils craignaient
Le sombre jour
Où les étoiles fuiraient leur place,

Vigilants surveillaient
La noire étoile du Destin

Sept, les guetteurs,
Sur la pointe des pieds,
Sept étoiles à la dérobée
Sans bruit quittant leur place
Sous le voile protecteur du ciel

L'Étoile noire flotte
Dans les ombres en silence
Attend dans les ombres, furtive,
Attend la tombée de la nuit.
Sur la montagne suspendu,
Immobile et sombre
Un corbeau
Dans un nuage écarlate

Sans bruit les sept tombent
Tombent comme des ombres,
Des ombres d'étoiles, anéanties,
Dans la lumière du Soleil !
Dans une cascade de flammes,
Sept étoiles tombent, tombent,
Noires sur l'étoile noire du Destin !

Attirés par le chant, des gens qui s'étaient rassemblés pour observer les augures s'approchèrent dans un silence élogieux. Le baryton profond et résonnant de Rivéda s'éleva en une dure cadence rythmée qui tissait sous le soprano argenté de Déoris un réseau d'étranges harmonies.

La montagne tremble !
Le tonnerre ébranle le soleil couchant
Le tonnerre ébranle les crêtes !
Tandis que les sept guetteurs
Tombent en cascades,
En cascades d'étoiles tombent,

En comètes de feu tombent
Sur l'Etoile noire !

L'Océan s'agite, en grand tourment,
Les montagnes craquent et croulent !
L'Etoile noire s'est noyée
Et le Destin fatal n'est plus !

D'une voix retenue, semblable à une clochette, Déoris entonna la complainte :

Sept étoiles sont tombées,
Sont tombées du firmament,
Tombées de la couronne céleste,
Noyées où gît l'Etoile noire !

Manoah le compatissant
Seigneur de la Lumière,
Ressuscita les noyés.
L'Etoile noire, il l'a bannie
Pour des éternités,
Jusqu'au moment de la Lumière.
Les sept valeureux guetteurs,
Il les a pris dans sa clarté

Couronne sur la montagne,
Loin au-dessus de la montagne de l'Etoile,
Brillent les sept guetteurs,
Les Sept Gardiens
de la Terre et du Ciel

Le chant se perdit dans la nuit ; une brise légère s'éleva comme un murmure, s'effaça. Les auditeurs, quelques acolytes et deux ou trois prêtres, exprimèrent leurs louanges, puis s'éloignèrent de nouveau en parlant à mi-voix.

Micon était étendu, immobile, la main encore dans celle de Domaris. Rajasta était plongé dans de profondes pensées tout en contemplant ces deux êtres qu'il aimait tant ; c'était comme si le reste du monde n'avait pas existé pour lui.

Rivéda pencha la tête vers Déoris et ses traits archaïques et rudes s'adoucirent dans l'ombre traversée de lumière d'étoile :

71

— Ta voix est ravissante. Je voudrais bien avoir une telle chanteuse au temple gris ! Un jour peut-être y chanteras-tu.

Déoris murmura des remerciements polis, mais ses sourcils s'étaient froncés. Les hommes de la secte grise étaient tenus en haute estime dans leur temple, mais leurs femmes étaient un mystère. Soumises à des vœux étranges et secrets, elles étaient méprisées et tenues à l'écart, et on les désignait avec dédain du nom de *saji* — même si Déoris ignorait le sens de ce mot, elle en trouvait la sonorité détestable et lugubre. Nombre des femmes des gris étaient recrutées parmi les gens du peuple, et quelques-unes étaient des enfants d'esclaves ; c'était en grande partie ce qui expliquait l'ostracisme qu'elles subissaient de la part des femmes et des filles de la caste des prêtres. Suggérer que Déoris, fille du grand prêtre Talkannon, pût choisir de rejoindre les *saji* irrita tellement la fillette qu'elle ne goûta guère le compliment que Rivéda lui faisait de son chant.

L'adepte se contenta de sourire. Le charme qui émanait de lui enveloppa de nouveau Déoris tandis qu'il disait, d'une voix douce :

— Puisque ta sœur est trop lasse pour me donner conseil, Déoris, peut-être pourrais-tu, toi, m'interpréter les astres ?

Déoris devint écarlate, et regarda fixement les étoiles, en rassemblant toutes les miettes de son savoir :

— Un homme fort... ou quelque chose sous une forme masculine... menace... une fonction de nature féminine, à travers la puissance des gardiens. Un mal ancien... a été ou sera ranimé...

Elle se tut, consciente du regard des autres. Soudain confuse de ses propres prétentions, elle baissa les yeux de nouveau et ses mains se tordirent nerveusement sur ses genoux.

— Mais tout cela ne peut avoir grand-chose à voir avec vous, seigneur Rivéda, murmura-t-elle d'une voix presque inaudible.

Rajasta eut un petit rire :

— Ce n'est pas mal, petite. Sers-toi du savoir que tu possèdes. Tu apprendras davantage en vieillissant.

Sans raison, la tolérance indulgente de Rajasta irrita Rivéda : il avait lui-même ressenti une certaine stupéfaction devant la finesse dont avait fait preuve cette fillette ignorante, dans l'interprétation d'un dessin assez inquiétant pour mettre au défi le savoir d'un voyant bien entraîné. Qu'elle eût sans doute entendu les autres discuter les présages qui entouraient Caratra ne faisait guère de différence, et Rivéda dit d'un ton coupant :

— Peut-être, Rajasta, pourriez-vous aussi...

Mais l'adepte ne termina pas sa phrase. L'acolyte Arvath était apparu parmi eux, silhouette à l'ombre compacte.

III

— D'après l'histoire, dit-il d'un ton désinvolte, le prophète du mont de l'Etoile a parlé devant les gardiens au temple avant d'avoir douze ans. Vous pouvez sans doute écouter les plus jeunes d'entre nous.

Le jeune acolyte semblait amusé tandis qu'il s'inclinait avec déférence devant Rajasta et Micon :

— Fils du Soleil, nous sommes honorés de votre présence à tous deux parmi nous. Et de la vôtre, seigneur Rivéda.

Il se détourna pour tirer l'une des boucles de Déoris :

— Désires-tu devenir prophète, petit chat ?

Puis, se retournant vers l'autre jeune fille :

— Etait-ce toi qui chantais, Domaris ?

— C'était Déoris, dit Domaris d'un ton bref, ennuyée.

Ne serait-elle jamais libre de la constante surveillance d'Arvath ? Le jeune homme fronça les sourcils en voyant que Micon était encore presque dans les bras de Domaris. Domaris était *à lui* ! Micon était un intrus et n'avait aucun droit de s'interposer entre un homme et sa fiancée ! La jalousie d'Arvath l'empêchait de penser avec clarté et il serra les poings, enragé de désir frustré et d'un violent sentiment d'injustice. *Je lui apprendrai les bonnes manières, à cet étranger présomptueux !*

Il s'assit près d'eux et d'un mouvement plein d'autorité entoura de son bras la taille de Domaris. Il pouvait au moins montrer à cet intrus qu'il était en terrain interdit ! D'une voix parfaitement audible, mais qui semblait douce et intime, il demanda à la jeune fille :

— M'attendais-tu depuis longtemps ?

Partagée entre la surprise et l'indignation, Domaris le regarda fixement. Elle était trop bien élevée pour faire une scène et son premier réflexe, repousser Arvath avec irritation, mourut avant même d'exister. Elle resta immobile et muette ; elle avait l'habitude des caresses d'Arvath, mais le comportement du jeune homme à cet instant affichait une jalousie inquiétante.

Irrité par son absence de réaction, Arvath lui prit la main pour la dégager de celle de Micon. Avec une exclamation étouffée, Domaris se libéra vivement. Micon émit un petit bruit interrogateur quand elle se leva.

Comme s'il n'avait rien vu, Rajasta intervint :

— Que vous disent les astres, à vous, jeune Arvath ?

L'obéissance immédiate à un supérieur, habitude de toute une vie, l'emporta. Arvath inclina la tête avec respect :

— Je n'ai pas encore tiré de conclusion, fils du Soleil. La dame des Cieux n'atteindra pas le zénith avant la sixième heure, et avant cela il est impossible de faire des interprétations correctes.

Rajasta hocha la tête d'un air plaisant :

— La circonspection est une vertu précieuse, dit-il, aimable, mais avec une intonation sous-jacente qui fit baisser les yeux à Arvath.

Rivéda, de façon prévisible, se mit à rire, et la tension se dissipa. Domaris se laissa de nouveau tomber dans l'herbe, cette fois près de Rajasta, et le vieux prêtre lui passa un bras paternel autour des épaules. Il savait qu'elle avait été profondément troublée et ne l'en blâmait pas, même s'il avait le sentiment qu'elle aurait pu manifester plus de tact envers les deux hommes. Mais Domaris est encore jeune, se dit-il, presque avec désespoir, trop jeune pour devenir le centre d'un tel conflit !

L'esprit d'Arvath, quant à lui, commençait à s'éclaircir, et il se détendit. Après tout, il n'avait rien vu qui justifiât un sentiment de jalousie. Et Rajasta ne pouvait certainement pas permettre à son acolyte d'agir à l'encontre des coutumes du temple. Ainsi se réconforta-t-il, en oubliant fort à propos toutes les coutumes dont il ne voulait à lui-même voir affirmée l'autorité.

Baume plus puissant encore, peut-être, à la colère d'Arvath, il éprouvait une réelle affection pour Micon. Ils étaient, de surcroît, compatriotes. Ils se retrouvèrent bientôt engagés dans une conversation familière et amicale, même si Micon, extrêmement sensible à l'humeur d'Arvath, avait d'abord répondu avec une certaine réserve.

Domaris n'écoutait plus. Elle avait choisi de ne pas affronter le débat qui l'agitait en exécutant ses devoirs avec conviction. Les yeux fixés sur les étoiles, l'esprit intensément plongé dans la méditation, elle étudiait les présages de la nuit.

IV

Le champ des étoiles devint peu à peu paisible. Un par un, les petits groupes des guetteurs rassemblés se turent. Seules quelques conversations isolées s'élevaient par moments, curieusement irréelles, de telle ou telle clique de jeunes prêtres particulièrement animés, dans un coin du champ. Une brise paresseuse inclina les herbes, agita manteaux et cheveux longs, retomba ; un nuage passa sur l'étoile suspendue près de Caratra ; un enfant cria quelque part, on l'apaisa.

Très loin en contrebas, un éclat rouge intermittent indiquait les brasiers allumés sur la digue pour écarter les vaisseaux des rochers. Déoris s'était endormie dans l'herbe, la tête sur les genoux de Rivéda, le long manteau gris de l'adepte drapé autour des épaules.

Arvath, assis comme Domaris, étudiait comme elle les présages des astres, plongé dans une transe méditative. Micon, derrière ses yeux aveugles, poursuivait ses propres méditations silencieuses. Rajasta, pour une raison que lui-même ignorait, sentait son propre regard attiré encore et encore par Rivéda. Immobile et calme, avec sa tête rude et son dos d'une sévère rectitude qui découpaient une ombre plus noire dans la lumière des étoiles, Rivéda était immobile depuis des heures, plongé dans une immuable rêverie, en un spectacle presque hypnotique pour Rajasta. Les étoiles semblaient clignoter derrière l'adepte. Un instant, passé, présent et futur glissèrent et ne firent plus qu'un pour le prêtre de la Lumière. Il vit le visage de Rivéda, plus maigre, hagard, la bouche durcie d'une sombre détermination. Les étoiles s'étaient complètement effacées et une aura d'un jaune rougeâtre, faite de milliers de fils d'araignée fantomatiques, évanescents, se tordait en dansant autour de l'adepte, comme soulevée par le vent.

Soudain, avec un éclat aveuglant, un terrifiant halo de flammes encercla la tête de Rivéda. *Le dorje !* Rajasta sursauta et, avec un frisson qui était à la fois spirituel et physique, son environnement reprit consistance. Je dois avoir dormi, se dit-il, bouleversé. Ce ne peut être vrai ! Et pourtant, chaque fois qu'il battait des paupières, l'affreuse image persistait, jusqu'à ce que le prêtre de la Lumière, avec un gémissement étouffé, se détournât de l'adepte.

Le vent s'était levé sur le champ des étoiles silencieux, transformant en gouttelettes glacées la sueur qui couvrait le front du prêtre tandis qu'il hésitait, pris entre une horreur persistante, insensée, et des vagues intermittentes de rationalisation. Les instants qui s'écoulèrent avant qu'il ne recouvrât son calme furent peut-être les pires de sa vie, en une durée qui lui sembla une infinie prison temporelle.

Le prêtre de la Lumière resta assis, replié sur lui-même, encore incapable de regarder Rivéda, par pure crainte. Ça n'a été qu'un cauchemar, se disait-il, sans grande conviction. Mais... si ce n'en était pas un ? Il frissonna de nouveau à cette perspective puis se maîtrisa avec sévérité, forçant son esprit aiguisé à examiner l'impensable.

Je dois parler de ceci à Rivéda, décida-t-il à contrecœur. Je le dois ! Sûrement, si ce n'était pas un rêve, c'est un avertissement d'un grave danger qui le menace.

Rajasta ignorait où Rivéda en était de son enquête, mais peut-être... peut-être l'adepte était-il si proche de la secte des tuniques noires qu'ils essayaient d'imprimer sur lui leur marque infernale, pour éviter d'être découverts.

C'est la seule signification possible, se rassura Rajasta tout en frissonnant. Dieux et esprits, protégez-nous tous !

v

Les yeux las de n'avoir pas dormi de la nuit, Domaris regarda le soleil se lever, tel un jouet doré dans un bain de nuages roses. L'aube empourprait peu à peu le champ des étoiles ; la lueur pâle et sans merci marquait de contrastes révélateurs les visages de ceux qui avaient dormi là.

Rivéda était parti depuis longtemps, mais Déoris dormait toujours, paisible, avec un souffle régulier qui n'était pas tout à fait un ronflement, toujours emmitouflée dans le manteau de l'adepte. Arvath était étendu dans l'herbe, bras et jambes à l'abandon comme si le sommeil avait fondu sur lui tel un voleur. Domaris vit à quel point il ressemblait à un robuste petit garçon : ses cheveux noirs en désordre sur son front moite, ses joues lisses colorées du sommeil lourd et naïf de la jeunesse. Puis son regard revint sur ses propres genoux où reposait la tête de Micon, qui dormait aussi, la main dans la sienne.

Après le départ de Rajasta, qui avait suivi Rivéda d'un pas pressé avec une expression bouleversée sur son visage livide, elle était revenue au côté de Micon, sans se soucier de ce qu'Arvath pourrait dire ou penser. Toute la nuit, elle avait senti frémir dans les siennes les mains maigres et ravagées de l'Atlante, comme si même dans le sommeil avait persisté une ombre obstinée de douleur. Une ou deux fois, le visage de Micon lui avait semblé si pâle et si défait dans l'affreuse lumière grise d'avant l'aube qu'elle s'était penchée pour écouter son souffle, s'assurer qu'il était toujours vivant ; faisant taire son propre souffle, elle avait entendu un léger soupir, et en avait été à la fois soulagée et terrifiée : le réveil ne pouvait qu'infliger une souffrance supplémentaire à cet homme qu'elle commençait à adorer.

Au plus profond de la nuit, quand les eaux nocturnes sont les plus basses, Domaris s'était prise à souhaiter presque que Micon voguât en silence vers la paix qu'il désirait tant... et cette pensée l'avait tellement épouvantée qu'elle avait eu peine à s'empêcher de le serrer dans ses bras, de lui rendre toute sa vitalité par la simple force de son amour. Comment puis-je être si pleine de vie quand Micon est si faible ? se demandait-elle, révoltée. Pourquoi est-il mourant, alors que le démon qui lui a infligé cela marche dans le monde, assuré de sa propre et méprisable vie ?

Comme si les pensées de Domaris avaient troublé son sommeil, Micon s'agita en murmurant dans une langue qu'elle ne comprenait pas. Puis, avec un long soupir, il ouvrit ses yeux aveugles et se redressa avec lenteur, en tendant les mains d'un geste étrange... et en les écartant avec surprise quand il toucha la robe de la jeune fille.

— C'est moi, Micon, Domaris, dit-elle vivement, en l'appelant pour la première fois par son nom.

— Domaris... je me rappelle, à présent. Ai-je dormi ?

— Des heures. C'est l'aube.

Il se mit à rire, un peu embarrassé mais avec cette bonne humeur particulière qui ne semblait jamais lui faire défaut.

— Je ferais une bien piètre sentinelle, ces temps-ci ! Est-ce ainsi que l'on veille ?

Elle rit aussi, d'un rire doux et amical qui le rassura.

— Tout le monde dort après le milieu de la nuit. Vous et moi, nous sommes probablement les seuls éveillés. Il est encore très tôt.

Quand il prit de nouveau la parole, ce fut d'un ton plus tranquille, comme s'il avait craint d'éveiller les dormeurs.

— Le ciel est-il rouge ?

Elle le regarda, stupéfaite :

— Oui. D'un rouge éclatant.

— C'est ce que je pensais, dit Micon en hochant la tête. Les fils d'Ahtarrath sont tous des marins. Nous avons le climat et les tempêtes dans le sang. Au moins n'ai-je point perdu cela.

— Les tempêtes ? répéta Domaris, en jetant un regard sceptique aux nuages légers et paisibles.

Micon haussa les épaules :

— Peut-être aurons-nous de la chance, et celle-ci nous évitera-t-elle. Mais elle est dans l'air. Je le sens.

Ils se turent de nouveau, Domaris soudain en proie à une timidité embarrassée au souvenir de ses pensées de la nuit... et Micon songeant : Ainsi, j'ai dormi auprès d'elle toute la nuit... A Ahtarrath, ce serait presque une promesse. (Il sourit.) Peut-être cela explique-t-il l'humeur d'Arvath, cette nuit... et pourtant, en fin de compte, nous avons tous été en paix les uns avec les autres. Elle diffuse la paix, comme une fleur son parfum.

Domaris, cependant, s'était rappelé la présence de Déoris toujours endormie près d'eux, bien au chaud dans le manteau de Rivéda.

— Ma petite sœur a dormi dans l'herbe toute la nuit, dit-elle. Il faut que je la réveille et l'envoie se coucher.

Micon eut un rire léger :

— Voilà qui semble une décision assez absurde ! remarqua-t-il. Vous n'avez pas dormi du tout.

Ce n'était pas une question, et Domaris n'essaya pas de répondre. Devant le visage lumineux de Micon, elle baissa la tête, oublieuse du fait que la lumière matinale ne pouvait la trahir auprès d'un aveugle. Elle détacha avec douceur ses doigts des siens en disant simplement :

— Je dois éveiller Déoris.

VI

Dans son rêve, Déoris errait à travers une interminable enfilade de cavernes, en suivant les étincelles intermittentes d'une lumière qui jaillissait d'un bâton à la forme étrange, tenu par une silhouette encapuchonnée. Elle n'avait ni peur ni froid, mais elle savait, avec une certitude curieusement exempte de toute sensation physique, que les murs et les parois de ces cavernes étaient humides et glacés...

De quelque part, pas très loin, une voix familière mais qu'elle n'arrivait pas à reconnaître l'appelait par son nom. Elle sortit avec lenteur du rêve, nichée dans des replis gris.

— *Non...* murmura-t-elle, tout endormie, en se touchant la figure.

Avec un rire affectueux, Domaris secoua l'épaule de la fillette :

— Réveille-toi, petite paresseuse !

Les yeux à demi clos, encore assombris par le rêve, s'ouvrirent comme des violettes surprises ; de petits doigts dissimulèrent un bâillement.

— Oh, Domaris, je voulais rester réveillée, murmura Déoris en se dépêchant de se lever, immédiatement alerte, laissant tomber le manteau.

Elle se pencha pour le ramasser, le tint avec curiosité devant elle, à bout de bras :

— Qu'est-ce que c'est que ça ? Ce n'est pas à moi !

Domaris le lui prit des mains :

— C'est le manteau du seigneur Rivéda. Tu t'es endormie comme un bébé sur ses genoux !

Déoris fronça les sourcils d'un air boudeur, et Domaris la taquina :

— Il l'a laissé, sans aucun doute, pour être sûr de te revoir ! Déoris ! As-tu trouvé ton premier amoureux alors que tu es si jeune ?

Déoris tapa du pied en faisant la moue :

— Pourquoi es-tu si méchante ?

— Voyons, je pensais que cela te ferait plaisir, dit Domaris, et elle jeta joyeusement le manteau sur les épaules nues de la fillette.

Déoris le rejeta de nouveau, furieuse :

— Je te trouve... horrible ! s'écria-t-elle, et elle s'enfuit en courant de la colline pour trouver le refuge de son lit et pleurer jusqu'au retour du sommeil.

Domaris esquissa un mouvement pour la suivre, puis s'immobilisa : elle se sentait elle-même trop mal ce matin pour s'occuper des humeurs de sa sœur. Le manteau du tunique grise, au tissu rugueux contre son bras, ajoutait à son sentiment de malaise et d'appréhension. Elle avait parlé avec légèreté pour taquiner la fillette, mais elle se surprenait maintenant de ces paroles. Il était impensable qu'un adepte pût manifester à Déoris un intérêt personnel : l'enfant n'avait pas même quatorze ans ! Avec un frisson de dégoût, Domaris écarta cette pensée indigne d'elle et se retourna vers Micon.

Les autres s'éveillaient, se levaient, se rassemblaient en petits groupes pour regarder le lever du soleil. Arvath s'en vint passer un bras autour de la taille de Domaris ; elle le subit, distraite ; ses calmes yeux gris dévisagèrent sans passion le visage du jeune prêtre et Arvath en fut peiné et déconcerté. Domaris était devenue si différente depuis... oui, depuis que Micon était entré dans leur vie ! Il soupira, en souhaitant pouvoir haïr Micon, et laissa son bras retomber en sachant que Domaris n'était pas plus consciente de son absence qu'elle ne l'avait été de sa présence.

Rajasta gravissait le chemin, silhouette blanche que la lumière matinale teintait de vagues reflets rouges. En s'approchant d'eux, il s'arrêta pour ramasser le manteau de Micon. C'était un bien petit service, mais ceux qui le virent s'en étonnèrent, comme du ton familier et caressant que prit la voix habituellement sévère de Rajasta quand il demanda :

— As-tu dormi ?

Le sourire de Micon était plus qu'une bénédiction, presque sanctifié.

— Comme je dors bien rarement, mon frère.

Rajasta tourna brièvement les yeux vers Domaris et Arvath, pour les renvoyer :

— Allez, mes enfants, reposez-vous... Micon, viens avec moi.

Arvath prit le bras de Domaris et l'attira sur le sentier. Presque trop lasse pour tenir debout, elle s'appuya lourdement sur le bras offert, puis se tourna vers Arvath et posa un instant la tête sur sa poitrine.

— Tu es bien fatiguée, ma sœur, dit Arvath, presque avec reproche et, maintenant protecteur, il la guida le long de la colline, la tenant serrée contre lui, la tête éclatante de la jeune fille presque posée contre son épaule.

Rajasta les regarda partir avec un soupir. Puis, la main à peine posée sur le coude de Micon, il guida discrètement l'initié dans la direction opposée, sur un chemin qui menait au bord de la mer. Micon le suivit sans trébucher, comme s'il n'avait pas besoin de l'aide de Rajasta. Il avait une expression rêveuse et distraite.

Ils marchèrent un moment en silence, puis Rajasta prit la parole, sans interrompre le rythme lent de leurs pas.

— C'est la femme la plus rare qui soit, dit-il, une femme née non seulement pour être une épouse mais une compagne. Tu seras béni.

— Mais elle... malédiction ! dit Micon, presque inaudible. (Son étrange sourire tordu lui étira de nouveau les lèvres :) Je l'aime, Rajasta, je l'aime bien trop pour lui faire du mal. Et je ne peux rien lui donner ! Aucun vœu de mariage, aucun espoir de vrai bonheur, seulement chagrin et souffrance, et peut-être la honte...

— Ne parle pas comme un insensé, répliqua Rajasta d'un ton abrupt. Tu oublies tes propres enseignements. L'amour, où qu'on le trouve, en quelque temps qu'on le trouve, même s'il ne dure que quelques instants, ne peut apporter que la joie... s'il n'est pas contrarié ! Ceci vous dépasse tous deux.

Ne te mets pas en travers de ce qui se trame ici... ni de ton propre chemin !

Ils s'étaient immobilisés sur un petit promontoire rocheux qui dominait la rive. En contrebas, la mer venait frapper la terre, sans relâche, insistante. Micon semblait fixer le prêtre de la Lumière de ses yeux sans regard, et Rajasta eut un instant le sentiment de voir un étranger, tant le visage de l'Atlante lui semblait soudain transformé.

— J'espère que tu as raison, dit enfin Micon, toujours tourné avec intensité vers le visage de Rajasta.

LIVRE II

Domaris

Si un rouleau de manuscrit est porteur de mauvaises nouvelles, est-ce la faute du rouleau, ou des mots qui s'y trouvent ? S'il est porteur de bonnes nouvelles, en quoi diffère-t-il de l'autre rouleau ?

Nous commençons notre vie avec ce qui semble une ardoise vierge, et même si l'écriture qui y apparaît peu à peu n'est pas la nôtre, notre lecture détermine ce que nous sommes et ce que nous deviendrons. D'une façon assez semblable, notre travail sera jugé par la façon dont autrui en fera usage... Et la question est alors : Comment pouvons-nous maîtriser cet usage, lorsqu'il nous échappe en passant aux mains de ceux sur qui nous n'avons aucun contrôle ?

Les plus anciens enseignements de la caste des prêtres affirment qu'un travail, accompli avec le souhait et le désir profonds de servir à un plus grand bien-être des humains et du monde, possède ainsi un pouvoir positif qui réduira le désir de ses utilisateurs d'en faire usage à des fins destructrices. Ce n'est pas faux, sans aucun doute — mais réduire n'est pas prévenir.

Extrait de l'introduction au Codex de l'adepte Rivéda

1

Sacrements

I

Une pluie lourde et pénétrante dégringolait sur les toits, les cours et les enclos du temple, une pluie qui pénétrait brutalement le sol assoiffé, qui éclaboussait bassins et fontaines d'un tintement musical, qui inondait les pelouses et les dalles des promenades. A cause de la pluie, peut-être, la bibliothèque du temple était bondée. Chaque tabouret, chaque table était occupé, chaque banc avait son lecteur assidu, la tête penchée.

Domaris s'immobilisa dans l'entrée et chercha Micon des yeux ; il n'était pas dans son recoin habituel. Châles blancs des prêtres, lourds capuchons gris des magiciens, résilles des prêtresses, têtes nues des aspirants-prêtres et des scribes... Enfin, avec un petit tressaillement d'excitation, elle aperçut Micon. Il était assis à une table dans le coin le plus éloigné, plongé dans une profonde conversation avec Rivéda, dont la tunique couleur de fumée au profond capuchon et le visage maigre et rude contrastaient étrangement avec la pâleur émaciée de l'Atlante. Domaris eut pourtant le sentiment que les deux hommes, en fait, se ressemblaient beaucoup.

Elle allait se diriger vers eux, mais elle fit une pause, et son antipathie irraisonnée envers Rivéda se manifesta de nouveau, la secouant d'un léger frisson. Cet homme, ressembler à Micon ?

Rivéda écoutait avec attention, penché en avant ; les traits aveugles et basanés de l'Atlante étaient illuminés de son habituel sourire. Un observateur distrait aurait juré qu'il n'y avait rien là que camaraderie, mais Domaris ne pouvait dissiper le sentiment que se trouvaient en présence deux forces à la puissance identique mais d'orientations opposées, dressées l'une contre l'autre.

Ce fut le tunique grise qui, le premier, prit conscience de son approche. Rivéda leva les yeux avec un sourire aimable :

— La fille de Talkannon désire vous voir, Micon.

En dehors de cette remarque, bien entendu, il ne bougea pas et ne prêta pas attention à la jeune fille ; Domaris n'était qu'une acolyte, et lui un adepte de haut rang.

Micon se leva avec un effort pénible et dit avec déférence :

— Comment puis-je servir dame Domaris ?

Embarrassée par cette infraction publique à l'étiquette, Domaris resta là, les yeux baissés. Elle n'était pas vraiment timide, mais elle n'appréciait pas l'attention que le geste de Micon avait attirée sur elle. Elle se demanda si Rivéda méprisait secrètement chez Micon son ignorance évidente des coutumes du temple. Sa voix n'était qu'un murmure lorsqu'elle dit :

— Je viens de la part de votre scribe, seigneur Micon. Déoris est malade et ne peut venir aujourd'hui.

— Je suis navré de cette nouvelle. (Le sourire de Micon était à présent plein de compassion.) Fleur du Soleil, dites-lui de ne pas venir me voir avant d'être rétablie.

— Je suis sûr que son indisposition n'est pas grave, intervint Rivéda d'un ton familier, bien qu'un regard perçant filtrât sous ses lourdes paupières. J'ai souvent pensé que ces nuits de veille dans l'humidité ne sont bonnes pour personne.

Domaris se sentit soudain irritée. Cela ne concernait en rien Rivéda ! Micon lui-même put percevoir sa froideur lorsqu'elle dit :

— Ce n'est rien, rien du tout. Elle se sera remise dans quelques heures.

En fait, même si Domaris n'avait nullement l'intention de le dire, Déoris s'était infligé une violente migraine à force de pleurer. Domaris se sentait coupable et troublée, car c'était elle qui avait provoqué la détresse de sa sœur par ses remarques taquines à propos de Rivéda, le matin même. Bien plus, elle sentait que Déoris éprouvait à l'égard de Micon une féroce jalousie ; de façon répétée, elle avait supplié Domaris de ne pas la quitter, de ne pas aller trouver Micon, d'envoyer un esclave lui apprendre son indisposition. Domaris avait eu peine à se contraindre à quitter la fillette dans son état pitoyable, et elle avait seulement fini par s'y forcer en se rappelant que Déoris n'était pas réellement souffrante : une fois qu'elle aurait compris que ses rages et ses crises de nerfs ne lui obtiendraient pas ce qu'elle désirait, elle cesserait d'y avoir recours, et il n'y aurait alors plus de migraines.

Rivéda se leva.

— Je vais m'informer davantage, dit-il d'un ton décisif. Bien des maladies sérieuses commencent par une légère indisposition.

Ses paroles n'étaient pas dépourvues de courtoisie, elles étaient en vérité marquées de l'impeccable politesse d'un prêtre guérisseur, mais Rivéda était secrètement amusé. Il savait que Domaris ne l'aimait pas. Il n'éprouvait à son égard aucune réelle malveillance, mais Déoris l'intéressait, et il trouvait ridicules et absurdes les manœuvres de Domaris pour le tenir à l'écart de sa sœur.

Domaris ne pouvait rien dire. Rivéda était un adepte de haut rang et, s'il choisissait de s'intéresser à Déoris, ce n'était pas à une acolyte de le contrarier. Elle se rappela avec fermeté que Rivéda était assez vieux pour être son grand-père, et prêtre guérisseur d'un très grand talent et d'une austérité inhabituelle même chez les tuniques grises.

Les deux hommes échangèrent des adieux empreints de cordialité et, tandis que Rivéda s'éloignait d'un pas posé, Domaris sentit la main de Micon se poser sur son poignet, hésitante et légère :

— Prenez place auprès de moi, couronnée de Lumière. Avec la pluie, je ne suis pas d'humeur à étudier, et je me sens seul.

— Vous aviez une compagnie fort intéressante, remarqua Domaris non sans irritation.

Le sourire ironique de Micon passa comme un éclair :

— C'est vrai. Pourtant, je préférerais parler avec vous. Mais... peut-être cela ne vous convient-il pas en ce moment ? Ou serait-ce... une infraction ?

Domaris eut un léger sourire :

— Rivéda et vous occupez tous deux un rang si élevé au

temple que les surveillants ne vous ont pas reproché votre ignorance de nos règles, murmura-t-elle en jetant un regard embarrassé aux visages sévères des scribes qui gardaient les manuscrits. Mais je ne peux, quant à moi, parler à haute voix. Rivéda
aurait dû vous en avertir ! ne put-elle s'empêcher d'ajouter, sa
voix soudain plus coupante.

Micon, contrarié, laissa échapper un petit rire :

— Peut-être est-il accoutumé à travailler en solitaire, suggéra-t-il en baissant le ton à l'instar de la jeune fille. Vous
connaissez ce temple... Où pouvons-nous nous promener sans
subir de contrainte ?

II

La haute taille de Micon rendait Domaris presque petite, et
ses traits irréguliers, tourmentés, contrastaient étrangement
avec la beauté joyeuse de la jeune fille. Lorsqu'ils quittèrent
l'édifice, des têtes se tournèrent pour les suivre d'un regard
curieux ; Micon, qui n'en avait pas conscience, fut néanmoins
affecté par la timidité de Domaris et ne dit mot pendant qu'ils
traversaient le corridor.

Avec une gracieuse discrétion, Domaris ralentit pour accorder son pas léger à celui de son compagnon et Micon resserra
son étreinte sur son bras. La jeune fille tira un rideau et ils se
trouvèrent dans le vestibule d'une des cours intérieures. Protégée par des volets de bois à demi fermés, une large baie
occupait un pan entier de mur ; le parfum doux et calme de
la pluie sur l'herbe et les fleurs assoiffées pénétrait, lointain,
ainsi que la musique d'une cascade de gouttes dans un bassin.

— Je viens souvent étudier ici, dit Domaris, qui n'avait
jamais partagé avec personne, même Déoris, ce coin de pré-
dilection, habituellement désert. Un prêtre handicapé qui sort
rarement de ses appartements habite de l'autre côté de la cour,
et cette pièce n'est jamais utilisée. Je crois pouvoir vous promettre que nous serons tout à fait tranquilles ici.

Elle s'installa sur un banc proche de la baie et fit à Micon
une place auprès d'elle.

Il y eut un long silence. La pluie tombait dehors, son souffle
humide et frais caressait leur visage. Les mains de Micon repo-

saient, détendues, sur ses genoux, et l'esquisse de sourire qui ne quittait jamais tout à fait ses lèvres brillait par intermittence comme un éclair de chaleur. Il était heureux d'être simplement près de Domaris, mais la jeune fille s'agita, impatiente.

— Je nous trouve un endroit où nous pouvons parler, et nous restons là muets comme des carpes !

Micon se tourna vers elle :

— Or certaines choses doivent être dites... Domaris !

Il prononça son nom avec un désir si intense que la gorge de la jeune fille se serra. Il le répéta de nouveau, et sur ses lèvres, c'était comme une caresse :

— *Domaris* !

— Seigneur Micon... Seigneur Prince...

Une colère soudaine et inattendue passa dans la voix de l'Atlante :

— Ne m'appelez pas ainsi, ordonna-t-il. J'ai abandonné tout cela ! Vous connaissez mon nom !

Elle murmura, comme dans un rêve :

— Micon.

— Domaris... je suis votre humble prétendant. (Sa voix avait une intonation curieuse, étouffée, comme s'il avait humblement sollicité son pardon.) Je vous... aime depuis que j'ai senti votre présence. Je sais que j'ai bien peu à vous donner, et pour un temps bien bref. Mais... vous, la plus délicieuse des femmes...

Il s'interrompit comme pour rassembler ses forces et reprit d'une voix hésitante :

— J'aurais voulu que nous nous rencontrions en un temps plus propice, et que notre... notre amour fleurisse, lentement peut-être, pour atteindre sa perfection...

Il s'interrompit de nouveau et l'expression intense de ses traits basanés trahissait une émotion si claire que Domaris ne put y faire face et détourna les yeux, heureuse qu'il ne pût voir son visage.

— Il me reste peu de temps, dit-il. Je sais que selon les lois du temple vous êtes encore libre. C'est votre... droit de choisir un homme et de porter son enfant, si vous le désirez. Vos fiançailles avec Arvath ne constituent pas un obstacle légal. Accepteriez-vous... envisageriez-vous de m'avoir pour amant ?

La violence de son émotion faisait à présent trembler la voix vibrante de Micon.

— C'est mon destin, je suppose, moi qui avais tout, des armées à commander, le tribut de nobles familles, d'avoir maintenant si peu à vous offrir, ni vœux de mariage ni espoir de bonheur, rien que l'immense besoin que j'ai de vous...

Emerveillée, elle répéta avec lenteur :

— Vous m'aimez ?

Il tendit vers elle une main hésitante, trouva ses doigts fins et les prit entre les siens :

— Les mots me manquent pour vous dire à quel point je vous aime, Domaris. Tout ce que je puis dire... c'est que la vie m'est insupportable loin de vous. Mon cœur... désire le son de votre voix, de vos pas, le contact de votre main...

— Micon, murmura-t-elle, encore éblouie, incapable de bien comprendre. Vous m'aimez vraiment.

Elle leva son visage vers lui pour le contempler avec intensité.

— Le dire serait plus facile si je pouvais voir votre visage, murmura-t-il et, d'un geste qui bouleversa la jeune fille, il s'agenouilla devant elle, captura à nouveau ses mains dans les siennes et, les pressant contre ses lèvres, en baisa les doigts délicats en disant, d'une voix étranglée : Je vous aime presque plus que ma vie, presque trop... Vous êtes d'une si grande bonté, Domaris. Je pourrais avoir un enfant d'une autre femme, mais Domaris, Domaris, pouvez-vous seulement deviner l'énormité de ce que je dois vous demander ?

D'un mouvement preste, elle se pencha et l'attira contre elle, pressant son front contre ses seins juvéniles :

— Je sais seulement que je vous aime, lui dit-elle. C'est ici votre place.

Et ses longs cheveux de flamme les recouvrirent tous deux tandis que leurs lèvres se touchaient, balbutiant le véritable nom de l'amour.

III

Le ciel était encore gris et chargé de lourds nuages, mais la pluie s'était arrêtée. Déoris était étendue sur un divan dans la pièce qu'elle partageait avec sa sœur, et se faisait brosser les cheveux par sa servante. Au-dessus de sa tête, le petit oiseau au plumage rouge offert par Domaris gazouillait avec une joyeuse allégresse. Déoris, en l'écoutant, chantonnait à voix basse tandis que la brosse passait, apaisante, dans ses cheveux ; la brise faisait frémir les rideaux et les feuilles dentelées des arbres dans la cour ; une lumière assourdie inondait la pièce, s'accrochant à la patine des panneaux de bois sombre, au chatoiement des voiles de soie et aux décorations d'argent, de turquoise et de jade : un luxe modeste, permis à Domaris en tant qu'acolyte et fille d'un prêtre. Déoris s'y lovait comme un chaton, écartant de vagues sentiments de gêne et de culpabilité ; les scribes et les néophytes observaient des règles de stricte austérité pour leur environnement, et Domaris, à son âge, n'avait pas eu droit à de tels conforts. Déoris prenait plaisir à ce luxe ; personne ne le lui avait interdit, mais elle en éprouvait une honte secrète.

Elle se déroba aux mains de la jeune esclave :

— Allons, c'est assez, tu vas encore me donner mal à la tête, dit-elle d'un ton grognon. Et puis, j'entends ma sœur qui arrive.

Elle bondit vers la porte mais, en voyant Domaris, son allégresse se dissipa et ses salutations moururent sur ses lèvres.

La voix de sa sœur était pourtant parfaitement naturelle quand elle dit :

— Ta migraine va mieux, Déoris ? Je pensais te trouver encore au lit.

Déoris examina Domaris, incertaine, en pensant : C'est juste mon imagination. Puis elle dit à haute voix :

— J'ai dormi pendant presque tout l'après-midi. A mon réveil, je me sentais mieux. (Elle se tut tandis que sa sœur s'avançait dans la pièce, puis reprit :) Le seigneur Rivéda...

Domaris l'interrompit d'un geste impatient :

— Oui, oui, il m'a dit qu'il viendrait prendre de tes nouvelles. Tu peux m'en parler plus tard, n'est-ce pas ?

Déoris battit des paupières :

— Pourquoi, tu es pressée ? C'est ta nuit de garde au temple ?

Domaris secoua la tête, puis tendit la main pour caresser les boucles de sa sœur :

— Je suis très heureuse que tu ailles mieux, dit-elle plus gentiment. Appelle Elara pour moi, veux-tu, ma chérie ?

La petite femme brune s'en vint et débarrassa prestement Domaris de ses robes d'extérieur. Domaris se laissa tomber de tout son long sur une pile de coussins et Déoris vint s'agenouiller près d'elle, anxieuse.

— Quelque chose ne va pas ?

Domaris répliqua par un « non » distrait, puis, d'un ton rêveur mais comme si elle avait pris une décision, elle ajouta :

— Non, tout va bien, tout ira bien.

Elle roula sur le côté pour poser un regard souriant sur Déoris et, impulsivement, commença à dire :

— Déoris...

Puis, tout aussi brusquement, elle s'interrompit.

— Mais qu'est-ce qu'il y a, Domaris ? insista Déoris, en sentant de nouveau surgir l'incompréhensible panique qui l'avait saisie au retour de sa sœur, quelques instants plus tôt.

— Déoris... ma petite sœur... je vais rendre visite à la dame de Bonté.

Elle s'empara de la main de Déoris et poursuivit :

— Tu viens avec moi ?

Déoris la regarda fixement, bouche bée. La dame de Bonté, la déesse Caratra... On ne visitait son sanctuaire que pour des rituels bien particuliers, ou dans des moments de crise spirituelle.

— Je ne comprends pas, dit Déoris avec lenteur, pourquoi... Pourquoi ? (Elle tendit brusquement la main pour prendre celle de Domaris entre les siennes :) Domaris, qu'est-ce qui t'arrive ?

Dans son exaltation confuse, Domaris n'arrivait pas à parler. Elle n'avait jamais douté de la réponse qu'elle donnerait à Micon — il lui avait défendu de se décider tout de suite — et, pourtant, dans le secret de son cœur, elle était troublée et avait besoin de réconfort ; pour une fois, elle ne pouvait se tourner vers Déoris car, si proches fussent-elles, Déoris était encore une enfant.

Déoris, qui n'avait jamais connu d'autre mère que Domaris, ressentit avec acuité cette nouvelle distance qui les séparait et s'exclama d'une voix étranglée et plaintive :

— *Domaris !*

— Oh, Déoris, dit Domaris en libérant sa main, un peu agacée, je t'en prie, ne me pose pas de questions ! (Puis, ne désirant pas voir le fossé s'élargir entre elles, elle ajouta en hâte, gentiment :) Viens seulement avec moi... S'il te plaît...

— Bien sûr, murmura Déoris, sentant sa gorge curieusement serrée.

Domaris s'assit et, en souriant, étreignit Déoris et lui donna un petit baiser rapide ; elle allait s'écarter, mais Déoris s'accrocha à elle, avec l'intuition amère des enfants, comme si elle sentait la proximité de Micon peu de temps auparavant, et qu'elle voulait chasser cette présence qui s'attardait. Domaris caressa les boucles soyeuses de la fillette, avec un désir soudain de se confier ; mais les mots, une fois de plus, lui firent défaut.

IV

Le sanctuaire de Caratra, la Mère bienfaitrice, se trouvait assez loin. La demeure des Douze en était séparée par presque toute l'étendue du temple et de ses dépendances et il y avait un long chemin à parcourir sous les arbres en fleurs, tout humides. La fraîcheur naissante du crépuscule, le lourd parfum des roses et de la verveine flottaient dans la pénombre moite. Les deux sœurs se taisaient, l'une concentrée sur ce qu'elle allait faire, l'autre, pour une fois, à court de paroles.

L'éclat blanc du sanctuaire luisait de l'autre côté d'un bassin ovale empli d'eau claire, scintillante, cristalline et d'un bleu éthéré sous la haute voûte du ciel. Alors qu'elles s'en approchaient, le soleil qui baissait à l'ouest surgit un instant derrière un édifice, illuminant les murs d'albâtre du sanctuaire. Une forte bouffée d'encens flotta vers elles, au-dessus de l'eau ; des lumières dansantes leur faisaient signe.

Remarquant que Déoris avait un peu ralenti le pas, Domaris s'assit soudain dans l'herbe au bord du sentier. Déoris la rejoignit aussitôt. La main dans la main, elles se reposèrent un moment en contemplant la surface lisse du bassin sacré.

La beauté et le mystère de la vie, de la création renouvelée, étaient incarnés ici dans la déesse qui était le printemps, et la mère, et la femme, le symbole de la force douce de la Terre. Pour approcher le sanctuaire, les deux jeunes filles devraient s'immerger jusqu'à la poitrine en traversant le bassin. Chaque femme du temple se livrait au moins une fois à ce rite lustral sacré, même si seules les femmes de la caste des prêtres et les acolytes en apprenaient le sens profond : chacune venait par cette voie à la maturité, luttant malgré elle contre des marées plus profondes que l'eau du bassin, plus denses et plus difficiles à traverser. Dans l'orgueil ou l'équilibre de la maturité, dans la joie ou dans la peine, avec une réticence enfantine ou avec une sagesse adulte, dans l'extase ou la rébellion, chaque femme en venait là un jour.

Domaris frissonna en contemplant les eaux pâles, effrayée par leur symbolisme. Acolyte, elle avait été initiée au mystère et le comprenait ; pourtant elle se sentait reculer, apeurée. Elle pensa à Micon, à l'amour qu'elle avait pour lui, essayant de rassembler son courage pour entrer dans le bassin, mais une sorte d'appréhension prophétique s'était abattue sur elle. Elle s'accrocha à Déoris un moment pour être rassurée, en une muette supplication.

Déoris perçut le désarroi de sa sœur, mais elle détourna son regard, maussade. Elle avait l'impression que son univers était sens dessus dessous ; elle ne voulait pas savoir ce que Domaris avait à affronter et, en ce lieu, devant le sanctuaire le plus ancien et le plus sacré de la caste des prêtres, elle aussi avait peur, comme si ces eaux allaient l'emporter, elle aussi, dans le courant de la vie, comme n'importe quelle femme...

Elle dit, renfrognée :

— C'est cruel... comme toute vie est cruelle ! Je voudrais n'être pas née femme.

Et elle pensait en même temps que c'était égoïste, que ce n'était pas bien d'exiger ainsi l'attention de Domaris, de chercher à être rassurée elle-même quand Domaris endurait cette épreuve et que la sienne était encore si loin dans l'avenir. Elle dit pourtant :

— Pourquoi, Domaris, pourquoi ?

Domaris n'avait nulle réponse à cela, sinon d'étreindre un moment Déoris. Puis toute son assurance lui revint ; elle était une femme, profondément amoureuse, et son cœur se réjouit.

— Tu n'éprouveras pas toujours ce sentiment, Déoris, promit-elle. (Elle laissa retomber ses bras et dit lentement) : Maintenant, je vais aller au sanctuaire. Feras-tu le reste du chemin avec moi, petite sœur ?

Déoris ne ressentit d'abord guère de réticence ; elle était déjà entrée dans le sanctuaire sans passer par le bassin, le rituel sacré auquel se livrait chaque adolescente du temple quand, au début de la puberté, elle venait servir pour la première fois dans la demeure de la Grande Mère. Elle n'avait rien éprouvé alors, sinon de la nervosité devant la solennité du rituel. Mais à présent, comme Domaris se levait, la panique resserra ses doigts glacés sur la gorge de Déoris. Si elle suivait Domaris de son propre gré, elle avait le sentiment qu'elle serait prise au piège, qu'elle s'abandonnerait en aveugle à la violence de la nature. Une rébellion effrayée frémissait dans son refus :

— Non... je ne veux pas !

— Même... si je te le demande ?

L'intonation de Domaris était triste. Celle-ci était peinée : elle avait désiré la compréhension de Déoris, elle avait voulu partager avec elle ce moment qui inaugurait sa nouvelle vie.

Déoris secoua de nouveau la tête en signe de dénégation, le visage dans les mains. Elle éprouvait un désir pervers de blesser : Domaris l'avait laissée seule, eh bien, maintenant, c'était son tour !

A sa propre surprise, Domaris s'entendit implorer de nouveau :

— Déoris, ma petite sœur, je t'en prie, je voudrais que tu sois avec moi. Ne viendras-tu pas ?

Déoris ne dévoila pas son visage et, lorsqu'elle parla, ses paroles étaient à peine audibles, mais toujours négatives.

Domaris laissa brusquement ses mains retomber des épaules de sa sœur :

— Je suis navrée, Déoris. Je n'avais pas le droit de te le demander.

Déoris aurait donné n'importe quoi pour revenir sur ses paroles, mais il était trop tard. Domaris s'éloigna de quelques pas et Déoris resta immobile, la joue dans l'herbe froide, secouée d'âpres sanglots silencieux.

Sans un regard en arrière, Domaris détacha ses vêtements, les laissant tomber à ses pieds, et libéra ses cheveux en cascade autour de ses épaules. Elle passa les doigts dans ses lourdes tresses et une excitation soudaine traversa son corps juvénile, de la tête aux pieds : *Micon m'aime !* Pour la première et la seule fois de sa vie, Domaris savait en cet instant qu'elle était belle, et elle jouissait de cette certitude. Même si elle n'était pas exempte d'une certaine tristesse à l'idée que Micon ne verrait jamais cette beauté, ne la connaîtrait jamais.

Cette étrange ivresse ne dura qu'un instant. Domaris disposa ses longs cheveux autour de son cou et entra dans le bassin où elle s'avança jusqu'à mi-poitrine dans l'eau lumineuse, tiède et stimulante, non comme de l'eau, étrangement, mais comme une lumière vivante, effervescente... Teintée de bleu et d'un pâle violet, elle brillait d'un éclat chaud et scintillant, ondoyant en dessins veloutés autour de Domaris, dont le corps était comme un pilier blanc. Pendant un instant, l'eau se referma au-dessus de la tête de la jeune fille. Puis Domaris se dressa de nouveau, et l'eau retomba de sa tête et de ses épaules luisantes en cascades de gouttelettes et de bulles parfumées. Elle poursuivit son chemin vers le sanctuaire qui lui faisait signe, et sentit l'eau emporter, goutte après goutte, toute son ancienne vie, avec ses mesquines irritations et ses égoïsmes. Submergée par un sentiment d'infinie puissance, Domaris prit conscience en cet instant, de ce qu'elle n'avait pas compris lors de sa précédente visite au sanctuaire de Caratra : humaine, elle était divine.

C'est presque avec regret qu'elle sortit de l'eau, et elle s'immobilisa un instant avant de pénétrer dans le temple. Avec une gravité intense et solennelle, la jeune prêtresse se vêtit des habits sacramentels préparés dans le vestibule, en se gardant de songer à la *prochaine* fois où elle se baignerait dans ces eaux...

Dans le sanctuaire, elle s'attarda avec révérence devant l'autel et ceignit son corps de la ceinture nuptiale. Puis, les bras en croix, elle s'agenouilla, la tête renversée, pleine d'une passion d'humilité. Elle désirait prier, mais les mots lui manquaient.

— Mère, murmura-t-elle enfin, merveilleuse déesse, fais... que je n'échoue pas...

Une chaleur nouvelle sembla l'envelopper. Les yeux compatissants de l'image sacrée parurent lui sourire, ceux de la mère qu'elle se rappelait à peine. Elle resta agenouillée là longtemps, attentive, grave et silencieuse, tandis que des visions étranges,

confuses et démultipliées se mouvaient dans son esprit, indé-
finies, peut-être même dépourvues de sens, mais qui l'emplissaient pourtant d'un calme paisible comme elle n'en avait
jamais connu, et qu'elle n'oublierait jamais tout à fait par la
suite.

v

Le soleil avait disparu et la configuration des étoiles avait
changé lorsque Déoris bougea enfin et réalisa qu'il était très
tard. Il y avait des heures que Domaris aurait dû être de retour,
si elle avait eu l'intention de revenir.

Le ressentiment remplaça peu à peu l'inquiétude : Domaris
l'avait oubliée ! Malheureuse, irritée, Déoris retourna seule à
la demeure des Douze, où elle découvrit qu'Elara n'en savait
pas plus qu'elle. Du moins la servante refusait-elle de parler
de sa maîtresse à Déoris, ce qui ne fit rien pour calmer la
mauvaise humeur de celle-ci ; ses réactions abruptes et ses exigences capricieuses eurent tôt fait de conduire Elara, si
patiente d'habitude, à des larmes d'exaspération silencieuse.

Déoris avait fini par rendre les serviteurs et plusieurs des
voisins aussi misérables qu'elle lorsqu'Elis s'en vint en quête
de Domaris et aggrava innocemment la situation en demandant où elle se trouvait.

— Comment le saurais-je ! explosa Déoris. Domaris ne me
dit plus jamais rien, à moi !

Elis s'efforça d'apaiser la colère de la fillette, mais Déoris
ne voulut même pas l'écouter, et Elis, qui avait son propre
caractère, finit par lui dire le fond de sa pensée :

— Eh bien, je ne vois pas pourquoi Domaris devrait te dire
quoi que ce soit : ses affaires ne te concernent en rien. Et de
toute façon, tu as été tellement gâtée que tu es absolument
insupportable. J'aimerais bien que Domaris entende raison et
te remette à ta place !

Déoris ne se mit pas à pleurer mais elle s'affaissa, frappée
au cœur.

Elis se trouvait déjà à la porte mais elle revint en hâte sur
ses pas pour se pencher, contrite, sur la fillette :

97

— Déoris, dit-elle, je suis désolée, vraiment, je ne voulais pas dire cela...

Dans un mouvement d'affection plutôt rare, car Elis ne manifestait jamais ses sentiments, elle prit la main de Déoris :

— Je sais que tu te sens seule. Tu n'as jamais eu personne d'autre que Domaris. Mais c'est ta faute, vraiment, tu pourrais avoir beaucoup d'amies. (Et elle ajouta gentiment :) Et de toute façon, tu ne devrais pas rester ici à bouder. Lissa s'ennuie de toi. Viens jouer avec elle.

Le sourire revenu de Déoris vacilla :

— Demain, dit-elle. Je préférerais être seule, pour le moment.

Elis avait des intuitions qui frisaient parfois la clairvoyance, et l'une de ces impressions vagabondes, presque aussi claire qu'une vision, lui fit abandonner la main de sa cousine :

— Je n'essaierai pas de te persuader davantage, dit-elle, puis elle ajouta, d'une voix paisible et égale : Rappelle-toi seulement ceci, si Domaris n'appartient à personne hormis elle-même... tu es libre toi-même, et de plein droit. Bonne nuit, mon chaton.

Après le départ d'Elis, Déoris resta assise à contempler la porte refermée. Ces paroles, apparemment si simples, avaient une résonance curieusement cryptique, et elle ne pouvait en élucider le sens. C'était seulement Elis, égale à elle-même, décida-t-elle enfin, et elle s'efforça de les oublier.

2

Le fou

I

Au-delà d'un certain rang, les prêtres célibataires étaient logés dans deux hostelleries. Rajasta et Micon, comme plusieurs autres d'un rang élevé, résidaient dans la plus petite et la plus confortable des deux. Rivéda aurait pu y vivre aussi, mais, de son propre gré, par humilité ou par quelque orgueil inversé, l'adepte avait choisi de rester parmi les prêtres moins initiés.

Rajasta le trouva en train d'écrire, dans une pièce qui servait à la fois de chambre et de bureau et qui s'ouvrait sur une petite cour enceinte de murs. La salle principale était meublée avec parcimonie et sans la moindre trace de luxe ; la cour était simplement pavée de briques et dépourvue de bassin, de fleurs ou de fontaine. Deux petites pièces adjacentes logeaient les assistants tunique grise.

C'était une journée chaude ; dans toute l'hostellerie, la plupart des portes étaient grandes ouvertes pour créer un courant d'air. Rajasta se tint donc sans être remarqué à la porte de Rivéda, étudiant pendant un assez long moment l'expression préoccupée de l'adepte.

Le prêtre de la Lumière n'avait jamais eu de raison de se méfier de Rivéda, et même si la vision qu'il avait eue du *dorje* le troublait encore, la courtoisie exigeait de ne point évoquer de nouveau l'avertissement qu'il avait donné à l'adepte lors de la nuit du Zénith ; un tel acte eût constitué un insultant manque de confiance.

Rajasta était cependant gardien du temple de la Lumière, ce qui n'était pas une mince responsabilité. Si Rivéda, pour quelque raison, ne pouvait maîtriser les membres de son ordre, Rajasta en partagerait pleinement la culpabilité car, en accord avec une interprétation stricte de ses devoirs, le gardien aurait dû persuader Micon, et même le forcer à témoigner de sa torture aux mains des tuniques noires. Toute l'affaire aurait dû être exposée devant le Grand Conseil.

En pensant de nouveau à tout cela, Rajasta poussa un profond soupir. C'est ainsi qu'avec les meilleures intentions nous sommes pris dans les rêts du karma, se dit-il avec lassitude. Je puis épargner Micon, mais seulement à mes propres dépens, ajoutant ainsi à son fardeau et nous liant tous deux plus étroitement encore à cet homme...

Rivéda se tenait très droit à son écritoire : il disait souvent qu'il n'aimait pas avoir de stupides petits scribes dans les jambes. Il inscrivit quelques caractères de plus, d'une écriture à la fois appuyée et pointue qui en disait long sur lui, puis il se débarrassa de son pinceau d'un geste abrupt.

— Eh bien, Rajasta, gloussa-t-il devant la déconfiture passagère du prêtre de la Lumière. Une visite amicale ? Ou bien encore vos exigences ?

— Les deux, disons, répondit Rajasta après une pause.

Le sourire s'effaça des traits de Rivéda et l'adepte se leva :

— Venons-en au fait, et peut-être aurai-je aussi quelque chose à dire, alors. Les membres de mon ordre s'agitent. Selon eux, les gardiens se livrent à une intrusion intolérable. Bien entendu... (Il jeta un coup d'œil acéré à Rajasta.) C'est justement la tâche des gardiens.

Rajasta croisa les mains derrière son dos. Il remarquait que Rivéda ne l'avait pas invité à s'asseoir ni même, en fait, à entrer. Cette omission l'irritait, aussi parla-t-il avec plus de vigueur qu'il n'en avait eu l'intention ; si Rivéda avait l'intention d'écarter toute prétention à la courtoisie, il ferait lui-même la moitié du chemin.

— Il y a plus d'agitation dans l'enceinte du temple que dans votre ordre, avertit-il. Chaque jour, le ressentiment des prêtres augmente ; Les rumeurs aussi, affirmant que vous êtes un dirigeant négligent qui a laissé des formes avilies et décadentes se glisser dans votre rituel, et ce rituel lui-même devenir une version dévoyée de ce qu'il était. Les femmes de votre ordre...

— Je me demandais quand on y viendrait, interrompit Rivéda, la voix lourde de sous-entendus.

Rajasta fronça les sourcils et poursuivit :

— ... sont souvent utilisées d'une façon très particulière, qui défie les lois même de votre ordre. On sait que vous dissimulez les tuniques noires en votre sein...

Rivéda leva une main :

— Suis-je soupçonné de sorcellerie ?

Le gardien secoua la tête :

— Je ne porte aucune accusation, je ne fais que répéter ce qui se dit communément.

— Le gardien Rajasta écoute-t-il donc aux portes les caquètements des bavards ? Ce n'est pas là mon idée d'une conversation plaisante, ni du devoir d'un prêtre !

Comme Rajasta ne répondait pas, Rivéda poursuivit, d'une voix grave et grondante :

— Continuez ! Il y a plus que cela, assurément ? Qui d'autre que les tuniques grises œuvre avec la magie naturelle ? Ne nous a-t-on pas accusés de calciner les récoltes ? Et mes guérisseurs — les seuls êtres humains qui osent se rendre dans les cités dont les habitants croupissent au milieu des miasmes des épidémies — n'ont-ils pas encore été accusés d'empoisonner les puits ?

Rajasta dit avec lassitude :

— Il n'est pas d'essaim qui ne naisse d'une seule abeille.

Rivéda reprit :

— Eh bien, seigneur gardien, où donc est le dard ?

— Dans le fait que vous ne vous souciez pas de tout cela, rétorqua Rajasta d'un ton coupant. Tous ces hommes sont sous votre responsabilité. Acceptez-la... ou déléguez-la à un autre qui surveillera l'ordre de plus près ! Ne la négligez point...

D'une voix soudain plus profonde, il émit cet avertissement :

— ... Ou bien leurs crimes façonneront votre destinée ! La responsabilité de celui qui commande est effrayante. Veillez à commander sagement.

Sur le point de parler, Rivéda accepta la critique, en silence, le regard rivé au sol de pierre. Sa mâchoire dessinait cependant une ligne insolente. Il dit enfin :

— On y veillera, soyez sans crainte.

Dans le silence qui s'ensuivit, un sifflement se fit entendre quelque part dans le corridor, vague et discordant. Rivéda jeta un regard rapide à sa porte ouverte, mais son expression révélait à peine son irritation.

Rajasta essaya une autre approche :

— Votre enquête sur les tuniques noires ?...

Rivéda haussa les épaules :

— Pour l'instant, tous les membres de mon ordre ont un alibi... sauf un.

Rajasta sursauta :

— Et celui-là ?

Rivéda écarta les mains :

— Une énigme, de bien des manières. Il porte l'habit d'un *chéla,* mais personne ne le réclame comme disciple. Et il n'a désigné personne comme étant son maître. Je ne l'avais jamais vu auparavant, mais il était là parmi les autres et, quand on l'a interpellé, il a donné les bonnes réponses. Autrement, il semble fou.

— Le frère de Micon, peut-être, hasarda Rajasta.

Rivéda renifla avec dédain :

— Un faible d'esprit ? Impossible ! Un esclave fugitif, plutôt.

— Qu'en avez-vous fait ? demanda Rajasta, usant de son privilège de gardien du temple.

— Pour le moment, rien, répliqua Rivéda, pensif. Puisqu'il est capable de franchir nos portes et connaît nos rituels, il a droit à une place dans notre ordre, même si l'on ne connaît pas son maître. Je l'ai pris comme disciple, pour l'instant. Son passé est vierge et il ne semble pas même connaître son nom, mais il a des moments de lucidité. Je crois que je pourrai faire beaucoup avec lui, et pour lui.

Il y eut un bref silence, et Rajasta ne se manifesta pas, mais Rivéda, sur la défensive, dit avec emportement :

— Qu'aurais-je pu faire d'autre ? Renoncer à mes vœux m'obligeant à aider quiconque connaît les signes rituels de mon ordre ? Aurais-je dû le laisser aller se faire lapider ou torturer, capturer et mettre en cage pour la plus grande joie des imbéciles qui viendraient contempler le fou ? Ou encore se faire prendre à nouveau et servir à des visées maléfiques ?

Le regard calme de Rajasta ne changea pas :

— Je ne vous ai point accusé, rappela-t-il à Rivéda. C'est votre affaire. Mais si les tuniques noires ont corrompu son esprit...

— Alors, je veillerai à ce qu'ils ne se servent pas de lui à leurs fins malfaisantes, promit sombrement Rivéda, et ses traits se détendirent un peu. Il n'est pas assez intelligent pour être mauvais.

— L'ignorance est pire que la malveillance, l'avertit Rajasta, et l'adepte soupira :

— Voyez vous-même, si vous le désirez.

Il franchit la porte ouverte, parla à voix basse à quelqu'un qui se tenait dans la cour. Au bout d'un moment, un jeune homme entra silencieusement dans la pièce.

II

Il était mince, de petite taille, et semblait très jeune, mais un examen plus attentif montrait que son visage, lisse comme celui d'un adolescent, était tout aussi dépourvu de cils que de barbe. Ses sourcils n'étaient qu'un trait presque invisible, et pourtant ses cheveux noirs et drus retombaient en boucles ternes, coupées net à l'épaule. Ses yeux gris pâle contemplaient Rajasta d'un regard vague, comme s'il était aveugle, et il avait le teint basané, très foncé, même si une étrange pâleur, à fleur de peau, lui donnait un aspect maladif. Rajasta observa avec attention ce visage hagard, en remarquant que le chéla se tenait très droit et très raide, les bras écartés du corps, ses maigres mains refermées en poings, comme celles d'un nouveau-né. Il s'était déplacé d'un pas si léger, si silencieux, que Rajasta se demanda, en ne plaisantant qu'à demi, si cette créature avait des coussinets aux pieds, comme un chat.

Il fit signe au chéla d'approcher et lui demanda avec bonté :

— Quel est votre nom, mon fils ?

Un éclat malsain s'éveilla soudain dans les yeux ternes. Le jeune homme regarda autour de lui et recula d'un pas, ouvrant et refermant la bouche. Puis, d'une voix enrouée, comme s'il avait perdu l'habitude de parler, il déclara :

— Mon nom ? Je suis... seulement un fou.

— Qui êtes-vous ? insista Rajasta. D'où venez-vous ?

Le chéla recula encore d'un pas, et le va-et-vient furtif de ses yeux au regard morbide s'accéléra :

— Je vois bien que vous êtes un prêtre, dit-il d'un ton rusé. N'êtes-vous pas assez sage pour le savoir ? Pourquoi devrais-je torturer ma pauvre cervelle pour me rappeler, quand les grands dieux savent, et m'ordonnent d'être muet, muet, de chanter en silence quand les étoiles brillent, en flottant vers la lune dans un jaillissement de lumière...

Ses paroles se transformèrent en chantonnement.

Rajasta ne pouvait que le contempler, frappé de stupeur.

Rivéda renvoya le chéla d'un geste :

— Il suffit, dit-il, et le garçon se glissa hors de la pièce en marmonnant, telle une apparition surgie du brouillard.

L'adepte ajouta, au bénéfice de Rajasta :

— Les questions le remplissent toujours d'agitation, comme s'il avait déjà été interrogé jusqu'à ce qu'il... se retire en lui-même.

Rajasta retrouva sa langue et s'exclama :

— Il est complètement fou !

Rivéda émit un petit rire ironique :

— Je suis navré. Il a des périodes de lucidité, où il peut parler de façon assez rationnelle. Mais si on l'interroge... il retombe dans sa folie. Si on peut éviter tout ce qui ressemble à une question...

— J'aurais aimé en être averti, dit Rajasta, réellement bouleversé. Vous m'avez dit qu'il a donné les bonnes réponses quand...

Rivéda écarta cette remarque d'un haussement d'épaules :

— Nos signes et contre-signes rituels n'ont pas valeur de questions, remarqua-t-il. Du moins ne peut-il trahir aucun de nos secrets ! N'avez-vous aucun secret au temple de la Lumière, Rajasta ?

— Nos secrets sont à la disposition de tous ceux qui les poursuivent avec sincérité.

Les yeux glacés de Rivéda étincelèrent ; il était offensé :

— Nos secrets sont plus dangereux, et nous les dissimulons

avec plus de soin. Les secrets inoffensifs du temple de la Lumière, vos jolies cérémonies et vos jolis rituels... nul ne pourrait faire de mal en se frottant à ce savoir sans en être digne ! Nous, nous avons affaire à des forces périlleuses, et si un seul homme les connaît sans être digne de tels secrets, il arrive ce qui est arrivé au jeune Micon d'Ahtarrath !

Il se tourna farouchement vers Rajasta :

— Vous surtout, vous devriez savoir pourquoi nous avons des raisons de garder nos secrets pour ceux qui sont capables de les utiliser !

Un rictus déforma la bouche de Rajasta :

— Comme votre chéla qui a perdu l'esprit ?

— Il les connaît déjà. Nous pouvons seulement nous assurer qu'il ne s'en servira pas à mauvais escient dans sa folie, dit Rivéda d'une voix égale, sur un ton décisif. Vous n'êtes pas un enfant pour prôner ainsi l'idéalisme. Regardez Micon... Vous l'honorez, je le respecte infiniment, votre petite acolyte, quel est son nom, déjà ? Domaris, l'adore. Et pourtant qu'est-il sinon un roseau brisé ?

— Tel est son accomplissement, murmura Rajasta tout bas.

— Et à quel prix ? Mon petit fou est plus heureux, je pense. Micon, malheureusement... (Rivéda sourit.) ... est encore capable de penser, et de se souvenir.

Une colère soudaine envahit Rajasta :

— Assez ! Cet homme est mon hôte, épargnez-lui vos sarcasmes ! Surveillez votre ordre, et abstenez-vous de ridiculiser vos supérieurs !

Il tourna le dos à l'adepte et sortit à grandes enjambées de la pièce, d'un pas ferme qui résonna puis s'éteignit au loin sur les dalles. Et il n'entendit nullement le rire de Rivéda, lent à se déclencher, qui le poursuivit.

3

L'union

I

La chambre sacrée était percée de hautes fenêtres à croisillons dont la découpe complexe se projetait sur le sol. La lumière tamisée de la lune et le dessin des ombres investissaient le mobilier, pourtant assez commun, d'une sorte d'évanescence, d'irréalité. Une fenêtre ovale, haut placée, laissait pénétrer des rayons argentés qui tombaient droit sur l'autel, où tremblotait une flamme.

Micon d'un côté, Rajasta de l'autre, Domaris passa sous l'arche aux ombres douces. En silence, les deux hommes prirent chacun une main de la jeune femme pour la conduire à l'un des trois sièges qui faisaient face à l'autel.

— Agenouille-toi, dit Rajasta d'une voix douce, et Domaris obéit, dans le bruissement discret de ses robes.

La main de Micon abandonna la sienne, pour se poser sur sa tête :

— Veuille accorder sagesse et courage à cette femme, ô Grand Inconnu, prononça l'Atlante d'une voix basse mais qui emplissait pourtant la salle de ses accents retenus. Accorde-lui paix et compréhension, ô Toi qui ne peux être connu !

Micon recula d'un pas et laissa Rajasta prendre sa place.

— Accorde à cette femme un dessein pur et le savoir vrai, dit le prêtre de la Lumière. Accorde-lui de croître selon ses besoins, et la force de faire le plus pleinement son devoir. Ô Toi qui es, laisse-la être en Toi et participer de Ton être.

Rajasta ôta sa main de la tête de Domaris et s'écarta d'un pas.

Le silence était total. Domaris se sentait étrangement seule sur l'estrade devant l'autel, pourtant elle n'avait pas entendu le froissement des tuniques ou le claquement des sandales qui auraient accompagné Micon et Rajasta s'ils s'étaient retirés. Elle entendait son cœur résonner sourdement, une pulsation étouffée qui ralentit peu à peu en un rythme lourd, un battement profond qui semblait s'accorder aux vacillements de la flamme sur l'autel. Puis, sans avertissement, les deux hommes la relevèrent et l'assirent entre eux.

Ses mains dans les leurs, le visage empreint d'une beauté calme et surnaturelle, Domaris eut le sentiment de devenir légère, de s'élever, de croître jusqu'à toucher les étoiles lointaines. Elle se sentait envahie, submergée par un battement régulier, une cadence mesurée, lumière et son mêlés, qui la concentrait toujours plus en elle-même. Ses sens changeaient de registre, passaient en un éclair d'une intensité à l'autre, ses perceptions se tordaient, se déformaient, mais sans douleur, en une fusion indescriptible où toute expérience antérieure devenait insignifiante. C'était autour d'elle, et en elle, et c'était elle, une riche substance dont elle se nourrissait elle-même et, lentement, très lentement, comme à travers des siècles, le crépitement lumineux et palpitant des étoiles fit place à la chaleur obscure du cœur vibrant de la terre. Et elle lui appartenait aussi. C'était elle. Elle *était*.

Accompagnée par cette illumination, comme portée par les tièdes marées des eaux vitales, Domaris revint à la surface de l'existence. Autour d'elle, la chambre sacrée était silencieuse. A sa droite et à sa gauche, elle pouvait voir le visage d'un homme transfiguré, comme elle l'avait été elle-même. Ils prirent de concert une profonde inspiration, comme s'ils n'étaient qu'un seul corps, se levèrent et quittèrent les lieux sans un mot, unis dans cette consécration nouvelle vers un destin dont, pour un bref instant, ils avaient pu percevoir la nature.

4

Présages de tempête

I

Une brise fraîche agitait les feuilles, et le peu de lumière qui traversait les branchages dansait en tremblant, verte et dorée. En s'approchant dans le sentier bordé de buissons, Rajasta se dit que le grand arbre et les trois personnes qui se trouvaient dessous formaient un plaisant tableau : Déoris, avec ses cheveux doucement bouclés, dessinait une ombre très noire sur son tabouret de scribe tandis qu'elle lisait le contenu d'un rouleau ; devant elle, Micon faisait contraste, pâle, lumineux, presque transparent. Tout près de l'Atlante, mais guère plus loin que sa sœur cadette, Domaris était comme une flamme tranquille, avec son visage à la sérénité contenue, tel un étang calme.

Comme Rajasta n'avait pas fait de bruit dans l'herbe, il put se tenir près d'eux un moment sans être remarqué, écoutant à demi la lecture de Déoris ; mais c'était sur Domaris et Micon que ses pensées se concentraient.

Déoris fit une pause, et Micon leva soudain la tête en se tournant vers Rajasta avec son sourire chaleureux et accueillant.

Rajasta se mit à rire :

— Mon frère, c'est toi qui devrais être le gardien et non moi ! Personne d'autre ne m'a remarqué.

Une vague de rires naquit sous le grand arbre tandis que le prêtre de la Lumière s'approchait. En faisant signe aux deux jeunes filles de rester assises, Rajasta fit une pause près de Déoris pour caresser avec affection ses boucles en désordre :

— Cette brise est rafraîchissante.

— Oui, mais c'est le signe avant-coureur d'un orage, remarqua Micon.

Il y eut alors un bref silence et Rajasta, pensif, contempla le visage de Micon levé vers lui. *A quelle sorte d'orage fait-il allusion, je me le demande,* se dit-il. *De plus grands troubles s'annoncent que le simple mauvais temps.*

Domaris aussi était troublée. Sa sensibilité avait toujours été aiguë, mais sa relation nouvelle avec Micon lui avait donné de l'Atlante un degré de conscience si profond qu'il en paraissait surnaturel. Elle pouvait, avec une intuition immanquable, deviner ses sentiments ; il en résultait un dévouement devant lequel ses autres relations n'existaient plus. Elle aimait toujours autant Déoris, et l'intensité ou l'importance de son respect pour Rajasta ne s'étaient pas modifiées, mais le besoin désespéré de Micon passait en premier et suscitait en elle tout l'instinct protecteur dont elle était capable. Cela menaçait même de l'engloutir car, d'eux trois, c'était elle qui possédait la plus grande potentialité d'abnégation, à un point dramatique.

Rajasta l'avait toujours su, bien sûr. Il avait maintenant davantage conscience que son rôle d'initiateur lui donnait le devoir d'avertir Domaris de ce défaut de son caractère. Mais il comprenait trop bien aussi l'amour qui en avait permis l'épanouissement.

Tout de même, se dit-il avec sévérité, il n'est pas sain pour Domaris de concentrer toutes ses énergies sur une seule personne, quelle que soit l'intensité du besoin de celle-ci !

Puis, avant même d'avoir tout à fait complété cette pensée, le prêtre de la Lumière eut un sourire chagrin : *Il serait peut-être bon que j'apprenne également cette leçon...*

Il s'assit dans l'herbe auprès de Micon et, d'un geste rassurant, il étreignit doucement la main déformée de l'Atlante, abandonnée à son côté. Quelques secondes à peine s'écoulèrent, et ses doigts sensibles purent déceler le léger tremblement révélateur. Il secoua tristement la tête. L'Atlante semblait s'être très bien remis, mais la vérité était tout autre.

Le tremblement diminua pourtant, puis disparut, comme si

une porte s'était soudain refermée sur une menaçante violence. Micon laissa la force bienfaisante du gardien se répandre le long de ses nerfs torturés. Il sourit avec gratitude, puis son visage redevint grave.

— Rajasta... je dois te le demander... ne t'efforce plus de punir en mon nom. C'est une tentative qui ne portera pas de fruits, ou seulement des fruits amers.

Rajasta soupira :

— Nous avons si souvent eu cette discussion, dit-il, mais sans impatience. Tu dois savoir désormais que je ne puis laisser les choses en l'état. L'affaire est trop grave pour rester impunie.

— Elle ne le restera pas, sois-en certain, dit Micon. (Ses yeux aveugles étincelaient presque après cette infusion de vitalité nouvelle.) Mais prends garde que le châtiment ne soit pas lui-même suivi du châtiment !

— Rivéda doit épurer son ordre ! (La voix de Domaris était fragile comme de la glace.) Rajasta a raison...

— Gracieuse dame, lui reprocha Micon avec douceur, quand la justice se fait instrument de vengeance, c'est une lame qui se transforme en brin d'herbe. C'est vrai, Rajasta doit protéger ceux qui viennent ici, mais celui qui exerce la vengeance doit souffrir ! Les lois du karma enregistrent l'acte et ensuite seulement, si elles le font jamais, l'intention !

Il s'interrompit, puis ajouta avec conviction :

— Et nous ne devrions pas non plus trop impliquer Rivéda. Il se tient déjà à un carrefour dangereux.

Rajasta, qui allait parler, laissa échapper une exclamation étouffée. Micon avait-il reçu une vision, ou une révélation, comme lui-même lors de la nuit du Zénith ?

La réaction du prêtre de la Lumière passa inaperçue ; Déoris leva la tête, ayant soudain envie de prendre la défense de Rivéda. A peine avait-elle ouvert la bouche, cependant, qu'elle réalisa que nulle accusation n'avait été portée contre l'adepte, et elle se tut.

Domaris changea d'expression ; sa sévérité se mua en tendresse :

— Je manque de générosité, admit-elle. Je garderai le silence jusqu'à être sûre que c'est l'amour de la justice et non le désir de vengeance qui me fait parler.

110

— Couronnée de flamme, dit Micon d'une voix doucement résonnante, tu ne serais pas une femme si tu n'étais pas ainsi.

Il y avait des nuées d'orage dans les yeux de Déoris : Micon avait fait usage de la forme la plus intime du tutoiement, que Déoris elle-même osait bien rarement. Et Domaris ne semblait pas offensée, mais plutôt heureuse ! Déoris eut l'impression d'étouffer de jalousie.

Rajasta avait presque oublié ses inquiétudes et sourit avec approbation à Domaris et à Micon. Comme il les aimait, tous les deux ! Il jeta aussi un regard affectueux à Déoris, car il l'aimait également et attendait seulement qu'elle arrivât à maturité pour lui demander de suivre les pas de sa sœur en devenant son acolyte. Il percevait des potentialités inconnues dans cette femme en devenir et, si c'était possible, il désirait vivement la guider. Mais pour l'instant, Déoris était trop jeune.

Comme si elle avait perçu ses pensées, Domaris se leva pour se laisser tomber, gracieuse, près de sa sœur :

— Fais bien ton travail, petite sœur, écoute et apprends, murmura-t-elle. Je l'ai fait. Et... je t'aime, mon chaton, très tendrement.

Déoris, réconfortée, se blottit dans les bras de sa sœur. Domaris était rarement aussi démonstrative, et la caresse inattendue remplit Déoris de joie.

Pauvre petite, elle se sent seule, se reprocha intérieurement Domaris. Je l'ai tellement négligée ! Mais Micon a besoin de moi, à présent. Il y aura du temps pour elle plus tard, quand je serai sûre...

— Et tu ne sais toujours rien de mon demi-frère ? était en train de demander Micon, affligé. Son destin me pèse, Rajasta. Je sens qu'il est toujours vivant, mais je sais, je *sais*, que quelque chose ne va pas, où qu'il se trouve.

— Je poursuivrai mon enquête, promit Rajasta, et il abandonna enfin les mains apaisées de Micon afin que l'Atlante ne pût sentir son demi-mensonge.

Rajasta continuerait à poser des questions, mais il avait peu d'espoir d'apprendre quoi que ce fût à propos de l'absent, Réio-ta.

— Même s'il n'est que ton demi-frère, Micon, dit Domaris, et sa jolie voix était plus douce encore qu'à l'accoutumée, il trouvera sûrement la voie de l'amour.

— Je ne trouve pas cette voie très facile, remarqua Micon d'un ton égal. Toujours et seulement penser en termes de compassion et de compréhension, c'est... une discipline difficile.

— Tu es un fils de la Lumière, murmura Rajasta, et tu as atteint...

— Bien peu ! (Une intonation rebelle résonnait dans la voix claire de l'Atlante.) Je devais être... un guérisseur, et servir mes frères humains. Je ne suis rien à présent, et le devoir attend d'être honoré.

Ils restèrent tous silencieux un long moment, en songeant avec amertume au sort tragique de Micon. Peu importait le coût, résolut Domaris, elle donnerait tout ce qu'elle avait de réconfort physique et spirituel, chaque once d'amour et de dévouement.

Déoris prit enfin la parole, d'une voix basse, mais agressive :

— Seigneur Micon, vous nous montrez à tous comment un homme peut souffrir son infortune et être plus qu'un homme. Est-ce en vain, alors ?

Rajasta fronça les sourcils devant cette audace ; mais en même temps, il applaudissait intérieurement le sentiment qui l'avait suscitée, car il ressemblait beaucoup au sien.

Micon prit les petits doigts entre les siens :

— Ma petite Déoris, dit-il gravement, la fortune et l'infortune, la valeur et la vanité, il n'appartient pas aux humains d'en juger. J'ai mis en branle bien des causes, et tous les humains récoltent ce qu'ils ont semé. Qu'on rencontre le bien ou le mal, cela dépend des dieux qui ont déterminé le destin, mais chaque homme (un bref rictus crispa son visage), et chaque femme aussi, est libre de transformer en fortune ou en infortune ce qui lui a été attribué.

Le vrai sourire de l'Atlante revint, éclatant, et il tourna la tête vers Rajasta puis vers Domaris en un geste curieux qui donnait presque l'impression qu'il les voyait.

— Vous pouvez dire s'il n'est rien sorti de bon de tout ceci ?

Rajasta baissa la tête :

— Un bien excellent pour moi, fils de la Lumière.

— Et pour moi aussi, dit Micon avec douceur.

Déoris, une ombre de surprise dans les yeux, les contemplait avec un mécontentement indécis, et une jalousie plus vague encore. Elle dégagea sa main de l'étreinte légère de Micon :

— Vous ne voulez plus de moi aujourd'hui, n'est-ce pas, seigneur Micon ?

Domaris dit aussitôt :

— Va, Déoris, je peux lire si Micon le désire.

La jalousie ne pénétrait jamais en son cœur, mais tout ce qui la privait de Micon suscitait en elle une sorte de ressentiment.

— Je dois te parler, Domaris, s'interposa Rajasta, avec fermeté. Laisse Micon et la petite scribe à leur travail, et viens avec moi.

II

La jeune femme se leva, frappée du reproche implicite que contenait la voix de Rajasta, et longea en silence le sentier, au côté du prêtre. Elle tourna la tête un moment pour chercher son amant des yeux ; Micon n'avait pas bougé, mais sa tête penchée et son sourire étaient pour Déoris, blottie à ses pieds. Domaris entendit le clair friselis du rire de sa jeune sœur.

Rajasta poussa un soupir en contemplant la couronne éclatante des cheveux de Domaris. Il n'avait pas encore décidé de ce qu'il allait lui dire, mais elle avait senti son regard peser sur elle, plein de bonté, et pourtant plus grave qu'à l'accoutumée ; elle leva son visage vers lui.

— Rajasta, dit-elle simplement, je l'aime.

Ces paroles, et leur émotion retenue, faillirent désarçonner le prêtre et rendirent vains les reproches qu'il comptait lui adresser. Il posa les mains sur les épaules de la jeune fille et la dévisagea, non avec sévérité comme il en avait eu l'intention, mais avec une affection paternelle :

— Je sais, mon enfant, dit-il avec douceur. Et j'en suis heureux. Mais tu risques d'oublier ton devoir.

— Mon devoir ? répéta-t-elle, perplexe.

Elle n'avait encore aucun devoir dans la caste des prêtres, à l'exception de ses études.

Rajasta comprit sa confusion, mais il savait aussi qu'elle était de mauvaise foi.

— Déoris doit également être prise en considération, souligna-t-il. Elle aussi a besoin de toi.

— Mais... Déoris sait que je l'aime, protesta Domaris.

— Vraiment, mon acolyte ? (Il utilisait le terme de façon délibérée, dans un effort pour lui rappeler son statut.) Ou bien a-t-elle le sentiment d'avoir été mise à l'écart, le sentiment que tu laisses Micon absorber toute ton attention ?

— Elle ne peut... elle ne penserait pas... Oh, ce n'était pas mon intention !

Les événements des dernières semaines défilaient dans l'esprit de Domaris, et elle voyait la justesse du reproche. Instantanément, son éducation prit le dessus et elle accorda une stricte attention aux paroles de son mentor, les gravant dans son esprit et dans son cœur. Au bout d'un moment, elle leva de nouveau les yeux, et cette fois un profond remords les assombrissait.

— Acquittez-moi au moins d'un égoïsme délibéré, implora-t-elle. Déoris m'est si chère, elle est si proche qu'elle fait partie de moi, et j'oublie que ses préoccupations ne sont pas toujours identiques aux miennes... J'ai été négligente. J'essaierai de corriger...

— S'il n'est pas déjà trop tard. (Un trouble profond se lisait dans le regard du prêtre.) Déoris ne t'aimera pas moins, sans doute, mais te fera-t-elle jamais aussi complètement confiance ?

Les beaux yeux de Domaris s'obscurcirent :

— Si Déoris n'a plus confiance en moi, je dois en endosser la faute, dit-elle. Les dieux veuillent qu'il ne soit pas trop tard. J'ai négligé la première de mes responsabilités.

Elle savait pourtant qu'elle n'avait pas été en mesure d'agir autrement, et elle ne pouvait non plus vraiment regretter le souci exclusif qu'elle avait de Micon. Rajasta soupira de nouveau en devinant ses pensées : il était difficile de reprocher à la jeune fille une faute qu'il partageait...

5

La couronne secrète

I

La saison des pluies arrivait. Lors d'un des derniers jours ensoleillés auxquels on était en droit de s'attendre, Domaris et Elis allèrent cueillir des fleurs, avec Déoris et son amie Ista, scribe comme elle. Les acolytes devaient décorer la demeure des Douze pour l'une des fêtes mineures qui avait lieu ce soir-là.

Elles découvrirent un champ de fleurs à peine écloses sur une colline qui surplombait le rivage. L'odeur salée des roseaux et des algues découvertes par la marée basse leur arrivait de loin, fugace ; le parfum de l'herbe douce, desséchée par le soleil, les environnait de toutes parts, mêlé à celui des fleurs au goût de miel, lourd et enivrant.

Elis était avec Lissa. Le bébé avait plus d'un an à présent et trottinait partout. Elle arrachait des fleurs, en piétinait d'autres, renversait les paniers et tiraillait les robes, jusqu'à remplir Elis d'exaspération.

Déoris, qui adorait l'enfant, la souleva dans ses bras :

— Je vais m'en occuper, Elis. J'ai assez de fleurs, maintenant.

— Moi aussi, dit Domaris en déposant son odorant fardeau.

Elle passa une main sur son front moite. Le soleil était presque aveuglant, même quand on lui tournait le dos, et elle se sentait prise de vertige, presque de nausée, à force de respirer les pénétrantes odeurs salées et sucrées à la fois. Elle rassembla ses paniers de fleurs et s'assit dans l'herbe près de Déoris, qui avait pris Lissa sur les genoux et la chatouillait en lui roucoulant à voix basse une chanson absurde.

— Tu es comme une fillette qui joue à la poupée, Déoris.

Les traits du petit visage de Déoris se tendirent en un demi-sourire :

— Mais je n'ai jamais aimé les poupées, dit-elle.

— Non.

Le sourire de Domaris était tourné vers les souvenirs, et son regard s'attardait avec plus d'affection sur Lissa que sur Déoris.

— Tu voulais des bébés vivants, comme celle-ci.

La mince Ista aux cheveux noir corbeau se laissa tomber en tailleur dans l'herbe, tira sur sa jupe courte et se mit à tresser de fragiles guirlandes de fleurs. Elis la regarda faire un moment puis lança une brassée de fleurs blanches et pourpres dans le panier d'Ista :

— Mes guirlandes se défont toujours, expliqua-t-elle. Tresse les miennes aussi, et demande-moi n'importe quelle faveur ensuite.

Les doigts prestes d'Ista ne ralentirent pas sur les tiges qu'elle tressait :

— Je le ferai bien volontiers, et Déoris m'aidera, n'est-ce pas, Déoris ? Mais les scribes travaillent par amour, non pour obtenir des faveurs.

Déoris serra une dernière fois Lissa contre elle et la déposa dans les bras de Domaris ; puis, tirant un panier, elle commença à tresser les fleurs en festons délicats. Elis se pencha pour l'observer.

— Quelle honte, murmura-t-elle en riant, je dois me faire apprendre les lois du temple par deux scribes !

Elle s'assit dans l'herbe près de Domaris. A un buisson proche, elle cueillit une poignée de baies dorées bien mûres et, après en avoir croqué une, elle en donna aux autres, une par une, jusqu'à Lissa qui se trémoussait en poussant des cris de joie sur les genoux de Domaris, les éclaboussant toutes deux de baisers dégoulinants de jus et tachant la robe légère de Domaris. Celle-ci serra l'enfant contre elle, avec une avidité curieuse. Mais mon enfant sera un fils, pensa-t-elle avec fierté, un petit garçon bien droit, avec des yeux bleu foncé...

116

Elis lança un brusque regard à sa cousine :

— Domaris, es-tu malade ? Ou seulement en train de rêvasser ?

Domaris libéra des petits doigts dodus et insistants du bébé une tresse de ses cheveux cuivrés :

— Le soleil me donne un peu le vertige, dit-elle en rendant Lissa à sa mère.

Elle fit de nouveau un effort pour mettre un terme à la ronde de ses pensées et à l'idée persistante qui, même formulée pour elle seule, pourrait ne pas se réaliser. *Mais cette fois, c'est peut-être vrai...* Pendant des semaines elle avait soupçonné qu'elle portait l'enfant de Micon. Et pourtant, une fois déjà son propre désir, son propre espoir, l'avait trahie en l'amenant à formuler ses sensations. Il n'en était résulté que déception. Cette fois, elle était résolue à ne rien dire, même à Micon, avant d'être absolument certaine.

Déoris la regarda, laissa tomber sa guirlande et se pencha vers elle, les yeux élargis d'anxiété. La transformation de Domaris avait bouleversé son univers. Elle savait qu'elle avait perdu sa sœur, et elle était prête à en blâmer tout le monde : elle était jalouse d'Arvath, d'Elis, de Micon et, par-dessus tout, parfois, de Rajasta. Domaris, blottie dans sa profonde inconscience amoureuse, ne voyait rien, en réalité, du chagrin de la fillette. Elle savait seulement que Déoris montrait à présent une dépendance exaspérante ; sa constante demande d'attention la rendait presque folle. Déoris ne pouvait-elle se comporter de façon raisonnable et la laisser tranquille ? Parfois, sans en avoir l'intention — car Domaris, facilement irritable sous l'effet d'une tension nerveuse extrême, n'était jamais délibérément méchante —, elle blessait à vif Déoris d'un seul mot imprudent, et ne voyait ce qu'elle avait fait que plus tard, trop tard, si même elle le voyait.

Cette fois, la tension se relâcha : Elis avait pris Lissa et le bébé tirait avec insistance sur la robe de sa mère. Elis se mit à rire, fronçant le nez avec une irritation feinte :

— Petite gloutonne ! Je sais ce qu'elle veut. Heureusement, je n'en ai plus que pour quelques mois, de cette idiotie !

Tout en parlant, elle défaisait sa robe, et donna une petite tape rieuse au bébé quand l'enfant s'accrocha au sein :

117

— Et alors, ma petite maîtresse, tu devras apprendre à manger comme une dame !

Déoris détourna les yeux, une ombre de dégoût traversant son regard.

— Comment peux-tu supporter cela ?

Elis éclata d'un rire joyeux ; ses plaintes étaient des plaisanteries, et elle pensait qu'il en était de même de la question de Déoris. On allaitait toujours les enfants pendant deux ans, et seule une esclave débordée de travail ou une prostituée auraient pu rêver d'échapper à la période requise d'allaitement.

Elis se laissa aller en arrière, Lissa au creux d'un bras, et cueillit une autre poignée de baies.

— On dirait Chédan, Déoris ! Parfois, je me dis qu'il déteste mon pauvre bébé ! Mais... (Elle fit une grimace comique et se glissa une autre baie entre les lèvres.) ... d'autres fois, je me demande, quand elle me *mord*...

— Et tu ne l'auras pas plutôt sevrée qu'elle commencera à perdre ses dents de lait, remarqua Ista avec une gravité amusée.

Domaris avait froncé les sourcils : elle seule savait que Déoris n'avait pas plaisanté. Satisfaite et assoupie, Lissa avait fermé les yeux et son visage, un pétale rose encadré de boucles ensoleillées, reposait comme une fleur en bouton sur le sein de sa mère. Domaris éprouva un désir soudain, si intense qu'il en était presque douloureux. Elis, en levant les yeux, croisa son regard. La clairvoyance de leur caste était particulièrement forte chez elle, et la jeune femme devina une histoire qui ressemblait étroitement à la sienne. Elle tendit sa main libre à sa cousine et serra légèrement ses doigts fins. Domaris lui retourna furtivement son geste, reconnaissante de la compréhension qu'il impliquait.

— Ma petite insupportable, roucoula Elis en berçant le bébé ensommeillé, mon petit elfe dodu...

Le soleil hésita, se dissimulant derrière un banc de nuages. Déoris et Ista dodelinaient du chef sur leurs guirlandes, tentées par le sommeil, tout en continuant à tresser les tiges de fleurs. Soudain, Domaris frissonna. Tout son être se figea, tendu dans une attitude d'écoute immobile, incrédule. Et de nouveau, quelque part dans les profondeurs de son corps, il y eut ce

118

frémissement léger, indescriptible, comme elle n'en avait jamais ressenti auparavant et qu'elle reconnaissait pourtant, tel un battement d'ailes prisonnières... si fugace qu'elle n'était pas vraiment certaine de ce qu'elle avait éprouvé. Et pourtant, elle *savait*.

— Que se passe-t-il ? demanda Elis à voix basse.

Domaris se rendit compte qu'elle tenait toujours la main de sa cousine et que ses doigts s'étaient resserrés, étreignant douloureusement ceux d'Elis. Elle se hâta de la lâcher, avec une expression d'excuse, mais elle ne pouvait parler, et son autre main restait posée, légère, sur son corps, où de nouveau voletait, rapide, ce petit battement secret.

Domaris songea à respirer de nouveau. Mais elle resta complètement immobile, incapable de dépasser cette certitude définitive, irréfutable : son secret était maintenant une vérité qu'il était possible de confirmer ; en son sein le fils de Micon (elle n'osait y penser que comme à un fils) s'éveillait à la vie.

Les yeux agrandis de Déoris, un peu effrayés, rencontrèrent ceux de sa sœur ; Domaris était trop tendue pour supporter leur expression. Elle se mit à rire, d'abord tout bas, puis sans pouvoir se contrôler — parce qu'elle n'osait pas pleurer, elle ne se *laisserait* pas pleurer... Son rire devint hystérique et elle se leva en hâte pour s'enfuir le long de la colline vers le rivage, laissant les trois autres filles échanger des regards stupéfaits.

Déoris se leva à demi, mais Elis, impulsivement, la retint.

— Elle préfère être seule un moment, je pense. Tiens Lissa pour moi, veux-tu, pendant que je referme ma robe ?

Elle déposa abruptement le bébé dans le giron de Déoris, et renoua avec soin les attaches de sa robe, en prenant son temps, afin d'éviter une crise inutile.

II

A la lisière des marais salants, Domaris se jeta de tout son long dans l'herbe haute et y resta dissimulée, le visage enfoui dans la terre au parfum puissant, les mains collées sur son corps dans un émerveillement mêlé de crainte. Elle resta immobile à sentir les herbes ondoyer dans le vent. Ses pensées flottaient, sans émerger à la conscience : elle avait peur de penser avec trop de clarté.

Le milieu du jour s'en vint, s'enfuit, et Domaris, se relevant comme par instinct, vit Micon qui marchait lentement le long du rivage. Elle se dressa, les cheveux dénoués jusqu'à la taille, les plis de sa robe soulevés par le vent, et se mit à courir vers lui d'un élan impatient. En entendant ses pas rapides et inégaux, il s'immobilisa.

— Micon !

— Domaris... Où es-tu ?

Son visage aveugle se tournait pour repérer le son de sa voix, et elle se précipita vers lui, mais en prenant soin de s'arrêter à un pas — elle ne regrettait même plus de ne pouvoir se jeter dans ses bras. Elle posa sur sa main une main légère et leva vers lui son visage, pour un baiser.

Les lèvres de Micon s'attardèrent un peu plus longtemps qu'à l'accoutumée ; puis il s'écarta un peu et murmura :

— Cœur de flamme, tu es tout excitée. Tu apportes des nouvelles.

— J'apporte des nouvelles.

La voix de Domaris avait un doux accent de triomphe, mais elle lui fit soudain défaut. Elle prit les mains torturées dans les siennes, avec délicatesse, et les pressa légèrement contre son corps, en implorant Micon de comprendre sans avoir à être informé... Peut-être déchiffra-t-il ses pensées, peut-être le geste seul le fit-il deviner. Mais son visage s'illumina d'un éclat venu des profondeurs de son être, et ses bras se tendirent pour serrer la jeune femme contre lui.

— Tu apportes la lumière, dit-il doucement, en l'embrassant de nouveau.

Elle enfouit son visage dans sa poitrine.

— C'est sûr, maintenant, mon bien-aimé. Cette fois, c'est sûr ! Je m'en doutais depuis des semaines, mais je ne voulais pas en parler, de peur de... mais il n'y a aucun doute, à présent ! Il a bougé aujourd'hui... notre fils !

6

Parmi les sœurs

I

Le temple de Caratra, qui dominait le sanctuaire et le bassin sacré, était l'un des plus beaux édifices de l'enceinte. Il était bâti d'une pierre laiteuse où scintillaient des veines opalescentes. Des jardins tout en longueur entouraient bassin et temple, reliés par des tonnelles à treillis couverts de vignes vierges qui retombaient jusqu'au sol. De fraîches fontaines emplissaient leurs vasques dans les cours, où des fleurs poussaient en abondance à longueur d'année.

C'était entre ces murs blancs et lustrés que naissait chaque enfant du temple, qu'il fût l'enfant d'une esclave ou celui d'une grande prêtresse. C'était également là que chaque adolescente du temple allait servir (car toutes les femmes devaient servir la Mère de tous les humains). Elles assistaient les prêtresses, prenaient soin des mères et des nouveau-nés et, si elles avaient le rang requis dans la caste des prêtres, elles apprenaient même les secrets touchant à la naissance des enfants. Chaque année, par la suite, elles passaient là une période déterminée — un jour pour les esclaves et les femmes du commun, un mois entier pour les acolytes et les prêtresses, elles vivaient et servaient au temple de la Mère. Et ni la plus humble des esclaves ni la plus haute initiée n'étaient exemptées de ce service annuel.

Un an plus tôt, Déoris avait été jugée assez âgée pour commencer son service. Mais elle avait eu une attaque de fièvre, brève mais sévère, et son tour avait été omis. On la conviait

121

à présent à se présenter de nouveau ; mais alors que la plupart des adolescentes de la caste des prêtres aspiraient avec zèle à cette période, signe de leur maturité prochaine, c'est avec une réticence frisant la révolte que Déoris s'y prépara.

Presque deux ans plus tôt, à l'époque où elle s'était pour la première fois rendue au sanctuaire, on lui avait donné une leçon initiale sur la façon de mettre un bébé au monde, ce qui l'avait déroutée. Elle envisageait avec effroi de retrouver les questions que l'expérience avait suscitées en elle. Elle avait vu l'effort intense et l'agonie ; l'apparente cruauté de tout le processus l'avait révoltée — même si elle avait vu aussi la façon extatique dont la mère accueillait ce minuscule échantillon d'humanité. Au-delà de la perplexité ressentie devant ces contradictions, Déoris avait surtout été consternée de ses propres émotions : la souffrance mordante de penser qu'elle deviendrait un jour une femme et que ce serait son tour de s'écarteler pour donner la vie. L'éternel *pourquoi* avait résonné dans son esprit. Et maintenant, alors qu'elle avait presque réussi à l'oublier, voilà qu'il allait revenir.

— Je ne peux pas, je ne veux pas, protesta-t-elle devant Micon, incapable de se retenir. C'est cruel, c'est... horrible...

— Chut, Déoris.

L'Atlante alla chercher ses mains qui se tordaient nerveusement, les attrapa et les retint :

— Ne sais-tu pas que vivre, c'est souffrir, et que donner la vie, c'est souffrir ? (Il soupira en exprimant un son léger, retenu :) Je crois que la souffrance est la loi de la vie... et si tu peux apporter ton aide, oseras-tu refuser ?

— Je n'oserai pas... mais je le voudrais bien, seigneur Micon, vous ne savez pas ce que c'est !

En retenant son impulsion première, qui avait été de rire devant cette naïveté, Micon la rassura avec gentillesse :

— Je le sais bel et bien, au contraire. Je voudrais pouvoir t'aider à comprendre, Déoris. Mais il est des choses qu'on doit apprendre seul...

Déoris s'était empourprée ; horrifiée, elle demanda d'une voix étranglée :

— Mais comment pouvez-vous bien savoir... ça ?

Dans l'univers du temple, l'accouchement était strictement une affaire de femmes et, pour Déoris dont le monde se limitait au temple, il semblait impossible qu'un homme pût avoir quelque connaissance des complexités de la naissance. N'était-ce pas une coutume universelle, rigide, inaltérable, que nul homme ne dût approcher le lit d'accouchement ? Personne, assurément, ne pouvait imaginer cette ultime obscénité ! Comment Micon, qui avait la chance d'être né mâle, pouvait-il seulement deviner de quoi il s'agissait ?

Micon ne put se contenir plus longtemps et son rire exacerba les émotions de Déoris :

— Déoris, dit-il, les hommes ne sont pas aussi ignorants que tu le crois !

Comme le silence froissé de la fillette se prolongeait, il essaya d'adoucir sa déclaration :

— En Atlantis, nos coutumes ne ressemblent pas aux vôtres, mon enfant, tu dois te rappeler (il laissa une intonation indulgente et taquine se glisser dans sa voix) quels barbares nous sommes, nous autres, dans les royaumes de la mer ! Et, mon enfant, penses-tu que je ne connaisse rien de la souffrance ?

Il hésita un instant. Etait-ce le moment propice pour dire à Déoris que sa sœur attendait un enfant ? L'instinct lui disait que cette nouvelle pourrait pousser Déoris, pour l'instant entre acceptation et rejet, dans la bonne direction. Mais c'était à Domaris et non à lui de choisir le silence ou la révélation. Sa voix se mêla d'une soudaine lassitude :

— Ma chérie, je voudrais pouvoir t'aider. Essaie de te rappeler ceci : pour vivre, on a besoin de chaque expérience. Certaines se présentent dans une gloire de beauté, d'autres dans une souffrance qui peut sembler la laideur même. Mais... elles *existent* toutes. La vie est la complémentarité des contraires.

Déoris soupira, énervée par ces pieuses recommandations — elle avait déjà entendu tout cela. Domaris non plus ne l'avait pas aidée ; elle avait essayé, vraiment essayé, mais elle avait seulement regardé sa sœur sans comprendre :

— Toutes les femmes doivent le service.

— Mais c'est tellement horrible ! s'était écriée Déoris.

Domaris, le regard sévère, lui avait conseillé de ne pas se montrer stupide. C'était la nature, et personne n'y pouvait rien changer. Déoris avait continué à balbutier, tenté d'implorer,

123

de sangloter, d'argumenter, certaine que Domaris *aurait pu* y changer quelque chose, si seulement elle en avait eu la volonté.

Domaris avait été extrêmement ennuyée :

— Tu te conduis de façon complètement infantile ! Je t'ai gâtée, Déoris, et j'ai trop essayé de te protéger. Je sais maintenant que j'ai eu tort. Tu n'es plus une enfant. Tu dois apprendre à accepter des responsabilités de femme.

II

Déoris avait maintenant quinze ans. Les prêtresses prirent pour acquis que, comme la plupart des adolescentes de son âge, elle possédait déjà la pratique des tâches simples confiées à celles qui servaient pour la première ou la deuxième fois. Trop intimidée et trop misérable pour rectifier leur erreur, Déoris se vit assigner des tâches plus complexes. Comme il convenait à une adolescente de son âge et fille de prêtre, on l'envoya assister l'une des prêtresses sages-femmes, qui était aussi une guérisseuse appartenant à l'ordre de Rivéda. Elle s'appelait Karahama.

Karahama n'appartenait pas à la caste des prêtres. Elle était fille d'une servante du temple qui, avant la naissance de sa fille, avait affirmé être enceinte de Talkannon lui-même. Celui-ci, récemment marié à une prêtresse de haute naissance qui deviendrait plus tard la mère de Déoris et de Domaris, avait refusé de reconnaître l'enfant. Il admettait avoir été intime avec cette femme, mais affirmait que sa paternité était pour le moins incertaine ; il présenta d'autres hommes qui étaient, d'après ses dires et les leurs, des candidats plus vraisemblables.

Devant des preuves aussi flagrantes d'inconduite, les anciens avaient admis que nul ne pouvait être contraint à reconnaître l'enfant. On avait retiré à la femme ses privilèges de servante du temple, et on l'avait à peine aidée jusqu'à la naissance de sa fille ; ensuite, on l'avait renvoyée définitivement ; hommes et femmes étaient libres de vivre comme ils le désiraient avant le mariage, mais la promiscuité ne pouvait être tolérée.

La petite Karahama, sans caste et sans nom, avait été accueillie comme *saji* dans la secte des tuniques grises... pour devenir, en grandissant, le portrait même de Talkannon. Le

124

grand prêtre avait bien entendu fini par prendre conscience des moqueries des esclaves, et des ragots de ses cadets. De fait, c'était un scandale d'importance qu'une réplique du grand prêtre se trouvât parmi les parias du temple. Pour se défendre, il avait finalement cédé à la pression populaire ; après une longue pénitence destinée à expier son erreur, il avait légalement adopté Karahama.

Les tuniques grises n'avaient pas de lois concernant les castes et Karahama avait été acceptée par Rivéda comme prêtresse guérisseuse. Rendue par Talkannon à la caste et au nom qui lui revenaient, elle avait choisi d'entrer au temple de Caratra, où elle était maintenant initiée. Elle portait de plein droit la tunique bleue désignant un statut assez élevé au temple. Nul ne pouvait mépriser « la fille sans nom », mais les débuts incertains de Karahama lui avaient conféré un tempérament étrange et capricieux.

L'adolescente qu'on lui avait assignée était sa demi-sœur, elle le comprit soudain ; elle en ressentit des émotions curieusement mêlées qui finirent par jouer en faveur de Déoris. Les enfants de Karahama, nés avant sa réhabilitation, étaient des parias, comme elle l'avait été elle-même et l'on ne pouvait rien faire pour eux. Ce fut peut-être la raison pour laquelle elle essaya de se montrer particulièrement bonne et amicale envers cette parente qu'elle connaissait à peine. Mais elle sut aussi qu'elle aurait tôt ou tard des problèmes avec cette enfant dont la rébellion maussade et muette flambait dans son regard violet, plein d'effroi ; son travail était soigneux et réfléchi, mais elle l'accomplissait comme à contrecœur. C'était bien dommage, se dit Karahama, car Déoris avait toutes les qualités innées d'une guérisseuse : des mains sûres et un sens aigu de l'observation. Seule la volonté lui manquait. Karahama décida bientôt de trouver le secret de Déoris, ce qui lui permettrait de la gagner au service de la Mère.

Elle pensa l'avoir trouvé lorsque Arkati s'en vint à la demeure des naissances.

Arkati était la très jeune épouse d'un prêtre, une jolie petite chose à peine sortie de l'enfance, plus jeune en fait que Déoris elle-même. Elle avait la peau et les cheveux clairs, et c'était une enfant minuscule aux yeux implorants et doux. On l'avait amenée au temple de Caratra quelques semaines plus tôt, car elle était souffrante. Une maladie infantile lui avait laissé le cœur fragile, et on espérait pouvoir la fortifier avant la naissance de son enfant. Toutes, même la sévère Karahama, traitaient la jeune femme avec tendresse, mais Arkati était faible, elle s'ennuyait, et elle pleurait pour rien.

Comme elle connaissait Déoris depuis son enfance, elle s'accrocha à elle comme un chaton perdu.

Karahama usa de son influence et fit donner à Déoris la permission de passer avec Arkati autant de temps qu'elle le voulait. Elle remarqua avec plaisir que l'instinct de Déoris la guidait sans erreur dans les soins qu'elle prodiguait à la jeune malade ; elle suivait les instructions de Karahama avec bon sens, faisant même preuve d'un jugement sûr, et il semblait que le caractère rebelle de Déoris donnait des forces à la future mère. Il y avait cependant de la retenue dans leur amitié, née de la peur qu'éprouvait Déoris.

Plus que de la peur, c'était de l'horreur. Arkati n'était-elle donc pas épouvantée ? Elle ne se lassait jamais de rêver, de faire des plans, de parler de son bébé ; elle acceptait sans réfléchir, et même en riant, tous les inconvénients, les nausées, la fatigue. Comment le pouvait-elle ? Déoris l'ignorait, mais elle craignait de lui poser la question.

Une fois, Arkati prit la main de Déoris pour la poser fermement sur son ventre gonflé. Et celle-ci sentit un mouvement étrange sous ses doigts, une sensation qui la remplit d'une émotion inconnue. Ne sachant si elle éprouvait du plaisir ou une irritation aiguë, elle écarta brusquement sa main.

— Qu'y a-t-il, dit Arkati en riant. Tu n'aimes pas mon bébé ?

Sans raison apparente, cette coutume de parler d'un enfant à naître comme si c'était déjà une personne causait un malaise à Déoris.

— Ne sois pas stupide, dit-elle avec rudesse.

Car pour la première fois de sa vie elle pensait consciemment à sa propre mère, cette mère qui avait été si douce, si gracieuse, si belle, à ce qu'on en disait, très semblable à Domaris, et qui était morte en lui donnant le jour. Submergée de culpabilité, Déoris se rappelait qu'elle avait tué sa mère. Etait-ce pour cela que Domaris lui en voulait, à présent ?

Elle n'en dit rien, se contenta de faire ce qu'on lui apprenait avec une détermination inspirée par la colère. Et en l'espace de quelques jours, à la grande surprise de Karahama, Déoris commença à manifester un talent, une habileté et un savoir intuitif qui semblaient correspondre à des années d'expérience. Quand sa période normale de service s'acheva, Karahama lui demanda — non sans quelque doute quant à sa réaction, à vrai dire — de rester un mois de plus au temple pour travailler avec elle.

Déoris accepta, quelque peu surprise elle-même de sa décision, en se disant qu'elle avait simplement promis à Arkati de rester avec elle le plus longtemps possible. Elle n'admettait pas qu'elle commençait à prendre plaisir au sentiment de maîtrise que son travail lui conférait.

III

L'enfant d'Arkati naquit lors d'une nuit pluvieuse où des feux follets voletaient au bord de la mer et où le vent sanglotait d'inquiétantes litanies. Karahama n'eut rien à reprocher à Déoris mais, aux heures noires de la nuit, le cœur fragile de la mère cessa de battre, et la lutte — si pitoyablement brève — se termina en tragédie. Au lever du soleil, une enfant nouveau-née pleurait dans l'une des pièces à l'étage du temple, et Déoris, frappée jusqu'au cœur, gisait dans sa propre chambre, en pleurs, la tête enfouie dans son oreiller, essayant d'étouffer ce qu'elle avait entendu et vu, et qui peuplerait ses cauchemars pour le restant de ses jours.

— Tu ne dois pas rester là !

Karahama, penchée sur elle, finit par s'asseoir au bord du lit pour lui prendre les mains. Une autre adolescente entra dans le petit dortoir, mais Karahama, d'un signe bref, lui ordonna de les laisser seules et reprit :

— Déoris, mon enfant. Nous ne pouvions rien faire...

Les sanglots de Déoris étaient entrecoupés de paroles incohérentes.

Karahama fronça les sourcils :

— C'est insensé. L'enfant ne l'a pas tuée ! Son cœur s'est arrêté : tu sais bien qu'elle n'a jamais été très forte. Par ailleurs (Karahama se pencha plus près et, de sa voix douce et résolue, si semblable à celle de Domaris et pourtant si différente, ajouta :), tu es une fille du temple. Nous connaissons le vrai visage de la mort, c'est une porte qui ouvre sur une autre vie et non un motif de crainte...

— Oh, laissez-moi seule ! sanglota Déoris, pitoyable.

— Il n'en est pas question, dit Karahama avec fermeté.

L'auto-apitoiement ne faisait pas partie des émotions autorisées chez elle, et elle n'éprouvait aucune sympathie pour le raisonnement compliqué qui poussait Déoris à se ramasser en un petit tas misérable et à vouloir rester seule.

— Arkati n'a pas besoin de notre pitié ! Arrête donc de pleurer sur toi-même. Lève-toi. Lave-toi et habille-toi comme il le faut, puis va t'occuper de sa petite fille. C'est ta responsabilité jusqu'à ce que son père la reconnaisse, et tu dois aussi prononcer sur elle des formules magiques pour la protéger des démons qui enlèvent les enfants orphelins...

Déoris la rebelle fit ce qu'on lui ordonnait, se chargeant des multiples responsabilités : trouver une nourrice, couvrir l'enfant de runes protectrices et, comme le véritable nom d'un enfant est un secret sacré, écrit dans les rouleaux du temple mais jamais prononcé à haute voix sinon lors des rituels, elle donna à l'enfant le petit nom auquel il répondrait jusqu'à l'âge adulte : Miritas. Le bébé s'agita faiblement dans ses bras. Des formules protectrices, se dit Déoris avec un dédain irrité. Où était la formule magique qui aurait pu sauver Arkati ?

Karahama observait tout cela, stoïque, plus chagrinée qu'elle n'était prête à l'admettre. Elles avaient toutes su qu'Arkati ne survivrait pas ; on avait prévenu celle-ci, quand elle s'était mariée, qu'elle ne devrait pas essayer d'avoir un enfant, et les prêtresses lui avaient confié des runes, des charmes et des savoirs ésotériques pour l'en protéger. Arkati avait délibérément désobéi à leurs conseils, et elle avait payé de sa vie cette désobéissance. Et l'on devait maintenant s'occuper d'un autre enfant sans mère.

Mais Karahama avait vu autre chose, car elle comprenait Déoris mieux encore que Domaris. Si différentes qu'elles fussent, Déoris et Karahama avaient toutes deux hérité de Talkannon une résolution obstinée. Le ressentiment pousserait Déoris à aller de l'avant, plus que ne l'aurait fait un triomphe : parce qu'elle haïssait la souffrance et la mort, elle se jurait de les conquérir. Devoir assister à une telle tragédie aurait pu décourager à jamais une autre néophyte, qui se serait enfuie, dégoûtée, mais l'orientation de Déoris s'en trouverait confirmée de façon décisive, Karahama en avait la certitude.

Elle ne dit rien de plus, cependant. Elle était assez sage pour laisser mûrir lentement le processus. Quand tout fut fait pour l'enfant nouveau-né, Karahama libéra Déoris de ses autres tâches pour le reste de la journée.

— Tu n'as pas dormi, ajouta-t-elle, laconique, alors que Déoris allait la remercier. Ni tes mains ni tes yeux ne seraient bien habiles. Tâche de te reposer !

Déoris promit, d'une voix épuisée. Mais elle ne s'engagea pas dans l'escalier menant au dortoir réservé aux femmes qui accomplissaient leur service au temple. Elle se glissa dehors par une porte dérobée et courut à la demeure des Douze, avec une seule idée, aller confier son chagrin à Domaris — l'habitude de toute une vie. Sa sœur comprendrait sûrement, cette fois, il le fallait !

Un vent estival soufflait, portant la promesse humide d'autres averses. Déoris resserra son écharpe autour de son cou et de ses épaules et courut comme une folle à travers les pelouses. A un tournant, elle faillit trébucher contre Rajasta qui venait de la demeure des Douze. Elle prit à peine le temps de retrouver son équilibre et balbutia des excuses essoufflées. Elle aurait repris sa course si Rajasta ne l'avait gentiment retenue :

— Regarde où tu vas, chère enfant, tu vas te blesser, l'admonesta-t-il, souriant. Domaris me dit que tu sers au temple de Caratra. As-tu terminé ton service ?

— Non, j'ai été excusée pour la journée.

Déoris parlait avec déférence, mais elle tressaillait d'impatience. Rajasta ne parut pas le remarquer :

— Ce service t'apportera sagesse et compréhension, ma petite fille, dit-il. Il fera d'une enfant une femme. (Il posa brièvement la main sur les boucles duveteuses et emmêlées, susurrant une bénédiction :) Puissent la paix et l'illumination suivre tes pas, Déoris.

Dans la demeure des Douze, hommes et femmes se côtoyaient dans une quasi-promiscuité, avec une innocence fraternelle suscitée par le fait qu'ils avaient été élevés ensemble. Déoris, qui avait passé ses tendres années dans les limites plus strictes de l'école des scribes, n'était pas encore habituée à cette liberté. Quand elle découvrit quelques acolytes qui se baignaient dans le bassin d'une cour intérieure, elle se sentit gênée et, à cause de son nouveau savoir, irritée. Elle ne voulait pas avoir à chercher sa sœur parmi eux. Mais Domaris l'avait souvent prévenue, avec toute la sévérité dont elle était capable, que lorsqu'elle vivait parmi les acolytes, elle devait se conformer à leurs coutumes et oublier les contraintes absurdes imposées aux scribes.

Chédan fut le premier à voir Déoris et lui cria de se dévêtir pour se baigner avec eux. C'était un jeune homme au caractère joyeux, le plus jeune des acolytes, et il avait dès le début traité Déoris avec une amitié indulgente toute particulière. Déoris secoua la tête et le jeune homme l'éclaboussa jusqu'à ce que sa tunique soit trempée ; elle courut se mettre à l'abri. Domaris, qui se trouvait sous le jet d'eau, vit cet échange et cria à Déoris de l'attendre. Puis, tordant ses longs cheveux ruisselants, elle rejoignit le bord du bassin. Alors qu'elle dépassait Chédan, elle fut tentée par les épaules nues et le dos de celui-ci : elle prit de l'eau et l'en arrosa. Devant le déluge qui salua son geste, elle se protégea, poussa un petit cri et se mit à courir. Puis elle ralentit, en se rappelant qu'il ne serait vraiment pas sage de risquer maintenant une chute.

Elle arriva dans la zone moins profonde du bassin et Déoris, qui l'attendait, put mieux voir sa sœur. Ses yeux s'agrandirent de stupeur. Elle se détourna brusquement et s'enfuit, sans entendre le cri de Domaris lorsque Chédan et Elis, avec des exclamations de joie, la rattrapèrent au bord du bassin et l'entraînèrent de nouveau, la poussant sous la surface et menaçant de la précipiter dans le jet d'eau. Elle essaya de se libérer de leur étreinte sans douceur et ils pensèrent qu'elle voulait jouer. Deux ou trois autres jeunes filles se joignirent au jeu et leurs rires sonores noyèrent ses supplications, même quand, réellement effrayée à présent, elle se mit à pleurer pour de bon.

Ils l'avaient soulevée à bout de bras quand Elis leur agrippa les mains :

— Arrêtez, arrêtez, Chédan, Riva ! Laissez-la, lâchez-la, tout de suite !

Le ton de sa voix les surprit assez pour les faire obéir. Ils reposèrent Domaris sur ses pieds et la lâchèrent, mais ils étaient encore trop pris dans leur propre amusement pour se rendre compte qu'elle sanglotait.

— C'est elle qui a commencé, protesta Chédan, et ils ouvrirent de grands yeux incrédules quand Elis enveloppa la jeune femme tremblante d'un bras protecteur et l'aida à grimper sur le rebord du bassin.

Domaris avait toujours été la première à leurs jeux déchaînés.

Elle pleurait encore, et s'accrocha désespérément à Elis qui l'aidait à sortir de l'eau. Sa cousine ramassa une tunique et la lui lança :

— Mets ça avant d'attraper froid, dit-elle calmement. Ils t'ont fait mal ? Tu aurais dû le dire. Arrête de trembler, Domaris, tu es hors d'affaire, maintenant.

Domaris s'enveloppa avec obéissance dans la tunique de laine blanche, en jetant un coup d'œil chagrin à ses formes accentuées par le drapé rudimentaire.

— Je voulais garder la nouvelle pour moi encore un peu... je suppose que tout le monde va le savoir, maintenant.

Elis glissa ses pieds mouillés dans des sandales en nouant la ceinture de sa propre tunique :

— Tu ne l'as même pas dit à Déoris ?

Domaris secoua la tête en silence tandis qu'elles se levaient puis empruntaient le corridor menant aux appartements des femmes ; le visage incrédule et choqué de Déoris fut soudain très clair dans sa mémoire :

— J'en avais l'intention, murmura-t-elle, mais...

— Dis-le-lui, tout de suite, conseilla Elis, avant qu'elle n'entende des bavardages. Mais sois gentille, Domaris. Arkati est morte la nuit dernière.

— Quel malheur ! murmura Domaris, éperdue, tandis qu'elles s'immobilisaient devant sa porte.

Elle avait à peine connu Arkati elle-même, mais elle savait que Déoris l'aimait beaucoup et maintenant... maintenant, alors qu'elle devait avoir tant de chagrin, Déoris n'avait pu venir la voir sans recevoir un autre choc.

Elis se détourna, mais par-dessus son épaule, elle répliqua :

— Oui, et prends un peu mieux soin de toi ! Nous aurions pu te faire vraiment mal... et si Arvath avait été là, hein ?

Sa porte se referma en claquant.

v

Tandis qu'Elara la séchait et l'habillait, puis nattait ses cheveux humides, Domaris s'absorba dans ses pensées, les yeux dans le vague. Il y aurait peut-être un problème avec Arvath — nul ne le savait mieux qu'elle — mais elle ne pouvait s'en inquiéter maintenant. Elle n'avait encore aucun devoir envers lui ; elle agissait selon ses droits légaux. Déoris, c'était plus grave, et Domaris se reprocha de l'avoir négligée. Il fallait s'arranger pour faire comprendre à Déoris... Les soins d'Elara l'avaient réchauffée, elle se sentait bien, et elle se blottit sur un divan pour attendre le retour de sa sœur.

Déoris, de fait, ne tarda pas à revenir, les joues embrasées d'une triste rougeur. Domaris lui sourit joyeusement :

— Viens là, ma chérie, dit-elle en lui tendant les bras. J'ai quelque chose de merveilleux à t'apprendre.

Déoris s'agenouilla en silence et serra sa sœur contre elle, d'une étreinte si violente que Domaris fut consternée en sentant le tremblement des minces épaules rigides.

— Mais Déoris, Déoris, protesta-t-elle, avec une profonde détresse. (Puis, tout en se détestant d'avoir à le faire, elle dut ajouter :) Ne me serre pas si fort, petite sœur, tu vas me faire mal. Tu pourrais nous faire mal à tous les deux, maintenant.

Elle sourit en disant cela, mais Déoris s'écarta brusquement d'elle comme si elle l'avait frappée.

— C'est vrai, alors !

— Mais oui... oui, ma chérie, tu l'as bien vu quand je suis sortie du bassin. Tu es une grande fille à présent, j'étais sûre que tu saurais sans que je te le dise.

Déoris agrippa le poignet de sa sœur dans une étreinte douloureuse, que Domaris subit sans broncher.

— Non, Domaris ! Ce n'est pas possible ! Dis-moi que tu plaisantes !

Si Domaris était prête à démentir, Déoris voulait bien ne pas se fier à ses propres yeux.

— Je ne plaisanterais pas avec une foi sacrée, Déoris, dit la jeune femme.

Et sa profonde sincérité ajoutait des tonalités graves à son reproche, à sa déception.

Déoris, agenouillée, frappée au cœur, contempla Domaris en tremblant, comme de glace :

— Sacrée ? murmura-t-elle d'une voix étranglée. Toi, une disciple, une acolyte en apprentissage... tu as renoncé à tout pour *ça* ?

De sa main libre, Domaris desserra l'étreinte frénétique sur son poignet. Sa peau blanche portait des marques où les doigts de l'adolescente s'étaient refermés.

Déoris jeta un coup d'œil au poignet meurtri, sans comprendre, puis le porta à ses lèvres pour l'embrasser :

— Je ne voulais pas te faire mal, je... je ne savais pas ce que je faisais, dit-elle, contrite, d'une voix entrecoupée. Mais... je ne peux pas supporter cela, Domaris !

La jeune femme lui caressa la joue :

— Je ne comprends pas, Déoris. A quoi ai-je renoncé ? Je suis toujours une disciple, et toujours en apprentissage. Rajasta est au courant et m'a donné sa bénédiction.

— Mais... mais tu seras écartée de l'initiation...

Domaris contempla sa sœur avec une totale stupéfaction. Elle prit la main réticente de Déoris et attira l'adolescente sur le divan :

— Mais qui t'a mis en tête des idées aussi délirantes, Déoris ? Je suis toujours une prêtresse, et une acolyte même si... non, *parce que* je suis une femme ! Tu as servi un mois ou plus au temple de Caratra, tu devrais le savoir ! On t'a sûrement appris que les cycles de la féminité et de l'univers sont en résonance, et que... (Domaris s'interrompit en secouant la tête, avec un rire léger :) Tu vois, je parle même comme Rajasta, quelquefois ! Déoris, ma chérie, en tant que femme,

133

et plus encore comme initiée, je dois connaître la plénitude. Offre-t-on aux dieux un vaisseau vide ?

— Ou un vaisseau souillé par l'usage ? répliqua Déoris, hystérique.

— Mais c'est absurde ! (Domaris souriait, mais son regard était grave.) Je dois trouver ma place, suivre le courant de la vie et...

En un geste protecteur, elle posa sur son corps ses mains fines et ornées de bagues et Déoris vit de nouveau, avec un frisson, l'arrondi léger, presque négligeable, de son ventre.

— ... accepter mon destin.

Déoris s'arracha aux mains qui la retenaient :

— La vache aussi accepte son destin ! Le Destin !

Domaris essaya de rire, mais ce fut comme un sanglot.

Déoris se rapprocha d'elle et l'entoura de ses bras :

— Oh, Domaris, je suis horrible, je le sais. Tout ce que je fais, c'est te causer de la peine, et je ne veux pas, je t'aime, mais ça... cela te profane, c'est affreux !

— Affreux ? Pourquoi ? (Domaris sourit, un peu mélancolique.) En tout cas, ce n'est pas ainsi que je le vois. Tu ne devrais pas t'inquiéter pour moi, ma chérie. Je ne me suis jamais sentie aussi forte, ni aussi heureuse. Et quant à la profanation...

Son sourire n'était plus aussi triste, et elle reprit les mains de Déoris pour l'attirer contre elle.

— Petite sotte ! Comme si le fils de Micon pouvait me profaner !

— Micon ? (Déoris se dégagea de nouveau et regarda fixement Domaris, stupéfaite, en répétant :) *Le fils de Micon ?*

— Eh bien, oui, Déoris, ne savais-tu pas ? Que pensais-tu donc ?

Déoris ne répondit pas, fixant toujours sur Domaris un regard hébété. Domaris sentit de nouveau un sanglot trembler sur ses lèvres alors qu'elle essayait de sourire :

— Quoi donc, Déoris ? Tu n'aimes pas mon bébé ?

— *Oh !*

Soudain traversée par un souvenir horrifié, Déoris s'écria encore « Oh, *non* ! » et s'enfuit en sanglotant, poursuivie par les appels désolés de sa sœur.

7

La révélation des astres

I

Etendue sur une couche dans sa chambre, Domaris regardait le jeu des nuages qui s'appesantissaient sur la vallée. De longues vagues d'un gris profond ourlé de vapeurs blanches dérivaient, telle l'écume marine, dans les vents déchaînés qui parcouraient le ciel, lançant des flèches intermittentes de lumière sur le visage de Micon à demi étendu sur un amoncellement de coussins, non loin de là, ses mains inutiles dans son giron, une expression paisible sur son visage hâlé. Leur silence était paisible ; le grondement lointain du tonnerre, comme le martèlement de la mer orageuse, semblait accentuer la pénombre confortable et fraîche de la pièce.

On frappa à la porte et ils soupirèrent tous deux, mais quand la haute silhouette de Rajasta franchit le seuil, l'agacement de Domaris s'évanouit. Elle se leva, encore mince, la démarche toujours aussi légère que le balancement d'une palme, mais le prêtre perçut une dignité nouvelle dans son maintien tandis qu'elle traversait la pièce.

— Seigneur Rajasta, vous avez consulté les astres pour mon enfant !

Il sourit avec bonté alors qu'elle le conduisait à un siège proche de la fenêtre.

— Veux-tu que j'en parle devant Micon, ma fille ?

— Mais certainement !

En entendant sa voix convaincue, Micon releva la tête, curieux :

— Que signifie ceci, cœur de flamme ? Je ne comprends pas. Que vas-tu donc nous dire à propos de notre enfant, mon frère ?

— Je vois que *certaines* de nos coutumes sont inconnues en Atlantis, sourit Rajasta, amusé, en ajoutant d'un ton léger : Pardonne ma satisfaction à pouvoir, pour une fois, faire de toi mon disciple.

— Tu m'enseignes bien des choses, Rajasta, murmura Micon avec gravité.

— Tu m'honores, fils du Soleil.

Après une pause brève, Rajasta reprit :

— Rapidement, alors. Dans la caste des prêtres, avant de pouvoir reconnaître un fils — et ce doit être fait le plus tôt possible — on doit déterminer l'heure de sa conception, d'après les astres du père et de la mère. Ainsi, on sait le jour et l'heure de sa naissance, et l'on peut donner à l'enfant un nom approprié.

— Avant même sa naissance ? s'étonna Micon.

— Voudrais-tu qu'un enfant naisse *sans nom* ?

L'étonnement de Rajasta frisait la stupeur.

— En tant qu'initiateur de Domaris, c'est à moi que revient cette tâche, tout comme avant sa naissance j'ai consulté les astres pour sa mère. Elle aussi était mon acolyte et je savais que sa fille, même engendrée par Talkannon, serait la véritable fille de mon âme. C'est moi qui lui ai donné le nom d'Isarma.

— Isarma ? (Micon fronça les sourcils, déconcerté.) Je ne...

— Domaris n'est que mon nom de bébé, s'exclama Domaris avec amusement. Quand je me marierai (elle changea brusquement d'expression, mais poursuivit néanmoins d'une voix égale), je me servirai de mon véritable nom au temple, Isarma. Dans notre langue, cela signifie *voie de la lumière*.

— C'est ce que tu as été pour moi, bien-aimée, murmura Micon. Et Déoris ?

— Déoris signifie seulement... *petit chaton*. Elle ne semblait guère plus grosse qu'un chaton, et je l'ai nommée ainsi.

Domaris jeta un coup d'œil à Rajasta ; il était permis de discuter de son propre nom, mais parler de celui d'autrui n'était pas courant. Le prêtre de la Lumière se contenta de hocher la tête cependant, et Domaris poursuivit :

— Son véritable nom dans les listes du temple est Adsartha : *enfant de l'astre guerrier.*

Tout le corps de Micon fut saisi d'un frisson convulsif :

— Au nom de tous les dieux, pourquoi un nom de si mauvais augure pour ta douce petite sœur ?

Rajasta avait l'air grave :

— Je l'ignore, car ce n'est pas moi qui ai consulté ses astres. J'ai toujours voulu en discuter avec Mahaliel, mais... (Il s'interrompit un moment.) Je sais ceci : elle a été conçue lors de la nuit du Nadir et sa mère, qui est morte quelques heures seulement après sa naissance, m'a dit presque dans son dernier souffle que l'enfant était prédestinée à bien des souffrances.

Rajasta s'interrompit de nouveau, regrettant une fois de plus que, dans la course précipitée des événements qui avaient suivi la naissance de Déoris, il n'eût pas pris le temps de consulter Mahaliel, qui avait été fort talentueux. Mais le vieux prêtre était mort depuis bien des années, et ne pouvait plus être d'aucun secours. Avec un profond soupir, il reprit :

— Aussi protégeons-nous avec tendresse notre petite Déoris, afin d'atténuer ses peines avec notre amour, et de nourrir ses faiblesses de notre force. Même si je suis parfois d'avis que trop de protection ne fait pas grand-chose pour compenser la fragilité.

— Assez de tous ces augures et de tous ces présages ! s'écria Domaris avec impatience. Rajasta, dites-moi, donnerai-je un fils à mon seigneur ?

Rajasta sourit et ne la reprit pas pour son impatience, car il était préférable en effet d'abandonner un tel sujet. Il tira de sa tunique un rouleau couvert de signes que Domaris ne put déchiffrer, bien qu'elle eût appris à compter et à écrire les chiffres sacrés. Pour les calculs quotidiens, seuls les plus hauts initiés ne comptaient pas sur leurs doigts. Les chiffres étaient l'un des mystères les mieux gardés, et on n'en usait jamais à la légère, car grâce à eux les prêtres déchiffraient la course des astres et inscrivaient les jours et les années dans leurs grands calendriers de pierre. C'était aussi grâce aux nombres sacrés que les adeptes manipulaient les forces naturelles qui étaient la source de leur pouvoir. Outre des nombres cryptiques et leurs permutations, Rajasta avait inscrit les symboles plus simples des demeures célestes, qui étaient familières à Domaris. Ce fut donc à ceux-ci qu'il se référa :

— Tu es née à cette heure-ci, Domaris, sous le signe de la Balance. Là, dans la demeure du Messager, se trouve le jour de naissance de Micon. Je ne vais pas t'expliquer tout ceci maintenant, ajouta Rajasta en s'adressant seulement à l'Atlante dont l'intérêt s'était éveillé, mais, si tu le désires vraiment, je le ferai plus tard. Pour l'instant, j'en suis sûr, votre principale curiosité à tous deux concerne la date de naissance de votre enfant.

Il poursuivit d'un ton un peu pédant, pour éviter d'entendre l'intonation de leurs voix tandis qu'ils échangeaient des murmures heureux.

— C'est à cette heure-ci, d'après vos astres, sous les signes lunaires qui règlent ces choses pour les femmes, que ton sein a dû recevoir le germe de la vie, Domaris. Et ce jour-ci (il tapota la carte), sous le signe du Scorpion, tu accoucheras d'un fils, si mes calculs sont parfaitement corrects.

— Un fils ! s'écria Domaris d'une voix triomphante.

Mais Micon semblait troublé.

— Pas... pendant la nuit du Nadir ?

— Je ne crois pas, le rassura Rajasta, mais sûrement peu de temps après. En tout cas, rappelle-toi que la nuit du Nadir n'est pas seulement porteuse de mal. Comme je te l'ai dit, Déoris a été conçue lors d'une telle nuit, et c'est une enfant aussi fine et aussi charmante qu'on peut le désirer. La conception de votre enfant tombe si bien entre ta naissance et celle de Domaris, que cela doit équilibrer...

Il continua à les rassurer ainsi pendant un moment, et Micon finit par manifester un soulagement qu'à vrai dire Rajasta ne partageait pas totalement. Le prêtre de la Lumière avait passé des heures sur cet horoscope, troublé à l'idée que le fils de Micon pût en effet naître en cette nuit de mauvais augure. Malgré tous ses efforts, il avait pourtant été incapable d'exclure complètement cette possibilité, car on n'avait pu déterminer avec exactitude le moment de la conception. Si seulement j'avais mieux instruit Domaris, se disait-il à présent, elle aurait été elle-même capable de déterminer le bon moment !

— En fait, conclut-il, avec la note exacte de tolérance amusée qui convenait aux inquiétudes parentales, ce que vous avez le plus à craindre, c'est que votre futur fils ne soit peut-être trop épris de compétitions et de querelles, et qu'il ait la langue acérée, comme le sont souvent les Scorpions. (Il posa la carte d'un geste délibéré.) Rien qu'une éducation appropriée ne puisse corriger dès son jeune âge. J'ai encore d'autres nouvelles, ma fille, dit-il en souriant à Domaris.

Elle était plus belle que jamais, pensa-t-il. Son visage était déjà empreint de la sainteté radieuse de la maternité, une joie éclatante que l'ombre du chagrin ne ternissait pas. Et pourtant cette ombre était déjà là, une menace encore informe mais que Rajasta lui-même, pourtant assez dépourvu d'imagination, pouvait percevoir. Le prêtre se sentit traversé par le désir de la protéger.

— Le temps est venu où je puis t'assigner tes tâches au temple, dit-il. Tu es femme, et n'es plus incomplète.

Il aperçut l'inquiétude fugitive passée sur le visage de Micon et s'empressa de le rassurer :

— Ne crains rien, mon frère. Je ne la laisserai pas se fatiguer. Elle est en sécurité avec moi.

— Je n'en doute point, dit Micon d'une voix égale.

Rajasta revint à Domaris, dont l'expression pensive se colorait d'une vaste curiosité.

— Domaris... connais-tu les gardiens ?

Elle réfléchit, hésitant à répondre. Rajasta lui-même, gardien des portes extérieures, était le seul gardien jamais nommé en public. Il y en avait d'autres, bien entendu, mais nul au temple ne connaissait leur nom, ou n'était même sûr qu'il n'y eût que les sept qui siégeaient, voilés, au conseil, lors des grandes occasions. Un soupçon soudain lui fit ouvrir de grands yeux.

Rajasta poursuivit, sans attendre sa réponse :

— Ma fille bien-aimée, tu as toi-même été choisie comme gardienne du second cercle, pour succéder à Ragamon l'ancien, qui restera à son poste pour t'instruire jusqu'à ce que tu aies mûri en sagesse. Tu seras vouée à ce devoir dès que ton enfant aura été reconnu. Mais, ajouta-t-il avec un autre sourire à l'adresse de Micon, cela n'impliquera pas de tâches ardues tant que tu n'auras pas rempli tes obligations envers l'enfant à naître. Et telles que je connais les femmes... (il eut une expression de tendre indulgence en regardant sa jeune acolyte), la reconnaissance de votre fils prendra le pas sur l'autre cérémonie !

Domaris baissa les yeux en rosissant. Elle savait que si elle avait obtenu cette distinction à n'importe quel autre moment, elle aurait été pour le moins bouleversée ; mais cela semblait à présent lointain, bien secondaire à côté de la cérémonie qui introduirait son enfant dans la vie du temple.

— C'est vrai, admit-elle.

Le sourire de Rajasta était une bénédiction :

— Aucune femme n'en ferait autrement.

8

L'attribution du nom

I

C'était la responsabilité des cinq mandataires de tenir les registres de la caste des prêtres et, en tant qu'anciens, d'enquêter sur tout ce qui avait trait à la place assignée à chaque enfant né dans l'enceinte du temple, comme de s'assurer de l'exactitude de l'information. Leurs amples tuniques étaient brodées et imprimées de symboles cryptiques si vieux que seuls les plus hauts initiés avaient une vague idée de leur signification.

Côte à côte, Domaris et Micon se tenaient devant eux, plongés dans une méditation silencieuse, tandis que l'encens cérémoniel se consumait dans une très ancienne coupe filigranée, emplissant l'air de son parfum. Quand les dernières volutes de fumée eurent disparu, un acolyte s'avança pour refermer sans bruit le couvercle métallique de la coupe.

Pour la première fois, Domaris était vêtue de bleu, la couleur sacrée de la Mère. Une résille bleue retenait ses beaux cheveux tressés. Son cœur battait d'une joie profonde teintée de fierté tandis que Micon, averti par le son léger du brûleur d'encens refermé, s'avançait pour s'adresser aux cinq mandataires. Dans sa simple tunique blanche, le front ceint d'un fin bandeau doré, l'Atlante prit place devant eux d'un pas assuré qui ignorait sa cécité.

Sa voix fière et bien exercée emplit la salle, sans être trop forte :

— Pères, je viens ici avec cette femme, ma bien-aimée, pour annoncer et reconnaître que cette dame attend un enfant, et que cet enfant de sa chair est le seul fils que j'aie engendré, mon premier-né et l'héritier de mon nom, de mon rang et de mes biens. Je déclare solennellement la pureté de cette femme, et je fais à présent serment, par le Feu central, le Soleil central et les Trois Ailes à l'intérieur du Cercle, que la loi a été observée.

L'Atlante recula d'un pas, tourna les talons et, d'un mouvement mesuré et précis qui en disait long aux cinq mandataires, il s'agenouilla devant Domaris.

— Cette femme et cet enfant, dit-il, sont reconnus de par la loi, avec gratitude et révérence. Et ce afin que mon amour ne soit pas perdu, ma vie sans bénédiction et mon devoir inachevé. Et afin que je puisse rendre honneur à ceux qui le méritent.

Domaris posa une main légère sur la tête de Micon.

— Je viens ici, dit-elle, d'une voix sonore et claire comme un défi dans cette salle vieille de plusieurs siècles, pour annoncer et reconnaître mon enfant à venir comme étant le fils de cet homme. Moi, Domar... Isarma, fille de Talkannon, je le déclare.

Elle fit une pause en rougissant d'avoir trébuché dans le rituel ; mais comme les anciens n'avaient pas bronché, elle poursuivit :

— Je déclare aussi que cet enfant est l'enfant de la virginité, et l'enfant de l'amour. Avec révérence, je le déclare.

Elle s'agenouilla à son tour près de Micon :

— J'agis ici selon mes droits au regard de la loi.

L'ancien qui se tenait au milieu des mandataires demanda avec gravité :

— Quel est le nom de l'enfant ?

Rajasta tendit le rouleau, d'un geste rituel :

— Ceci est à placer dans les archives du temple. Moi, Rajasta, j'ai consulté les astres pour la fille de Talkannon et nommé ainsi son fils : *O-si-nar-men*.

— Quel en est le sens ? demanda en murmurant Micon à Domaris, et elle répondit tout aussi bas :

— Fils de la Compassion.

Les anciens levèrent leurs mains tendues dans un geste plus vieux que l'humanité et dirent avec solennité :

142

— La vie naissante est reconnue et bienvenue, selon la loi. Fils de Micon et d'Isarma, O-si-nar-men, sois béni !

Micon se releva avec lenteur et tendit la main à Domaris, qui la prit et se leva aussi. Ils se tinrent ensemble, la tête inclinée, tandis que la lente bénédiction cadencée les enveloppait :

— Source de vie, porteuse de vie, soyez bénis. Maintenant et à jamais, vous êtes bénis et votre semence est bénie. Allez en paix.

Domaris leva la main pour tracer le signe ancien de l'honneur, et Micon en fit autant peu après en entendant le bruissement de sa manche et en se rappelant les instructions de Rajasta. Ensemble, avec une paisible humilité, ils quittèrent la salle du conseil, mais Rajasta s'y attarda, car les cinq mandataires voudraient sans doute lui poser des questions de détail sur l'horoscope de l'enfant.

Dans le vestibule, Domaris se laissa aller un moment contre l'épaule de Micon.

— Voilà, murmura-t-elle. Et au moment même où je parlais, notre enfant a encore bougé en moi ! Je... j'aimerais beaucoup rester avec toi, maintenant.

— Bien-aimée, il en sera ainsi, lui promit tendrement Micon.

Mais une note mélancolique s'était glissée dans sa voix tandis qu'il se penchait pour l'embrasser.

— Comme je voudrais voir ta splendeur à venir !

9

Une question de sentiment

I

Karahama, la prêtresse de Caratra, avait bien jugé Déoris. Dans les jours qui suivirent la mort d'Arkati, celle-ci avait effectivement concentré toutes ses facultés sur la tâche qu'elle avait auparavant détestée. Son savoir intuitif se transforma en une habileté et un talent pleins d'assurance et, à la fin de sa période supplémentaire de service, ce fut presque avec regret qu'elle se prépara à quitter le temple.

Après avoir mené à bien le rituel de purification, elle alla prendre congé de Karahama. Au cour des dernières semaines, elles étaient devenues aussi intimes que le permettait la réserve de la prêtresse et, en dépit de sa sévérité, Déoris se rendait compte qu'elle la regretterait.

Elles échangèrent les salutations rituelles, mais Karahama retint Déoris un moment :

— Tu me manqueras, dit-elle. Tu es devenue très habile, mon enfant.

Et, alors que Déoris restait muette de surprise car les louanges de Karahama étaient rares et difficiles à obtenir, la prêtresse prit un petit disque d'argent attaché à une chaîne fine. Ce bijou, gravé du sceau de Caratra, était un insigne du service accompli qu'on finissait par donner à toute femme qui servait la déesse, mais on l'accordait très rarement à quelqu'un d'aussi jeune que Déoris.

— Porte ceci avec sagesse, dit Karahama, et elle l'attacha elle-même au poignet de Déoris.

144

Cela fait, elle resta à la regarder comme si elle avait autre chose à lui dire.

C'etait une femme de haute taille et de large poitrine, imposante avec ses yeux de chat couleur d'ambre et ses cheveux fauves. Comme Talkannon, elle donnait l'impression d'une férocité animale sévèrement contrôlée ; la tunique bleue de son rang ajoutait une certaine arrogance à sa dignité naturelle.

— Tu es à l'école des scribes ? demanda-t-elle enfin.

— Je l'ai quittée il y a plusieurs mois. J'ai été assignée comme scribe auprès du seigneur Micon d'Ahtarrath.

Le mépris de Kamahara vint réduire en cendres la fierté de Déoris :

— N'importe quelle fille peut lire et écrire ! Est-ce donc là ton but dans la vie ? Ou bien désires-tu suivre dame Domaris au temple de la Lumière ?

Jusqu'en cet instant, Déoris n'avait jamais vraiment douté d'être initiée au temple de la Lumière, à l'instar de sa sœur. Elle savait maintenant, tout à coup, que c'était impossible, que ce l'avait toujours été pour elle, et elle dit pour la première fois de sa vie avec décision :

— Non. Je ne désire ni l'un ni l'autre.

— Eh bien, dit calmement Karahama, je crois que ta véritable place est ici, au temple de Caratra. A moins que tu ne choisisses de te joindre à la secte de Rivéda.

— Les tuniques grises ? (Déoris était scandalisée :) Moi, une *saji* ?

— Caratra t'en garde ! (Les mains de Karahama esquissèrent en hâte un signe de protection.) Aux dieux ne plaise que j'envoie là quelque enfant que ce soit ! Non, mon enfant, je veux dire : en tant que guérisseuse.

Déoris fit une pause pour réfléchir. Elle ne savait pas que des femmes étaient admises dans la secte des guérisseurs.

— Je pourrais... demander à Rivéda... dit-elle avec hésitation.

Karahama eut un petit rire :

— Rivéda n'est pas un homme très facile à approcher, petite. Ton parent Cadamiri est prêtre guérisseur, et il serait bien plus simple de lui en parler. Rivéda ne s'occupe jamais des novices.

Pour une obscure raison, son sourire agaça Déoris, qui répliqua :

— Rivéda lui-même m'a déjà demandé si je désirais entrer au temple gris...

Ces paroles obtinrent l'effet escompté, car l'expression de Karahama changea radicalement et la prêtresse considéra un moment Déoris en silence avant de dire :

— Très bien, dans ce cas. Si tu le désires, tu peux dire à Rivéda que je t'ai jugée capable. Non que ma parole ait beaucoup d'importance pour lui, mais il sait que mon jugement en la matière est toujours fiable.

Leur conversation prit d'autres chemins, s'effilocha et toucha bientôt à son terme. Mais en regardant Déoris s'éloigner, Karahama commença à se sentir troublée. Est-il vraiment bon, se demanda-t-elle, de mettre cette enfant sur le chemin de Rivéda ? La prêtresse de Caratra connaissait peut-être mieux Rivéda que les propres novices de celui-ci, et elle avait une bonne idée de ses motivations. Mais elle rejeta cette pensée dérangeante. Déoris était presque adulte, elle ne la verrait pas d'un bon œil se mêler de ses affaires, même avec les meilleures intentions. Rivéda suscitait des sentiments puissants...

II

A la demeure des Douze, Déoris rangea le bracelet et se promena dans ses appartements, distraite, se sentant seule et négligée. Elle avait envie de se réconcilier avec Domaris, de revenir à son ancienne vie, d'oublier — au moins pour un temps — tout ce qui s'était passé lors des derniers mois.

Les salles et les cours désertes la troublaient. Elle s'immobilisa soudain en contemplant la cage où se trouvait son oiseau rouge. L'oiseau gisait en un petit tas bizarrement immobile sur le plancher de la cage, son plumage écarlate tout ébouriffé, tout froissé. Avec une exclamation étouffée, Déoris courut ouvrir la porte de la cage et, laissant échapper un léger cri de chagrin, elle saisit le petit cadavre.

Elle retourna l'oiseau, impuissante, presque en larmes. Elle l'avait aimé, c'était le dernier cadeau de Domaris avant qu'elle eût commencé à changer... Mais qu'était-il arrivé ? Il n'y avait pas de chat pour attaquer l'oiseau et de toute façon la petite bête n'avait pas subi de violence. En examinant la cage à présent vide, Déoris constata que le petit bol à eau en céramique était vide, et qu'il n'y avait qu'une ou deux graines dispersées dans la litière sale qui couvrait le plancher.

L'entrée soudaine d'Elara fit sursauter Déoris et, en se retournant, elle se jeta avec fureur sur la petite femme.

— Tu as oublié mon oiseau, et maintenant il est mort, mort ! accusa-t-elle d'un ton passionné.

Elara recula d'un pas, effrayée :

— De quel oiseau voulez-vous parler ? Mais... je ne savais pas...

— Ne me mens pas, misérable souillon ! s'écria Déoris et, dans un accès de rage incontrôlable, elle gifla Elara.

— Déoris !

Il y avait dans cette voix une colère scandalisée, et Déoris se retourna pour voir Domaris sur le seuil, pâle et stupéfaite.

— Déoris, que signifie ce comportement ?

Elle n'avait jamais parlé aussi brusquement à Déoris, et l'adolescente, prise de peur, porta une main à sa bouche, se sentant coupable soudain. Elle se tint devant Domaris, écarlate, muette, tandis que celle-ci répétait :

— Que se passe-t-il ? Ou bien dois-je demander à Elara ?

Déoris fondit en larmes de colère :

— Elle a oublié mon oiseau, et il est mort ! balbutia-t-elle en s'étranglant.

— Ce n'est ni une raison ni une excuse, dit Domaris d'une voix tendue, toujours irritée. Je suis navrée, Elara. Ma sœur va te faire des excuses.

— A elle ? dit Déoris incrédule. Non !

Domaris, avec un effort, réussit à conserver son calme :

— Si tu étais mon enfant et non ma sœur, tu serais battue ! Je n'ai jamais eu aussi honte de ma vie !

Déoris fit volte-face pour s'enfuir, mais elle n'avait pas fait trois pas que Domaris l'attrapait par le poignet.

— Tu restes là, ordonna-t-elle. Crois-tu que je vais te laisser me désobéir ?

Déoris se tordit pour lui échapper, livide et furieuse ; mais elle finit par marmonner les excuses requises.

Elara releva son visage serein ; la gifle avait laissé une marque rouge sur sa joue basanée. Sa voix avait une dignité bien à elle, le calme inébranlable des humbles :

— Je suis vraiment désolée pour votre oiseau, petite maîtresse, mais ce n'est pas à moi qu'on l'a confié. Je n'en savais rien. Ai-je jamais oublié l'une de vos requêtes ?

Quand Elara les eut quittées, ce fut presque avec désespoir que Domaris contempla sa sœur :

— Qu'est-ce qui t'a pris, Déoris ? dit-elle enfin. Je ne te reconnais plus.

Le regard maussade de Déoris restait fixé sur les dalles de pierre. Elle n'avait pas bougé depuis ses « excuses » à Elara.

— Ma petite fille, dit Domaris, moi aussi je suis désolée pour ton oiseau, mais tu pourrais en avoir une douzaine, il suffirait de le demander. Elara n'a jamais eu que de la bonté pour toi ! Si c'était ton égale, ce serait déjà assez grave, mais frapper une servante ! (Elle secoua la tête :) Que vais-je faire de toi ?

Déoris ne répondait toujours pas, et Domaris examina la cage ouverte, avec un autre petit mouvement de tête :

— Je ne sais qui est responsable, dit-elle calmement en jetant un coup d'œil à Déoris, mais s'il y a eu négligence, tu n'as personne d'autre à blâmer que toi-même.

— Je n'étais pas là, murmura Déoris d'une voix boudeuse.

— Cela ne diminue pas ta faute. (Il n'y avait aucune clémence dans la voix de la jeune femme :) Pourquoi n'as-tu pas confié cet oiseau aux soins d'une des femmes ? Tu ne peux les blâmer d'avoir négligé un devoir que personne ne leur avait assigné. C'est ton propre oubli qui a coûté la vie de ton petit animal ! N'as-tu aucun sens des responsabilités ?

— N'ai-je pas eu assez de sujets de préoccupation ? (Des larmes pitoyables se mirent à rouler sur les joues de l'adolescente :) Si tu m'aimais vraiment, tu t'en serais souvenue, toi !

— Dois-je assumer toutes tes responsabilités ? rétorqua Domaris, avec une intonation si furieuse que Déoris cessa bel et bien de pleurer.

Mais, en voyant l'émotion de sa sœur, Domaris se radoucit un peu. Elle prit l'oiseau mort des mains de Déoris et le déposa à l'écart.

— J'étais sérieuse, tu peux avoir tous les oiseaux que tu veux, promit-elle.

— Mais je me moque de cet oiseau ! C'est *toi* ! sanglota Déoris, et elle sauta au cou de Domaris en pleurant plus fort qu'auparavant.

Domaris la tint serrée contre elle, avec le sentiment que Déoris laissait enfin s'exprimer une rancune secrète. Peut-être pourraient-elles franchir maintenant cette barrière qui les avait séparées depuis la nuit au champ des étoiles... Elle dut enfin lui rappeler :

— Doucement, Déoris. Ne me serre pas si fort, tu ne dois pas nous faire de mal...

Les bras de Déoris retombèrent brusquement, et l'adolescente se détourna sans un mot.

Domaris tendit une main implorante :

— Déoris, ne t'éloigne pas ainsi, je ne voulais pas dire... Déoris, ne puis-je *rien* dire qui ne te blesse ?

— Tu ne veux pas de moi ! accusa Déoris, misérable. Tu n'as pas à faire semblant.

— Oh, Déoris ! (Les yeux gris étaient embrumés de larmes :) Comment peux-tu être jalouse ? Comment le peux-tu ? Déoris, ne sais-tu pas que Micon est en train de mourir ? De mourir ! Et je dois me tenir entre lui et sa mort ! (Ses mains, une fois de plus, se posèrent sur son corps en ce geste étrange :) Jusqu'à la naissance de notre fils...

Déoris, aveuglée par les larmes, prit sa sœur dans ses bras et la serra contre elle. Elle aurait fait n'importe quoi pour mettre fin à ce chagrin terrible, enfin mis à nu. Elle en oublia de s'apitoyer sur elle-même et pour la première de sa vie ressentit une tristesse qui la dépassait, en sachant qu'elle pouvait seulement essayer de donner du réconfort là où il ne pouvait évidemment pas y en avoir, essayer vainement de dire ce qu'elle savait être faux... Et, pour la première fois, sa propre rébellion s'évanouit, futile en comparaison de la tragédie que vivait sa sœur.

10

Des hommes et leur dessein

I

D'un ton définitif qui ne laissait aucune place à la discussion, Rivéda informa enfin Rajasta que sa maison avait été mise en ordre. Rajasta le complimenta et, après s'être incliné, l'adepte se retira, dissimulant une expression légèrement moqueuse derrière ses lourdes paupières.

L'enquête sur les pratiques de sorcellerie proscrites chez les membres de son ordre avait duré la moitié d'une année. Elle s'était conclue par une bonne douzaine de flagellations, pour des blasphèmes et des infractions assez mineures : usage abusif d'objets cérémoniels, port de symboles obsolètes et autres délits du même genre. Il y avait également eu deux cas sérieux, sans connexions claires, impliquant deux adeptes mineurs qui avaient été fouettés et exclus de la secte des tuniques grises, après que leurs noms eurent été rayés des rouleaux. L'un avait fait usage de certaines potions alchimiques pour attirer divers néophytes et *saji* par ailleurs innocents, se livrant sur eux à des actes sexuels d'une cruauté excessive dont les victimes ne se rappelaient rien par la suite. L'autre avait brisé la serrure d'une étagère fermée à clé dans la bibliothèque privée de l'ordre pour voler quelques manuscrits. Cet acte seul aurait été assez répréhensible, mais on découvrit que cet homme avait entretenu des cultures de maladies contagieuses dans ses appartements. Le processus de décontamination était toujours en cours, et on avait bon espoir d'en venir à bout de façon satisfaisante.

Ceux qui n'avaient pas été repérés savaient maintenant que

Rivéda connaissait leur existence, et progresser plus avant dans l'enquête s'avérerait sans doute difficile.

D'une certaine façon, pour Rivéda lui-même, la plus grande récompense avait été la découverte d'un nouveau champ d'expérience au potentiel énorme, que l'adepte avait bien l'intention de mettre à l'épreuve. La clé en était l'étranger qu'il avait pris comme chéla. Sous hypnose, le garçon avait révélé un étrange savoir, et un pouvoir tout aussi étrange — même si l'hypnose était absolument nécessaire pour secouer la curieuse apathie de l'inconnu dont l'existence (on ne pouvait dire la vie) était une coquille de verre sombre à la surface de laquelle les événements semblaient des ombres, ne retenant que brièvement son attention. Son esprit était inaccessible, comme en réaction à une horreur et à une honte récentes qui l'avaient pour ainsi dire pétrifié. Mais, dans ses rares accès de loquacité, il laissait échapper des paroles d'une curieuse cohérence, qui fournissaient parfois à Rivéda des indices menant à de grandes découvertes : dans cet esprit apparemment mutilé se trouvaient dissimulées de vastes connaissances que Rivéda lui-même ne pouvait qu'entrapercevoir.

Que l'homme fût ou non le frère de Micon, Rivéda l'ignorait, et il s'en moquait. Il avait le sentiment très sincère que toute tentative pour les mettre face à face ne pourrait que leur faire du mal. Il s'abstint soigneusement de faire une enquête sérieuse sur l'origine du chéla, ou le mystère de son arrivée au temple gris.

Rivéda surveillait Micon, cependant, toujours sans en avoir l'air, comme il convenait à un magicien chez les prêtres de la Lumière. Il était toujours détaché, à peine aux marges du cercle intime de l'Atlante, mais il en étudiait les membres avec assiduité. Il vit bientôt que pour Domaris tout avait cessé d'exister, à l'exception de Micon ; il remarqua aussi le souci de Rajasta pour l'initié aveugle, leur relation qui transcendait la simple collégialité et ressemblait, parfois, à celle d'un père avec son fils.

Il observait cependant Déoris avec moins de désinvolture. Il n'était pas souvent d'accord avec Rajasta, pourtant ils sentaient tous deux d'étranges potentialités chez la jeune fille. Lorsqu'elle deviendrait une femme, Déoris pourrait manifester un pouvoir considérable, si elle était proprement instruite.

Pourtant, même s'il avait trop longtemps évité la question, Rivéda ne parvenait pas à déterminer exactement les capacités qu'il discernait en elle — peut-être parce qu'il y en avait beaucoup, et de nature différente.

Elle semblait être autant la disciple de Micon que sa scribe, remarqua-t-il. Sans raison, cela rendit l'adepte furieux, comme si Micon avait usurpé un privilège qui était le sien. La façon impersonnelle et prudente dont l'Atlante guidait les pensées de la jeune fille paraissait à Rivéda maladroite, timorée et incompétente. A son avis, on retenait Déoris alors qu'on aurait dû lui permettre de s'ouvrir et de se déployer — et si nécessaire l'y contraindre.

Il observait, avec un humour détaché, la croissance de l'intérêt qu'elle lui portait. Et, avec un amusement plus grand encore, les progrès de la relation orageuse et compliquée qu'elle entretenait avec Chédan, un acolyte et le mari promis à Elis. Le bavardage du temple (auquel Rivéda était moins sourd qu'il n'essayait de le faire croire) évoquait souvent des tensions entre Elis et Chédan...

La fixation de Chédan sur Déoris avait peut-être eu pour origine, tout simplement, son désir de faire enrager Elis. En tout cas, c'était maintenant bien plus grave. Que Déoris se souciât réellement ou non de Chédan (et Domaris elle-même ne se risquait pas à en décider), elle acceptait ses attentions avec un plaisir à la fois grave et malicieux. Micon et Domaris observaient cette évolution avec un certain plaisir, persuadés que Déoris en tirerait une meilleure compréhension de leur propre situation et deviendrait moins hostile à leur amour.

Rivéda tomba sur eux un matin, dans un jardin extérieur. Déoris, assise dans l'herbe aux pieds de Micon, triait et arrangeait ses instruments d'écriture. Chédan, mince jeune homme aux yeux bruns, vêtu de sa robe d'acolyte, était penché sur elle et souriait. Rivéda se trouvait trop loin pour les entendre, mais les deux adolescents (ils n'étaient guère plus aux yeux de l'adepte) étaient visiblement en désaccord. Déoris bondit sur ses pieds, indignée, Chédan s'enfuit avec une feinte terreur et Déoris, en riant, se lança à sa poursuite.

Micon leva la tête à l'approche de Rivéda et tendit une main en signe de bienvenue, mais il ne se leva pas et Rivéda fut frappé de nouveau par les ravages de la douleur sur le visage de l'initié. Comme toujours, parce qu'une compassion bouleversante l'envahissait, il se réfugia dans la déférence moqueuse dont il masquait ses émotions les plus profondes.

— Salut à vous, seigneur d'Ahtarrath ! Vos disciples ont-ils fui des enseignements bien trop sages pour eux ? Ou avez-vous une canne de bouleau toute prête pour vos néophytes ?

Devant ces sarcasmes, Micon fut envahi d'une certaine lassitude. Il avait réellement essayé de vaincre sa méfiance initiale à l'égard de Rivéda, et son propre échec le peinait. En surface, bien entendu, Rivéda était un homme d'un commerce agréable ; pourtant, Micon aurait tout aussi bien pu le haïr, s'il se l'était permis.

Il se contrôla avec sévérité, sans prendre ombrage de l'humeur sarcastique de Rivéda, et parla plutôt des fièvres qui décimaient régulièrement les collines côtières, des famines qui pourraient se déchaîner s'il y avait trop de malades au moment des moissons.

— Ce sont vos guérisseurs qui peuvent le mieux y remédier, dit-il avec sincérité. J'ai entendu parler de l'excellent travail que vous avez fait avec eux, seigneur Rivéda. Ces mêmes guérisseurs, si je m'en souviens bien, n'étaient guère plus que des charlatans corrompus, il y a à peine dix ans de cela...

— Ce serait un peu exagéré, sourit Rivéda avec le plaisir austère du réformateur. Mais c'est vrai, le temple gris était en pleine décadence quand je suis arrivé. Je n'appartiens pas à la caste des prêtres, je suppose que Rajasta vous l'a dit, je suis du Nord, de Zaïadan. Mes compatriotes sont des gens du commun, des pêcheurs, des marins. Chez moi, nous savons que la bonne potion est plus efficace que la prière la plus zélée, à moins que la maladie ne soit d'ordre spirituel. Etant jeune, j'ai appris à soigner les blessures, et ma famille ne me jugeait bon à rien d'autre car je boitais.

Micon parut surpris de cette déclaration et Rivéda laissa échapper un petit rire :

— Oh, j'ai été guéri, peu importe comment, mais j'avais déjà appris qu'il y a plus dans le corps que les prêtres ne veulent bien l'admettre, sauf quand ils sont ivres.

Il rit de nouveau puis, redevenant grave :

— Et j'ai aussi appris à quel point l'esprit peut être le plus puissant quand une volonté disciplinée maîtrise et contrôle le corps. Comme je n'avais alors guère d'affection pour le lieu de ma naissance, j'ai pris mon bâton et j'ai vagabondé, comme on dit. C'est ainsi que j'ai rencontré les magiciens. On les appelle tuniques grises, ici.

Il eut un haussement d'épaules expressif, oubliant un instant que Micon ne pouvait le voir.

— J'ai fini par arriver ici, devenir un adepte, et je me suis retrouvé dans l'ordre local des magiciens, une secte de mystiques à l'esprit paresseux qui prétendaient être des guérisseurs. Ce n'étaient pas, comme je l'ai dit, de complets charlatans, car ils avaient sur leurs étagères la plupart des moyens que nous utilisons aujourd'hui, mais ils étaient devenus décadents et négligents, et préféraient des incantations et des charmes à un honnête travail. Je les ai donc jetés dehors.

— De colère ? murmura Micon, comme s'il s'excusait de poser la question.

— Une bonne et solide colère, répliqua Rivéda en riant, avec une expression satisfaite. Sans parler de quelques coups de pieds bien placés. Il y en a quelques-uns que j'ai physiquement jetés dehors, en fait, pour ne discuter qu'ensuite... (Il fit une pause.) Ensuite, j'ai rassemblé les rares hommes qui pensaient comme moi, des prêtres de la Lumière et des tuniques grises. Des hommes qui croyaient aussi que l'esprit a certains pouvoirs de guérison, mais que l'organisme a également besoin d'être traité. Les prêtresses de Caratra m'ont été du plus grand secours, car elles travaillent avec des femmes bien vivantes, non des âmes ou des idées, et il ne leur est pas facile d'oublier cette grande vérité, que les corps doivent être simplement traités comme des corps qui souffrent. Elles se servent des bonnes méthodes depuis des siècles. Et j'ai finalement réussi à leur faire réintégrer le monde des hommes, où elles sont tout aussi nécessaires, sinon davantage.

Micon sourit, avec une certaine tristesse. En tant que médecin, au moins, il devait admirer Rivéda, et la nature audacieuse de son propre intellect saluait en l'adepte des qualités semblables. Quel dommage, se dit-il, que Rivéda n'applique pas à sa propre vie sa grande intelligence et son suprême bon sens... quel dommage de voir un tel homme se galvauder dans la vaine conquête de la magie !

— Seigneur Rivéda, dit-il soudain, vos guérisseurs sont au-dessus de tout reproche, mais quelques-uns de vos tuniques grises pratiquent encore la mortification personnelle. Comment un homme de votre stature intellectuelle peut-il l'accepter ?

— Vous êtes d'Ahtarrath, répliqua Rivéda. Vous connaissez sûrement la valeur de certains types de... de privations ?

Micon répondit en esquissant un signe de la main droite. Rivéda se demanda s'il devait renvoyer un tel signe à qui ne pouvait voir, mais poursuivit, moins agressif :

— Vous savez donc à quoi peut servir d'aiguiser les sens et de pousser à de hauts degrés de conscience certains facteurs physiques et mentaux, mais sans relâcher la tension. Il y a bien entendu des méthodes moins extrêmes mais, en fin de compte, vous devez admettre qu'un homme est son propre maître et que ce qui ne fait pas de mal à autrui... Eh bien, en dernière analyse, il n'y a pas grand-chose à y faire.

Le visage de l'initié atlante trahissait sa désapprobation ; ses lèvres minces avaient une sévérité inhabituelle :

— Je sais qu'on peut obtenir... des résultats à partir de telles méthodes, mais je les estime dépourvus de valeur. Et... il y a aussi le problème de vos femmes et des... usages auxquels vous les soumettez.

Il hésita, essayant de trouver la formulation la moins offensante :

— Peut-être ce que vous faites suscite-t-il un certain développement... mais il ne peut qu'être déséquilibré, c'est une violence faite à la nature. Et qui peut déboucher sur la folie.

— La folie a bien des causes, observa Rivéda, mais nous autres, les tuniques grises, nous épargnons à nos femmes la brutalité d'avoir à porter des enfants pour satisfaire notre orgueil !

L'Atlante ignora l'insulte et demanda simplement, d'une voix calme :

— N'avez-vous pas de fils, Rivéda ?

Il y eut une pause fort longue. Rivéda baissa la tête, incapable de se défaire de l'idée absurde que les yeux aveugles de son interlocuteur voyaient davantage que les siens.

— Nous croyons, continua la voix paisible de Micon, qu'un homme manque à son devoir s'il ne laisse pas de fils pour continuer sa lignée. Et quant à vos magiciens, il se peut que le bien qu'ils font à autrui l'emporte à la fin sur le mal qu'ils se font à eux-mêmes. Mais ils pourraient mettre un jour en branle des phénomènes qu'ils ne pourront contrôler.

Le sourire en biais reparut sur les lèvres de Micon :

— Ce n'est qu'une possibilité, cependant. Je ne désire pas de querelle avec vous, seigneur Rivéda.

— Ni moi avec vous, répliqua l'adepte, et il y avait plus que de la courtoisie dans sa voix convaincue. Il savait que Micon ne lui faisait pas totalement confiance, et n'avait aucun désir de se faire un ennemi aussi haut placé que l'Atlante ; sur un mot de Micon, les gardiens pourraient s'abattre sur le temple gris, et personne ne savait mieux que Rivéda que certaines pratiques de son ordre ne supporteraient pas une enquête attentive. Elles n'avaient rien à voir avec la sorcellerie proscrite, mais elles ne s'attireraient pas l'approbation des sévères gardiens. Non, Rivéda ne désirait pas de querelle avec Micon...

Déoris et Chédan les rejoignirent, côte à côte, et marchant d'un pas plus posé désormais. Le respect avec lequel Rivéda salua Déoris fit ouvrir de grands yeux à Chédan qui en resta muet.

— Seigneur Micon, dit l'adepte, je vais vous prendre Déoris.

Les traits aveugles et basanés de Micon se figèrent de déplaisir et, alors qu'il se tournait vers Rivéda, il eut une inquiétante prémonition :

— Pourquoi dites-vous cela, Rivéda ?

L'adepte éclata de rire. Il savait très bien ce que voulait dire Micon, mais il lui plaisait de feindre l'incompréhension :

— Eh bien, que pensez-vous donc que je veuille dire ? demanda-t-il. Je dois discuter quelques instants avec cette petite jeune fille, car Karahama, du temple de Caratra, m'a donné son nom pour qu'elle soit admise parmi les guérisseurs. (Il rit de nouveau :) Si vous avez de moi si mauvaise opinion, je lui parlerai bien volontiers en votre présence, prince Micon !

Une lassitude mortelle s'était glissée en Micon, supplantant peu à peu son irritation. Ses épaules s'affaissèrent :

— Je... je ne sais pas ce que je voulais dire. (Il s'interrompit, nerveux.) Oui, j'ai entendu dire que Déoris allait rechercher son initiation. J'en suis très heureux... va, ma Déoris.

156

Pensif, Rivéda entraîna l'adolescente dans le sentier. Déoris avait des perceptions fines, aiguës, à fleur de peau. Il sentait instinctivement qu'elle avait sa place non parmi les guérisseurs mais parmi les tuniques grises eux-mêmes. De nombreuses femmes du temple gris n'étaient que des *saji* méprisées ou ignorées, mais de temps à autre une femme pouvait avoir accès à la voie des magiciens. Quelques-unes, très rares, pouvaient aspirer à réussir à égalité avec un homme ; il serait difficile de faire une place à Déoris parmi elles.

— Dis-moi, Déoris, dit brusquement Rivéda, as-tu servi longtemps à la demeure de la Mère ?

Elle haussa les épaules :

— Seulement les services préliminaires que doivent toutes les femmes. (Elle jeta un bref coup d'œil à l'adepte puis se détourna de nouveau en murmurant :) J'ai travaillé un mois avec Karahama.

— Elle m'a parlé de tes talents. (Il fit une pause :) Peut-être n'apprends-tu pas tout cela pour la première fois, peut-être retrouves-tu un savoir que tu as déjà eu, dans une vie antérieure.

Déoris leva de nouveau les yeux vers lui, avec une surprise évidente :

— Que voulez-vous dire ?

— Il ne m'est pas permis d'en parler à une fille de la Lumière, dit Rivéda avec un sourire, mais tu l'apprendras à mesure que tu t'élèveras dans la hiérarchie du temple. Parlons un peu de choses pratiques.

Conscient que les jambes adolescentes de Déoris n'étaient pas adaptées à ses larges et rapides enjambées, Rivéda s'engagea dans un chemin adjacent, en direction d'une petite place surplombant l'un des ruisselets qui traversaient l'enceinte du temple. Il reprit :

— Karahama me dit que tu désires être admise parmi les guérisseurs, mais j'ai de nombreuses raisons de ne pas vouloir t'y accepter pour le moment.

Il la regardait du coin de l'œil et fut vaguement satisfait de son malaise :

— En tant que guérisseuse, poursuivit-il, tu serais simplement une enfant du temple, et non une prêtresse... Dis-moi, as-tu déjà été introduite à la voie de la Lumière ?

Déoris était passée si vite d'une émotion à l'autre pendant les derniers instants qu'elle put seulement secouer la tête, muette. Puis, retrouvant ses esprits, elle expliqua :

— Rajasta a dit que j'étais encore trop jeune. Domaris avait plus de dix-sept ans quand elle a prononcé ses vœux.

— Je ne te ferai pas attendre aussi longtemps, contra Rivéda, mais il est vrai qu'il n'est pas nécessaire de se hâter...

Il redevint silencieux, contemplant le panorama qui s'offrait au-delà de la place. Puis, se tournant enfin vers Déoris :

— Voici ce que je te conseille : d'abord, demande à être initiée parmi les rangs mineurs des prêtresses de Caratra. En grandissant, tu pourras décider si ta véritable place se trouve parmi les magiciens... (Il arrêta la question de Déoris d'un geste impérieux :) Je sais, tu ne désires pas être une *saji*, et je ne le suggère pas non plus. Cependant, comme prêtresse initiée de Caratra, tu pourrais monter jusqu'aux plus hauts échelons, ou entrer au temple gris. La plupart des femmes ne sont pas capables d'atteindre le rang d'adepte, mais je crois que tu as des pouvoirs innés. (Il lui sourit et ajouta :) J'espère seulement que tu les utiliseras comme tu le dois.

Elle lui rendit honnêtement son regard :

— Je ne sais pas comment...

— Mais tu apprendras. (Il posa une main sur son épaule :) Fais-moi confiance.

— Je vous fais confiance, dit-elle, en réalisant soudain que c'était la vérité.

— Ton Micon n'a pas confiance en moi, Déoris, la prévint-il, parfaitement sérieux. Peut-être ne suis-je pas un homme à qui il faut se fier ?

Déoris contempla les dalles, d'un air malheureux :

— Micon... Le seigneur Micon a été si cruellement maltraité, peut-être ne fait-il plus confiance à personne, suggérat-elle, incapable de se confronter à l'idée que Micon avait peut-être raison ; elle ne voulait rien penser de déplaisant à propos de Rivéda.

L'adepte laissa sa main retomber :

— Je demanderai à Karahama de te prendre elle-même comme disciple, dit-il, concluant ainsi l'entrevue.

Déoris le remercia assez gauchement et prit congé. Rivéda la regarda s'éloigner, les bras croisés sur la poitrine et, malgré l'ombre de sourire ironique qui jouait sur ses lèvres, son regard était pensif. Déoris pouvait-elle être la femme qu'il avait imaginée ? Nul ne savait mieux que lui comment les souvenirs aléatoires de vies antérieures apparaissaient parfois comme des pressentiments... S'il avait bien déchiffré le caractère de l'adolescente, elle était avide d'apprendre, peut-être même était-elle trop impétueuse. N'avait-elle donc aucune méfiance ?

Il ne voulait pas laisser ses pensées dériver trop loin du présent, et il tourna les talons pour reprendre son chemin, s'éloignant de la place à pas pressés. Déoris était encore une petite fille, il devrait attendre, des années peut-être, avant d'être certain qu'il ne s'était pas trompé. Mais c'était un commencement.

L'adepte Rivéda n'avait pas coutume d'attendre pour obtenir ce qu'il désirait... Cette fois, cependant, cela en vaudrait peut-être la peine !

11

Bénédictions et malédictions

I

Les mains humblement croisées devant elle, les cheveux simplement nattés, Déoris se tenait devant l'assemblée des prêtresses de Caratra. Elle portait pour la dernière fois sa robe de scribe, qui déjà lui paraissait étrangère.

Alors même qu'elle écoutait gravement les recommandations de Karahama, la peur et même la panique la submergeaient, et ses pensées couraient comme un contrepoint nostalgique aux paroles de la prêtresse. A compter de ce jour, de cette heure, elle ne serait plus jamais la petite Déoris, mais une femme qui avait choisi sa fonction pour la vie ; même si, pendant plusieurs années encore, elle ne serait qu'une aspirante-prêtresse, cela lui conférait quand même les responsabilités d'une adulte...

Karahama lui faisait signe de s'approcher. Déoris tendit les mains, comme on lui avait dit de le faire.

— Adsartha, fille de Talkannon, appelée Déoris, reçois de mes mains ces ornements que tu as désormais le droit de porter. Uses-en avec sagesse, et ne les profane jamais, l'adjura Karahama. Tu es fille de la Grande Mère, enfant, sœur et mère de toutes les autres femmes.

Dans les mains tendues, Karahama plaça les ornements sacrés que Déoris devrait porter jusqu'à la fin de ses jours.

— Que ces mains soient bénies pour accomplir la tâche de la Mère. Qu'elles soient consacrées.

Karahama referma les petits doigts de Déoris sur les cristaux rituels, les tint un instant ainsi puis dessina sur eux un signe de protection.

Déoris ne se sentait nullement superstitieuse, et pourtant elle s'attendait presque à ressentir le contact de quelque grande force mystique et chaude qui la traverserait… ou à s'entendre dénoncer par les murs eux-mêmes comme indigne. Mais elle ne ressentit rien, sinon une nervosité tenace et un léger tremblement dans les mollets pour être restée si longtemps debout, presque immobile, pendant la cérémonie qui, de toute évidence, n'était pas encore terminée.

Karahama leva les bras en un autre geste rituel :

— Que la prêtresse Déoris soit vêtue comme il convient à son rang.

Mère Ysouda, la vieille prêtresse qui avait mis au monde Domaris et Déoris et pris soin d'elles après la mort de leur mère, la conduisit à l'écart. Domaris, en lieu et place de leur mère, les accompagna dans l'antichambre.

On lui retira d'abord sa robe en lin de scribe, pour la jeter dans le feu. Déoris resta nue, frissonnant sur les dalles. Dans le silence imposé, l'expression de mère Ysouda était bien trop sévère pour les rassurer l'une et l'autre ; Domaris dénoua les lourdes tresses de sa sœur ; la vieille prêtresse les coupa et jeta les épaisses boucles brunes dans les flammes. Déoris refoula des larmes d'humiliation en les regardant brûler, mais elle n'émit pas un son. Il aurait été impensable de pleurer pendant une telle cérémonie. Les yeux brillants, Domaris regarda mère Ysouda se livrer aux rites complexes de purification et faire revêtir à une Déoris intimidée et dépouillée de sa chevelure les habits de prêtresse de dernier rang. Elle ne regrettait pas que Déoris eût choisi un service différent du sien ; c'étaient l'un comme l'autre des moments de l'organisation du temple où elles étaient nées, et il semblait juste que Déoris choisît le service de l'humanité plutôt que, comme Domaris, la sagesse ésotérique de la Lumière. En voyant sa sœur dans les simples habits d'une novice, Domaris sentit ses yeux déborder de larmes de joie ; elle ressentait toute la fierté d'une mère devant une enfant devenue grande — sans craindre de la voir échapper à son contrôle.

Une fois Déoris revêtue de la tunique droite et sans manches aux rayures bleues et blanches, on lui attacha autour de la taille une ceinture bleue sans ornements, en y piquant une broche constituée d'une unique perle — la pierre des grandes profondeurs, rapportée du sein de la mer au prix du danger et de la mort, et donc symbole de naissance. Autour du cou de Déoris, on passa une amulette de cristal taillé qu'elle devrait plus tard apprendre à utiliser comme pendule pour les séances d'hypnose, et comme conduit psychique quand son travail l'exigerait.

Ainsi vêtue et parée, elle fut conduite à nouveau devant les prêtresses assemblées, qui brisèrent leur cercle solennel et se pressèrent autour de la jeune fille pour l'accueillir dans leur ordre par des embrassades et des compliments, la taquinant même un peu pour ses cheveux courts. Mère Ysouda elle-même, sévère et osseuse, s'adoucit assez pour évoquer des souvenirs avec Domaris, ravie, qui se tenait un peu à l'écart de la foule vêtue de bleu entourant la nouvelle venue.

— Il est difficile de penser qu'il y a quinze ans à peine, je la déposais dans tes bras !

— Comment étais-je ? demanda Déoris, curieuse.

Mère Ysouda se redressa d'un air digne :

— Tu ressemblais beaucoup à un petit singe, répliqua-t-elle en souriant aux deux sœurs avec affection. Tu as perdu ta petite fille, Domaris... mais très bientôt, j'aurai un autre enfant à te mettre dans les bras, n'est-ce pas ?

— Dans quelques mois seulement, dit Domaris, un peu timide, et la vieille femme lui serra la main avec chaleur.

II

Comme les devoirs officiels de Déoris ne commençaient pas avant la journée suivante, les deux sœurs retournèrent ensemble à la demeure des Douze. Domaris effleura les cheveux de Déoris, avec une compassion hésitante :

— Tes beaux cheveux, soupira-t-elle.

Déoris secoua la tête, faisant voler ses courtes boucles :

— J'aime bien, mentit-elle avec impudence. Je n'ai plus à perdre du temps à les natter et à les peigner, maintenant... Domaris, est-ce tellement laid ?

162

Domaris vit sa lèvre tremblante et se hâta de la rassurer en riant :

— Non, non, ma petite Déoris, tu deviens de plus en plus belle. Ce style te va bien, vraiment. Mais il te donne l'air très jeune. (Elle ajouta, taquine :) Chédan pourrait bien demander des preuves que tu es une adulte !

— Chédan peut bien se contenter des preuves qu'il a déjà, dit Déoris avec désinvolture, mais je ne mettrai pas en danger mon amitié avec Elis pour l'amour de ce grand bébé !

Domaris se mit à rire :

— Tu pourrais te gagner la reconnaissance éternelle d'Elis si tu la débarrassais définitivement de Chédan !

Son amusement disparut tandis qu'une agaçante petite idée venait la troubler de nouveau : elle ne savait toujours pas ce qu'Arvath ressentait réellement devant le fait qu'elle avait invoqué la liberté permise par la loi. Il y avait déjà eu des moments déplaisants, et elle en prévoyait d'autres. Elle avait bien vu comment Chédan avait réagi quand Elis avait fait de même ; elle espérait qu'Arvath serait plus généreux, plus compréhensif, mais elle avait le soupçon croissant que cet espoir n'était qu'un vœu pieux.

Avec un léger froncement de sourcils, elle haussa les épaules, impatiente. Elle avait fait son choix, et s'il impliquait des choses déplaisantes, eh bien, elle les affronterait en leur temps. Elle se concentra délibérément sur des soucis plus immédiats :

— Micon voulait te voir après les cérémonies, Déoris. Je vais aller me débarrasser de ces tapisseries, plaisanta-t-elle en agitant les robes encombrantes qu'elle avait dû porter pour le rituel, et je vous rejoindrai ensuite.

Déoris tressaillit. Elle se sentait inexplicablement troublée à l'idée de voir Micon sans Domaris.

— Je vais t'attendre, proposa-t-elle.

— Mais non, dit Domaris avec légèreté. Je crois qu'il voulait te voir seule.

III

Les serviteurs atlantes de Micon introduisirent Déoris dans une pièce qui s'ouvrait sur une enfilade de verdoyants jardins

163

en terrasses, remplis d'arbres et de fleurs et retentissant du chant des fontaines et des oiseaux. C'étaient des appartements spacieux et frais, ainsi qu'il convenait pour des visiteurs de haut rang. Rajasta n'avait rien épargné pour assurer le confort de son hôte.

Micon se découpait à contre-jour devant la fenêtre et ses vêtements lumineux donnaient à sa silhouette droite et émaciée un aspect presque translucide dans le soleil de l'après-midi. Il tourna la tête avec un sourire éclatant, et Déoris perçut un éclair de couleur vive, comme l'explosion d'une aura de lumière autour de sa tête... mais il disparut si vite que l'adolescente ne pouvait que douter du témoignage de ses yeux. Ce moment de clairvoyance lui avait un peu donné le vertige et elle s'immobilisa dans l'encadrement de la porte. Pour le regretter, car Micon l'avait entendue et s'approcha d'elle avec un effort pénible.

— Est-ce toi, ma petite Déoris ?

En entendant sa voix, elle sentit disparaître ce qui lui restait de nervosité et courut s'agenouiller devant lui. Il lui sourit de son sourire en biais :

— Et je ne dois plus t'appeler petite Déoris, on me l'a bien dit, la taquina-t-il.

Il posa une main maigre et veinée de bleu sur sa tête, puis arrêta sa caresse, surpris :

— Ils ont coupé tes beaux cheveux ! Pourquoi ?

— Je ne sais pas, dit-elle timidement en se relevant. C'est la coutume.

Micon eut un sourire déconcerté :

— Comme c'est étrange, murmura-t-il. Je me suis toujours demandé... Es-tu comme Domaris ? Avec des cheveux de flamme, comme elle ?

— Non, mes cheveux sont noirs comme la nuit. Domaris est belle, je ne suis même pas jolie, dit Déoris, sans fard.

Micon eut un petit rire :

— Mais Domaris m'en a dit autant de toi, mon enfant, que tu es belle, et qu'elle est très ordinaire ! (Il haussa les épaules :) Je suppose que les sœurs sont toujours ainsi, si elles s'aiment. Mais je trouve difficile de t'imaginer, et je sens que j'ai perdu ma petite scribe. Et c'est la vérité, car tu vas être bien trop occupée pour venir me trouver !

— Oh, Micon, je le regrette vraiment !

— Ne t'inquiète pas, petit chat. Je suis content, non de te perdre, mais que tu aies trouvé une tâche qui te conduira à la Lumière.

Elle rectifia, hésitante :

— Je ne serai pas une prêtresse de la Lumière, mais une prêtresse de la Mère.

— Mais tu es toi-même une fille de la Lumière, ma Déoris. La Lumière est en toi, plus que tu ne le penses, car elle brille très clairement. Je l'ai vue, même si mes yeux sont aveugles. (Il sourit de nouveau :) Mais il suffit. Je suis sûr que tu as entendu bien assez d'exhortations vagues pour une seule journée ! Je sais que tu ne peux porter de bijoux tant que tu es aspirante-prêtresse, mais j'ai un cadeau pour toi...

Il se détourna et, sur une table derrière lui, il prit une minuscule statuette : un petit chat, sculpté dans un unique morceau de jade, assis sur des hanches élégantes, avec de comiques yeux de topaze qui scintillaient en faisant mine de regarder Déoris. Autour du cou, il portait un collier de cristaux verts, magnifiquement taillés et polis.

— Ce chat te portera bonheur, dit Micon, et quand tu seras la prêtresse Adsartha, à qui il ne sera plus défendu de porter des pierres précieuses et des parures... (Avec adresse, il défit le collier de cristaux :) Vois, maître chat te prêtera son collier comme bracelet, si ton poignet est encore délicat comme aujourd'hui.

Il prit sa petite main dans la sienne et glissa rapidement le bracelet de gemmes autour de son poignet ; puis il l'enleva en riant :

— Mais je ne dois pas te tenter d'enfreindre la règle, ajouta-t-il, en refermant de nouveau la parure autour du cou du chat.

— Micon, c'est tellement joli ! s'écria Déoris, enchantée.

— Et cela ne peut donc que t'appartenir, petite... ma petite sœur bien-aimée, se reprit-il en s'attardant un moment sur ces mots, pour dire ensuite : Jusqu'à la venue de Domaris, allons marcher dans le jardin.

Les pelouses étaient fraîches et ombragées, même si la verdure de l'été était maintenant sèche et jaunie. Le grand arbre sous lequel ils s'étaient si souvent assis pendant l'été était sec aussi, et ses branches portaient des grappes de petites baies dures, d'un rouge éclatant ; mais la fine poussière granuleuse n'arrivait pas jusque-là et les arbres atténuaient un peu l'éclat brûlant du soleil. Ils trouvèrent leur emplacement habituel ; Déoris se laissa tomber dans l'herbe et appuya légèrement sa tête contre les genoux de Micon, les yeux levés vers lui. Son visage basané était plus maigre, assurément, davantage tiré par la douleur.

— Déoris, dit Micon, avec son curieux sourire qui palpitait tels les éclairs d'été, ta sœur s'est bien ennuyée de toi.

Il n'y avait aucun reproche dans sa voix, mais Déoris sentit le rouge de la honte lui monter aux joues :

— Domaris n'a plus besoin de moi, maintenant, marmonna-t-elle.

La caresse de Micon sur ses boucles coupées était d'une grande tendresse :

— Tu te trompes, Déoris, elle a besoin de toi plus encore maintenant, de ta compréhension et... de ton amour. Je ne voudrais pas m'immiscer dans votre vie personnelle... (Il la sentit frémir de jalousie sous sa main.) Non, attends, Déoris. Laisse-moi te dire quelque chose.

Il s'agita un moment, comme s'il eût préféré être debout pour parler, mais une expression étrange passa sur ses traits mobiles, et il resta où il se trouvait :

— Déoris, écoute-moi ! Il ne me reste plus très longtemps à vivre.

— Ne dites pas cela !

— Je le dois, petite sœur. (Une ombre de regret rendit plus grave encore la voix vibrante de l'Atlante :) Je vivrai peut-être jusqu'à la naissance de mon fils. Mais je veux être sûr qu'ensuite Domaris ne sera pas complètement seule.

Ses mains mutilées, couturées mais fines et douces, effleurèrent les yeux humides de Déoris :

— Ne pleure pas, ma chérie. Je t'aime très tendrement, ma petite Déoris, et j'ai vraiment le sentiment que je puis te confier Domaris...

Déoris ne pouvait se contraindre à parler ou à bouger, et se contenta de contempler les yeux aveugles de Micon, comme hypnotisée.

Avec une affreuse conviction, l'Atlante poursuivit :

— Je ne suis pas si épris de la vie que je ne puisse tolérer de la quitter ! (Puis, comme s'il avait été soudain conscient d'avoir effrayé Déoris, la terrible expression d'autodérision s'effaça de son visage :) Promets-moi, Déoris, dit-il, puis il effleura les lèvres et la poitrine de l'adolescente en un geste curieusement symbolique qu'elle ne devait pas comprendre avant des années.

— Je promets, murmura-t-elle en pleurant.

L'homme ferma les yeux et s'adossa au large tronc de l'arbre. Parler de Domaris avait affaibli le contrôle féroce auquel il devait d'être encore en vie : il était trop humain pour ne pas en être terrifié. Déoris vit l'ombre qui passait sur son visage et, avec une exclamation étouffée, bondit sur ses pieds.

— Micon ! s'écria-t-elle, en se penchant sur lui, effrayée.

Il leva la tête, le front soudain emperlé de sueur et, d'une voix étranglée, prononça quelques paroles en une langue qu'elle ne comprenait pas.

— C'est là, de nouveau, balbutia-t-il. Je l'ai senti lors de la nuit du Nadir, qui me cherchait... une malfaisance mortelle...

Il s'appuya lourdement à l'épaule de Déoris, sans force, en respirant avec une lenteur délibérée.

— *Je n'en ferai rien !* hurla-t-il comme en réponse à une présence invisible, avec des mots d'une violence gutturale, complètement différente de leur intonation habituelle, même dans des circonstances exceptionnelles.

Déoris le prit dans ses bras, incapable d'imaginer quoi faire d'autre, et se trouva soudain porter tout son poids. Il glissa à terre, presque inconscient, mais il s'accrochait pourtant à sa lucidité avec ce qui semblait être ses dernières forces.

— Micon, que dois-je faire ?

Il essaya encore de parler, mais sa maîtrise de la langue de Déoris lui avait de nouveau échappé et il ne put que marmonner des phrases inachevées en langue atlante. Déoris se sentit très jeune, terrorisée. Le peu d'entraînement qu'elle avait reçu ne l'avait pas préparée à cela ; et ses bras n'avaient pas la sagesse de l'amour : la force même de son étreinte épouvantée était cruelle pour le corps de Micon, déchiré par la douleur. En gémissant, il se dégagea, ou essaya de se dégager. Il vacillait et serait tombé si la jeune fille ne l'avait aidé à se tenir droit. Elle essaya de le soutenir plus délicatement, mais les doigts glacés de la panique lui serraient la gorge. Micon semblait sur le point de mourir et elle n'osait pas l'abandonner pour aller chercher de l'aide ! Son sentiment d'impuissance ne faisait qu'ajouter à sa terreur.

Elle laissa échapper un petit cri aigu quand une ombre tomba sur eux et que des bras puissants la débarrassèrent du fardeau de Micon.

— Seigneur Micon, dit Rivéda avec fermeté, comment puis-je vous venir en aide ?

Micon poussa seulement un soupir et devint flasque dans les bras du tunique grise. Rivéda jeta un coup d'œil à Déoris, sévère et brusque, l'évaluant avec calme comme pour s'assurer qu'elle n'allait pas s'évanouir.

— Dieux bienveillants, murmura l'adepte, est-il ainsi depuis longtemps ?

Il n'attendit pas la réponse, se redressa avec aisance, portant sans effort le corps ravagé de l'aveugle.

— Je ferais mieux de le ramener tout de suite dans ses appartements. Dieux compatissants, cet homme ne pèse pas plus que toi ! Déoris, viens, il aura peut-être besoin de toi.

— Oui, dit Déoris, tandis que disparaissait son embarras devant la terreur qui l'avait saisie. Je vais vous montrer le chemin, ajouta-t-elle, et elle remonta le sentier en courant devant Rivéda.

Derrière eux, le chéla de Rivéda suivait son maître d'un regard vide et terne. La conscience y palpita un instant quand il vit Micon. Puis il emboîta le pas à Rivéda, silencieux, le visage cependant troublé, comme une ardoise mal effacée avec une éponge trop sèche.

A leur arrivée dans l'appartement de Micon, l'un des serviteurs atlantes poussa un cri et courut aider Rivéda à étendre l'homme évanoui sur son lit. A voix basse, l'adepte donna rapidement des ordres, puis il s'employa à ranimer l'initié.

Muette, effrayée, Déoris se tenait au pied du lit. Rivéda avait oublié son existence, toute son attention était concentrée sur l'homme qu'il soignait. Le chéla entra dans la pièce tel un fantôme, plus silencieux qu'un chat, et se tint dans l'embrasure de la porte, hésitant.

L'aveugle s'agita sur le lit, en gémissant dans son délire, et murmura quelque chose en atlante. Puis tout à coup, d'une voix basse mais étonnamment claire, il dit :

— Ne crains rien. Ils peuvent seulement nous tuer. Et si nous nous soumettions à eux, il vaudrait mieux alors que nous soyons morts...

Il poussa un autre gémissement d'agonie et Déoris, saisie de nausée, s'agrippa au cadre du lit.

Le regard du chéla se posa sur Micon et ses yeux ternes s'agrandirent ; il émit un son étrange, entre l'exclamation et le gémissement.

— Tais-toi, gronda Rivéda, ou sors !

Micon remua sous les mains du tunique grise, qui le retenaient avec douceur. D'abord il eut un frisson, comme s'il reprenait conscience, puis il se tordit, la tête rejetée en arrière d'un mouvement convulsif, arquant horriblement son corps tout entier tandis que ses doigts tordus esquissaient d'épouvantables mouvements pour saisir quelque chose. Il poussa soudain un hurlement, un long cri aigu d'agonie et de désespoir.

— *Réio-ta, Réio-ta !* Où es-tu ? Qu'es-tu devenu ? *Ils m'ont aveuglé !*

Le chéla se tenait immobile, secoué de frissons, comme foudroyé, incapable de s'enfuir.

— Micon ! hurla-t-il.

Ses mains se levèrent, se serrèrent, il fit un pas en avant... Puis l'impulsion s'éteignit, et ses mains retombèrent, inertes.

Rivéda, qui avait brusquement levé la tête d'un air interrogateur, vit la folie secrète sur le visage du chéla. Puis, branlant du chef, il retourna à sa tâche.

Micon s'agita de nouveau, mais moins violemment. Au bout d'un moment, il murmura :

— Rajasta...

— Il va venir, dit Rivéda avec une douceur inhabituelle, et il fit signe à un des serviteurs atlantes, qui contemplait le chéla avec des yeux écarquillés.

— Va trouver le gardien, imbécile ! Peu m'importe où et comment, mais *trouve-le !*

Ces paroles ne laissaient place ni à l'hésitation ni à la discussion. Le serviteur fit volte-face et partit en courant, ne s'arrêtant que pour lancer à la dérobée un regard au chéla.

Déoris, qui était restée immobile, tendue, vacilla soudain, s'agrippant de nouveau au cadre du lit. Elle serait tombée si le chéla ne s'était avancé vivement pour la soutenir en lui passant un bras autour de la taille. C'était le premier geste rationnel qu'on lui ait jamais vu faire.

Rivéda tressaillit et dissimula sa surprise sous un ton âpre :

— Tu te sens bien, Déoris ? Si tu es étourdie, assieds-toi. Je n'ai pas le temps de m'occuper de toi.

— Bien sûr que je me sens bien, dit-elle en s'écartant avec dégoût du chéla vêtu de gris.

Comment ce simple d'esprit osait-il la toucher ?

Micon murmura :

— Ma petite Déoris...

— Je suis là, lui assura-t-elle à mi-voix. Dois-je faire quérir Domaris ?

Il eut un hochement de tête presque imperceptible et Déoris s'éloigna prestement avant que Rivéda ne pût l'en empêcher. Domaris devait être prévenue, elle ne devait pas trouver Micon dans cet état sans avoir été avertie !

Micon soupira de nouveau, agité :

— Est-ce... Rivéda ? Qui d'autre est là ?

— Personne, seigneur d'Ahtarrath, mentit Rivéda avec compassion. Essayez de vous reposer.

— Personne ? (La voix de l'Atlante était faible mais surprise :) Je ne crois pas... j'ai senti...

— Il y avait Déoris, et l'un de vos serviteurs. Ils sont partis, à présent, dit Rivéda d'un ton calme mais définitif. Votre esprit vagabondait, je crois, prince Micon.

Micon marmonna quelque chose d'incompréhensible, puis sa voix lasse s'éteignit de nouveau et sa bouche retrouva son rictus de douleur, comme gravé par les paroles qu'il ne pouvait prononcer. Rivéda, qui avait fait ce qu'il pouvait, s'installa pour le surveiller, en jetant de temps en temps un coup d'œil à l'expression vide du chéla.

Il fallut peu de temps avant qu'un bruissement d'étoffe raide ne vînt briser le silence. Rajasta poussa presque Rivéda de côté pour se pencher sur Micon. Son visage avait une expression qu'on ne lui vit jamais plus. Stupeur et interrogation perçaient dans sa voix lorsqu'il prononça le nom de l'adepte.

— J'aimerais pouvoir faire davantage, répondit Rivéda, avec gravité, mais nul être vivant ne le peut. (Il se leva et ajouta à mi-voix :) Actuellement, il semble n'avoir pas confiance en moi.

Il abaissa sur Micon un regard plein de regret en poursuivant :

— Mais à n'importe quelle heure du jour ou de la nuit, je suis à votre service, et au sien.

Rajasta lui jeta un regard curieux, mais il était déjà seul avec Micon. Le prêtre de la Lumière écarta toute autre pensée et, s'agenouillant au bord du lit, il prit les minces poignets de Micon, lui insufflant avec douceur sa propre énergie, afin de renforcer l'âme épuisée et vacillante de l'Atlante à moitié assoupi...

En entendant des pas, il sortit de sa méditation et fit signe à Domaris de venir prendre sa place.

Alors que Rajasta le lâchait, cependant, Micon remua de nouveau, en murmurant avec effort :

— Y avait-il... quelqu'un d'autre... ici ?

— Seulement Rivéda, dit Rajasta, étonné, et un simple d'esprit qu'il appelle son chéla. Repose-toi, mon frère. Domaris est là.

Devant la réponse de Rajasta, un froncement de sourcils avait ridé le front de Micon, mais, à la mention de Domaris, il n'y pensa plus :

— Domaris ! souffla-t-il, et sa main chercha les siennes tandis que ses traits se détendaient.

Mais Rajasta avait vu ce froncement de sourcils, et il en avait aussitôt deviné la signification. Il prit une grande aspiration, et ses narines se dilatèrent avec irritation. Il se passait quelque chose d'étrange avec le chéla de Rivéda et, à la première occasion, il était bien résolu à découvrir de quoi il retournait.

IV

Micon dormait enfin et Domaris se laissa glisser sur le plancher auprès du lit, immobile et attentive. Mais Rajasta se pencha pour la relever avec bonté, la tirant un peu à l'écart, où son murmure ne dérangerait pas l'homme endormi.

— Domaris, ma fille, il faut partir. Il ne me pardonnerait jamais de te laisser épuiser tes forces.

171

— M'appellerez-vous s'il s'éveille ?

— Je ne promettrai pas même cela. (Il la regarda dans les yeux, y lut son épuisement :) Pour l'amour de son fils, Domaris, va !

Ainsi admonestée, la jeune femme s'éloigna, docile. Il commençait à se faire tard, la lune s'était levée, effleurant d'argent les feuillages desséchés et enveloppant les fontaines d'un brouillard lumineux. Domaris marchait à pas lents et prudents, car elle était alourdie à présent, et éprouvait un inconfort presque douloureux.

Une ombre obscurcit soudain le sentier et la jeune femme retint son souffle, effrayée, en voyant la haute et large silhouette de Rivéda lui barrer le chemin. Puis elle respira, stupidement soulagée, quand l'adepte s'écarta pour la laisser passer. Elle inclina courtoisement la tête pour le saluer, mais l'homme ne répondit pas. Ses yeux où se reflétaient des feux glacés d'aurore boréale l'examinaient intensément, en silence. Puis, comme s'il y avait été contraint, il rejeta son capuchon et, tête nue, s'inclina devant elle en un geste de révérence extrêmement ancien.

Domaris se sentit pâlir ; son cœur lui martelait les côtes, elle pouvait l'entendre. Le tunique grise inclina de nouveau la tête — marque d'une ordinaire politesse, cette fois, et serra contre lui les plis de sa tunique afin de permettre à Domaris de passer plus facilement. Comme elle restait immobile, pâle, bouleversée, au milieu du sentier, un sourire flotta sur les traits de Rivéda ; l'adepte la croisa et disparut.

Il était clair pour Domaris que le respect de Rivéda s'était adressé non pas à sa personne, ni même au rang qu'indiquait sa robe tunique d'initiée, mais à sa maternité prochaine. Cela soulevait pourtant davantage de questions : qu'est-ce qui avait poussé Rivéda à lui accorder ce salut religieux ? Elle se dit soudain qu'elle aurait été moins effrayée si l'adepte l'avait frappée.

Avec lenteur, pensive, elle poursuivit son chemin. Elle savait peu de choses du temple gris, mais elle avait entendu dire que ses magiciens adoraient les manifestations les plus évidentes de la force vitale. Debout dans les rayons de la lune, peut-être avait-elle ressemblé à l'une de leurs statues si obscènement fertiles ? Pouah, quelle idée ! Elle éclata d'un rire incontrôlé, au bord de l'hystérie. Déoris, qui traversait le péristyle de la demeure des Douze, entendit ce rire forcé, artificiel, et se hâta de la rejoindre, soudain pleine d'effroi.

— Domaris, qu'y a-t-il, pourquoi ris-tu ainsi ?

Domaris battit des paupières et le rire s'étrangla aussitôt dans sa gorge :

— Je ne sais pas, dit-elle, hébétée.

Déoris l'observa, inquiète :

— Micon est-il...

— Il va mieux. Il dort. Rajasta n'a pas voulu me laisser rester, expliqua Domaris.

Elle se sentait épuisée, et déprimée, elle aspirait à une compréhension amicale, mais Déoris s'était déjà détournée. Hésitante, Domaris dit :

— Petit chat...

L'adolescente se retourna pour regarder sa sœur :

— Quoi, demanda-t-elle avec une ombre d'impatience, tu veux quelque chose ?

— Non, rien, mon chaton. Bonne nuit.

Elle se pencha pour embrasser la joue de sa sœur, puis la regarda s'éloigner à pas légers, libérée. Elle grandissait à vue d'œil, ces dernières semaines... c'était naturel qu'elle prît ses distances. La jeune femme fronça pourtant légèrement les sourcils, pensive, tandis que Déoris disparaissait dans le passage.

Lorsque Déoris avait fait connaître sa décision d'être initiée au temple de Caratra, on lui avait assigné des appartements personnels, ainsi qu'il convenait à une fille de son âge. Comme elle était encore techniquement sous l'autorité de Domaris, ces appartements se trouvaient dans la demeure des Douze, près de ceux de Domaris, mais à quelque distance. Domaris considérait comme acquis que tous les acolytes vivaient dans une certaine promiscuité, sans prendre en considération les contraintes normalement en vigueur ailleurs : il y avait une excellente raison pour justifier cette liberté, et c'était en réalité sans grande importance. Il n'y avait pas de secrets parmi les acolytes, et tout le monde savait que Chédan dormait parfois chez Déoris. Que cela soit sans conséquence, Domaris le savait : depuis l'âge de treize ans, elle avait passé bien des nuits tout à fait innocentes avec Arvath ou quelque autre garçon.

C'était un comportement admis, et Domaris se haïssait elle-même d'un soupçon aussi malveillant. Après tout, Déoris avait maintenant quinze ans... et si ces deux-là étaient bel et bien amants, c'était aussi permis. Elis était encore plus jeune quand sa fille était née.

Comme si leurs pensées avaient suivi des voies identiques, Elis apparut soudain dans le corridor pour se joindre à elle.

— Déoris est-elle fâchée contre moi ? demanda-t-elle. Elle vient de me croiser sans me dire un mot.

Domaris écarta ses préoccupations et se mit à rire :

— Non, mais elle prend son âge très au sérieux ! Je suis sûre qu'elle se sent plus vieille que mère Lydara elle-même, cette nuit !

Elis gloussa de concert avec elle :

— J'avais oublié que la cérémonie était aujourd'hui. Alors, c'est une femme, maintenant, et une postulante au temple de Caratra. Et peut-être Chédan...

En voyant l'expression de sa cousine, Elis se calma et reprit :

— Ne fais pas cette tête, Domaris. Chédan ne lui fera aucun mal, même si... eh bien, ni toi ni moi n'avons le droit de faire des critiques.

Dans son halo de cheveux cuivrés, le visage de Domaris était pâle et tiré :

— Mais elle est si jeune, Elis !

Elis renifla légèrement :

— Tu l'as toujours traitée comme un bébé, Domaris. Elle a grandi ! Et... nous avons toutes les deux fait nos propres choix. Pourquoi lui dénier ce privilège ?

Domaris leva les yeux avec un sourire à fendre le cœur :

— Tu comprends, n'est-ce pas, dit-elle, et ce n'était pas une question.

Avec brusquerie, pour cacher son émotion (Elis n'en faisait pas souvent étalage), la jeune femme prit Domaris par le poignet, la poussant et la tirant pour l'obliger à s'asseoir sur un divan, dans ses propres appartements. Elle s'assit près d'elle :

— Inutile de parler, dit-elle. Rappelle-toi, je sais ce que tu es en train de vivre.

Sur son visage aimable, on pouvait lire le souvenir de l'humiliation, de la tendresse et de la peine.

— J'ai connu tout cela, Domaris. Il faut vraiment du courage pour être une personne à part entière...

Domaris hocha la tête. Elis comprenait, en effet.

Une femme avait ce droit, de par la loi, et de fait, autrefois, il avait été bien rare de se marier avant d'avoir prouvé sa féminité en portant l'enfant de l'homme de son choix. La coutume était peu à peu tombée en désuétude ; peu de femmes se réclamaient à présent de ce privilège, découragées par sa suite inévitable de rumeurs et de spéculations curieuses.

— Arvath est-il au courant ? demanda Elis.

Domaris eut un frisson inattendu :

— Je ne sais pas... il n'en a pas parlé... il doit le savoir, dit-elle avec un sourire nerveux. Il n'est pas stupide.

Arvath avait observé un silence de pierre pendant les semaines écoulées, chaque fois qu'il était en présence de sa future épouse. Ils se présentaient ensemble quand la coutume l'exigeait, ou quand leurs devoirs au temple les amenaient à se rencontrer. En dehors de cela, il la laissait dans une totale solitude.

— Mais je ne lui ai pas explicitement dit... Oh, Elis !

La jeune femme, dans un rare mouvement d'affection, posa une douce main sur celle de Domaris :

— Je... suis désolée, dit-elle, timide. Il peut être dur. Domaris... pardonne-moi de te le demander, est-ce l'enfant d'Arvath ?

Silencieuse mais indignée, Domaris secoua la tête. Voilà qui était réellement interdit. Une femme pouvait choisir un amant, mais si des promis se possédaient avant leur mariage, leur acte était considéré comme un terrible déshonneur : une telle précipitation pouvait être un motif suffisant pour expulser les deux coupables des rangs des acolytes.

Le joli visage d'Elis indiquait à la fois le soulagement et un reste de préoccupation :

— Je n'aurais pas pu croire cela de toi, dit-elle, et elle ajouta à mi-voix : Je sais que c'est faux, mais j'ai entendu des murmures dans les cours... Pardonne-moi, Domaris, je sais que tu détestes ce genre de ragots, mais... on croit que c'est l'enfant de Rajasta !

Les lèvres de Domaris s'agitèrent un instant sans qu'elle pût prononcer une parole, puis elle enfouit son visage dans ses mains, se balançant d'avant en arrière dans son affliction :

— Oh, Elis, dit-elle en sanglotant, comment est-ce possible ?

C'était cela, alors, la raison de tous ces regards froids, des murmures qui s'élevaient dans son dos ! Bien sûr ! Un tel acte aurait été une honte indicible. De toutes les relations interdites au temple, l'inceste spirituel avec son initiateur était la plus impensable. Le lien des prêtres et des disciples était aussi fixe et immuable que la course des astres.

— Comment peut-on penser une chose pareille, sanglota Domaris, consternée. Le nom de mon fils et celui de son père ont été reconnus devant les cinq mandataires et le temple tout entier !

Elis vira à l'écarlate, honteuse du tour qu'avait pris leur conversation.

— Je sais, murmura-t-elle, mais... celui qui reconnaît l'enfant n'en est pas toujours le véritable père... Chédan a reconnu ma Lissa alors que nous n'avions jamais partagé un lit. J'ai entendu dire... que c'est... seulement parce que Rajasta est un gardien qu'il n'a pas été chassé du temple, alors qu'il t'a séduite...

Les sanglots de Domaris prirent une tonalité hystérique. Elis contempla sa cousine, épouvantée :

— Il ne faut pas pleurer ainsi, Domaris, tu vas te rendre malade et faire du mal à ton enfant !

Domaris fit un effort pour se contrôler et dit, impuissante :

— Comment peut-on être aussi cruel ?

— Je... (Les mains d'Elis s'agitaient nerveusement, tels des oiseaux en cage.) Je n'aurais pas dû te le dire, ce ne sont que de dégoûtants ragots...

— Non ! S'il y en a d'autres, dis-le-moi ! Il vaut mieux que je l'entende de ta bouche. (Domaris s'essuya les yeux.) Je sais que tu m'aimes, Elis. Je préférerais l'entendre de toi.

Cela prit un moment, mais Elis finit par céder :

— C'est Arvath qui l'a dit : Micon est l'ami de Rajasta et a pris sur lui ce fardeau, une tromperie si transparente que c'en est révoltant. Il a dit que Micon n'était qu'une épave... et ne pouvait avoir engendré ton enfant...

Elle s'interrompit, horrifiée, car le visage de Domaris,

jusqu'à ses lèvres, était livide ; seules deux taches d'un écarlate fiévreux semblaient peintes sur ses joues.

— Qu'il me le dise à moi, dit la jeune femme d'une voix basse, terrible. Qu'il me le dise honnêtement, face à face, au lieu de médire de moi dans mon dos comme la misérable saleté qu'il est s'il peut imaginer une telle bassesse ! De toutes les choses dégoûtantes, monstrueuses, répugnantes...

Elle s'interrompit, mais elle tremblait.

— Domaris, Domaris, il ne voulait pas dire cela, j'en suis sûre, protesta Elis, effrayée.

Domaris baissa la tête tandis que sa colère s'éteignait, remplacée par un autre sentiment. Elle connaissait les accès de jalousie d'Arvath, impétueux et soudains, et, en l'occurrence, il avait été quelque peu provoqué. Elle enfouit son visage dans ses mains ; elle se sentait souillée par ces langues bavardes, comme si elle avait été publiquement dévêtue et couverte de fumier. Elle pouvait à peine respirer sous le poids de la honte. Ce qu'elle avait... découvert avec Micon était sacré ! Et cela, *cela*, c'était une profanation, un déshonneur.

Elis la regardait avec une compassion douloureuse et impuissante :

— J'ai eu tort de te le dire, je savais bien que je n'aurais pas dû.

— Non, tu as bien fait, dit Domaris d'une voix égale. (Elle reprenait peu à peu contrôle d'elle-même.) Tu vois ? Je ne laisserai pas cela me troubler.

Elle l'avouerait à Rajasta, bien entendu. Il pourrait l'aider à supporter ce fardeau, l'aider à vivre avec cette pensée honteuse. Mais rien de cela, pas un mot, ne devait jamais parvenir aux oreilles de Micon. Les yeux secs à présent, elle regarda Elis bien en face et dit doucement :

— Mais avertis Arvath de tenir sa langue. Ce n'est pas un mince châtiment que celui qu'on inflige aux médisants !

— Je le lui ai déjà rappelé, murmura Elis, puis elle détourna les yeux en se mordant la lèvre : Mais... s'il est trop cruel... ou s'il fait une scène qui t'embarrasse... pose-lui une seule question.

Elle fit une pause en prenant une profonde inspiration, comme effrayée de ce qu'elle allait dire :

— Demande-lui pourquoi il m'a laissée me livrer à la merci

de Chédan, et affronter seule les cinq mandataires, pour que ma Lissa ne soit pas une *non-personne* !

Dans le silence choqué qui suivit ces paroles, Domaris prit lentement la main d'Elis et la serra. Ainsi c'était Arvath le père de Lissa ! Voilà qui expliquait bien des choses : sa jalousie insensée avait ses racines profondes dans son sentiment de culpabilité. Qu'on sût avec certitude qu'il n'était pas le véritable père de Lissa était la seule raison pour laquelle Chédan avait pu reconnaître honorablement l'enfant, et même alors, ce n'avait pas été pour lui une décision facile à prendre. Et Arvath avait laissé faire une telle chose !

— Elis, je n'aurais jamais deviné !

Elis eut un petit sourire :

— Je m'en suis assurée, dit-elle avec calme.

— Tu aurais dû me le dire, murmura Domaris, consternée. Peut-être aurais-je pu...

Elis se leva pour marcher de long en large dans la pièce :

— Non, tu n'aurais rien pu faire. Il n'était pas nécessaire de t'impliquer. En fait, je regrette presque de te l'avoir dit, maintenant ! Après tout, tu devras épouser ce... cet imbécile, un de ces jours !

Il y avait du courroux et une ombre de regret dans les yeux d'Elis, et Domaris se tut. Sa cousine s'était confiée à elle, elle lui avait offert une arme puissante qui pourrait un jour servir à protéger son propre enfant de la jalousie d'Arvath... mais cela ne donnait pas à Domaris le droit d'être indiscrète.

Néanmoins, elle ne pouvait s'empêcher de regretter de n'avoir point su tout cela plus tôt. Elle aurait eu assez d'influence sur Arvath, pour le persuader d'accepter sa responsabilité. Elis s'était humiliée pour assurer une caste à son enfant. Et Chédan n'avait pas été très plaisant à ce sujet, car ils avaient tous les deux risqué gros.

Domaris se connaissait assez bien pour savoir que seule la pire extrémité la pousserait à se servir de cette arme décisive contre la malveillance d'Arvath. Mais elle comprenait mieux à présent la lâcheté secrète de celui-ci. Cette révélation lui permit tout à coup de remettre toute l'affaire en perspective.

Elles abordèrent d'autres sujets, puis Elis claqua enfin doucement des mains et Simila lui amena Lissa. L'enfant avait plus de deux ans à présent et elle commençait à parler ; en fait, elle bavardait et babillait inlassablement et Elis, exaspérée, finit par la secouer un peu :

— Chut, maîtresse langue-trop-bien-pendue ! Et d'un ton acide, (à Domaris :) Quelle plaie !

Elle ne trompait pas Domaris, cependant, qui voyait bien avec quelle tendresse Elis tenait la petite fille. Une pensée vagabonde vint la troubler : Elis aimait-elle encore Arvath ? Après tout ce qui s'était passé, cela semblait hautement improbable, mais au-delà de toute dénégation possible, il y avait entre eux un lien indéfectible... et il serait toujours là.

Avec un sourire, Domaris tendit les bras à Lissa :

— Elle te ressemble de plus en plus, Elis, murmura-t-elle en prenant la fillette et en serrant contre elle le petit corps frétillant et secoué de rires.

— J'espère qu'elle sera une meilleure femme, rétorqua Elis, en partie pour elle-même.

— Elle ne pourrait pas être plus compréhensive que toi, dit Domaris, et elle reposa son fardeau, avec un sourire las. Elle se laissa aller en arrière, en pressant une main sur son ventre en un geste désormais familier.

— Ah, Domaris ! (Elis étreignit Lissa avec une tendresse exacerbée.) Maintenant, tu sais vraiment !

Et Domaris baissa la tête devant ce savoir qui naissait en elle.

V

Pendant les heures paisibles de la nuit, Rajasta resta au chevet de Micon, le quittant rarement sauf pour de très brefs moments. L'Atlante dormait d'un sommeil agité, secoué de tressaillements et marmonnant dans sa langue maternelle comme si les souffrances que le sommeil pouvait apaiser avaient seulement été remplacées par d'autres, plus profondes et moins susceptibles d'être traitées, reliquat d'angoisse qui rongeait son esprit torturé plus profondément à chaque instant. La pâleur de la fausse aurore commençait à teinter le ciel quand Micon remua un peu et dit d'une voix basse et rauque :

— Rajasta...

Le prêtre de la Lumière se pencha :

— Je suis là, mon frère.

Micon lutta pour se redresser, mais ne put en trouver la force :

— Quelle heure est-il ?

— C'est presque l'aube. Ne bouge pas, mon frère, repose-toi !

— Je dois parler...

Micon, malgré la faiblesse qui voilait sa voix, avait un ton résolu que Rajasta reconnut ; il ne tolérerait aucune discussion :

— Si tu m'aimes, Rajasta, ne me contrarie pas. Amène-moi Déoris.

— *Déoris* ?

Un instant, Rajasta se demanda si son ami avait perdu la raison :

— A cette heure ? Pourquoi ?

— Parce que je te le demande !

Rajasta examina la ligne obstinée de sa bouche et ne se sentit aucun désir d'argumenter. Il s'en alla, après avoir persuadé Micon de rester étendu et de ménager ses forces.

Déoris revint avec lui quelques instants plus tard, stupéfaite et incrédule, hâtivement habillée, mais les premières paroles de Micon dissipèrent sa confusion. Il lui fit signe de s'approcher et, sans préliminaires, lui déclara :

— J'ai besoin de ton aide, petite sœur. Veux-tu faire quelque chose pour moi ?

Déoris hésita à peine :

— Tout ce qui vous plaira.

Micon était parvenu à se redresser sur un coude et tourna la tête pour bien la regarder, donnant l'impression d'un regard pénétrant. Il semblait ailleurs et son visage était sévère lorsqu'il demanda :

— Es-tu vierge ?

Rajasta sursauta :

— Micon...

— Il y a plus dans tout ceci que tu ne le sais, dit Micon avec une énergie inhabituelle. Pardonne-moi si je te scandalise, *mais je dois savoir*. J'ai mes raisons, sois-en assuré !

Devant cette véhémence inattendue, Rajasta recula. Quant à Déoris, elle n'aurait pas été plus abasourdie de voir les personnes présentes se muer en statues de marbre et se saisir de leur tête pour jouer au ballon.

— Je le suis, seigneur, dit-elle, la timidité le disputant à la curiosité.

— Les dieux soient loués, dit Micon, en se redressant davantage sur sa couche. Rajasta, va voir dans mon coffre de voyage. Tu y trouveras un sac de soie écarlate et une coupe d'argent. Remplis-la d'eau tirée d'une source. N'en renverse pas une goutte à terre, et assure-toi de revenir avant le lever du soleil.

Rajasta le contempla un moment, saisi de surprise et extrêmement contrarié, car il avait deviné l'intention de l'Atlante. Mais il alla au coffre, trouva la coupe et sortit, les lèvres pincées de désapprobation. *Je ne ferais ceci pour personne d'autre !* se dit-il.

Ils attendirent le retour du prêtre de la Lumière dans un silence presque total : Déoris l'avait d'abord pressé de questions mais Micon lui avait conseillé d'être patiente. Si elle n'avait pas confiance en lui, elle pouvait toujours repousser sa demande.

Le prêtre revint enfin, et Micon lui ordonna, à voix basse :

— Pose-la ici, sur cette petite table. Bien. Maintenant, prends dans le coffre cette boucle de cuir tressé et donne-la à Déoris. Déoris, prends-la, mais ne touche pas la main de Rajasta !

Puis Micon attrapa le sac de soie écarlate :

— Maintenant, Déoris, agenouille-toi près de moi. Rajasta, va, tiens-toi loin de nous. *Que ton ombre même n'effleure pas Déoris !*

Ses doigts mutilés s'affairèrent avec maladresse sur le nœud, desserrant les plis de soie rouge. Lorsqu'il y fut parvenu, il plaça ses mains de façon que Rajasta ne pût voir ce qu'elles tenaient et dit tranquillement :

— Déoris, regarde ce que j'ai entre les mains.

Rajasta, qui observait avec désapprobation, aperçut seulement un éclair fugitif, mais aveuglant, quelque chose d'éclatant et de multicolore. Déoris cessa de s'agiter et demeura immobile, tenant entre les mains la boucle de cuir tressé, un objet grossier, de toute évidence l'œuvre d'un artisan amateur.

— Regarde dans l'eau, Déoris, dit Micon avec douceur.

Un profond silence régnait dans la pièce. La brise de l'aube agitait légèrement la robe bleu pâle de Déoris. Rajasta luttait toujours contre une irritation inhabituelle : il n'aimait pas ce genre de magie, il ne s'y fiait pas, de tels jeux étaient à peine tolérés quand les tuniques grises s'y livraient. Et pour un prêtre de la Lumière, le fait même d'assister à de telles manipulations était prohibé ! En même temps, il savait qu'il n'avait pas le droit d'y mettre fin. Malgré tout l'amour qu'il avait pour Micon, si l'Atlante avait été un homme en pleine possession de ses forces, Rajasta l'aurait frappé et serait sorti en entraînant Déoris. Le sévère code de conduite du gardien ne lui permettait cependant pas ce genre d'intervention. Il se contenta de redresser les épaules et de prendre un air sévère ce qui n'eut évidemment aucun effet sur le prince atlante.

— Déoris, dit Micon d'une voix douce, que vois-tu ?

La voix de l'adolescente avait une résonance enfantine, monocorde :

— Je vois un garçon, basané, vif... la peau foncée, les cheveux foncés, dans une tunique rouge... pieds nus... ses yeux sont gris... non, jaunes. Il tresse quelque chose... la boucle que je tiens.

— Bien, dit Micon, toujours d'une voix calme. Tu as la seconde vue. Je reconnais cette vision. Pose la boucle, maintenant, et regarde de nouveau dans l'eau... *Où est-il, à présent, Déoris ?*

Il y eut un long silence, pendant lequel Rajasta serra les dents, comptant les secondes et se forçant à se taire.

Déoris était immobile et regardait dans la coupe argentée, surprise et quelque peu apeurée. Elle s'était attendue à une sorte de néant magique, mais Micon parlait simplement, d'une voix ordinaire, et elle... elle voyait des images. Comme des rêves éveillés. Etait-ce ce qu'il désirait ? Elle hésita, incertaine, et avec une légère impatience, Micon lui dit :

— Dis-moi ce que tu vois !

— Je vois une petite pièce, avec des murs de pierre, dit-elle d'une voix entrecoupée... une cellule... non, juste une petite pièce grise, avec un sol de pierre, et de la pierre jusqu'à mi-hauteur des murs. Il... il est sur une couverture, il dort...

— Où est-il ? *Est-il enchaîné ?*

Déoris sursauta, surprise. Les images se défirent devant ses yeux, s'effacèrent. Il n'y avait plus que les ondulations de l'eau dans la coupe. Micon se força à respirer à fond et à endiguer son impatience :

— Je t'en prie, regarde et dis-moi où il se trouve maintenant, demanda-t-il avec douceur.

— Il n'est pas enchaîné. Il dort. Il est dans le... Il se retourne. Son visage... Ah ! (La voix de Déoris se brisa en un cri étranglé :) Le chéla de Rivéda ! Le fou, l'apostat... oh, chassez-le, chassez-le...

Ses balbutiements s'interrompirent et elle resta assise, le visage pétrifié en un masque d'horreur.

Micon s'affaissa, luttant pour se redresser de nouveau.

Rajasta ne pouvait se tenir plus longtemps à l'écart. Son émotion retenue explosa soudain avec violence. Il s'avança à grands pas, arracha la coupe à Déoris, en jeta le contenu par la fenêtre, et jeta la coupe elle-même dans un coin ; elle tomba sur le sol avec un tintement musical. Déoris glissa à terre en sanglotant sans bruit, le corps secoué de violents spasmes convulsifs. Rajasta se pencha sur elle et dit d'un ton bref :

— Assez !

— Doucement, Rajasta, murmura Micon, elle aura besoin...

— Je sais de quoi elle aura besoin !

Rajasta se redressa, jeta un coup d'œil à Micon et décida qu'il était plus urgent de s'occuper de Déoris. Il aida l'adolescente à se relever, mais elle s'affaissa contre lui. Avec une sombre fureur, Rajasta fit un signe à son serviteur et lui ordonna :

— Va chercher le prêtre Cadamiri, immédiatement !

Il ne fallut pas plus d'un instant, et une silhouette vêtue de blanc arriva de la pièce voisine, d'un pas mesuré : un prêtre de la Lumière, mince, au port altier. Cadamiri était en train de se préparer pour la cérémonie de l'aube ; il était maigre et de haute taille, encore jeune, mais son visage sévère portait les marques de l'ascétisme. Son regard grave embrassa la scène : l'adolescente défaillante, la coupe d'argent à terre, le visage sombre de Rajasta.

D'une voix si basse que même l'ouïe perçante de Micon ne put l'entendre, Rajasta lui dit :

— Emmenez Déoris chez elle, et occupez-vous-en.

Cadamiri haussa un sourcil interrogateur en prenant des bras de Rajasta l'adolescente étourdie.

— Puis-je savoir... ?

Rajasta jeta un coup d'œil à Micon et dit avec lenteur :

— Pour une raison exceptionnelle, elle a été envoyée dans les pays clos. Vous saurez maintenant comment la ramener à elle-même.

Cadamiri souleva le poids presque mort de Déoris. Alors qu'il allait sortir, Rajasta l'arrêta :

— Ne parlez pas de ceci ! Je l'ai permis. Et par-dessus tout... pas un mot à la prêtresse Domaris. Ne lui dites pas de mensonge, mais veillez à ce qu'elle n'apprenne pas la vérité. Envoyez-la-moi si elle insiste.

Cadamiri inclina la tête et s'en alla, Déoris dans les bras telle une petite fille. Mais Rajasta l'entendit marmonner sévèrement :

— Quelle obligation pourrait être assez urgente pour légitimer *ça* ?

Et pour lui-même Rajasta murmura :

— J'aimerais le savoir !

Il se retourna vers la silhouette de l'Atlante et resta un moment pensif. Le désir qu'avait Micon d'apprendre le sort de son frère Réio-ta était compréhensible, mais faire courir un tel danger à Déoris !

— Je sais ce que tu penses, dit Micon avec lassitude. Tu te demandes pourquoi, si je disposais de ce moyen, je ne l'ai pas utilisé plus tôt, ou sous des auspices plus favorables.

— Pour une fois, dit Rajasta, toujours abrupt, ravalant sa colère, tu te trompes quant à mes pensées. Je me demande en fait pourquoi tu te mêles de ce genre de choses !

Micon se laissa aller contre ses coussins, avec un soupir. Sa voix était plus assurée :

— Je ne cherche pas d'excuses, Rajasta. Il fallait que je sache. Et... tes méthodes ont échoué. N'aie pas de craintes au sujet de Déoris. Je sais, dit-il en levant faiblement une main alors que Rajasta allait parler, je sais, il y a un certain danger, mais pas plus que ce qu'elle risquait auparavant, pas plus que toi ou Domaris... pas plus que mon enfant encore à naître, ou quiconque est avec moi. Fais-moi confiance, Rajasta, je sais très bien ce que j'ai fait... mieux que toi, ou alors, tu n'aurais pas de telles pensées.

— Te faire confiance ? répéta Rajasta. Oui, j'ai confiance en toi. Sinon, je n'aurais jamais permis ceci. Mais ce n'est pas dans ce but que je suis devenu ton disciple ! J'honorerai ma parole... mais tu dois faire un pacte avec moi aussi, car en tant que gardien je ne tolérerai plus cette... cette *sorcellerie* ! Tu as raison, nous sommes tous en danger simplement parce que nous te gardons parmi nous, mais à présent tu as donné à cette menace une cible plus nette ! Tu as appris ce que tu désirais savoir et je laisserai passer pour cette fois. Mais si j'avais su à l'avance exactement ce que tu avais l'intention de faire...

Micon éclata soudain d'un rire inattendu :

— Rajasta, Rajasta, dit-il en redevenant sérieux, tu dis que tu me fais confiance et, du même souffle, que tu n'as pas confiance en moi ! Mais tu ne dis rien de Rivéda !

12

L'otage de la Lumière

1

Pour cette cérémonie, on acceptait seulement un nombre assez limité de grands initiés parmi les prêtres de la Lumière, et leurs capes blanches brillaient d'un éclat spectral dans la pénombre de la salle. Les sept gardiens du temple étaient assemblés mais les ornements sacrés, sur leur poitrine, étaient recouverts d'épais voiles argentés et tous, à l'exception de Rajasta, avaient le visage dissimulé par un capuchon si étroitement rabattu sur leur tête qu'il était même impossible de savoir si c'étaient des hommes ou des femmes qui se tenaient là. En tant que gardien de la porte extérieure, Rajasta seul portait son blason bien en évidence sur la poitrine ; on pouvait voir aussi le symbole briller à son front.

Une main sur le bras de Micon, il dit à mi-voix :

— La voici.

Le visage hagard de Micon devint radieux, et Rajasta se sentit traversé par une pointe d'espoir presque douloureux — ce n'était pas la première fois — lorsque Micon demanda avec avidité :

— Comment est-elle ?

— Très belle, répondit Rajasta tandis que son regard s'attardait sur son acolyte vêtue d'une tunique d'un blanc immaculé, couronnée de ses cheveux de flamme comme d'une lumière vivante.

Et de fait, Domaris n'avait jamais semblé plus belle. Ses robes scintillantes lui conféraient une grâce et une dignité nou-

186

velles qui pourtant lui étaient propres, et sa maternité prochaine, parfaitement visible, ne la déformait pas encore. Sa beauté semblait si réellement radieuse que Rajasta murmura tout bas :

— Oui, Micon : couronnée de lumière, en vérité.

L'Atlante soupira :

— Si je pouvais la voir, une fois seulement.

Rajasta lui effleura le bras en signe de sympathie, mais ils n'eurent plus le temps de parler car Domaris s'était avancée et s'agenouillait devant l'estrade où se tenaient les gardiens.

Au pied de l'autel se tenait le plus vieux des gardiens, Ragamon, blanchi par l'âge mais au port toujours empreint d'une sereine dignité. Il étendit les mains pour bénir la jeune femme agenouillée :

— Isarma, prêtresse de la Lumière, acolyte du temple sacré. Isarma, fille de Talkannon, consacrée à la Lumière et à la Vie qui est Lumière, jures-tu, par le père de la Lumière et la mère de la Lumière, de toujours respecter les forces de la Vie et de la Lumière ?

La voix ténue du vieux gardien, un peu tremblante, possédait encore une vibration assez puissante pour résonner entre les parois rocheuses de la salle, et ses yeux aux paupières plissées avaient un regard clair et acéré tandis qu'il étudiait le visage levé de la jeune femme vêtue de blanc.

— Jures-tu, toi, Isarma, de garder sans crainte la Lumière, et le temple de la Lumière, et la Vie du temple ?

— Je le jure, dit-elle en tendant les mains.

A ce moment, un unique rayon de soleil traversa la pénombre, faisant palpiter une flamme dorée sur l'autel. Rajasta luimême était toujours impressionné par cette partie du rituel, même s'il savait qu'un simple levier abaissé par Cadamiri avait empli d'eau un tuyau, modifié l'équilibre et le poids, et ainsi mis en branle un système de poulies qui créait une minuscule ouverture dans le plafond. C'était certes une supercherie, mais qui n'était pas dépourvue de bon sens : ce rayon de lumière rassurait ceux qui prononçaient leurs vœux en toute bonne foi, et impressionnait, ou terrifiait même, ceux qui s'agenouillaient et juraient sans conviction. Cette petite tromperie avait évité plus d'une fois aux gardiens d'introduire parmi eux des éléments indésirables.

Domaris, le visage illuminé de respect, posa ses mains sur son cœur :

— Par la Lumière, par la Vie, je le jure, répéta-t-elle.

— Sois vigilante, alerte et juste, l'admonesta le vieil homme. Jure-le à présent non seulement sur ta propre tête, sur la Lumière qui est en toi et te dépasse, mais aussi sur la vie que tu portes. Promets maintenant en otage l'enfant que tu portes en ton sein, pour assurer que tu ne prendras point tes tâches à la légère.

Domaris se releva. Une pâleur solennelle avait envahi son visage, mais sa voix ne vacilla pas :

— Je promets en otage l'enfant de ma chair, dit-elle, et ses deux mains se replièrent vers son corps puis se tendirent de nouveau vers l'autel, en un geste de supplication, comme si elle offrait quelque chose à la lumière qui y dansait.

Micon s'agita un peu, mal à l'aise :

— Je n'aime pas cela, murmura-t-il.

— Cette promesse est une coutume, le rassura Rajasta à mi-voix.

— Je sais, mais...

Micon s'affaissa un peu, comme sous l'effet d'une douleur subite, et se tut.

Le vieux gardien reprit la parole :

— Alors, ma fille, ceci t'appartient.

A son signal, on mit une cape blanche sur les épaules de la jeune femme, et on plaça dans ses mains jointes une baguette d'or et une dague au manche doré.

— Uses-en avec justice. Ma cape, ma baguette, ma dague passent entre tes mains. Punis, épargne, frappe ou récompense, mais par-dessus tout, garde. Car les Ténèbres ne cessent de dévorer la Lumière.

Ragamon fit un pas en avant pour toucher les mains de Domaris :

— Que mon fardeau soit désormais le tien.

Il toucha les épaules ployées, et Domaris se redressa :

— Que le sceau du silence soit sur toi.

Il rabattit la capuche de sa cape sur la tête de Domaris :

— Tu es une gardienne, dit-il et, avec un geste ultime de bénédiction, il abandonna la plate-forme, laissant la jeune femme seule face à l'autel : Que ton chemin te soit propice.

13

Le chéla

I

Le jardin était à présent tout désséché ; les feuilles craquaient sous les pieds, emportées de-çà de-là par le vent nocturne. Micon arpentait d'un pas lent et silencieux le chemin dallé. Quand il s'arrêta près de la fontaine, une silhouette tapie dans l'obscurité surgit sans bruit devant lui.

— Micon !

C'était un murmure rauque. L'ombre s'avança prestement vers lui et il entendit une respiration haletante.

— Réio-ta... est-ce toi ?

L'ombre inclina la tête et se laissa humblement tomber à genoux :

— Micon... mon prince !

— Mon frère, dit Micon, puis il attendit.

Le visage lisse du chéla semblait vieux dans la lumière de la lune, et personne n'aurait pu deviner qu'il était le cadet de Micon.

— Ils m'ont trahi, dit-il d'une voix grinçante. Ils m'ont juré que tu serais libre, sain et sauf ! Micon... (Sa voix se brisa de douleur :) Ne me condamne pas ! Je ne leur ai pas cédé par lâcheté !

Quand Micon prit la parole, sa voix était empreinte d'une lassitude séculaire :

— Il ne m'appartient pas de te condamner. D'autres le feront, et sévèrement.

— Je... je ne pouvais supporter... ce n'était pas pour moi !

C'était seulement pour mettre un terme à ta torture, pour te sauver !

Pour la première fois, la voix de Micon laissa passer des accents de courroux :

— T'ai-je demandé, dis-moi, de me sauver la vie ? Achèterais-je ma liberté à un tel prix ? Pour qu'un être sachant... ce que tu sais, puisse livrer ce savoir à... une prostitution spirituelle ? *Et tu oses dire que c'était pour me sauver ?* (Sa voix tremblait :) J'aurais pu... pardonner, si tu avais cédé sous la torture !

Le chéla recula un peu :

— Mon prince... mon frère... pardonne-moi ! implora-t-il.

La bouche de Micon dessinait une ligne sévère dans la lumière blafarde :

— Mon pardon ne peut alléger ton destin ultime. Mes malédictions ne peuvent y ajouter non plus. Je ne t'en veux pas, Réio-ta. Je ne puis te souhaiter un sort plus cruel que celui que tu t'es attiré toi-même. Puisses-tu ne pas récolter plus terrible que tu n'as semé !

— Je... (Le chéla se rapprocha de nouveau, toujours à demi prosterné devant Micon.) Je ferai tout ce que je peux pour être digne de notre pouvoir...

Micon resta un moment silencieux, le maintien raide.

— Cette tâche ne t'appartient pas, plus maintenant.

Il fit une pause, toujours immobile ; seul, dans le silence, résonnait le bruit de l'eau qui éclaboussait la vasque.

— Ne crains rien, mon frère : *tu ne trahiras pas deux fois notre maison !*

La silhouette prosternée à ses pieds laissa échapper un gémissement et se détourna, le visage enfoui entre ses mains.

Micon, inflexible, poursuivit :

— Cela, au moins, je puis le prévenir. Non, ne dis plus rien. Tu ne peux utiliser nos pouvoirs tant que je suis vivant, tu le sais. Et je tiendrai la mort à distance jusqu'à ce que je sache avec certitude que tu ne peux avilir notre lignée ! A moins que tu ne me tues ici, maintenant, mon fils héritera de mon pouvoir !

La silhouette prosternée s'affaissa davantage et le visage prématurément vieilli se posa sur la sandale de Micon :

— Mon prince... je ne savais pas...

Micon eut un mince sourire :

— Tu ne savais pas ? répéta-t-il. Je te pardonne cette rencontre, alors, et ma cécité. Mais ton apostasie, je ne puis la pardonner, car c'est une cause que tu as toi-même mise en branle, et ses conséquences t'atteindront toi-même. Tu seras à jamais incomplet. Tu pourras aller jusqu'à un certain point, mais pas au-delà. Mon frère... (Sa voix se radoucit :) Je t'aime toujours, mais nos routes se séparent. Va, maintenant, avant de me dérober les pauvres forces qui me restent. Va... ou mets fin ici à mes jours, prends mon pouvoir et essaie de le garder. *Mais tu ne le pourras pas !* Tu n'es pas prêt à maîtriser le tourment de la tempête, les forces profondes de la terre et du ciel... et maintenant, tu ne le seras jamais. Va !

Réio-ta gémit, au comble du désespoir, étreignant les genoux de Micon :

— Je ne puis supporter...

— Va ! répéta Micon, sévère et calme. Va, pendant que je puis encore retenir ta destinée, comme je retiens la mienne. S'il y a une réparation possible, offre-la.

— Je ne puis supporter ma culpabilité...

Le chéla parlait maintenant d'une voix brisée, plus triste que des larmes.

— Accorde-moi une parole affectueuse, que je puisse me souvenir que nous avons été frères...

— Tu es bel et bien mon frère, reconnut Micon avec douceur. J'ai dit que je t'aimais toujours. Je ne t'abandonne pas totalement. Mais nous devons nous séparer ici.

Il se pencha pour poser l'une de ses mains ravagées sur la tête du chéla.

Avec un cri soudain, Réio-ta s'écarta de lui :

— Micon ! Ta douleur... elle brûle !

Avec lenteur, avec effort, Micon se redressa et recula d'un pas :

— Va vite, ordonna-t-il en ajoutant, comme contre son gré, d'une voix qui exprimait sa torture : *Je ne puis en supporter davantage !*

Le chéla bondit sur ses pieds et resta un moment à contempler Micon d'un air hagard, comme s'il avait gravé à jamais les traits de son frère dans sa mémoire. Puis il tourna les talons et s'enfuit d'une course trébuchante.

L'initié resta figé un long moment. Le vent s'était levé, les feuilles sèches volaient au ras du sol sur le sentier autour de lui. Il ne les remarquait pas. Faiblement, comme s'il avait marché dans des sables mouvants, il se détourna enfin pour s'approcher de la fontaine. Il se laissa tomber sur la pierre humide du rebord, luttant contre l'ouragan hurlant de la douleur que son esprit refusait de relâcher. Il finit par rester recroquevillé sur les dalles, sans force, parmi les feuilles soulevées par le vent, maître de lui, victorieux, mais trop épuisé pour frémir même.

Rajasta apparut. Un malaise intérieur l'avait poussé dans la nuit. Son expression était terrible à voir quand il souleva Micon pour l'emporter dans ses bras puissants.

Le jour suivant, toutes les forces du temple se rassemblèrent pour chercher le chéla. Rivéda, soupçonné de complicité, fut emprisonné pendant de longues heures tandis qu'on fouillait toute l'enceinte du temple, et même la cité en contrebas, pour trouver le chéla inconnu qui avait autrefois été Réio-ta d'Ahtarrath.

Mais il avait disparu.

Un jour de moins les séparait tous à présent de la nuit du Nadir.

14

Le dieu caché

I

Environ trois mois après l'intronisation de Déoris au temple de Caratra, Rivéda la rencontra un soir dans les jardins. Les derniers rayons du soleil couchant transfiguraient la jeune prêtresse et lui donnaient une allure surnaturelle, mystérieuse ; ce fut donc avec un intérêt renouvelé que Rivéda étudia son corps mince, vêtu de bleu, et son jeune visage délicat et grave. Il formula avec soin sa requête :

— Si je t'invitais à visiter le temple gris avec moi ce soir, qui y objecterait ?

Déoris sentit son pouls s'accélérer. Visiter le temple gris, et en compagnie de son plus auguste adepte ! Rivéda lui faisait en vérité un grand honneur ! Elle demanda pourtant, méfiante :

— Pourquoi ?

Rivéda se mit à rire :

— Pourquoi pas ? Il y a une cérémonie cette nuit. Elle est fort belle. Il y aura des chants. La plupart de nos cérémonies sont secrètes, mais je puis t'inviter à celle-ci.

— J'irai, dit Déoris d'un ton réservé, mais intérieurement, elle bouillait d'excitation : les confidences réticentes de Karahama avaient éveillé sa curiosité, non seulement à propos des tuniques grises, mais à propos de Rivéda lui-même.

Ils marchèrent en silence sous les étoiles naissantes. La main de Rivéda reposait sur l'épaule de Déoris, légère, et l'adolescente intimidée ne put parler avant qu'ils ne fussent proches du haut fuseau sans fenêtres qu'était le temple gris. Rivéda tint la lourde porte de bronze pour la laisser passer, et Déoris recula, horrifiée en voyant un fantôme contrefait se faufiler à leurs côtés : le chéla !

La main de Rivéda se resserra sur son bras, au point qu'elle faillit crier.

— Ne dis rien de cela à Micon, petite, lui conseilla-t-il, sévère. Rajasta a été informé qu'il est vivant, mais cela tuerait Micon de se confronter à lui de nouveau !

Déoris inclina la tête et promit. Depuis la nuit où Cadamiri l'avait emportée, inconsciente, des appartements de Micon, elle avait eu de celui-ci une perception presque aussi complète que celle de Domaris. Les réactions émotives de l'Atlante lui étaient parfaitement claires, sauf quand elles la concernaient. Cette augmentation de sa sensibilité était passée presque inaperçue, sauf en ce qui regardait son apprentissage rapide de tâches dépassant de loin les talents qu'on lui prêtait au temple. Domaris elle-même n'avait pas deviné cet éveil de la conscience de Déoris. Domaris était maintenant entièrement absorbée par Micon et leur futur enfant. L'attente était pour tous deux, Déoris le savait, une insupportable torture, à la fois une joie et une intolérable peine — et il restait encore un bon mois.

Les portes de bronze se refermèrent dans un grand fracas métallique. Rivéda et Déoris se tenaient à présent dans un corridor étroit et obscur qui s'étirait entre des rangées de portes de pierre closes. La silhouette hagarde et fantomatique du chéla avait disparu.

Leurs pas étaient silencieux, étouffés par l'air immobile. Déoris, tout en marchant, pouvait sentir une tension électrique chez son compagnon, une force ramassée sur elle-même, que ses nerfs à fleur de peau éprouvaient presque comme une sensation physique. A l'extrémité du corridor se trouvait une porte voûtée renforcée de fer. Rivéda y frappa une série de coups au rythme curieux et, issue de nulle part, une voix aiguë et désincarnée proféra des syllabes étranges. Rivéda répondit par des paroles également cryptiques ; une cloche invisible vibra dans l'air, et les portes s'ouvrirent.

Ils s'avancèrent dans... un espace gris.

Il n'y avait là ni chaleur ni couleur. La lumière était sereine et froide, un simple scintillement pâle ; c'était une absence des ténèbres plus qu'une véritable lumière. La salle était immense et se perdait dans des hauteurs grises, telle une lourde brume ou de la fumée pétrifiée. Sous leurs pieds, le sol était de pierre grise, et des fragments cristallins de mica y jetaient un éclat froid. Les parois aussi avaient un éclat translucide, comme une lune d'hiver. Les silhouettes à peine visibles qui se mouvaient dans cette faible lueur, tels des lambeaux de brouillard, étaient également grises : des ombres ténébreuses, dissimulées dans les mantes, les capes et les capuches grises des sorciers. Il y avait des femmes parmi eux, des femmes qui s'agitaient inlassablement, comme des flammes enchaînées, vêtues de voiles couleur safran, ternes et sans éclat. Déoris leur jeta un coup d'œil à la dérobée, puis les mains puissantes de Rivéda la prirent par les épaules pour la tourner vers...

Un homme.

Ç'aurait pu être un homme de chair ou une idole de pierre, un cadavre ou un automate. Il *était*, voilà tout. Il existait, avec une sorte de curieuse finalité. Il était assis sous un dais à l'une des extrémités de la vaste salle, dans un énorme fauteuil surélevé qui ressemblait à un trône. Un oiseau gris, taillé dans la pierre, était posé au-dessus de sa tête. Ses mains étaient croisées sur sa poitrine. Déoris se demanda s'il était réellement là, ou si elle était en train de le rêver. Malgré elle, elle murmura :

— Là où siège l'homme aux mains croisées...

Rivéda se pencha pour lui murmurer :

— Reste là. Ne parle à personne.

Il se redressa et s'éloigna. Déoris le regarda partir avec regret. Elle avait l'impression que, malgré la tunique et la capuche grises, sa silhouette bien droite avait une sorte de netteté, comme si lui seul avait possédé des contours précis tandis que les autres n'étaient que des ombres, des rêves à l'intérieur d'un rêve. Puis elle aperçut un visage familier.

Aux aguets, dans une immobilité vibrante, à demi dissimulée derrière l'un des piliers de cristal, une fillette observait Déoris avec timidité. Une enfant, grande mais frêle, au corps mince bien droit dans ses voiles safranés, au petit visage pointu dessiné par la lumière nébuleuse. Ses cheveux couleur de givre reposaient sur ses épaules, et la lueur sourde des aurores boréales miroitait dans ses yeux incolores au regard intense. La gaze diaphane dont elle était vêtue s'agitait légèrement dans une brise invisible. Elle semblait dépourvue de substance, un fantôme de givre, un flocon de neige scintillant dans l'air glacé.

Mais Déoris l'avait déjà rencontrée hors de ce lieu étrange, et savait qu'elle était bien réelle. Cette adolescente aux cheveux d'argent se glissait parfois, tel un spectre, dans les appartements de Karahama. Karahama n'en parlait jamais, mais Déoris savait que c'était l'enfant sans nom, la *non-personne* née alors que Karahama était encore une paria. Sa mère, à ce qu'on disait, l'appelait Démira, mais elle n'avait pas vraiment de nom.

Nul homme, même s'il l'avait désiré, n'aurait pu reconnaître Démira. Nul homme ne pouvait la réclamer ou l'adopter. L'existence légale de Karahama elle-même était discutable, mais, en tant qu'enfant d'une femme libre du temple, elle avait un statut reconnu, même si c'était celui d'enfant illégitime. Démira, selon les strictes lois de la caste des prêtres, n'était pas même cela. Elle n'était rien. Aucune loi ne la protégeait, aucun statut, elle n'était inscrite dans aucun manuscrit du temple. Elle n'était pas même une esclave. *Elle n'existait tout simplement pas.* C'était seulement ici, parmi les *saji* hors-la-loi, qu'elle pouvait trouver refuge et subsistance.

Le code sévère du temple interdisait à Déoris elle-même, fille d'un prêtre et prêtresse, d'admettre en aucune façon l'existence de la fille sans nom. Mais même si elles n'avaient jamais échangé une seule parole, Déoris savait que Démira était sa parente, et la beauté étrange et fantastique de la fillette suscitait son intérêt et sa pitié. Elle leva les yeux et sourit avec timidité à la fille sans caste. Démira sourit en retour — d'un sourire rapide et furtif.

Rivéda revint, le regard lointain et distrait, et Démira se glissa derrière un pilier, invisible.

II

Le temple était à présent bondé d'hommes en tuniques grises et de *saji* enveloppées de safran, dont quelques-unes tenaient de curieux instruments à cordes, des crécelles et des gongs. Il y avait aussi de nombreux chélas en pagne gris, le torse nu, à l'exception de bizarres amulettes qu'ils portaient autour du cou. Aucun n'était très vieux, la plupart avaient à peu près l'âge de Déoris. Quelques garçonnets avaient seulement cinq ou six ans. En parcourant la salle des yeux, Déoris ne compta que cinq personnes portant tunique et châle gris, l'uniforme des adeptes. Surprise, elle se rendit compte que l'une d'elles était une femme ; la seule femme, à l'exception d'elle-même, à ne pas porter les voiles des *saji*.

Les magiciens et les adeptes formèrent graduellement une figure à peu près circulaire, en se plaçant avec le plus grand soin. Les *saji* munies d'instruments musicaux s'étaient écartées vers les murs translucides avec les chélas les plus jeunes. De leurs rangs bien alignés s'élevaient des sons très doux, un souffle de flûte, l'écho d'un gong effleuré par un onglet d'acier.

Devant chaque magicien se tenait un chéla ou l'une des *saji*. Il s'en trouvait parfois trois ou quatre rassemblés devant l'un des adeptes ou des magiciens les plus âgés. Mais la majorité étaient des chélas et, dans le cercle intérieur, quatre ou cinq seulement étaient des femmes. Démira se trouvait parmi eux, ses voiles rejetés en arrière, et ses cheveux argentés brillaient comme la lune sur la mer.

Rivéda fit signe à Réio-ta de prendre sa place dans le cercle qui se formait, puis demanda :

— Déoris, as-tu assez de courage pour te tenir pour moi dans le cercle des chélas, cette nuit ?

— Eh bien, balbutia Déoris, stupéfaite, je... je ne sais pas quoi faire, comment pourrais-je...

Une ombre de sourire passa sur la bouche sévère de Rivéda :

— Aucun savoir n'est nécessaire. En fait, moins on en sait, mieux cela vaut. Essaie de ne penser à rien... et laisse aller les choses.

Il fit signe à Réio-ta de la guider et, avec un dernier regard implorant, Déoris obéit.

Les flûtes et les gongs laissèrent échapper une note rauque et dissonante, comme s'ils s'accordaient. Les adeptes et les magiciens écoutaient, la tête penchée de côté, mettant sans doute à l'épreuve quelque chose d'invisible. La note résonna, fugitive, dans le crâne de Déoris, et l'adolescente se sentit atti-

rée dans le cercle entre Réio-ta et Démira. Un spasme de panique lui serra la gorge. Les petits doigts durs de Démira étaient
refermés sur les siens comme des instruments de torture. Dans
un moment elle allait se mettre à crier d'épouvante...

Rivéda frappa les mains crispées de Déoris, et l'étreinte frénétique se desserra. Il secoua la tête brièvement et, sans un
mot, lui fit signe de sortir du cercle. Il n'avait pas l'air préoc-
cupé de son échec ; il semblait complètement détaché quand
il fit signe à une petite *saji* à face de mouette de venir prendre
sa place.

Deux ou trois autres chélas avaient été renvoyés du cercle.
On en plaçait ou déplaçait d'autres. L'accord doux mais dissonant retentit encore par deux fois et, chaque fois, on modifia
l'organisation générale du cercle. La troisième fois, Rivéda leva
une main, l'air irrité, et quitta sa place pour parcourir le cercle
des chélas, le regard furieux. Ses yeux tombèrent sur Démira
et, brutalement, avec une monosyllabe étouffée, il l'attrapa par
l'épaule et la poussa à l'écart. Elle vacilla, faillit tomber, mais
une adepte quitta sa place pour soutenir l'enfant qui titubait.
Elle la tint un moment puis, avec précaution, en tenant le
maigre poignet de la fillette entre ses doigts ridés, elle la guida
de nouveau dans le cercle et lui trouva une place, en adressant
à Rivéda un regard de défi.

Rivéda fit une sombre grimace. L'adepte haussa les épaules
et changea encore Démira de place, et une fois encore. Rivéda
hocha enfin la tête, se détournant aussitôt de Démira et
oubliant apparemment son existence.

De nouveau, le gémissement dissonant de flûtes, de cordes
et de gongs. Cette fois, il n'y eut pas d'interruption. Déoris
restait là à observer, vaguement déconcertée. Les chélas répon-
dirent à la musique par une brève incantation à la scansion
magnifique, mais si étrangère à l'expérience de Déoris qu'elle
lui sembla dépourvue de sens. Habituée au mysticisme exalté
du temple de la Lumière et à la simplicité dépouillée de ses
rituels, elle trouvait incompréhensibles cette longue litanie
rythmée et ces gestes, cette musique et cette incantation.

C'est absurde, décida-t-elle, ça n'a aucun sens. Mais était-ce
certain ? L'adepte féminine avait un visage maigre, ridé, usé,
et pourtant, elle semblait jeune. Rivéda, dans la lumière impitoyable, avait presque l'air cruel, tandis que la beauté fantas-

tique et argentée de Démira semblait irréelle, une sorte d'illusion, mais avec quelque chose de dur et de vicieux qui défigurait ses traits enfantins. Tout d'un coup, Déoris comprenait pourquoi, aux yeux de certains, les cérémonies du temple gris pouvaient sembler maléfiques.

L'incantation se fit plus profonde, s'accéléra, ponctuée d'étranges monodies et de rythmes soutenus. Une unique dissonance gémissante se fit de nouveau entendre, comme une lamentation. Les flûtes étouffées, derrière Déoris, laissèrent monter comme un sanglot retenu. Une étrange vibration s'échappa d'un tambourin agité.

L'homme aux mains croisées la regardait.

Déoris ne sut jamais, ni à ce moment ni ensuite, si l'homme aux mains croisées était une idole, un cadavre ou un homme vivant, un démon, un dieu, une image. Et elle ne put jamais déterminer la part d'illusion dans ce qu'elle vit...

Les yeux de l'homme étaient gris. Gris comme la mer, gris comme la lumière gelée. Déoris se sentit sombrer dans son regard impérieux et compatissant, y fut engloutie, s'y noya.

L'oiseau qui se trouvait au-dessus du trône battit des ailes et prit son vol, avec un cri rauque, vers un lieu de sables gris. Et Déoris courait maintenant à la poursuite de l'oiseau, à travers des rochers acérés et les ombres d'aiguilles de pierre, sous des cieux déchirés par les cris aigres des mouettes.

De très loin, porté par le vent, lui parvenait le tonnerre des vagues sur le rivage. Elle se trouvait près de la mer, entre l'aube et le lever du soleil, dans un lieu où tout était d'un gris froid : le sable, la mer, les nuages incolores. De petits coquillages s'écrasaient sous ses sandales ; elle sentait l'odeur amère de l'eau salée, des algues, des marais couverts de roseaux et d'herbes. A sa gauche se trouvait un groupe de petites maisons coniques aux toits pointus, gris-blanc. En les voyant, Déoris sentit l'épouvante lui marteler la poitrine.

Le village des idiots ! Cet horrible éclair de compréhension la frappa si brutalement qu'elle oublia sa brève certitude de n'avoir jamais vu cet endroit auparavant.

Il régnait un silence mortel malgré les cris des mouettes. Entre les maisons s'étaient accroupis deux ou trois enfants aux grosses têtes couvertes de cheveux blancs, aux yeux rouges, aux bouches baveuses, aux ventres gonflés, apathiques, échangeant entre eux piaulements et borborygmes indistincts. Les lèvres sèches de Déoris ne pouvaient moduler les cris qui lui déchiraient la gorge. Elle tourna les talons pour s'enfuir, mais le pied lui manqua et elle s'écroula. Luttant pour se relever, elle vit deux hommes et une femme qui sortaient de la plus proche des maisons aux murs de galets disjoints. Comme les enfants, ils avaient les yeux rouges, les lèvres épaisses. Ils étaient nus. L'un des hommes était si vieux qu'il marchait en trébuchant ; l'autre avançait les mains tendues, les yeux aveuglés par des caillots de sang noir ; la femme se dandinait avec maladresse, enflée par la grossesse jusqu'à n'être plus qu'un animal à la laideur primitive.

Déoris s'accroupit sur le sable, terrorisée, aliénée, toute raison éteinte. Les idiots à demi humains lui adressaient des couinements plus insistants à présent, assortis de grimaces menaçantes. Leurs poings crissaient dans le sable incolore. Déoris se releva, cherchant follement autour d'elle une issue. D'un côté, une haute paroi de rocs acérés se hérissait pour la repousser ; de l'autre, jusqu'à l'horizon, s'étendait un marais perfide couvert de roseaux et d'herbes hautes. Devant elle, les idiots bavants s'amassaient, le regard fixe. Elle ne pouvait aller nulle part.

Mais comment suis-je arrivée ici ? Y avait-il un bateau ?

Elle se retourna, pour voir seulement la mer vide et moutonnante. Loin, loin à l'horizon, des montagnes jaillissaient de l'eau, et de longs bancs de nuages rougeoyants déchiquetaient le ciel, tels des doigts sanglants.

Et quand le soleil se lèvera... quand le soleil se lèvera...

Cette pensée vagabonde se dissipa. Les créatures à grosse tête sortaient en nombre croissant des cabanes. Déoris se mit à courir, saisie d'une terreur panique.

Devant elle, comme une lance à travers la grisaille et les menaçantes griffes de sang étirées dans le ciel, une étincelle s'épanouit soudain, un éclat lumineux et doré. Le soleil ! Déoris redoubla de vitesse, le martèlement de ses pieds répondait à celui de son cœur. Derrière elle, les pas hésitants de ses poursuivants résonnaient en chocs sourds, comme une impitoyable marée.

Une pierre siffla à ses oreilles. Les pieds dans l'écume, elle fit volte-face comme un animal pris au piège. Une silhouette se dressa devant elle : des yeux écarlates qui luisaient, hideux et vides, des lèvres retroussées par un grondement bestial sur des chicots noirs. Elle frappa les mains qui l'avaient saisie, donna des coups de pied, se tordit frénétiquement, se libéra et entendit la créature pousser des hurlements d'animal tandis qu'elle trébuchait, se mettait à courir, trébuchait encore... et tombait.

La lumière jaillit sur la mer, en une explosion de soleil, et Déoris tendit les mains vers elle en sanglotant, poussant des cris aussi inarticulés que ceux des idiots qui la poursuivaient. Une pierre lui frappa l'épaule, une autre lui effleura le crâne. Elle essaya de se relever, griffant le sable humide, griffant les doigts avides pour s'en libérer. Quelqu'un lança, un hululement d'angoisse stridente, frénétique. Quelque chose lui frappa durement le visage. Il y eut une explosion de feu dans son cerveau et elle s'écroula, s'enfonçant plus bas, toujours plus bas... et le soleil lui explosa à la figure. Elle mourut.

III

Quelqu'un pleurait.
Une lumière aveuglante lui emplissait les yeux. Une odeur douce-amère lui piquait les narines.

Le visage d'Elis se dessina dans l'obscurité, et Déoris s'étrangla faiblement, repoussa la main qui lui passait les sels sous le nez.

— Non, je ne peux pas respirer, Elis !...

Les mains qui lui tenaient les épaules relâchèrent légèrement leur étreinte, la reposèrent avec douceur sur un amas de coussins. Elle était étendue sur une couche, dans la chambre d'Elis, à la demeure des Douze ; Elis était penchée sur elle. Derrière, il y avait Elara qui s'essuyait les yeux, les traits tirés d'inquiétude.

— Je dois aller retrouver dame Domaris, maintenant, dit Elara d'une voix entrecoupée.

— Oui, va, dit Elis sans la regarder.

Déoris essaya de s'asseoir, mais une douleur aveuglante éclata dans son crâne et elle retomba.

— Que s'est-il passé ? demanda-t-elle faiblement. Comment suis-je arrivée ici ? Elis, *qu'est-il arrivé* ?

Plutôt que de répondre, à la surprise de Déoris, Elis se mit à pleurer en se tamponnant les yeux de son voile.

— Elis... (La voix de Déoris vacilla comme celle d'une enfant :) *Je t'en prie,* dis-moi. J'étais... au village des idiots, et ils lançaient des pierres...

Elle toucha sa joue, son crâne. Il lui semblait éprouver une sensation de brûlure, mais il n'y avait ni coupure ni bosse.

— Oh, ma tête !

— Tu délires encore !

Elis attrapa Déoris par les épaules, et la secoua brutalement. Il y eut un bref éclair d'horreur... puis l'ébauche de souvenir se dissipa et Elis dit d'un ton sec :

— Tu ne te rappelles même pas ce que tu as fait ?

— Oh, Elis, arrête, je t'en prie, gémit Déoris, ne fais pas ça, ça me fait tellement mal à la tête. Ne peux-tu me dire ce qui s'est passé ? Comment suis-je arrivée ici ?

— Tu ne te rappelles pas ?

Il y avait une incrédulité choquée dans la voix d'Elis. Déoris essaya de nouveau de s'asseoir, et sa cousine lui prêta son bras. Les mains toujours pressées sur la tête, Déoris regarda la fenêtre. C'était la fin de l'après-midi, les ombres commençaient seulement de s'étirer sous le soleil. *Mais quand je suis partie avec Rivéda, la lune n'était même pas levée...*

— Je ne me rappelle rien, dit-elle, ébranlée. Où est Domaris ?

La bouche d'Elis, qui avait pris une expression plus douce, laissa éclater de nouveau sa colère :

— A la demeure des naissances.

— *Maintenant ?*

— Elles craignaient... (Une fureur contenue durcit la voix d'Elis ; la jeune femme avala sa salive et reprit :) Déoris, je jure que si Domaris perd son enfant à cause de ce que tu as fait...

— Elis, laissez-moi entrer, dit quelqu'un de l'autre côté de la porte.

Avant même qu'Elis pût répondre, Micon entra, lourdement appuyé au bras de Rivéda. D'un pas vacillant, l'Atlante s'approcha du lit :

202

— Déoris, peux-tu me dire...

Un rire hystérique se mêla aux sanglots qui déchiraient la gorge de Déoris :

— Que puis-je vous dire à vous ? s'écria-t-elle. *Quelqu'un sait-il ce qui m'est arrivé ?*

Micon poussa un profond soupir, en s'affaissant visiblement sur lui-même.

— C'est ce que je craignais, dit-il, avec une intense amertume. Elle ne sait rien, ne se rappelle rien. Mon enfant... ma chère enfant ! Tu ne dois jamais plus te laisser... utiliser ainsi !

Rivéda semblait las et tendu, et sa robe grise froissée était parsemée de taches sombres.

— Micon d'Ahtarrath, je jure...

Micon se dégagea avec brusquerie du bras de Rivéda :

— Je ne suis pas prêt à vous entendre jurer !

A ces mots, Déoris réussit, sans savoir comment, à se lever et se tint devant eux en titubant, sanglotant de douleur, d'effroi et de frustration. Micon, avec ce sens infaillible qui chez lui remplaçait si bien la vue, tendit vers elle une main maladroite, dans un sauvage élan protecteur. Peu à peu, elle cessa de trembler, et elle se laissa aller contre lui, inerte, la joue contre le tissu rêche de sa tunique.

— Il ne faut pas la blâmer, elle, dit Rivéda avec brusquerie. Domaris est en sécurité...

— Non, dit Micon d'un ton conciliant, je n'avais pas l'intention de la blâmer, mais seulement...

— Je sais que vous me haïssez, seigneur d'Ahtarrath, l'interrompit Rivéda, même si je...

— Je ne hais personne, coupa Micon. Insinuez-vous...

— Une fois pour toutes, seigneur Micon, dit Rivéda d'un ton sec, je *n'insinue* pas !

Et, avec une immense tendresse qui contrastait étrangement avec la dureté de ses paroles, il aida Déoris à se recoucher.

— Haïssez-moi si vous le désirez, Atlante, dit le tunique grise, vous et votre prêtresse, et cet enfant à naître...

— *Prenez garde !* dit Micon d'une voix menaçante.

Rivéda éclata d'un rire méprisant, mais sa réplique mourut sur ses lèvres, car du ciel clair et sans nuages, au-dehors, leur parvint le grondement d'un impossible roulement de tonnerre, tandis que les poings de Micon se serraient. Elis, oubliée, se

blottit dans un coin ; Déoris, elle, était saisie d'un tremblement incontrôlable. Micon et Rivéda se faisaient face, adeptes
de deux disciplines que tout séparait, et la tension entre eux
était une force invisible mais tangible au milieu de la pièce.

Cela ne dura pourtant qu'un instant. Rivéda avala sa salive :

— Mes paroles étaient trop dures. J'ai parlé avec colère,
mais qu'ai-je fait pour mériter vos insultes, Micon d'Ahtarrath ? Mes croyances ne sont pas les vôtres, c'est assez évident,
mais vous connaissez ma foi comme je connais la vôtre ! Par
le dieu caché, pourquoi voudrais-je, moi, faire du mal à une
femme enceinte ?

— Dois-je donc croire, demanda farouchement Micon,
qu'une prêtresse de Caratra ferait *de son propre gré* du mal à la
sœur qu'elle adore ?

Les mains de Déoris se portèrent à ses lèvres pour étouffer
un hurlement strident, et elle se précipita vers Elis pour
s'accrocher à elle en sanglotant d'incrédulité devant ce cauchemar.

— J'ai invité cette enfant, déclara froidement Rivéda, à
assister à une cérémonie au temple gris. Croyez, si vous le
voulez, que c'était un complot malveillant, que j'ai invoqué les
puissances des Ténèbres. Mais je vous donne ma parole, la
parole solennelle d'un adepte, que c'était seulement de la courtoisie ! Une courtoisie qu'il est de mon privilège d'accorder à
n'importe quel prêtre ou n'importe quelle prêtresse ayant prononcé ses vœux.

Un profond silence régnait dans la pièce, à l'exception des
reniflements étouffés de Déoris, toujours blottie contre Elis.
La lumière de l'après-midi avait disparu, comme si la nuit était
tombée, et des nuages soudains et lourds continuaient de
s'amonceler dans le ciel. Les deux femmes n'osaient même
pas regarder les adeptes qui s'affrontaient.

L'affreuse tension finit pourtant par se relâcher un peu. Les
pierres des murs elles-mêmes parurent pousser un soupir de
soulagement quand Micon se détourna de Rivéda. S'il s'était
trouvé quelqu'un pour observer celui-ci en cet instant, il
l'aurait vu battre plusieurs fois des paupières et essuyer une
sueur froide sur son front.

— Pendant la cérémonie, reprit l'adepte gris à voix basse,
Déoris a été saisie de vertige, elle est tombée. L'une des filles

l'a emmenée dehors. Cela ne semblait pas grave. Elle m'a parlé d'une façon tout à fait normale. Je l'ai reconduite jusqu'aux portes de la demeure des Douze. C'est tout ce que je sais.

Il écarta les mains, puis jeta un coup d'œil à Déoris et lui demanda avec douceur :

— Ne te rappelles-tu vraiment rien ?

Déoris frissonna et la terreur qu'elle avait éprouvée la saisit de nouveau, lui étreignant le cœur de ses serres glacées.

— J'étais en train de regarder... l'homme aux mains croisées, murmura-t-elle. Le... l'oiseau, sur le trône, s'est envolé ! Et ensuite, j'étais au village des idiots...

— Déoris !

Micon avait poussé un cri rauque et douloureux. L'Atlante prit une profonde inspiration qui ressemblait à un sanglot :

— Que veux-tu dire, par le village des idiots ?

— Eh bien, je... (Les yeux de Déoris s'écarquillèrent et, avec une horreur grandissante, elle murmura :) Je ne sais pas, je n'ai jamais... je n'ai jamais entendu parler de...

— Dieux, dieux !

Micon avait soudain le visage d'un très vieil homme, il vacillait sur place. La force intérieure qui avait invoqué le pouvoir d'Ahtarrath avait disparu ; il se dirigea en titubant vers une chaise voisine, où il se laissa tomber.

— C'est ce que je craignais ! Et c'est arrivé !

Il baissa la tête, se couvrit la face de ses maigres mains torturées.

Déoris, en voyant cette faiblesse soudaine, avait abandonné Elis pour se précipiter auprès de l'Atlante. A demi agenouillée devant lui, elle l'implora :

— Micon, dites-moi. *Qu'ai-je fait ?*

— Prie pour ne jamais t'en souvenir ! dit Micon, d'une voix que ses mains étouffaient. Mais grâce aux dieux, Domaris n'a rien !

— Mais... (Déoris se trouvait incapable de prononcer de nouveau le nom qui avait tant bouleversé Micon ; elle se reprit :) Mais cet endroit... qu'est-ce que... comment aurais-je pu... ?

Sa voix se brisa.

Micon s'était maîtrisé à nouveau et, tendant une main frémissante vers la tête de Déoris, il attira vers lui la jeune fille en larmes.

— Un ancien péché, murmura-t-il, d'une voix tremblante de vieillard. Une honte presque oubliée de la maison d'Ahtarrath... *Il suffit !* Cette attaque n'était pas dirigée contre toi, Déoris, mais contre... contre un Ahtarrath qui n'est pas encore né. Ne te torture pas, mon enfant.

Rivéda se tenait immobile et silencieux comme un rocher, les bras fermement croisés sur sa poitrine, les lèvres durcies, les paupières à demi baissées sur le bleu étincelant de ses yeux. Elis s'était assise sur le lit, secouée de frissons, et elle contemplait le plancher, seule avec ses pensées.

— Va retrouver Domaris, ma chérie, dit Micon avec douceur.

Au bout d'un moment, Déoris essuya ses larmes, baisa avec révérence la main de l'Atlante et s'en alla. Elis se leva et la suivit sur la pointe des pieds. Derrière elle, le silence retomba.

Rivéda le brisa avec brusquerie :

— Je ne trouverai pas le repos tant que je ne saurai pas qui a commis ce crime !

Micon se força avec peine à se lever :

— J'ai dit la vérité : c'était une attaque contre moi, à travers mon fils. Je ne suis quant à moi plus digne d'être attaqué, désormais.

Rivéda émit un rire, un grondement bas d'amusement cynique :

— J'aurais aimé le savoir il y a quelques instants, quand le tonnerre même des cieux s'en venait à votre secours.

Le tunique grise fit une pause, puis demanda à mi-voix :

— Ou est-ce plutôt que vous ne me faites pas confiance ?

Micon répondit d'un ton tranchant :

— Vous êtes aussi à blâmer. Même si vous avez mis Déoris en danger sans le savoir...

La fureur de Rivéda explosa, déborda :

— Moi, je suis à blâmer ? Et vous ? Si vous aviez pu oublier votre maudit orgueil et témoigner contre ces démons, il y a longtemps qu'on les aurait fouettés à mort et rien de ceci ne serait arrivé ! Seigneur d'Ahtarrath, j'ai l'intention d'épurer mon ordre ! Pas pour l'amour de vous, désormais, ni pour sauvegarder ma propre réputation — elle n'a jamais été aussi bonne ! Mais la santé de mon ordre exige... (Il se rendit soudain compte qu'il criait et reprit un ton plus bas :) Celui qui permet la sorcellerie est pire que celui qui la commet. Les humains pèchent par ignorance ou par folie, mais que dire de l'homme sage, consacré à la Lumière, dont la charité est si grande qu'il refuse même de protéger les innocents, de crainte de faire du tort aux coupables ? Si c'est là la voie de la Lumière, je le dis bien haut, que s'abattent les Ténèbres !

En regardant Micon affaissé dans son siège, Rivéda sentit disparaître le reste de sa colère. Il posa une main sur la maigre épaule de l'Atlante et dit avec gravité :

— Prince d'Ahtarrath, je jure que je trouverai qui a fait cela, même s'il m'en coûte la vie !

D'une voix dont la stridence même trahissait son extrême épuisement, Micon répliqua :

— Ne cherchez pas trop loin, Rivéda ! Vous êtes déjà trop profondément impliqué. Cherchez en vous-même, si vous ne voulez pas qu'il vous en coûte plus que la vie !

Rivéda laissa échapper un petit rire dépourvu de joie :

— Gardez pour vous votre fatalité et vos prophéties, prince Micon ! Je n'aime pas moins la vie que quiconque... mais c'est ma tâche de trouver les coupables, et je prendrai les mesures nécessaires pour prévenir un autre... incident de ce genre. Il faut également protéger Déoris. Et c'est mon droit de la protéger, comme c'est le vôtre de protéger Domaris.

— Que voulez-vous donc dire ? demanda Micon d'une voix brève et basse.

Rivéda haussa les épaules :

— Peut-être rien. Il se peut que votre prophétie soit contagieuse et que je voie mon propre karma reflété dans le vôtre.

Il regarda fixement Micon, une lueur sombre dans ses yeux bleus .

— Je ne sais vraiment pourquoi j'ai dit cela. Mais vous ne m'ordonnerez pas d'épargner les responsables !

Micon poussa un soupir, et ses mains décharnées frémirent légèrement :

— Non, je ne le ferai pas, murmura-t-il. Et cela aussi, c'est le karma !

15

La course au péché

I

Il fallait un cas d'urgence extrême ou un décès pour que les hommes soient admis dans l'enceinte du temple de Caratra. Les circonstances étaient inhabituelles, cependant, et mère Ysouda finit par conduire Micon à la cour située sur un toit où l'on avait transporté Domaris, parce qu'il y faisait frais, une fois que l'on avait été certain que son enfant ne naîtrait pas prématurément.

— Vous ne devez pas rester longtemps, avertit la vieille prêtresse, et elle les laissa seuls.

Micon attendit que le bruit de ses pas se soit éteint dans les escaliers puis, avec une gravité joyeuse qui se moquait de sa propre anxiété, il dit :

— Ainsi, vous nous avez tous terrifiés pour rien, ma dame !

Domaris eut un pâle sourire :

— Blâme ton fils, Micon, et non sa mère ! Il se croit déjà le maître de tout ce qui l'entoure.

— Eh bien, ne l'est-il pas ? (Micon s'assit près d'elle.) Déoris est-elle venue te trouver ?

Elle détourna les yeux :

— Oui...

La main de Micon se referma doucement sur les siennes et il dit avec amour :

— Cœur de flamme, il ne faut pas lui en vouloir. Notre enfant est sain et sauf... et Déoris aussi innocente que toi, ma bien-aimée.

— Je sais... mais ton fils m'est très précieux ! murmura Domaris. (Puis, avec une véhémence implacable :) Ce... maudit... Rivéda !

— *Domaris !* (Surpris et fâché, Micon lui posa une main sur les lèvres, puis il reprit avec douceur :) Rivéda ne savait rien de tout ceci. Sa seule faute est de n'avoir soupçonné aucune malveillance.

Il lui effleura les paupières d'un de ses doigts émaciés.

— Il ne faut pas pleurer, ma bien-aimée... (Puis, un peu hésitante, sa main s'attarda :) Puis-je ?...

— Bien sûr.

Devinant son désir, Domaris lui prit doucement la main et la guida sur son ventre arrondi. Tous les sens de Micon ne firent soudain plus qu'un ; passé et présent fusionnèrent en un unique instant, en une sensation si cohérente qu'il lui sembla presque voir ; comme si tous ses sens s'étaient combinés pour lui faire saisir la signification de la vie. Il n'avait jamais été aussi alerte et vivant qu'en cet instant où il aspirait le relent aigre-doux des drogues, le parfum fugace des cheveux de Domaris, l'odeur propre des draps. La senteur piquante, fraîche et salée de la mer flottait dans l'air humide, et il entendait le grondement lointain des vagues comme le gargouillis des fontaines, les voix étouffées des femmes dans les pièces voisines. Il pouvait sentir la texture délicate de la soie et du lin, la chaleur irradiée de ce corps de femme et, grâce à la sensibilité raffinée de ses doigts, cette brusque petite poussée, cette légère saillie qui se formait soudain sous sa main, fugitive comme un papillon.

D'un mouvement preste, Domaris s'assit pour embrasser Micon, en une étreinte si légère qu'elle le touchait à peine. Elle avait appris à faire attention : une caresse ou un contact imprudents pouvaient être une terrible douleur pour l'homme qu'elle aimait. Ce n'avait pas été une leçon facile pour Domaris, jeune et passionnément éprise ! Mais, pour une fois, Micon oublia la prudence. Ses bras se resserrèrent convulsivement sur la jeune femme. Une fois, une fois seulement il devait avoir le droit de percevoir cette femme qu'il adorait avec chaque atome, chaque fibre de son être...

L'instant passa, et Micon morigéna avec douceur :

— Etends-toi, ma bien-aimée. Elles m'ont fait promettre de ne pas te déranger.

Il la détacha de lui et elle s'étendit à nouveau en le regardant avec un sourire si résigné qu'elle-même n'avait pas conscience de sa tristesse.

— Et pourtant, ajouta Micon d'une voix troublée, il y a trop de sujets dont nous avons été trop timorés pour parler... Ton devoir envers Arvath, par exemple. Tu es obligée de par la loi... de faire quoi, exactement ?

— Avant le mariage, murmura Domaris, nous sommes libres. C'est la loi. Après le mariage... on exige de nous la fidélité. Et si je manquais à donner un fils à Arvath, ou le lui refusais...

— Tu ne dois pas le faire, intervint Micon avec une grande douceur.

— Je ne le ferai pas, le rassura-t-elle. Mais si j'en étais incapable, je serais déshonorée, disgraciée...

— C'est mon karma, dit tristement Micon, de ne jamais devoir contempler mon fils, de ne pas vivre pour le guider. J'ai péché contre cette même loi, Domaris.

— Péché ? (La voix de Domaris trahissait la surprise :) *Toi ?*

Il baissa la tête en signe d'aveu, honteux.

— J'ai désiré le savoir de l'esprit, et c'est ainsi que je suis devenu un initié. Mais j'étais trop fier pour me rappeler que j'étais également un être humain, et donc soumis à la loi.

Le visage aveugle avait une expression méditative et lointaine.

— Dans mon orgueil, j'ai choisi de vivre comme un ascète et de dénier les exigences de la chair, sous le faux prétexte d'une louable austérité...

Domaris murmura :

— C'est nécessaire pour un tel accomplissement...

— Tu ne sais pas tout, ma bien-aimée... (Micon fit une pause, haletant :) Avant que je ne devienne prêtre, Mikantor m'a demandé de prendre une épouse et d'élever un fils pour ma maison et pour mon nom.

Sa bouche sévère frémissait, le contrôle rigide qu'il exerçait sur lui-même vacillait :

— Comme l'exigeait mon père, j'ai accepté d'être marié devant la loi. C'était une très jeune fille, pure et ravissante, une princesse. Mais j'étais... j'étais aussi aveugle à ses charmes que je le suis...

La voix de Micon se brisa complètement, et il enfouit son visage dans ses mains. Enfin, d'une voix étranglée, il reprit :

— Et c'est ainsi mon destin de ne jamais pouvoir contempler ton visage, toi que j'aime plus que ma vie et plus que ma mort ! Je ne la voyais pas, j'étais aveugle. Je lui ai dit avec froideur et... avec cruauté, Domaris, que je m'étais consacré à la prêtrise, et elle a quitté mon lit aussi vierge qu'elle y était entrée. Ainsi, je l'ai humiliée, et j'ai péché. Contre mon père, contre moi, contre toute notre maison ! Domaris... sachant cela... peux-tu encore m'aimer ?

Domaris était d'une pâleur mortelle. On considérait comme un crime ce que Micon venait de confesser. Mais elle se contenta de murmurer :

— Tu as payé le prix, à plusieurs reprises, Micon. Et... c'est ce qui t'a conduit à moi. Et je t'aime !

— Cela, je ne le regrette point. (Ses lèvres effleurèrent la main de Domaris :) Mais... peux-tu comprendre ? Si j'avais eu un fils, j'aurais pu mourir et mon frère aurait été épargné, il n'aurait pas eu à devenir un apostat !

Son visage basané avait pris une expression hagarde.

— C'est ainsi que je porte le blâme de son péché. Et d'autres maux s'ensuivront. Car le mal sème le mal, il récolte et moissonne au centuple, pour semer de nouveau... (Il fit une pause, puis reprit :) Il se peut que Déoris ait également besoin de protection. Rivéda est contaminé par les tuniques noires.

Devant la brève exclamation horrifiée de la jeune femme, il ajouta en hâte :

— Non, pas ce que tu penses. Ce n'est pas un tunique noire. Il les méprise. Mais il est intelligent, il cherche le savoir, et il ne regarde pas trop à la façon dont il l'acquiert. Ne sous-estime jamais le pouvoir de la curiosité, Domaris ! Elle cause plus de troubles que n'importe quelle autre motivation humaine ! Si Rivéda était un être malfaisant, ou délibérément cruel, il serait moins dangereux ! Mais il n'obéit qu'à une motivation : l'élan obstiné d'un esprit puissant qui n'a jamais été réellement poussé à ses limites. Il poursuit et sert le savoir pour le savoir et non pour servir autrui, ni pour se perfectionner lui-même. S'il était plus égocentrique, je me sentirais plus rassuré. Et... Déoris l'aime, Domaris.

— *Déoris ?* Aimer ce détestable vieux...

Micon soupira :

— Rivéda n'est pas si vieux. Et Déoris ne l'aime pas comme... comme toi et moi comprenons l'amour. Si ce n'était que cela, je ne m'en soucierais pas. L'amour ne peut être forcé. Ce n'est pas l'homme que j'aurais choisi pour elle, mais je ne suis pas son gardien.

Il perçut en partie la confusion de la jeune femme, et ajouta calmement :

— Non, c'est autre chose. Qui me trouble beaucoup. Déoris est à peine assez âgée pour éprouver cette sorte d'amour, ou savoir qu'elle existe. Et... (Il fit une pause :) Je ne sais comment dire... Ce n'est pas une femme qui viendra aisément à la passion. Elle doit mûrir lentement. Si elle était éveillée trop tôt, je craindrais beaucoup pour elle ! Et elle aime Rivéda. Elle l'adore, même si elle l'ignore encore elle-même, je pense. Pour rendre justice à Rivéda, je ne crois pas qu'il y soit pour quelque chose. Mais comprends-moi bien : il pourrait la violer bien plus que dans la prostitution la plus abominable, et la laisser vierge. Ou il pourrait la laisser innocente, même si elle portait une douzaine de ses enfants !

Domaris se mordit la lèvre, troublée et même un peu hébétée devant la véhémence inaccoutumée de Micon :

— Je ne comprends pas !

— Tu connais les *saji,* dit-il avec réticence.

— Ah non ! (C'était un cri d'horreur.) Rivéda n'oserait pas !

— Je ne crois pas. Mais Déoris peut n'être pas sage dans son amour. (Il se força à esquisser un sourire las :) Tu ne l'as pas été, toi, c'est certain ! (Il soupira de nouveau :) Eh bien, Déoris doit suivre son karma, comme nous suivons le nôtre.

En entendant le soupir de Domaris, comme en écho au sien, il s'accusa :

— Je t'ai fatiguée !

— Non, mais l'enfant est lourd à présent et... ton fils me fait mal.

— Je regrette... si seulement je pouvais le porter à ta place !

Domaris eut un petit rire, et ses mains, douces comme de la plume, se glissèrent dans les siennes :

— Tu es prince d'Ahtarrath, dit-elle gaiement, et je suis ta servante et ton esclave la plus obéissante. Mais c'est là un privilège que tu ne peux avoir ! Je connais mes droits, mon prince !

La gravité sévère du visage de Micon se dissipa de nouveau, remplacée par un sourire ravi tandis qu'il se penchait pour embrasser Domaris :

— Voilà qui serait en effet une magie extraordinaire, admit-il. Nous autres, d'Ahtarrath, nous avons une certaine maîtrise de la nature, il est vrai. Mais hélas, tous mes pouvoirs ne pourraient effectuer un tel petit miracle !

Domaris se détendit. Le moment dangereux était passé. Micon ne s'écroulerait pas de nouveau.

Mais la nuit du Nadir était presque sur eux.

6

La nuit du Nadir

I

Ces derniers mois n'ont pas été cléments envers Micon, se disait Rajasta, attristé et déconcerté par l'échec de l'Atlante à se rétablir de façon satisfaisante.

L'initié se tenait devant la fenêtre ; son corps émacié faisait à peine obstacle à la lumière de l'après-midi finissant. Avec une nervosité qui lui était de moins en moins étrangère, il palpait la petite statuette de Nar-inabi, le créateur d'étoiles.

— Où as-tu trouvé ceci, Rajasta ?

— Tu la reconnais ?

L'aveugle inclina la tête, se détournant à demi de Rajasta :

— Je ne puis dire cela, à présent. Mais... j'en connais la facture. Elle a été fabriquée en Ahtarrath, et je pense qu'elle a pu appartenir à mon frère, ou à moi. (Il hésita :) Ce genre d'objet est... extrêmement coûteux. Cette pierre est très rare. (Il eut un demi-sourire :) Mais je suppose que je ne suis pas le seul prince d'Ahtarrath qui ait jamais voyagé et se soit fait dérober quelque chose. Où l'as-tu trouvée ?

Rajasta ne répondit pas. Il avait découvert l'objet dans l'édifice même où ils se trouvaient, dans le quartier des serviteurs. Cela n'en accusait pas nécessairement les résidents, se disait-il, mais il se sentait accablé par les implications possibles, car du même coup, il devenait impossible d'en éliminer aucun comme suspect. Rivéda pouvait être réellement innocent, comme il l'affirmait, et le véritable criminel être ailleurs, peut-être parmi les gardiens eux-mêmes, Cadamiri, ou Ragamon l'ancien, ou même Talkannon ! De tels soupçons ébranlaient jusque dans ses fondements l'univers de Rajasta.

Une vague de tristesse passa sur le visage de Micon et, dans un geste caressant, il déposa la figurine opalescente, exquisement sculptée, sur la petite table qui se trouvait près de la fenêtre.

— Mon pauvre frère, murmura-t-il, d'une voix presque imperceptible.

Rajasta, en l'entendant, ne put être tout à fait sûr qu'il voulait parler de Réio-ta.

Le prêtre de la Lumière sentit qu'il devait rompre le silence et se réfugia dans la plaisanterie :

— C'est déjà la nuit du Nadir, Micon, et tu n'as rien à craindre. Ton fils ne naîtra sûrement pas maintenant. Je viens de voir Domaris, elle me l'a assuré, comme celles qui s'occupent d'elle. Elle dormira profondément dans ses propres appartements, sans s'éveiller, et sans craindre augures et présages. J'ai demandé à Cadamiri de lui donner un somnifère...

Cependant, tout en parlant, Rajasta avait trébuché légèrement sur le nom de Cadamiri, car son appréhension nouvelle était en conflit avec son désir de rassurer Micon. L'Atlante le sentit, sans connaître la raison exacte de la nervosité de Rajasta, et il se raidit :

— La nuit du Nadir, murmura-t-il, déjà ? J'ai perdu le compte des jours !

Un bref coup de vent passa dans la pièce, apportant un écho lointain : une incantation dans un étrange registre mineur, une complainte bizarrement rythmée, qui se prolongeait. Rajasta haussa les sourcils et inclina la tête pour écouter, mais Micon se détourna pour revenir à la fenêtre, sans hâte mais avec une concentration délibérée. Son expression trahissait un trouble profond, et le prêtre s'approcha de lui.

— Micon ? dit-il, interrogateur et inquiet.

— Je connais ce chant, dit l'Atlante d'une voix étouffée. Et ce qu'il annonce... (Ses mains fines allèrent chercher les épaules de Rajasta :) Reste avec moi, Rajasta ! (Sa voix vacilla :) *J'ai peur !*

Le prêtre le regarda avec une horreur mal dissimulée, heureux de ne pouvoir être vu. Rajasta avait tenu compagnie à

Micon dans ce qui était, apparemment, les pires extrémités, mais jamais il ne l'avait vu trahir une telle crainte.

— Je ne t'abandonnerai pas, mon frère, promit-il.

L'incantation s'éleva de nouveau, et leur parvenaient d'étranges fragments disjoints dans le vent, tandis que le soleil sombrait dans le crépuscule. Le prêtre sentit Micon se raidir, les mains torturées se crispèrent sur ses épaules, le noble visage était livide et frémissant. Un tremblement s'empara peu à peu de tout le corps de l'Atlante, chaque muscle semblait tendu dans un pénible effort... Puis, malgré son effroi visible, l'Atlante relâcha son étreinte et se tourna de nouveau vers la fenêtre, fixant son regard aveugle sur l'obscurité grandissante, avec une expression d'attention intense.

— Mon frère est vivant, dit enfin Micon avec lenteur, et ses paroles roulèrent dans la nuit montante comme le tambour de la destinée. Je voudrais qu'il ne le soit pas ! Dans la lignée d'Ahtarrath, nul ne chante ainsi, à moins... à moins...

Sa voix s'éteignit de nouveau, et il retomba dans son immobilité attentive.

Soudain, il fit volte-face, le front contre l'épaule de Rajasta, l'étreignant avec une émotion si intense qu'elle se communiqua au prêtre et que les deux hommes tremblèrent ensemble d'une peur irraisonnée, tandis que des horreurs sans nom palpitaient dans leurs pensées.

Le vent s'était apaisé, lui. Le rythme entrecoupé était plus soutenu à présent, il montait et descendait avec la persistance d'un cauchemar, exigeant, monocorde, douloureux, en accord parfait, semblait-il, avec le battement de leur sang.

— Ils invoquent *mon propre pouvoir* ! s'exclama Micon d'une voix hachée. C'est une noire trahison ! Rajasta !

Il leva la tête et son visage aveugle était empreint d'un désespoir qui ne fit qu'accroître la terreur de cet instant.

— *Comment survivrai-je à cette nuit ?* Et je le dois, je le dois ! S'ils réussissent... s'ils invoquent... ce qu'ils essaient d'invoquer... ma vie seule sert de rempart à l'humanité tout entière !

Il se tut un instant, haletant, saisi d'un tremblement incoercible :

— Si ce lien est établi... alors, même moi je ne puis être sûr de pouvoir arrêter le mal !

216

Il resta un instant vacillant, tordu et dressé tout ensemble, agrippé à Rajasta.

— Trois fois seulement dans toute notre histoire un Ahtarrath a prononcé cette invocation ! Et la puissance a été invoquée à trois reprises, mais en vain.

Rajasta imita Micon et lui posa avec douceur les mains sur les épaules ; les deux hommes restèrent ainsi un moment.

— Micon, dit enfin Rajasta d'une voix claire, *que devons-nous faire ?*

Les mains de l'Atlante se desserrèrent, se crispèrent de nouveau, retombèrent enfin :

— Tu m'aiderais ? dit-il d'une voix brisée, presque enfantine. Cela signifie que...

— Ne me dis pas ce que cela signifie, dit Rajasta d'une voix maintenant un peu tremblante. *Mais je t'aiderai.*

Micon prit une inspiration heurtée ; son visage retrouva quelque couleur :

— Oui, murmura-t-il et, la voix plus ferme : Oui, nous n'avons guère de temps.

II

En cherchant à tâtons dans le coffre où il conservait ses trésors, Micon prit un manteau souple fait d'une sorte de texture métallique et s'en couvrit les épaules. Il saisit ensuite une épée enveloppée dans un tissu fin et diaphane, pour la placer près de lui. Tout en marmonnant dans sa propre langue, il fouilla encore dans le coffre et en sortit enfin un petit gong de bronze, qu'il tendit à Rajasta en l'avertissant que l'objet ne devait toucher ni le sol ni les murs.

Pendant ce temps, l'horrible chant ne cessait d'arriver par vagues, avec d'étranges lamentations, des rythmes sauvages et discontinus, des résonances en mineur, martelant le cerveau de ses réitérations qui faisaient vibrer les os. Rajasta tenait le gong, concentré sur Micon qui se penchait de nouveau sur le coffre, écartant les sons de son esprit comme de ses oreilles.

Le murmure furieux de l'Atlante devint un soupir de soulagement, et il tira du coffre un dernier objet, un petit brasero de bronze curieusement sculpté de formes dont les reliefs entrelacés donnaient l'impression d'être animés. Au bout d'un moment, Rajasta les reconnut : c'étaient des représentations d'esprits du feu.

Avec l'économie de mouvement qui le caractérisait, Micon se releva, tenant à la main l'épée toujours enveloppée.

— Rajasta, dit-il, donne-moi le gong. (Cela fait, il reprit :) Place le brasero au centre de la pièce, et allumes-y un feu. Avec du pin, du cyprès et de l'ultar.

Ses paroles étaient brèves et sèches, comme s'il récitait une leçon bien apprise. Rajasta ignora les réserves qui l'assiégeaient déjà et s'exécuta avec résolution. Micon retourna à la fenêtre et plaça l'épée sur la petite table, près de la figurine de Narinabi. Il déroula l'étoffe, dévoilant ainsi les gravures de la lame et la garde incrustée de pierres précieuses, qu'il saisit d'une main ferme pour se tenir face à la fenêtre dans une position d'attente. Rajasta pouvait presque le voir rassembler ses forces. Avec une soudaine compassion, il posa une main sur le bras de Micon.

L'Atlante se secoua avec impatience :

— Le feu est-il prêt ?

Le prêtre se pencha sur le brasero et alluma les copeaux de bois parfumé, éparpillant les grains d'encens sur les flammes. Des nuages de fumée vaporeuse s'élevèrent. Les copeaux rougeoyants étaient autant de petits yeux maussades et féroces qui épiaient à travers les flammes.

— Il est prêt, dit Rajasta.

Le chant devint une marée sonore, et il créait le silence alentour, comme si la pulsation même de la vie était devenue muette, lente et lourde.

Avec majesté, très différent du Micon que Rajasta connaissait si bien, l'initié atlante se dirigea avec lenteur vers le centre de la pièce, posa l'extrémité de la lame cérémonielle sur le rebord métallique du brasero, et se déplaça un peu, de nouveau face à la fenêtre. La pointe de l'épée touchait toujours le brasero. Micon souleva le gong et le tint devant lui un moment à bout de bras. La fumée de l'encens s'enroula autour du gong, comme de la limaille de fer attirée par un aimant.

— Rajasta, dit Micon d'une voix impérieuse, tiens-toi près de moi, un bras autour de mes épaules.

Il ne put retenir un tressaillement quand le prêtre s'exécuta :

— Doucement, mon frère ! Bien. Et maintenant... (Il prit une profonde inspiration :) Nous attendons.

La lamentation aiguë se fit soudain plus grave, crescendo de vibrations qui dépassaient de loin la limite des sons audibles. Puis ce fut le silence.

Ils attendirent. Le calme subit se prolongea, vague lente et insidieuse s'insinuant dans l'ombre, suggérant de vastes étendues célestes dépourvues d'étoiles, noyant tous les sons sous un immense et écrasant fardeau d'immobilité, tels les plis d'une tunique funèbre.

Rajasta sentait le corps rigide et droit de Micon sous le manteau métallisé et c'était la seule chose réelle dans ce néant. Le murmure rauque du vent soufflait par la fenêtre ; la lumière s'atténuait. L'air qui les entourait frémit soudain, et Rajasta sentit sa peau se hérisser. Il devina plutôt qu'il ne vit une brume scintillante apparaître dans la pénombre, perçut de faibles distorsions dans les lignes familières de la pièce.

La voix contenue de l'initié résonna dans l'atmosphère pesante :

— Je n'ai pas invoqué ! Par le gong...

D'un geste vif, il frappa le gong du pommeau de l'épée, durement, et le fracas du bronze éclata dans le silence de mort.

— ... Par l'épée...

Il leva l'épée et la tint tendue, la pointe vers la fenêtre.

— ... et par le mot inscrit sur l'épée... par le fer, et le bronze, et la flamme...

Il plongea l'épée dans le feu. Il y eut un craquement, un jaillissement d'étincelles.

Puis le mot s'éleva lentement de la gorge de Micon, presque visible, en longs trémolos de vibrations qui se faisaient écho d'octave en octave, frémissant et se réverbérant encore... et encore... et toujours, en quelque inimaginable infinité de l'espace et du temps, tremblant d'univers en univers ; quelque chose bougeait, s'éveillait, qui n'était de nulle part et de nul temps mais embrassait le commencement et la fin et tout ce qui se trouvait entre eux.

La distorsion scintillante tourbillonnait en crépitant d'étincelles, de plus en plus vite, comme si les murs de briques s'étaient refermés dans un tourbillon. Une fois de plus, Micon leva son épée et, du pommeau, frappa le gong. Une fois de plus, il poussa la pointe de la lame dans le brasero. Il y eut un rugissement lointain et sourd tandis que le feu jaillissait léchant la lame de ses flammes. Les distorsions ondoyaient toujours autour des deux hommes, plus proches, mais à une vitesse à présent vertigineuse. La pièce, cependant, ne semblait plus sur le point de s'écrouler autour d'eux.

Rouge, avec des reflets d'un orange menaçant, la lumière se reflétait en une barre ardente sur la face basanée de l'initié. Avec une très grande lenteur, les scintillements se rassemblèrent autour de la lame de l'épée et y demeurèrent un moment, telle une couronne d'un blanc bleuté, avant de se couler le long de la lame jusque dans le feu palpitant qui, avec un sifflement chuchoté, s'éteignit de lui-même. Le sol frémissait et vibrait sous les pieds des deux hommes. Puis tout redevint tranquille.

Micon s'appuya contre Rajasta en tremblant, totalement dépouillé à présent de son aura de majesté. L'épée resta plantée droite dans les charbons éteints du brasero. Rajasta allait parler, quand il y eut dans le lointain une dernière explosion assourdissante.

— Ne crains rien, murmura Micon d'une voix rauque. Le pouvoir se retourne contre ceux qui ont essayé de l'utiliser sans en avoir le droit. Notre tâche... est terminée à présent. Et je...

Il s'affaissa soudain, poids mort dans les bras du prêtre.

Rajasta souleva Micon et le transporta jusqu'au lit. Il y étendit l'Atlante, desserra avec douceur la lanière de cuir fixée à son poignet pour le débarrasser du gong. Il déposa l'instrument à l'écart, humecta un morceau d'étoffe et essuya le front en sueur de l'homme inconscient. Micon s'agita en gémissant.

Rajasta fronça les sourcils, inquiet, les lèvres serrées. L'Atlante était d'une pâleur livide, mortelle, avec une nuance cireuse qui n'augurait rien de bon. *C'est exactement ce que je n'aime pas dans la magie,* se dit Rajasta. Elle affaiblit les forts et achève les faibles ! Voilà qui serait le comble, si Micon n'avait repoussé le danger que pour succomber !

L'Atlante gémit de nouveau, et Rajasta se leva. Il se dirigea à grands pas vers la porte : sa décision était prise. Il appela un esclave et lui dit simplement :

— Va chercher le guérisseur Rivéda.

Pour Domaris, sous l'effet des somnifères mais troublée par d'horribles ombres informes, la nuit du Nadir fut un cauchemar confus. Ce fut presque un soulagement pour elle de lutter pour s'éveiller et de trouver à la place de ses rêves effrayants une impérieuse douleur physique. La naissance de son enfant, elle le comprit soudain, était imminente.

Une sorte de fatalisme l'empêcha de faire prévenir Micon ou Rajasta. Déoris n'était trouvable nulle part, et seule Elara sut que Domaris se rendait seule et à pied, selon la coutume, à la demeure des naissances.

Il y eut ensuite une longue attente, plus ennuyeuse d'abord que véritablement douloureuse. Domaris se soumit avec bonne volonté aux irritations mineures des stades préliminaires, car elle était trop disciplinée pour gaspiller son énergie en ressentiment. Elle répondit aux questions en donnant toutes sortes d'informations intimes. Se faire manipuler et examiner comme un animal (une chatte prête à mettre bas, se dit-elle, essayant d'en être amusée plutôt qu'agacée) l'aida à ne pas penser à son inconfort.

Elle n'avait pas vraiment peur : comme toutes les femmes du temple, elle avait servi plusieurs fois au temple de Caratra et le processus de la naissance n'avait aucun secret pour elle. Mais elle avait toujours joui d'une santé florissante, et c'était pratiquement sa première expérience de la douleur et de sa nature absolument individuelle.

De surcroît, elle se sentait navrée pour la fillette qu'on avait laissée lui tenir compagnie pendant cette attente. C'était de toute évidence la première fois que la petite assistait une femme en couches, et elle semblait effrayée. Cela ne contribua pas à rassurer Domaris, car elle détestait toutes les sortes de maladresse, et si elle avait une terreur profonde, c'était de se retrouver livrée à des mains ignorantes alors qu'elle serait impuissante à s'aider elle-même. Pourtant, de façon irrationnelle, son agacement s'intensifia au lieu de diminuer, quand la petite Cétris lui dit, pour la rassurer, que la prêtresse Karahama avait choisi de l'assister dans ses couches.

Karahama ! pensa Domaris. Cette fille née d'une graine jetée aux vents !

Il lui semblait qu'un long moment s'était écoulé, et pourtant il était à peine midi passé quand Cétris envoya chercher la prêtresse. A la grande stupeur de Domaris, Déoris entra avec elle. C'était la première fois depuis la cérémonie d'intronisation que Domaris voyait sa sœur vêtue comme une prêtresse de Caratra et, l'espace d'un instant, elle reconnut à peine le petit visage blanc sous le voile bleu. Le visage de Déoris lui sembla le spectacle le plus délicieux qu'elle ait jamais vu.

Elle se tourna vers sa cadette — on lui avait demandé de rester debout — et lui tendit les bras. Mais Déoris resta immobile dans l'embrasure de la porte, foudroyée, sans un geste pour s'approcher d'elle.

Domaris joignit les mains, les articulations blanchies :

— Déoris ! implora-t-elle.

D'un pas raide, comme malgré elle, Déoris s'approcha de sa sœur, tandis que Karahama prenait Cétris à l'écart pour la questionner à mi-voix.

Déoris se sentit saisie de nausées quand elle vit la souffrance familière s'emparer de Domaris. Domaris, sa sœur, qui lui avait toujours paru quasi surhumaine ! Cette évidence réveilla quelque chose de profondément enfoui dans le cœur de Déoris. Elle avait pensé que ce serait différent pour Domaris. Les choses ordinaires ne pouvaient pas la toucher, pas elle ! La douleur, le danger, le sang, tout cela ne pouvait arriver à Domaris !

Et pourtant, c'était possible, cela allait arriver. C'était en train d'arriver, sous ses yeux.

Karahama renvoya Cétris — on n'attribuait aux fillettes de douze et treize ans que les tâches simples qui consistaient à attendre, aller chercher des objets, les apporter, transmettre des messages. La prêtresse s'approcha de Domaris en lui adressant un regard rassurant :

— Vous pouvez vous reposer, maintenant, remarqua-t-elle avec bonne humeur, et Domaris se laissa glisser avec gratitude sur la couche. Déoris l'aida et ses mains vives et fortes, terriblement sensibles, perçurent le tremblement de Domaris et l'effort qu'elle faisait pour ne pas se débattre ou crier.

Domaris se força à sourire à Déoris, en murmurant :

— Ne fais pas cette tête, petite sotte !

Elle se sentait plutôt déroutée. Qu'avait donc Déoris ? Elle l'avait vue travailler, s'était fait un devoir de s'informer, pour des raisons personnelles, des progrès de sa sœur. Elle savait qu'on avait déjà autorisé Déoris à travailler sans aucun contrôle et même à se rendre seule dans la cité pour accoucher les épouses des gens du peuple ou de marchands qui avaient demandé l'aide d'une prêtresse — une reconnaissance de son habileté qu'Elis elle-même n'avait pas encore obtenue.

Karahama remarqua son sourire et la maîtrise qu'elle possédait ; elle hocha la tête, satisfaite : Bien, cette Domaris avait du courage ! Elle se sentait pleine de bienveillance envers sa demi-sœur plus fortunée qu'elle et, en se penchant vers elle, elle lui dit avec amabilité :

— Vous trouverez l'attente plus facile à présent, je pense. Déoris, la règle n'a pas encore été enfreinte, simplement un peu biaisée.

Karahama sourit à sa propre plaisanterie en ajoutant :

— Va, maintenant.

Domaris reçut cette sentence d'un cœur affligé :

— Oh, je vous en prie, laissez-la rester avec moi ! implora-t-elle.

Déoris ajouta sa propre prière :

— Je me conduirai bien !

Karahama sourit, tolérante, et leur rappela la loi : elles devaient sûrement le savoir, dans la demeure de Caratra, il était défendu à la sœur d'une femme d'assister à la naissance de son enfant.

— De plus, ajouta-t-elle, avec un petit hochement de tête respectueux, en tant qu'initiée de la Lumière, Domaris ne doit être assistée que par des égales.

— Intéressant, murmura sèchement Domaris, que ma propre sœur ne soit pas mon égale.

Les lèvres de Karahama se durcirent un peu, et elle reprit :

— La règle ne renvoie pas à l'égalité de naissance. C'est vrai, vous êtes toutes deux les filles d'un grand prêtre, mais vous êtes quant à vous l'acolyte du gardien de la porte, et une prêtresse initiée. Vous devez être assistée par des prêtresses d'un statut équivalent.

— Le prêtre guérisseur Rivéda n'a-t-il pas déclaré Déoris capable, tout comme vous-même ? argumenta Domaris, obstinée, bien qu'elle soit convaincue que cela ne servirait à rien.

Karahama, avec déférence, répéta que la loi était la loi, et que si l'on y faisait une exception maintenant, les exceptions finiraient par rendre la loi caduque. Déoris, effrayée à l'idée de désobéir, se pencha, misérable, pour embrasser sa sœur. Les lèvres de Domaris s'amincirent de colère. Cette demi-sœur bâtarde prétendait leur faire la leçon sur la loi, et parlait d'égalité — que ce soit de naissance ou de statut ! Mais un spasme soudain arrêta ses protestations. Elle le subit un moment en silence, puis laissa échapper un cri et, soudain tordue de douleur, saisit l'une des mains de Déoris. Celle-ci n'aurait pu se libérer même si elle l'avait voulu, et Karahama, qui observait avec sympathie malgré sa froideur réservée, n'essaya pas d'intervenir.

Le spasme se dissipa enfin et Domaris releva la tête, le front et la lèvre supérieure brillant de sueur. Sa voix était tranchante comme une lame :

— En tant qu'initiée de la Lumière, dit-elle, en retournant à Karahama ses propres paroles, j'ai le droit de suspendre la loi ! Déoris va rester ! Parce que *je le désire* !

Et elle ajouta la formule consacrée :

— Ainsi ai-je dit.

C'était la première fois qu'elle se servait de son nouveau statut pour donner des ordres. Elle ressentit une étrange satis-faction, que la douleur lancinante dissipa vite. Une réflexion ironique lui traversa l'esprit : elle avait pouvoir sur la douleur d'autrui, mais pas la moindre sur la sienne. Elle pouvait sus-pendre les lois humaines presque à son gré mais, malgré son pouvoir, elle ne pouvait abroger la nature, si peu que ce fût, pour son propre bien-être, car elle devait faire intégralement l'expérience de sa propre complexion. Elle se résolut donc à subir.

Les petites mains de Déoris portaient des marques quand Domaris les lâcha et celle-ci, saisie de remords, les porta à ses lèvres pour les embrasser :

— Est-ce que je t'en demande trop, mon chaton ?

Déoris secoua la tête d'un air hébété. Elle ne pouvait rien refuser à Domaris mais, au fond de son cœur, elle aurait voulu que Domaris ne lui demandât point cela, que Domaris n'eût point le pouvoir de suspendre les lois. Elle se sentait perdue, elle était trop jeune, elle était complètement inapte à prendre cette responsabilité.

Indignée de constater ce mépris évident d'elle-même et de son autorité, Karahama quitta les lieux. Le plaisir de Domaris fut de courte durée, car la prêtresse revint peu de temps après avec deux novices.

Domaris se souleva, le visage livide de rage :

— C'est intolérable ! protesta-t-elle, son courroux faisant pour un instant taire la douleur.

Les femmes du temple n'étaient pas censées servir d'objets d'étude. Domaris, en tant que prêtresse de la Lumière, avait le droit de choisir ses propres assistantes, et elle n'était certainement pas forcée de subir cette... cette humiliation !

Sans lui prêter la moindre attention, Karahama continua à faire calmement la leçon à ses disciples, en suggérant que des femmes en travail avaient parfois des idées très étranges... Domaris, bouillonnante de rage, se soumit. Elle était toujours furieuse, mais les moments où elle ne parvenait pas à s'exprimer étaient de plus en plus fréquents. Le plus humiliant, c'était qu'à chaque paroxysme de la douleur, elle perdait le fil de son discours.

Karahama n'était pas si cruelle cependant. Elle mit bientôt fin à ses commentaires et s'apprêta à renvoyer ses disciples.

Domaris rassembla assez de force pour ordonner :

— Vous pouvez partir aussi ! Vous l'avez dit vous-même, je dois être assistée par mes égales... et donc... laissez-moi !

C'était une rebuffade mordante, qui équivalait exactement à l'humiliation imposée à Domaris. Pour une égale, et sans la présence de témoins, ç'aurait été déjà un camouflet assez cruel. Pour Karahama, devant ses disciples, une gifle n'aurait pas été moins insultante.

Karahama se redressa de toute sa hauteur, sur le point de protester. Puis, avec un sourire forcé, elle se contenta de hausser les épaules. Déoris était bel et bien capable. Et Domaris n'était nullement en danger. Karahama ne pouvait que s'abaisser davantage en discutant.

— Qu'il en soit ainsi, dit-elle, laconique, et elle s'en alla.

Domaris, consciente d'avoir violé l'esprit, sinon la lettre de la loi, faillit la rappeler... mais ne pas avoir Déoris avec elle ! Domaris n'était pas parfaite. Elle était humaine, et très irritée.

Et elle était aussi déchirée par une nouvelle et haïssable vague de douleur, qui semblait l'écarteler. Elle oublia l'existence de Karahama :

— Micon ! s'écria-t-elle en se convulsant, Micon !

Déoris se pencha vivement vers elle en prononçant des paroles apaisantes, la toucha, apaisa sa révolte d'un geste habile.

— Micon va venir, si tu le demandes, Domaris, dit-elle, quand sa sœur se fut un peu calmée. Le désires-tu ?

Domaris enfonça ses doigts dans les draps. Elle comprenait enfin cette... non pas une loi, simplement une coutume, qui déclarait qu'une femme devait accoucher de son enfant loin du père, et sans qu'il en fût averti.

— Non, murmura-t-elle, non, je ne dirai rien.

Micon ne devait pas, ne devait absolument pas savoir ce que lui coûtait son fils ! S'il avait été mieux portant... mais, mère Caratra, était-ce ainsi pour chacune ?

Elle essayait de se concentrer sur les instructions détaillées que Déoris lui donnait, mais ses pensées dérivaient sans cesse vers des souvenirs torturants. Micon, pensait-elle, Micon ! Il a subi bien pis ! Il n'a pas crié ! Je commence enfin à le comprendre ! Elle se mit à rire, non sans quelque hystérie, à l'idée qu'elle avait autrefois prié les dieux de pouvoir partager un peu son tourment. Qu'il ne soit pas dit que les dieux n'exaucent pas nos prières ! Et oui, oui, je subirais joyeusement pire pour lui ! Ses pensées se firent de nouveau incohérentes. Le chevalet doit être ainsi, un corps brisé, écartelé sur une roue de douleur... et je partage donc ce qu'il a subi, afin de le libérer à jamais de sa souffrance ! Suis-je en train de donner naissance à la vie, ou à la mort ? Aux deux, aux deux !

Un rire sombre, terrible et frénétique la secoua jusqu'à ce que le moindre mouvement devînt insupportable. Elle entendit Déoris protester avec colère, sentit des mains qui la retenaient, mais ni les supplications ni les menaces de Déoris ne pouvaient désormais apaiser son hystérie. Elle continua à rire de son rire dément jusqu'à ce qu'il se transformât en sanglots rauques. Inconsciente de tout sinon de la douleur et de ses soudains répits, elle pleura jusqu'à être absolument épuisée, et ne plus savoir, ne plus se soucier même, de ce qui se passait.

— Domaris !

La voix tendue de sa sœur pénétra enfin ses sanglots qui s'apaisaient :

— Domaris, ma chérie, je t'en prie, essaie d'arrêter de pleurer, *je t'en prie*. C'est fini. Ne veux-tu pas voir ton bébé ?

Affaiblie et épuisée, Domaris put à peine en croire ses oreilles. Elle ouvrit des yeux alanguis. Déoris la regarda avec un sourire las et se retourna pour prendre l'enfant — un garçon parfaitement bien formé, dont la petite tête ronde était recouverte d'un duvet roux et le visage plissé et déformé par les cris vigoureux qu'il poussait, dans son besoin de vivre et de respirer sans sa mère.

Les yeux de Domaris se fermèrent à nouveau. Avec un soupir, Déoris commença à emmailloter le bébé dans des langes de lin. Pourquoi faut-il qu'un petit bout de chair mal défini comme celui-là ait le droit de causer une souffrance aussi affreuse ? se demandait-elle, et ce n'était pas la première fois. Quelque chose avait été irrémédiablement détruit dans ce qu'elle éprouvait pour sa sœur. Domaris ne sut jamais à quel point Déoris avait été proche de la haïr pour lui avoir imposé cette épreuve...

Quand les yeux de Domaris s'ouvrirent de nouveau, son regard avait retrouvé quelque raison, même s'il était assombri et un peu hagard. Elle tendit une main hésitante :

— Mon bébé, murmura-t-elle, craintive.

Déoris, effrayée de voir sa sœur se remettre à sangloter, tint l'enfant emmailloté pour que Domaris puisse le voir :

— N'entends-tu pas ? demanda-t-elle doucement. Il crie aussi fort que des jumeaux !

Domaris essaya de se soulever mais retomba d'épuisement. Elle implora, avide :

— Oh, Déoris, donne-le-moi !

Déoris sourit devant le miracle qui ne manquait jamais de s'accomplir et se pencha pour déposer le bébé dans les bras de sa mère. Le visage de Domaris était empreint d'une extase radieuse tandis qu'elle serrait contre elle le petit paquet gigotant. Puis, avec une appréhension soudaine, elle fouilla dans les langes. Déoris se pencha pour l'en empêcher, avec un autre sourire — une preuve supplémentaire que Domaris n'était pas différente des autres femmes.

— Il est parfait, lui assura-t-elle. Dois-je compter chacun de ses doigts ?

De sa main libre, Domaris effleura le visage de sa sœur :

— Ma petite Déoris, dit-elle à mi-voix.

Elle s'interrompit. Sans Déoris à ses côtés, elle n'aurait jamais pu endurer ce qu'elle avait subi, mais elle ne savait comment le dire à sa sœur. Elle se contenta de murmurer, si bas que Déoris pouvait, si elle le désirait, prétendre ne pas avoir entendu :

— Merci, Déoris. (Puis, posant sa tête près du bébé, lasse :) Pauvre tout-petit ! Je me demande s'il est aussi épuisé que moi ?

Ses yeux s'ouvrirent encore un moment :

— Déoris, ne dis rien à Micon ! Je dois mettre moi-même son fils dans ses bras. C'est mon devoir... (Ses lèvres se durcirent, mais elle poursuivit d'un ton égal :)... et mon très grand privilège.

— Il ne l'apprendra pas de moi, promit Déoris, et elle prit le bébé des bras réticents de sa mère.

Domaris s'endormit presque, consciente cependant qu'on baignait d'eau fraîche son visage brûlant et son corps meurtri. Elle mangea et but ce qu'on lui donna, docile. Puis, assoupie, elle fut consciente encore que Déoris ou quelqu'un d'autre lissait ses cheveux emmêlés, lui passait des vêtements propres qui sentaient les épices, et la bordait dans des draps doux et parfumés. Un crépuscule silencieux emplissait la pièce de fraîcheur. Elle entendit des pas légers, des voix étouffées. Elle s'endormit, s'éveilla de nouveau, se rendormit.

Une fois, elle s'éveilla quelques secondes : on venait de poser le bébé dans ses bras et elle le berça contre elle, dans un bonheur, pour un instant, absolu.

— Mon petit garçon, murmura-t-elle avec une tendresse satisfaite.

Puis, en souriant pour elle-même, elle lui donna le nom qu'il porterait avant de devenir un homme :

— Mon petit Micail !

IV

La porte s'ouvrit en silence. La haute silhouette sévère de mère Ysouda se tenait sur le seuil. La prêtresse interrogea du regard Déoris qui lui fit signe de ne pas parler. Elles se glissèrent sur la pointe des pieds dans le corridor.

— Elle dort ? murmura mère Ysouda. Le prêtre Rajasta t'attend dans la cour des hommes, Déoris. Vas-y tout de suite et change de vêtements, je m'occuperai de Domaris.

Elle tourna les talons pour entrer dans la pièce, mais s'immobilisa pour regarder sa fille adoptive, en demandant dans un murmure :

— Que s'est-il passé, petite ? Comment Domaris a-t-elle pu irriter Karahama à ce point ? Se sont-elles querellées ?

Timidement, avec bien des réticences, Déoris raconta ce qui s'était passé.

Mère Ysouda secoua sa tête grise et son visage flétri se contracta :

— Voilà qui ne ressemble pas à Domaris !

— Que va faire Karahama ? demanda Déoris, pleine d'appréhension.

Mère Ysouda se raidit, consciente d'avoir parlé trop librement devant une simple prêtresse mineure.

— Tu ne seras pas punie pour avoir obéi à l'ordre d'une prêtresse initiée, dit-elle avec une austère dignité. Mais il ne t'appartient pas de mettre Karahama en question. C'est une prêtresse de la Mère, et il serait en vérité fort inconvenant de sa part d'entretenir de la rancune. Si Domaris a parlé sans réfléchir dans sa douleur, Karahama sait assurément que c'était une colère née de la souffrance, et elle ne sera pas offensée. Va maintenant, Déoris. Le gardien t'attend.

Ces paroles étaient une réprimande et un renvoi, mais Déoris y réfléchit, profondément troublée, tandis qu'elle changeait de vêtements — les robes qu'elle portait au sanctuaire de la Mère ne devaient pas être profanées par le regard d'un homme. Elle pouvait deviner en grande partie ce que mère Ysouda n'avait pas voulu dire : Karahama n'appartenait pas à la caste des prêtres, on ne pouvait prévoir à coup sûr ses réactions.

Dans la cour des hommes, quelques moments plus tard, Rajasta mit fin à ses déambulations pour s'approcher en hâte de Déoris.

— Est-ce que tout va bien ? On me dit que Domaris a un fils.

— Un beau garçon en bonne santé, répondit Déoris, surprise de voir le calme Rajasta trahir une telle anxiété. Et Domaris va bien.

Rajasta sourit, soulagé. Déoris ne ressemblait plus à une enfant irascible et gâtée mais à une femme compétente et pleine d'assurance dans sa propre sphère. Il s'était toujours considéré comme le mentor de Déoris tout autant que celui de Domaris et, bien qu'un peu déçu de lui avoir vu quitter la voie des prêtres de la Lumière, se plaçant ainsi au-delà de son autorité, il avait approuvé son choix. Il s'était souvent enquis d'elle depuis qu'elle avait été admise au service de Caratra, et il était extrêmement satisfait des compliments que les prêtresses faisaient de ses talents.

— Tu croîs rapidement en sagesse, mon enfant, dit-il avec une sincère affection paternelle. On me dit que c'est toi qui as mis le bébé au monde. Il me semblait que c'était contraire à la loi...

Déoris se couvrit les yeux de la main :

— Le rang de Domaris la place au-dessus de la loi.

Le regard de Rajasta s'assombrit :

— C'est vrai mais... a-t-elle demandé, ou ordonné ?

— Elle a... ordonné.

Rajasta en fut troublé. Une prêtresse de la Lumière avait le privilège de choisir ses propres assistantes, mais cette loi avait été édictée pour permettre une certaine tolérance dans des circonstances inhabituelles. En l'invoquant à dessein pour son propre confort, Domaris avait fait une erreur.

Déoris perçut cet état d'esprit et vola au secours de sa sœur :

— Ce sont elles qui ont violé la loi ! Une fille de prêtre n'a pas à avoir des disciples ou des novices avec elle, et Ka...

Elle s'interrompit en rougissant. Dans son élan, elle avait oublié qu'elle parlait à un homme. De surcroît, il était impensable de discuter avec Rajasta. Elle se sentit pourtant forcée d'ajouter, obstinée :

— Si quelqu'un a mal fait, c'est Karahama !

Rajasta l'arrêta d'un geste :

— Je suis gardien de la Porte, lui rappela-t-il, et non des cours intérieurs ! (Puis, plus doucement :) Tu es très jeune pour avoir reçu cette responsabilité, mon enfant. Ordre ou non, personne n'aurait osé laisser la fille du grand prêtre entre des mains incompétentes.

Déoris murmura timidement :

— Rivéda m'a dit...

Elle se tut, se rappelant que Rajasta n'aimait guère l'adepte.

Mais le prêtre se contenta de demander :

— Le seigneur Rivéda est un homme sage. Que t'a-t-il dit ?

— Que... dans une autre vie, antérieure... (Elle rougit, et se hâta de conclure :)... j'ai connu tous les arts de la guérison, et que je m'en suis servie pour faire le mal. Il a dit que... dans cette vie-ci, je devais réparer...

Rajasta réfléchit, le cœur lourd, en se rappelant le destin inscrit dans les astres pour cette enfant.

— C'est possible, Déoris, dit-il sans se compromettre. Mais garde-toi de devenir trop fière : les dangers encourus dans les vies antérieures tendent à se répéter. Et maintenant, dis-moi : cela a-t-il été difficile pour Domaris ?

— Un peu, hésita Déoris. Mais elle est forte, et tout s'est bien passé. Elle a enduré beaucoup de douleurs que je n'ai pu apaiser, pourtant. Je crains...

Elle baissa brièvement les yeux, puis regarda bravement Rajasta bien en face en poursuivant :

— Je ne suis pas une grande prêtresse dans cette vie-ci, mais je crains fort qu'un autre enfant ne lui fasse courir un grave danger.

La bouche de Rajasta se durcit. Domaris avait en effet failli, et l'effet de son caprice se faisait déjà sentir. Un tel avertissement était grave, venant de quelqu'un qui possédait les talents de Déoris, mais son rang au temple ne correspondait pas à ses capacités et elle n'avait pas encore l'autorité nécessaire pour faire une telle recommandation. Si Domaris avait été assistée comme il convenait par une prêtresse de haut rang, quoique éventuellement d'un talent moindre, le témoignage de celle-ci, donné et attesté de façon appropriée, aurait signifié que Domaris ne serait plus jamais autorisée à risquer sa vie. La mère vivante d'un enfant vivant avait plus de valeur, pour le temple de la Lumière, que l'espoir d'un second enfant. Et maintenant Domaris devait supporter les conséquences du processus qu'elle avait elle-même mis en branle.

— Il ne t'appartient pas de faire des recommandations, dit le prêtre avec toute la douceur dont il était capable. Mais pour l'instant, nous n'avons pas besoin d'en parler. Micon...

— Oh, j'ai presque oublié, s'exclama Déoris. Nous ne devons pas lui dire, Domaris veut...

Elle s'interrompit, en voyant l'immense tristesse qui glissait sur le visage de Rajasta.

— Tu dois trouver quelque chose à lui dire, mon enfant. Il est gravement souffrant et ne doit pas se faire de souci à propos de Domaris.

Déoris se trouva soudain incapable de parler, les yeux agrandis.

D'une voix brisée, Rajasta admit :

— Oui, c'est la fin. Je crois que c'est fini. Enfin.

17

Destin et fatalité

I

Micail avait trois jours quand Domaris se leva et s'habilla, avec un soin méticuleux rare chez elle. Elle utilisa le parfum que Micon aimait, cette fragrance venue de sa terre natale, le premier présent qu'il lui avait fait. Le visage de la jeune femme, bien que calme, n'était pas impassible, et si Domaris se retenait de pleurer tandis qu'Elara l'aidait à se faire belle pour l'épreuve qui l'attendait, la servante éclata en sanglots en plaçant dans les bras de sa mère le petit ballot gigotant qui sentait bon le bébé.

— Non ! l'implora Domaris, et l'autre s'enfuit.

Domaris serra l'enfant contre elle en pensant avec amour : *Mon enfant, je t'ai porté pour donner la mort à ton père.*

Avec remords, elle pencha son visage sur celui de son fils, doux comme l'été. Le chagrin était partie intégrante de son amour pour cet enfant, une amertume profonde et complexe au cœur de son allégresse. Elle avait attendu trois jours et elle n'était pas encore sûre de pouvoir physiquement et spirituellement accomplir son ultime devoir envers l'homme qu'elle aimait. Repoussant encore l'instant fatal, elle s'attarda à étudier les traits miniatures et encore indéterminés de Micail, y cherchant une ressemblance avec ceux de son père, et un sanglot lui noua la gorge alors qu'elle embrassait le soyeux duvet roux sur le front de l'enfant.

Enfin, se redressant avec fierté, elle franchit la porte, Micail dans les bras. Son pas était ferme ; ses pieds réticents ne trahissaient pas son effroi. Elle ressentait une profonde culpabilité. Ces trois jours avaient été, elle en avait le sentiment, la manifestation d'un égoïsme qui avait maintenu en vie un homme à la torture. Même à présent, elle n'allait le trouver que contrainte et forcée par le serment qu'elle lui avait fait, et ses pensées la blessaient autant que des fouets aux lanières cloutées. Micail laissa échapper un gémissement de protestation et elle se rendit compte qu'elle le serrait trop fort.

Elle poursuivit son chemin, lentement, ne voyant qu'à demi la végétation colorée des jardins. Elle ramenait les langes, d'un geste inconscient, sur le visage de l'enfant pour le protéger, mais elle ne voyait que le visage hagard et basané de Micon, n'éprouvait que l'amertume de sa propre souffrance.

Le chemin était long, mais pour Domaris, il menait à la fin du monde. A chaque pas elle sentait sa jeunesse la quitter un peu plus. Le temps s'était transformé en une matière indéfinie. Pourtant la confusion de ses pensées et de ses sentiments se dissipa graduellement et elle arriva devant les appartements de Micon. En reprenant pleinement conscience, elle vacilla un peu : *Impossible de revenir en arrière, désormais.* Elle savait obscurément que pour elle, il n'en avait jamais été question. Elle entra.

Son regard parcourut la pièce, en une prière inconsciente, et Déoris se sentit étranglée de chagrin devant ce jeune visage empreint de désespoir. Les yeux de Rajasta se firent encore plus compatissants, et la bouche sévère de Rivéda perdit un peu de sa dureté. Cela, Domaris le vit, et elle en tira une force nouvelle, née de la colère.

Elle se redressa fièrement, l'enfant dans les bras. Les yeux fixés sur le visage ravagé de Micon, elle écarta tous les autres de son esprit. C'était le moment de son offrande, elle pouvait maintenant donner plus qu'elle-même, elle pouvait renoncer — et de sa propre volonté — à ses espoirs d'une vie future. Elle s'approcha du chevet de Micon, en silence, et fut brusquement frappée par la métamorphose que ces quelques jours avaient fait subir à l'Atlante. Jusqu'en cet instant, elle s'était raccrochée à un faible espoir : Micon serait peut-être épargné, pour elle, ne fût-ce qu'un court moment... A présent, elle voyait la vérité en face.

Elle le contempla longuement, et son existence fut marquée

à jamais par l'acide amer de la souffrance qui y gravait chaque détail du noble et sombre visage de Micon.

Les yeux aveugles s'ouvrirent enfin et ils semblèrent voir, par des voies plus lucides que celles de la simple vue, car Domaris n'avait rien dit et son arrivée avait été accueillie en silence, mais il s'adressa directement à elle :

— Ma dame de Lumière, murmura-t-il, et il y avait dans sa voix une émotion qui défiait toute description. Laisse-moi tenir... notre fils.

Domaris s'agenouilla et Rajasta s'approcha pour soutenir discrètement Micon tandis que l'Atlante se redressait. Domaris déposa l'enfant dans les maigres bras tendus et murmura des paroles qui étaient en elles-mêmes dépourvues d'importance, mais qui avaient, pour le mourant, une portée dévastatrice :

— Notre fils, mon bien-aimé... notre parfait petit enfant.

Les doigts diaphanes de Micon parcoururent le petit visage avec une tendresse légère. Son propre visage, un masque mortuaire délicat et cireux, se pencha sur l'enfant. Des larmes s'amassèrent dans les yeux aveugles, se mirent à couler. Il soupira, avec un regret infini :

— Si je pouvais, une fois seulement, voir mon fils !

Un son rauque, comme un sanglot, brisa le silence et Domaris leva des yeux étonnés. Rajasta était aussi muet qu'une statue, et la gorge de Déoris n'aurait jamais pu produire un tel son...

— Ma bien-aimée... (La voix de Micon se raffermit un peu.) Il reste une tâche, Rajasta...

Le visage ravagé de l'Atlante se tourna vers le prêtre :

— Il te revient de garder et de guider mon fils.

Sur ces mots, il permit à Rajasta de prendre le bébé et, d'un geste vif, Domaris attira sa tête contre sa poitrine. Avec un faible sourire, il s'écarta d'elle :

— Non, dit-il avec une immense tendresse. Je suis las, mon amour. Permets-moi d'en finir maintenant. Ne me refuse pas le don le plus précieux que tu puisses me faire.

Il se leva avec lenteur et Rivéda, rapide comme une ombre, fut là pour lui prêter son bras solide. Avec un petit sourire entendu, Micon accepta son aide. Déoris alla chercher la main glacée de sa sœur pour la réchauffer entre les siennes, mais Domaris n'en eut même pas conscience.

Micon se pencha sur l'enfant qui se tenait, paisible, dans les bras de Rajasta et, de ses mains torturées, en effleura doucement les yeux clos.

— Vois... ce que je te donne à voir, fils d'Ahtarrath !

Les doigts tordus effleurèrent les minuscules oreilles finement ourlées et la voix contenue de l'initié résonna dans la pièce :

— Entends... ce que je te donne à entendre !

Il toucha brièvement les tempes duveteuses :

— Connais le pouvoir que je connais et t'accorde, enfant de la lignée d'Ahtarrath !

Il toucha la bouche rose, qui téta son doigt pour l'abandonner ensuite :

— Entretiens-toi avec les puissances de la tempête et des vents, du soleil et de la pluie, de l'eau et de l'air, de la terre et du feu ! Ne parle qu'avec justice et amour.

La main de l'Atlante reposait à présent sur le cœur du bébé :

— Ne bats qu'à l'appel du devoir, pour les puissances de l'amour ! Ainsi, par le pouvoir que je porte, je... (Sa voix s'affaiblit soudain.) Par le... le pouvoir que je porte, je te voue et te dédie à... à ce pouvoir...

Le visage exsangue de Micon était devenu d'une blancheur épouvantable. Un mot après l'autre, un geste après l'autre, il avait renoncé à la force admirable qui seule l'avait soustrait à la déliquescence. Avec un effort qui semblait immense, il traça un signe sur le front de l'enfant puis il s'appuya lourdement sur le bras de Rivéda.

Domaris, avec une tendresse insatiable, se précipita vers lui, mais pendant un instant Micon ne lui prêta pas attention et souffla :

— Je savais que ceci... je savais... seigneur Rivéda, vous devez mener à bien... la consécration ! Je suis... (Il prit une profonde et pénible inspiration.) N'essayez pas de me leurrer !

Et un lointain fracas de tonnerre vint ponctuer ses paroles.

Sans un mot, d'un air sombre, Rivéda laissa Domaris soutenir Micon, se libérant pour exécuter sa tâche. Le tunique grise savait bien pourquoi c'était lui, et non Rajasta ou un autre, qui avait été choisi pour l'accomplir. Cette apparente

236

marque de confiance de l'Atlante était exactement le contraire : en liant le karma de Rivéda à celui de l'enfant, Micon essayait de s'assurer que Rivéda n'oserait pas s'attaquer à l'enfant et au pouvoir qu'il représentait...

Les yeux bleus et glacés de Rivéda étincelaient sous ses sourcils quand, d'une voix aussi brusque que son geste, il reprit le rituel interrompu :

— C'est à toi, fils d'Ahtarrath, chasseur royal, héritier du mot du tonnerre, qu'est transmis le pouvoir. Scellé par la Lumière...

L'adepte, de ses mains fortes et habiles, défit les langes de l'enfant et l'exposa d'un geste curieusement cérémonieux à la lumière du soleil qui pénétrait à flots dans la pièce. Les rayons semblèrent embrasser la peau duveteuse, et Micail s'étira avec un petit roucoulement de plaisir.

Le visage solennel du magicien ne se détendit pas, mais ses yeux souriaient quand il rendit l'enfant à Rajasta et leva les bras pour une invocation :

— Du père au fils, d'un âge à un autre, le pouvoir se transmet, connu de celui qui est bien né. Ainsi en fut-il, ainsi en est-il, ainsi en sera-t-il toujours. Salut à Ahtarrath, et à Ahtarrath, adieu !

Micail contemplait avec une gravité placide et ensommeillée le cercle des visages qui l'entouraient pour peu de temps encore.

La cérémonie était terminée à présent. Rajasta se hâta de poser l'enfant dans les bras de Déoris et de tirer Micon de ceux de Domaris, pour l'aider doucement à s'étendre. Mais les mains de l'Atlante cherchaient encore faiblement Domaris, et elle alla l'étreindre à nouveau. Dans ses yeux, la douleur sans voile était un supplice.

Déoris tenait le bébé serré contre sa poitrine et sanglotait sans bruit, le visage à demi enfoui dans la cape de Rajasta. Le prêtre de la Lumière lui avait passé un bras autour des épaules, mais son regard était rivé sur Micon. Rivéda, les bras croisés, contemplait gravement la scène, et son ombre massive occultait le soleil.

Le prince était immobile, si immobile que ceux qui l'observaient retenaient leur souffle. Il remua enfin faiblement :

— Ma dame... vêtue de lumière, murmura-t-il. Pardonne-moi.

Il attendit un peu, des gouttes de sueur luisaient sur son front :

— *Domaris.*

Ce mot était une prière.

Il semblait à Domaris qu'elle ne parlerait plus jamais, que la parole avait été endiguée à sa source, que le monde entier resterait silencieux jusqu'à la fin des temps. Mais ses lèvres pâles s'ouvrirent enfin et, dans l'immobilité de la pièce, sa voix était claire et triomphante.

— Tout est bien, mon aimé. Va en paix.

Le visage cireux de Micon ne bougea pas, mais ses lèvres dessinèrent le fantôme de son ancien sourire radieux :

— Mon amour, murmura-t-il, et plus bas encore : Cœur... de flamme...

Et son souffle, avec un soupir, s'éteignit dans le silence.

Domaris se pencha... et, dans un bref geste étrange et pathétique, ses bras retombèrent.

Rivéda s'approcha à pas légers du lit et, avec un dernier regard pour le visage serein, ferma les yeux morts.

— C'en est fait, dit l'adepte, presque avec tendresse, presque avec regret. Quel courage, quelle force... et quel gâchis !

Domaris se redressa, les yeux secs, et se tourna vers Rivéda :

— Cela, mon seigneur, c'est une affaire d'opinion, dit-elle avec lenteur. C'est notre triomphe ! Déoris, donne-moi mon fils.

Elle prit Micail et son visage s'illumina d'une tristesse sublime, surnaturelle.

— Voyez mon fils, et notre avenir. Pouvez-vous m'en montrer autant, seigneur Rivéda ?

— C'est votre triomphe, ma dame, en vérité, reconnut Rivéda, et il s'inclina en une profonde révérence.

Déoris venait reprendre le bébé, mais Domaris refusa de le lâcher, les mains tremblantes, caressant l'enfant. Puis, avec un dernier regard passionné au sombre visage paisible qui avait été celui de Micon, elle se détourna et les hommes l'entendirent murmurer, en une prière impuissante :

— Aide-moi, ô Toi qui Es !

Déoris la conduisit dehors. Et elle ne résista pas.

238

Il fit froid, cette nuit-là. La lune était pleine et se leva tôt, inondant le ciel d'un éclat qui effaçait les étoiles. Au ras de l'horizon, des flammes menaçantes brillaient sur la digue, et des fantômes lumineux, bleus et dansants, palpitaient et ruisselaient au nord.

Vêtu pour la première et la dernière fois de sa vie du blanc immaculé de la caste des prêtres, Rivéda marchait, calmement de long en large, devant les appartements de Micon. Il n'avait pas la moindre idée de la raison pour laquelle il avait été choisi pour cette veillée funèbre, lui, plutôt que Rajasta ou un autre gardien, et il n'était plus si sûr de ce qui avait poussé Micon à tolérer son aide à la dernière extrémité ! Etait-ce la confiance ou la méfiance qui avait amené Micon à l'accepter enfin ?

Il était clair que l'Atlante l'avait craint, du moins en partie. Mais pourquoi ? Il n'était pas un tunique noire ! Toutes ces questions tortueuses le menaient à une énigme qui le dépassait. Pourtant, sans protestation, sans orgueil, il avait en cette nuit abandonné la tunique grise portée pendant tant d'années pour revêtir les robes rituelles de la Lumière. Il se sentait curieusement transformé, comme si, avec cette nouvelle tunique, il était aussi investi de la nature méticuleuse de ces prêtres.

Il ressentait néanmoins un chagrin profond et un sentiment de défaite. Pendant les dernières heures de sa vie, la faiblesse de Micon avait ému Rivéda comme sa force ne l'aurait jamais pu. Le respect réticent et irrité avait fait place à une affection profonde et sincère.

Il était rare en vérité pour Rivéda de se laisser troubler par les événements. Il ne croyait pas au destin, mais il savait que des fils couraient à travers le temps et les vies humaines, et qu'on pouvait s'y trouver pris. *Le karma.* C'était, pensa-t-il sombrement, comme une avalanche dans ses montagnes natales du Nord. Une seule pierre libérée par un pas imprudent, et aucun des pouvoirs des hommes et de la nature ne peut plus retenir l'avalanche. Il frissonna. Il était certain que la mort de Micon allait entraîner pour eux tous une destinée funeste. Il n'aimait pas cette idée : il préférait penser qu'il pouvait maîtriser le destin, choisir une voie à travers les pièges du karma, par sa seule force et sa seule volonté.

Il continua à déambuler, tête basse. L'ordre des magiciens, qui portaient ici le nom de tuniques grises, était un ordre ancien et, partout ailleurs, un nom honoré. En Atlantis, il y avait de nombreux adeptes et initiés de l'ordre, parmi lesquels Rivéda occupait un rang élevé. Or il savait à présent une chose que nul autre n'avait devinée, et il avait le sentiment que ce savoir lui appartenait de droit.

Une fois, alors qu'il délirait, fou furieux, un mot et un geste avaient échappé à son insu au chéla, Réio-ta. Rivéda les avait remarqués, même s'ils lui avaient paru alors dépourvus de sens. Plus tard, il avait vu le même geste passer entre Rajasta et Cadamiri alors qu'ils se croyaient seuls ; et Micon, dans le délire de l'agonie qui avait précédé le calme de ses derniers moments, avait murmuré des phrases atlantes, et l'une d'elles faisait écho à celle de Réio-ta. Le cerveau de Rivéda avait enregistré tout cela. Le savoir était pour lui chose à rechercher ; le secret devait être traqué avec plus d'assiduité encore.

Le corps de Micon serait incinéré le lendemain, et ses cendres renvoyées dans son pays natal. Cette tâche, ce serait lui, Rivéda, qui l'accomplirait. Qui en était plus digne que le prêtre qui avait consacré le fils de Micon au pouvoir d'Ahtarrath ?

III

Au lever du jour, Rivéda écarta les rideaux avec cérémonie, laissant le soleil inonder la pièce où gisait Micon. L'aube était une mer de rubis et de roses illuminée d'un feu livide. La lumière dansait comme des flammes sur le visage basané du défunt initié, et Rivéda, les sourcils froncés, eut le sentiment que la mort de Micon n'était pas un point final.

Tout ceci a commencé dans le feu, se dit-il, et finira dans le feu... mais sera-ce seulement celui du bûcher funéraire de Micon ? Ou y-a-t-il de plus hautes flammes dans l'avenir ? Il fronça les sourcils et secoua la tête. *Mais quelle absurdité suis-je en train d'imaginer ? Aujourd'hui, le feu brûlera ce que les tuniques noires ont laissé de Micon, prince d'Ahtarrath... et pourtant, à sa façon, il a vaincu tous les éléments.*

Avec le lever du soleil, des prêtres vêtus de blanc vinrent prendre tendrement le corps et l'emporter par un chemin tortueux. Rajasta, les traits tirés de chagrin, marchait devant le cercueil. Rivéda suivait derrière à pas silencieux, la tête baissée. Derrière eux s'étirait une longue procession de prêtres en capes blanches et de prêtresses aux résilles argentées et aux mantes bleues, en l'honneur de cet étranger, de cet initié qui était mort parmi eux... Et loin derrière se glissait une ombre indistincte et grise, courbée comme un vieillard secoué de sanglots convulsifs, un capuchon gris ramené sur le visage, les mains dissimulées sous une tunique rapiécée et élimée. Mais nul ne vit Réio-ta Lantor d'Ahtarrath suivre son prince et son frère jusqu'au bûcher.

Egalement invisible au sommet de la grande pyramide, une femme se dressait, grande et sublime, le visage empourpré par le soleil levant, illuminant le ciel de ses cheveux de flamme. Dans ses bras, elle tenait un enfant et, tandis que la procession se perdait en ombres noires dans la lumière radieuse qui montait à l'est, Domaris leva son fils à bout de bras vers le soleil. D'une voix ferme, elle se mit à chanter l'hymne du matin :

> *O toi, splendide à l'horizon oriental*
> *Fais de la lumière un jour nouveau, ô étoile de l'Est,*
> *Etoile du matin, éveille-toi et monte !*
> *Joie de lumière, pourvoyeuse de lumière, lève-toi.*
> *Maîtresse et pourvoyeuse de vie*
> *Fais monter ta lumière, ô étoile du jour,*
> *Etoile du jour, éveille-toi et monte !*

Loin en contrebas, les flammes s'élevaient du brasier funèbre en spirales dansantes, et l'univers s'engloutissait dans le feu et le soleil.

LIVRE III

Déoris

1

La promesse

I

Déoris accueillit le vieux prêtre avec anxiété :

— Seigneur Rajasta, je suis heureuse que vous soyez venu ! Domaris est tellement... étrange !

Le visage ridé de Rajasta prit une expression interrogative. Déoris poursuivit avec impétuosité :

— Je n'arrive pas à comprendre... elle fait tout ce qu'elle a à faire, elle ne pleure plus tout le temps, mais... (Les mots résonnèrent comme une lamentation :) Elle n'est pas *là* !

Rajasta hocha lentement la tête, effleurant l'épaule de l'adolescente pour la réconforter :

— C'est ce que je craignais. Je vais la voir. Est-elle seule en ce moment ?

— Oui, Domaris ne voulait pas leur répondre, quand elles sont venues, elle est juste restée à regarder fixement le mur...

Déoris se mit à pleurer.

Rajasta essaya de la calmer et, après un moment, réussit à découvrir qu'« elles » désignaient Elis et mère Ysouda. Son regard plein d'une ancienne sagesse contempla le petit visage pâle et soucieux de Déoris, et ce qu'il y vit le poussa à caresser longuement les cheveux noirs. Avec une assurance pleine de bonté, il lui dit :

— Tu es plus forte qu'elle à présent, même si cela ne paraît pas. Tu dois être bonne avec elle. Elle a besoin de tout ton amour et de toute ta force aussi.

Il guida Déoris, qui reniflait encore, vers un divan proche :

— Je vais aller la voir, à présent.

Domaris était assise dans l'autre pièce, immobile, les mains à l'abandon, les yeux fixés sur d'inimaginables horizons. Son visage calme et distant était celui d'une statue.

— Domaris, dit Rajasta avec douceur. Ma fille.

Très lentement, comme si elle remontait de quelque profondeur secrète de son esprit, la jeune femme revint à elle ; ses yeux embrassèrent ce qui l'entourait.

— Seigneur Rajasta, dit-elle.

Sa voix éveilla à peine un écho dans le silence.

— Domaris, répéta Rajasta, avec un curieux accent de regret, mon acolyte, tu négliges tes devoirs. Ce n'est pas digne de toi.

— J'ai fait ce que je dois faire, dit Domaris d'une voix morne, comme si elle ne niait pas cette accusation.

— Tu veux dire que tu fais les gestes requis, rectifia Rajasta. Penses-tu que j'ignore que tu es en train de te laisser mourir ? Tu peux le faire, si tu es assez lâche pour cela. Mais ton fils, le fils de Micon...

Domaris battit des paupières et, s'appuyant sur cette réaction fugace, Rajasta insista :

— Le fils de Micon a besoin de toi.

La souffrance ranima le visage de Domaris :

— Non, dit-elle, même en cela j'ai échoué ! On l'a donné à une nourrice !

— Ce ne serait pas arrivé si tu n'avais pas laissé ton chagrin l'emporter, accusa Rajasta. Enfant aveugle et insensée ! Micon t'aimait, t'honorait et avait foi en toi plus qu'en toute autre, et tu lui manques ainsi ? Tu fais honte à sa mémoire, si sa confiance était mal placée. Tu te trahis toi-même. Et tu me déshonores, moi qui t'ai si mal instruite !

Domaris se leva d'un bond, les mains écartées en signe de protestation, mais, devant le geste impérieux de Rajasta, elle fit taire les paroles qui lui montaient aux lèvres et écouta, tête basse.

— Penses-tu être la seule à pleurer, Domaris ? Ne sais-tu pas que Micon était pour moi plus qu'un ami, plus qu'un frère ? Je suis seul depuis que je ne puis plus marcher à ses côtés. Mais je ne peux cesser de vivre parce qu'un être que j'aimais est parti là où il m'est impossible de le suivre ! (Il ajouta, plus doucement :) Déoris aussi le pleure, et elle n'a même pas un souvenir d'amour pour se réconforter.

Domaris baissa la tête et se remit à pleurer à gros sanglots nerveux. Le visage de Rajasta reprit son air de bonté ; le prêtre prit Domaris dans ses bras et la tint contre lui jusqu'à ce que s'apaise cette crise de pleurs désespérés, qui laissa la jeune femme épuisée, mais de nouveau vivante.

— Merci, Rajasta, murmura-t-elle avec un sourire qui donna au prêtre envie de pleurer à son tour. Je... je serai raisonnable.

II

Domaris déambulait avec agitation dans ses appartements. Les heures et les jours épuisants qui s'étaient écoulés n'avaient fait que rapprocher l'inévitable et elle devait maintenant prendre une décision. Une décision ? Non, la décision avait déjà été prise. Le moment était seulement venu d'agir, elle devait tenir la parole qu'elle avait donnée. Quelle importance si elle s'était promise à Arvath alors qu'elle ignorait les implications de cette promesse ?

Avec un sourire crispé, elle se rappela les paroles prononcées tant d'années auparavant : *Oui, seigneurs conseillers, j'accepte mon devoir de mariage. Autant Arvath qu'un autre. J'ai plutôt de l'affection pour lui.* C'était si loin, avant d'avoir rêvé que l'amour entre un homme et une femme était davantage qu'une idylle de jolis mots, avant que naissance, mort et perte ne fussent devenues des réalités intimes. J'avais treize ans, alors, se dit-elle avec une brève ironie.

Son visage, plus mince qu'un mois auparavant, se fit impassible, car elle reconnaissait le pas qui s'était arrêté devant sa porte. Elle se retourna pour saluer Arvath et pendant un moment il ne put que rester là et balbutier son nom. Il ne l'avait pas vue depuis la mort de Micon et sa transformation l'épouvantait. Domaris était belle, plus belle que jamais, mais son visage était pâle et son regard lointain, comme si elle avait contemplé de profonds secrets. Elle qui avait été une jeune fille gaie et rieuse, elle était devenue une femme... une femme de marbre ? De glace ? Ou simplement de cette flamme immobile qui brûlait encore derrière les yeux calmes ?

Il finit par proférer une banalité :

— J'espère que tu vas bien.

— Oh ! oui, on a bien pris soin de moi, dit Domaris en le regardant avec exaspération.

Elle savait ce qu'il voulait et se dit avec une pointe de sarcasme que c'était nouveau pour elle ; pourquoi n'en venait-il pas au fait, pourquoi repousser le sujet par de futiles formules de politesse ?

Arvath sentit que l'humeur de la jeune femme était rien moins qu'angélique et il en fut davantage encore embarrassé :

— Je suis venu demander... réclamer... l'accomplissement de ta promesse...

— Comme tu en as le droit, admit Domaris — la formule rituelle —, en s'étouffant presque dans l'effort qu'elle faisait pour contrôler son souffle.

Les mains d'Arvath se tendirent passionnément et il l'attira contre lui :

— O ma bien-aimée ! Puis-je te réclamer ce soir devant les cinq mandataires ?

— Si tu le désires, dit-elle, presque indifférente.

Aucun moment n'était meilleur ou pire ; puis l'ancienne Domaris reparut un instant, dans un élan d'impulsive sincérité :

— Oh, Arvath, pardonne-moi de... de ne pas t'apporter plus que je ne puis te donner, implora-t-elle en l'étreignant brièvement.

— Que tu te donnes, c'est assez, dit-il avec tendresse.

Elle le regarda, triste et lucide, mais elle ne dit rien.

Les bras du jeune homme se resserrèrent autour d'elle, avides :

— Je te rendrai heureuse, dit-il, je le jure !

Elle resta passive sous son étreinte, mais Arvath sentit sa vacuité et sut que son tourment ne la touchait pas. Il répéta, et cela résonna comme un défi :

— Je le jure... je te ferai oublier !

Au bout d'un moment, Domaris se dégagea. Sans répulsion aucune, mais avec une indifférence qui remplit le jeune homme d'appréhension, un sentiment dérangeant qu'il se hâta d'écarter. Il l'éveillerait à l'amour, se dit-il avec assurance. Il ne lui vint jamais à l'esprit qu'elle connaissait mieux que lui la vraie nature de l'amour.

Il avait pourtant vu la brève pitié qui avait adouci le regard de la jeune femme et il était assez sage pour ne pas pousser son avantage. Il murmura dans les cheveux de le jeune femme :

— Fais-toi belle pour moi, mon épouse.

Puis, après avoir effleuré sa tempe d'un baiser rapide, il la quitta.

Domaris resta immobile un long moment, face à la porte refermée, et la pitié profonde de son regard se transforma peu à peu en un effroi livide :

— Il... il a *faim* de moi, souffla-t-elle, et un tremblement ébranla son corps tout entier. Comment puis-je... je ne peux pas, je ne peux pas ! Oh, Micon, *Micon* !

2

L'épidémie

I

Cet été-là, une épidémie de fièvre ravagea la cité du Serpent en cercle. Dans l'enceinte du temple, où les guérisseurs appliquaient des lois sanitaires sévères, elle ne toucha personne. Mais elle fit des ravages dans la cité, car une partie de la population était trop paresseuse ou trop bête pour obéir aux édits des prêtres.

Rivéda et ses guérisseurs passèrent à travers la ville comme une armée d'invasion, sans tenir compte de l'épidémie ou des gens. Ils incinérèrent les amas de déchets puants et incendièrent les édifices suppurants et sordides. Ils brûlèrent les huttes fétides d'esclaves où des propriétaires stupides ou cruels laissaient des êtres humains vivre dans une saleté pire que celle des animaux. Ils envahirent chaque demeure pour fumiger, nettoyer, soigner, isoler, condamner, enterrer ou incinérer, osant même entrer dans des maisons où les victimes pourrissaient déjà dans une puanteur de mort. Ils brûlèrent les cadavres, parfois de force quand la caste des victimes exigeait un enterrement. Les puits soupçonnés de pollution furent testés et souvent scellés, sans égard pour les cris, les menaces et parfois la résistance ouverte. Bref, ils se comportèrent de façon insupportable pour les riches comme pour les pauvres dont la négligence ou la malfaisance avait permis à l'épidémie de se déchaîner.

Rivéda lui-même travailla jusqu'à l'épuisement, soignant des malades que personne d'autre ne voulait approcher, molestant quelques potentats obèses de la cité qui s'opposaient à son œuvre destructrice, dormant dans des demeures infectées par la mort. Il semblait protégé par une armée de miracles.

Déoris, qui avait fait son noviciat parmi les guérisseurs, patronnée par son parent Cadamiri, rencontra Rivéda un soir qu'elle sortait d'une demeure où, avec une autre prêtresse, elle s'était occupée des malades de deux familles. La maîtresse de maison était hors de danger, mais quatre des enfants étaient morts, trois autres étaient gravement atteints, et un dernier venait de tomber malade.

En la voyant, Rivéda traversa la rue pour la saluer. Son visage était profondément marqué, et il avait l'air très las, mais il semblait presque heureux et elle lui en demanda la raison.

— Parce que le pire est passé, je crois. Il n'y a pas eu de nouveaux cas dans le quartier nord aujourd'hui, et même ici... si les pluies tardent encore trois jours, nous avons gagné.

L'adepte examina Déoris ; l'effort avait ajouté des années à son visage, et la fatigue ternissait sa beauté. Le cœur attendri, il lui dit avec un sourire plein de douceur :

— Tu devrais être renvoyée au temple, mon enfant. Tu es en train de te tuer à la tâche.

Elle secoua la tête, luttant contre la tentation. Ce serait le paradis, de sortir de là ! Mais elle se contenta de dire, obstinée :

— Je resterai tant qu'on aura besoin de moi.

Rivéda lui saisit les mains :

— Je t'emmènerais moi-même, mon enfant, mais je n'ai pas le droit de franchir les portes, parce que j'opère là où la contagion est à son maximum. Je ne peux rentrer avant que l'épidémie soit finie. Mais toi... (Il la serra soudain contre lui, en une étreinte forte et brusque :) Déoris, il faut partir ! Je ne veux pas que tu tombes malade, je ne courrai pas le risque de te perdre aussi !

Surprise et troublée, Déoris resta de marbre entre ses bras, puis elle se laissa soudain aller et s'accrocha à lui, sentant le poil de sa barbe négligée lui chatouiller la joue.

Sans la relâcher, il se redressa et la regarda ; ses lèvres sévères avaient pris une expression tendre :

— Même cela, c'est dangereux. Il va falloir te laver et changer de vêtements, à présent... Mais, Déoris, tu frissonnes, tu ne peux avoir froid dans cette chaleur écrasante ?

Elle bougea un peu entre ses bras :

— Vous me faites mal, protesta-t-elle.

— Déoris ! dit Rivéda, soudain alarmé, tandis qu'elle vacillait contre lui.

Le froid brutal qui l'avait envahie fit frissonner la jeune fille.

— Je... je vais très bien, protesta-t-elle faiblement, puis elle murmura : Je... je veux retourner à la maison.

Et elle s'affaissa, petite silhouette recroquevillée, flasque et tremblante entre les bras de Rivéda.

II

Ce n'était pas la maladie redoutée. Rivéda diagnostiqua une fièvre des marais aggravée par l'épuisement. Après quelques jours, quand on fut certain qu'il n'y avait aucun danger de contagion, on la fit transporter au temple dans une litière. Déoris y passa des semaines qui lui semblèrent des années ; elle ne courait aucun danger, mais elle était engourdie, fébrile. Sa fièvre finit par tomber, mais sa convalescence fut très progressive, et il fallut longtemps avant qu'elle ne commençât à reprendre un intérêt, même distrait, à la vie.

Les jours passaient entre de brefs assoupissements et des rêves à demi éveillés. Elle restait étendue à regarder le jeu des ombres et du soleil sur les murs, écoutait le bavardage des fontaines et les trilles musicaux des quatre minuscules oiseaux bleus, présent envoyé par Domaris, qui gazouillaient et pépiaient dans une cage, au soleil.

Domaris lui envoyait presque chaque jour des messages et des cadeaux mais ne vint pas lui rendre visite, malgré les pleurs et les supplications de Déoris dans son délire ; Elara, qui s'occupait d'elle nuit et jour, lui disait seulement qu'Arvath le lui avait interdit. Mais quand son délire eut pris fin, Déoris apprit d'Elis que Domaris était de nouveau enceinte, et loin d'être bien portante. On n'osait pas prendre le risque de la contagion, même avec une fièvre sans gravité. En l'apprenant, Déoris se tourna vers le mur, refusa de parler pendant toute la journée, et ne mentionna plus sa sœur par la suite.

Arvath lui-même venait souvent apporter les présents et les messages aimants de Domaris. Presque chaque jour, Chédan faisait de brèves visites, timide et gauche. Rajasta vint une fois, avec des fruits délicats pour tenter l'appétit capricieux de Déoris, ne tarissant pas de louanges pour le travail qu'elle avait accompli pendant l'épidémie.

Quand la mémoire commença à lui revenir et que le souvenir de l'étrange comportement de Rivéda émergea de son délire, elle s'enquit de l'adepte des tuniques grises. On lui dit que Rivéda était parti pour un long voyage, mais Déoris fut secrètement persuadée qu'on lui mentait, qu'il était mort pendant l'épidémie. Son chagrin se tarit à sa source ; sa longue maladie et sa convalescence plus longue encore avaient asséché les eaux profondes de ses émotions ; Déoris s'abandonna aux gestes habituels de la vie, sans grand intérêt pour le passé, le présent ou le futur.

Plusieurs semaines s'écoulèrent avant qu'on ne lui permît de quitter son lit, et des mois avant qu'elle ne pût se promener dans les jardins. Quand elle fut enfin assez bien portante, elle retourna à ses devoirs au temple de Caratra. D'une façon relative, car tous s'étaient unis en une sorte de conspiration pour lui assigner des tâches faciles qui n'exigeraient pas trop de ses forces renaissantes. Tout en se rétablissant, elle consacra la majeure partie de son temps à ses études et assista à des conférences données par des apprentis guérisseurs, mais elle ne pouvait les accompagner dans leurs tournées ; elle se glissait souvent dans un coin de la bibliothèque pour écouter de loin les discussions des prêtres de la Lumière. Maintenant prêtresse, elle avait droit au secours d'un scribe ; on jugeait plus profitable d'écouter que de lire, estimant que l'ouïe pouvait se concentrer plus facilement que le regard.

Le soir de son seizième anniversaire, Déoris fut envoyée par une des prêtresses sur une colline qui surplombait le champ des Etoiles afin de cueillir des fleurs médicinales. La longue marche avait épuisé ses forces et elle s'assit un moment pour se reposer avant de commencer sa tâche quand soudain, en levant la tête, elle vit l'adepte Rivéda qui venait dans sa direction le long du chemin illuminé de soleil. Pendant un moment, elle ne put que le contempler. Elle avait été tellement certaine de sa mort qu'elle pensa un instant que la frange entre vie et mort s'était faite plus étroite et qu'elle voyait à présent son fantôme... puis, convaincue de ne pas avoir d'hallucination, elle poussa un cri et courut vers lui.

Il la vit et lui tendit les bras.

— Déoris, dit-il, et il la prit par les épaules. J'étais inquiet à ton sujet. On m'a dit que tu avais été gravement malade. Vas-tu tout à fait bien, maintenant ?

Ce qu'il voyait sur le visage de la jeune fille lui donna de toute évidence une réponse satisfaisante.

— Je... je vous croyais mort.

Son sourire rude était plus chaleureux qu'à l'accoutumée :

— Non, comme tu peux le voir, je suis bien vivant. J'ai fait un voyage jusqu'en Atlantis. Je t'en parlerai peut-être un jour... Je suis venu te voir avant mon départ, mais tu étais trop malade pour me reconnaître. Que fais-tu ici ?

— Je cueille des fleurs de shaing.

Rivéda eut un petit reniflement amusé :

— Oh, quelle utilisation tout à fait excellente de tes talents ! Eh bien, maintenant que je suis de retour, peut-être pourrai-je te trouver des tâches plus appropriées. Mais pour le moment, j'ai les miennes, et je dois te laisser retourner à tes fleurs. (Il sourit de nouveau :) Un devoir aussi important ne doit pas être interrompu par un simple adepte !

Déoris se mit à rire, soudain de bonne humeur, et Rivéda se pencha pour lui donner un baiser léger avant de repartir. Il n'aurait pu lui-même expliquer ce baiser : il n'était pas enclin à des actions impulsives. Tandis qu'il se hâtait vers le temple, il se sentit curieusement troublé en se rappelant les yeux las de l'adolescente. Déoris ne serait jamais très élancée mais elle avait beaucoup grandi pendant sa maladie. Mince, frêle, mais belle, d'une beauté fragile et diaphane, elle n'était plus une enfant et pourtant pas encore une femme. Rivéda, agacé du tour que prenaient ses pensées, se demanda où en étaient les aspirations amoureuses du jeune Chédan. Non, décida-t-il, ce n'est pas cela. Déoris n'avait pas l'air d'une jeune fille perdue dans une passion naissante, ou submergée par la conscience de sa sexualité. Elle l'aurait manifesté s'il en avait été ainsi ; elle lui avait *permis* ce baiser avec toute l'innocence d'une enfant.

Rivéda ne savait pas que Déoris l'avait suivi des yeux jusqu'à ce qu'il fût hors de vue, et que son visage empourpré était de nouveau plein de vie.

3

Choix et karma

I

Tel le vol soyeux de milliers d'ailes couleur indigo, la nuit descendait dans le ciel sans lune, sur les tours du temple et les toits de la cité antique qui s'étendait à ses pieds, perdue dans les replis de pénombre. Un réseau de lumières clair-semées étendait son filet dans l'obscurité, et plus loin une vague phosphorescence entourait la noirceur plus profonde du port. La lueur atténuée des étoiles palpitait autour des parapets qui bordaient la terrasse de la grande pyramide, diffusant une brume fantomatique autour de deux silhouettes emmitouflées.

Déoris frissonnait un peu dans la brise aigre et tenait à deux mains les pans de son manteau à capuche. Mais le vent les agitait et elle finit par rejeter le capuchon en arrière, laissant ses courtes boucles flotter sans contrainte. Elle se sentait un peu effrayée, et très jeune.

Le visage de Rivéda était d'une austère sévérité dans la lumière pâle. Il méditait, dans un calme distant et inhumain. Il n'avait pas prononcé un seul mot depuis qu'ils étaient arrivés sur la terrasse, et les quelques timides tentatives de Déoris s'étaient abîmées dans le silence devant son immobilité. Quand, tout à coup, il fit un mouvement, une soudaine terreur la fit sursauter.

Il se pencha au-dessus du parapet, silhouette noire en appui sur une main et, d'un ton impérieux, demanda :

— Dis-moi ce qui te trouble, Déoris.

— Je ne sais pas, murmura-t-elle. Tant de choses nouvelles

256

arrivent en même temps. (Sa voix se durcit :) Ma sœur Domaris va avoir un autre bébé !

Rivéda la regarda un instant, les yeux plissés :

— Je le savais. Que pensais-tu donc ?

— Oh, je ne sais pas... (Les épaules de la jeune fille s'affaissèrent :) C'était différent, je ne sais pourquoi, avec Micon. Il était...

— C'était un fils du Soleil, suggéra aussitôt Rivéda, et il n'y avait pas l'ombre d'une moquerie dans sa voix.

Déoris leva les yeux, presque avec désespoir.

— Oui. Mais Arvath... et si tôt. Comme des animaux... Rivéda, *pourquoi* ?

— Qui peut le dire ? répliqua Rivéda, et sa voix se fit plus basse, peinée, adoptant le ton de la confidence : C'est vraiment dommage. Domaris aurait pu aller si loin...

Déoris le dévisagea, le regard plein de questions avides et muettes. L'adepte sourit, très légèrement, les yeux perdus au loin.

— L'esprit d'une femme est chose étrange, Déoris. On t'a gardée dans l'innocence, et tu ne peux encore comprendre à quel point une femme est soumise à son corps. Je ne dis pas que c'est mal, seulement c'est extrêmement dommage.

Il fit une pause, et sa voix s'assombrit :

— Mais, enfin, Domaris a choisi sa voie. Je m'y attendais, et pourtant... (Il baissa les yeux sur Déoris :) Tu m'as demandé *pourquoi*. Pour la même raison qui fait entrer tant de jeunes filles au temple gris comme *saji* pour participer à la magie sans en comprendre le sens. Mais nous, les magiciens, nous préférerions que nos femmes soient libres, nous préférerions en faire des *sakti sidhana*. Sais-tu de quoi il s'agit ?

Elle secoua la tête en silence.

— C'est une femme qui peut utiliser ses pouvoirs pour guider et compléter la force d'un homme. Domaris avait ce genre de force, elle avait le potentiel... (Il fit une pause, lourde de signification :) Autrefois.

— Plus maintenant ?

Rivéda ne répondit pas directement, mais murmura, pensif :

— Les femmes en ont rarement le besoin, le désir, ou le courage. Pour la plupart, apprendre est un jeu, le savoir un jouet... la réussite une simple sensation.

— Mais y a-t-il une autre voie pour une femme ? demanda Déoris avec timidité.

— Une femme de ta caste ? (L'adepte haussa les épaules :) Je n'ai pas le droit de te donner de conseil. Et pourtant, Déoris...

Il s'interrompit un bref instant, mais un cri féminin de terreur vint détruire leur complicité naissante. Il fit volte-face, aussi vif qu'un félin en chasse. Derrière lui, Déoris avait sursauté, les mains à la gorge. Au tournant du long escalier, elle distingua deux silhouettes vêtues de blanc et une troisième, une ombre grise accroupie qui s'était soudain dressée devant les arrivants.

Rivéda prononça sèchement quelques mots en une langue étrangère, puis s'adressa avec cérémonie aux tuniques blanches :

— Ne soyez pas inquiets, le pauvre garçon n'est pas dangereux, mais il n'a pas tous ses esprits.

Accrochée au bras de Rajasta, Domaris murmura d'une voix entrecoupée :

— Il est sorti de l'ombre... comme un fantôme.

Le rire chaud et puissant de Rivéda résonna dans l'obscurité :

— Je vous donne ma parole qu'il est bien vivant, et inoffensif.

Ce qui se révéla exact, car le chéla vêtu de gris disparut de nouveau précipitamment dans la pénombre, et ils le perdirent de vue. D'une voix si déférente que c'en était une moquerie, Rivéda poursuivit :

— Seigneur gardien, je vous salue. C'est un plaisir que j'avais cessé d'espérer.

— Vous êtes trop aimable, Rivéda, dit Rajasta d'un ton acéré. J'espère que nous n'avons pas interrompu vos méditations ?

— Non, car ne j'étais pas seul, répliqua l'adepte, suave, en faisant signe à Déoris de s'avancer.

— Vous aviez oublié ma dame, ajouta-t-il en s'adressant à Domaris de faire apprécier à votre sœur la vue qu'on peut avoir depuis cette terrasse... un spectacle à ne pas manquer par nuit claire.

Déoris, en retenant dans le vent le capuchon qu'elle avait

relevé, contemplait les arrivants d'un œil morose, et Domaris lâcha le bras de Rajasta pour s'approcher d'elle :

— Eh bien, si j'y avais pensé, je t'aurais amenée là depuis longtemps, murmura-t-elle en plongeant son regard dans celui de sa sœur.

Dans l'instant précédant l'apparition du chéla qui l'avait terrifiée, elle avait vu Rivéda et Déoris très proches l'un de l'autre, dans ce qui avait ressemblé à une étreinte ; ce spectacle lui avait fait courir des frissons glacés le long de l'échine. Elle prit la main de Déoris et attira sa sœur vers le parapet :

— La vue est vraiment belle d'ici, on peut voir le chemin que trace la lune sur la mer... (Elle baissa la voix et murmura :) Déoris, je ne veux pas te déranger, mais de quoi parliez-vous ?

La silhouette massive de Rivéda se tenait derrière elle :

— Je discutais des mystères avec Déoris, ma dame. Je désirais savoir si elle avait choisi la voie où sa sœur marche avec tant de distinction.

Ses paroles étaient courtoises, et même déférentes, mais quelque chose dans son intonation fit froncer les sourcils de Rajasta ; les poings serrés, dans une colère presque incontrôlable, le prêtre de la Lumière dit d'une voix brève :

— Déoris est aspirante prêtresse de Caratra.

— Mais je sais cela, sourit Rivéda. Avez-vous oublié que c'est moi qui lui ai conseillé d'être ainsi initiée ?

— Vous avez fait preuve d'une grande sagesse, en l'occurrence, répondit Rajasta en se forçant délibérément au calme. Puissent vos conseils être toujours aussi sages. (Il jeta un coup d'œil au chéla, qui avait reparu à quelques pas :) Avez-vous enfin trouvé la clé de ce qui se dissimule dans son âme ?

Rivéda secoua la tête :

— Et je n'ai pas non plus trouvé en Atlantis de quoi l'éveiller. Pas encore. (Après une pause, il reprit :) Je crois qu'il possède un vaste savoir magique. Je l'ai intégré au cercle des chélas l'autre nuit.

Rajasta sursauta :

— Avec cet esprit déficient ? accusa-t-il. Dépourvu de conscience ? (Il avait une expression profondément préoccupée :) Permettez-moi de vous donner un conseil, pour une fois, Rivéda, non comme gardien mais comme parent, ou comme ami. *Soyez prudent*, pour votre propre salut. Ce garçon est... vide, un réceptacle idéal pour les pires dangers.

Rivéda s'inclina, mais Déoris vit ses mâchoires se crisper :

— Mes capacités d'adepte, mon cousin, sont... appropriées et suffisantes... pour protéger ce conduit, cracha le tunique grise d'une voix hachée. Ayez la courtoisie... mon ami... de me laisser veiller à mes propres affaires !

Rajasta soupira et, avec un calme patient, reprit :

— Vous pourriez lui détruire l'esprit.

Rivéda haussa les épaules :

— Il n'y a pas grand-chose à détruire, souligna-t-il. Et j'ai une chance de l'éveiller. (Il s'interrompit, puis, avec une lenteur à l'emphase menaçante :) Peut-être ferais-je mieux de l'envoyer au village des idiots ?

Il y eut un long silence effrayé. Domaris sentit tous les muscles de Déoris se raidir et ses épaules trembler d'horreur. Désireuse de la réconforter, elle serra la main de sa sœur, mais Déoris la lui arracha et s'écarta.

— Vos soupçons sont totalement dépourvus de fondement, Rajasta, poursuivit Rivéda, très calme. Je cherche seulement à rendre ce malheureux à lui-même. Je ne suis pas un sorcier noir. Vos insinuations m'offensent, seigneur gardien.

— Vous savez que je n'ai pas l'intention de vous insulter, dit Rajasta, et sa voix était très lasse, comme celle d'un très vieil homme. Mais il en est parmi votre ordre que nous ne pouvons contraindre.

Rivéda resta immobile, les contours de son menton levé trahissant un doute inaccoutumé. Puis il capitula et rejoignit Rajasta près du parapet :

— Ne soyez pas irrité, dit-il, presque contrit. Je n'avais pas l'intention de vous offenser.

Le prêtre de la Lumière ne lui accorda pas même un regard :

— Puisque nous ne pouvons nous parler sans nous offenser mutuellement, taisons-nous, dit-il avec froideur.

Rivéda, piqué par cette rebuffade, se redressa et contempla le port en silence.

La pleine lune se leva lentement, comme une bulle dorée sur les vagues, portée par l'écume dans le jeu féerique de la lumière. Déoris poussa un long soupir de ravissement en regardant la mer inondée de lune, et les toits... Elle sentit la main de Rivéda sur la sienne et se rapprocha un peu de lui. Le vaste globe d'un jaune orangé s'éleva graduellement au-dessus de la mer houleuse, illuminant peu à peu leurs visages. Déoris se détachait de l'obscurité comme un fantôme, Domaris était pâle sous la capuche de ses amples robes couleur de givre ; Rajasta formait une tache lumineuse contre le parapet le plus éloigné, et Rivéda se découpait comme un pilier noir sur la lune. Derrière eux, une silhouette sombre était accroupie contre la corniche de l'escalier, invisible, oubliée.

Déoris se mit à distinguer des détails dans le décor illuminé par la lune : l'ombre des bateaux aux voiles repliées, leurs mâts solitaires sur la mer phosphorescente, la masse noire de la cité du Serpent en cercle, où des lumières palpitaient et se mouvaient dans les rues. Curieuse, elle leva une main et traça les contours de la cité et du port, pour laisser échapper une petite exclamation de surprise :

— Seigneur Rivéda, regardez ! Si on suit d'ici les contours de la cité, on fait le signe sacré !

— C'était voulu ainsi, je crois, répondit Rivéda à voix basse. Le hasard est souvent un artiste, mais jamais à ce point.

Une voix basse appela :

— Domaris ?

— Je suis là, Arvath !

La silhouette de son époux, dans sa tunique blanche, se détacha des ombres pour les rejoindre. Il sourit en jetant un coup d'œil autour de lui :

— Mes salutations, seigneur Rajasta, seigneur Rivéda, et toi, petite Déoris... Non, je ne dois plus t'appeler ainsi désormais, n'est-ce pas, chaton ? Salut à la prêtresse Adsartha, du temple de Caratra.

Et il lui fit une révérence profonde, burlesque.

Déoris ne put s'empêcher de rire puis, avec un petit mouvement de tête, elle lui tourna le dos.

Arvath sourit en passant un bras autour de la taille de sa femme :

— Je pensais bien te trouver là, dit-il, la voix assombrie d'inquiétude et de reproche en la contemplant : Tu as l'air fatiguée. Quand tu finis ton service, tu devrais te reposer, et non t'épuiser à monter ces marches interminables.

261

— Je ne suis jamais fatiguée, dit-elle d'une voix lente, pas vraiment.

— Je sais, mais...

Le bras se resserra un peu autour d'elle.

La voix de Rivéda résonna dans les ombres avec une intonation curieusement dure :

— Aucune femme n'accepte un conseil sensé.

Domaris leva fièrement le menton :

— Je suis une personne avant d'être une femme.

Rivéda laissa ses yeux s'attarder sur elle, avec l'étrange et solennelle révérence qui l'avait déjà effrayée auparavant. Il répliqua lentement :

— Je ne crois pas, dame Isarma. Vous êtes une femme, d'abord et toujours. N'est-ce pas tout à fait évident ?

Arvath fronça les sourcils et fit un pas en avant, mais Domaris le retint par le bras :

— Je t'en prie, murmura-t-elle, ne l'irrite pas. Il n'a pas l'intention de m'insulter, je pense. Il n'est pas de notre caste, nous pouvons ignorer ses paroles.

Arvath se calma et murmura en retour :

— C'est la femme que j'aime en toi, ma très chère. Le reste t'appartient. Je n'interfère pas.

— Je sais, je sais, souffla-t-elle pour l'apaiser.

Rajasta, avec une bonté généreuse, ajouta :

— Je ne crains pas pour elle, Arvath. Je sais qu'elle est femme aussi bien que prêtresse.

Rivéda jeta un coup d'œil à Déoris, avec une moquerie raffinée :

— Nous sommes trop nombreux, dit-il à voix basse, et il attira la jeune fille plus loin contre le parapet donnant au sud, où ils se tinrent en silence, absorbés, contemplant les feux qui palpitaient et dansaient en contrebas sur la digue.

Arvath se tourna vers Rajasta, s'excusant en partie :

— Je ne suis que trop un homme quand il s'agit de Domaris, dit-il avec un sourire ironique.

Rajasta lui rendit aimablement son sourire :

— C'est facile à comprendre, mon fils, dit-il.

Il observa Domaris avec attention. La clarté de la lune atténuait le splendide éclat de ses cheveux roux, étendus tel un manteau sur ses épaules, et adoucissait la fatigue de son jeune visage. Mais Rajasta n'avait pas besoin de lumière pour la voir. Et pourquoi a-t-elle été si prompte à dénier qu'elle pût être surtout une femme ? se demanda-t-il. Il se détourna et regarda la mer, réticent à se souvenir. *Quand elle portait l'enfant de Micon, elle était toute féminité, presque avec arrogance, et elle y trouvait une grande fierté, et un profond plaisir. Pourquoi parle-t-elle maintenant avec tant de rébellion, comme si Rivéda l'avait insultée alors qu'il voulait lui faire le plus grand compliment qu'il puisse accorder ?*

Tout à coup souriante, Domaris passa un bras autour de la taille de son époux et l'autre autour de celle de Rajasta, les attirant contre elle. Elle se laissa aller légèrement contre Arvath, assez pour donner l'impression d'une affection soumise. Domaris n'était pas stupide, elle savait quelle amertume Arvath réprimait avec tant de volonté ; aucun homme ne compterait jamais beaucoup pour elle — excepté celui dont elle écartait le souvenir de sa vie présente avec une résolution tout aussi profonde ; mais aucune femme ne peut être entièrement indifférente à l'homme dont elle porte l'enfant.

Avec un petit sourire sage et secret, qui contribua beaucoup à rassurer le gardien, elle se pencha pour poser un baiser sur la joue de son époux :

— Je devrai bientôt demander à être relevée de mes devoirs au temple, Rajasta, car j'aurai d'autres préoccupations, leur dit-elle en souriant toujours. Arvath, ramène-moi à la maison, maintenant. Je suis lasse, et je voudrais me reposer.

Rajasta suivit le jeune couple, tandis qu'Arvath, d'un geste tendrement possessif, accompagnait sa femme dans l'escalier. Le prêtre se sentait rassuré : Domaris était en sécurité avec Arvath, sans aucun doute.

Tandis que les autres disparaissaient dans l'obscurité, Rivéda se tourna et soupira, avec une certaine tristesse :

— Eh bien, Domaris a choisi. Et toi, Déoris ?

— Non !

C'était un petit cri révulsé.

— L'esprit d'une femme est une chose étrange, répéta Rivéda, pensif. La femme est bien plus sensible, son corps même réagit à l'influence infime de la lune et des marées. Et elle possède de façon innée toute la force et la réceptivité qu'un homme doit passer des années à acquérir — en y mettant tous ses efforts. Mais alors que l'homme aspire à monter, la femme tend à s'enchaîner. Le mariage, l'esclavage du désir, la brutalité de la grossesse, la servitude de l'épouse et de la mère... et sans une protestation ! Au contraire, elle aspire à cette condition, et pleure si elle lui est refusée !

Un écho lointain résonna brièvement, comme pour se moquer de Déoris. C'était Domaris, longtemps auparavant : *Qu'est-ce qui t'a mis ces idées folles en tête ?*

Mais Déoris, avide de connaître les pensées de Rivéda, trop prête à écouter les justifications qu'il pouvait fournir à sa propre rébellion, ne protesta donc que faiblement :

— Mais il faut bien qu'il y ait des enfants, non ?

Il haussa les épaules :

— Il y a toujours assez de femmes qui ne sont bonnes qu'à cela, dit-il. Autrefois, j'ai rêvé d'une femme qui aurait la force et la résistance d'un homme, mais la sensibilité d'une femme. Une femme capable d'abandonner les chaînes qu'elle s'impose à elle-même. J'ai autrefois pensé que Domaris était cette femme. Et crois-moi, elles sont rares, et précieuses ! Mais elle a fait un autre choix.

Il se tourna vers Déoris, et son regard perçant, incolore sous la lune, scruta le visage levé vers lui ; il prit sa voix de baryton aux accents profonds, comme lorsqu'il chantait :

— Mais je crois que j'en ai trouvé une autre. Déoris, es-tu...

— Quoi ? souffla-t-elle.

— Es-tu vraiment cette femme ?

Déoris prit une profonde inspiration tandis que crainte et fascination déferlaient en elle.

La main ferme de Rivéda trouva ses épaules, et il répéta, avec une douce persuasion :

— Es-tu celle-là, Déoris ?

Un mouvement dans l'obscurité, et le chéla de Rivéda sortit de l'ombre pour se matérialiser devant eux. Déoris sentit sa chair se hérisser d'horreur : elle avait peur de Rivéda, peur d'elle-même, et elle éprouvait une sorte de haine maladive pour le chéla. Elle s'arracha aux mains de l'adepte et s'enfuit en courant, mais elle entendait quand même le murmure de Rivéda se répercuter avec insistance dans son esprit : *Es-tu cette femme ?*

Et Déoris murmura, pour elle-même, plus que terrifiée à présent, et pourtant toujours fascinée :

— Suis-je cette femme ?

4

Le sommet et les profondeurs

I

Les volets ouverts laissaient passer les tremblotements incessants des éclairs de chaleur. Déoris reposait sur sa couche, incapable de dormir sous l'assaut des pensées aussi vagabondes que les éclats de lumière. Elle avait peur de Rivéda et pourtant — elle l'avait admis depuis longtemps — il éveillait en elle une émotion étrange, une tension presque physique ; il avait pris de plus en plus de place dans sa conscience, il appartenait à son imagination. Si naïve qu'elle fût, son instinct disait à Déoris qu'elle avait atteint avec Rivéda un point de non-retour ; leur relation avait changé d'une manière soudaine et irrévocable.

Elle soupçonnait de ne pouvoir supporter une intimité plus grande avec lui, mais en même temps elle trouvait insupportable l'idée de l'écarter de sa vie. Or c'était la seule autre option. La clarté d'esprit de Rivéda, sa vivacité faisaient paraître Rajasta lui-même pompeux et maladroit... Avait-elle jamais sérieusement pensé à suivre les pas de Domaris ?

Un bruit léger vint interrompre ses pensées, et le pas familier de Chédan résonna sur les dalles tandis qu'il s'approchait d'elle.

— Tu dors ? murmura-t-il.

— Oh, Chédan... toi ?

— J'étais dans la cour, et je n'ai pu... (Il se laissa tomber sur le bord du lit.) Je ne t'ai pas vue de toute la journée. Et c'est ton anniversaire, en plus. Quel âge as-tu ?

— Seize ans. Mais tu le sais bien.

Déoris s'assit, entourant ses genoux de ses bras minces.

— J'aurais un présent pour toi, si j'étais sûr que tu veuilles l'accepter, murmura Chédan.

Son intention était claire, et Déoris se sentit rougir dans la pénombre tandis que Chédan poursuivait, taquin :

— Ou te gardes-tu vierge pour satisfaire à de plus hautes ambitions ? Je t'ai vue quand Cadamiri t'a emportée inconsciente de chez le prince Micon, l'an dernier ! Oh, comme Cadamiri était furieux ! De toute la journée, personne ne lui a parlé sans se faire rabrouer vertement. Il te donnerait des conseils, lui, Déoris...

— Ses conseils ne m'intéressent pas ! dit sèchement Déoris, les nerfs mis à vif par cette taquinerie.

Deux impulsions contradictoires combattaient de nouveau en elle : rire de Chédan ou le gifler. Elle n'avait jamais accepté le comportement détendu et le franc-parler de la demeure des Douze. Ses propres pensées étaient pourtant si confuses qu'elles constituaient une bien mauvaise compagnie, et elle n'avait pas envie d'être seule avec elles.

Chédan se pencha et lui passa un bras autour de la taille. Déoris se soumit avec une sorte d'acceptation passive, mais elle écarta ses lèvres des siennes.

— Non, dit-elle, boudeuse, je n'arrive pas à respirer.

— Tu n'en auras pas besoin, dit-il, d'une voix plus basse qu'à l'accoutumée, et Déoris ne protesta guère.

Elle aimait la chaleur de ses bras autour d'elle, la façon dont il la tenait, délicatement, comme quelque chose de très fragile... Mais il y avait cette nuit une urgence nouvelle dans ses baisers. Elle en fut un peu effrayée et s'écarta de lui, inquiète, murmurant quelques vagues protestations.

De nouveau le silence, la lueur intermittente des éclairs dans la pièce, et ses pensées qui s'aventuraient au bord des rêves...

Soudain, avant qu'elle pût l'en empêcher, Chédan était étendu près d'elle et ses bras s'insinuaient sous sa tête, puis, de toute la force de son jeune corps musclé, il l'obligeait à s'étendre. Couché sur elle, il prononçait des paroles incohérentes, ponctuées de baisers d'une effrayante passion. Un instant, la surprise et une sorte de lassitude rêveuse la tinrent immobile... puis une vague de répulsion fit hurler toutes les fibres de son être.

Elle se débattit et s'arracha à son étreinte, se leva précipitamment. Ses yeux brûlaient de stupeur et de honte.

— Comment oses-tu, bégaya-t-elle, comment oses-tu ?

Chédan resta bouche bée. Il se redressa lentement, et murmura, d'une voix pleine de remords, en lui tendant les bras :

— Déoris, ma douce, t'ai-je fait peur ?

Elle fit un petit saut maladroit pour lui échapper :

— Ne me touche pas !

— Déoris, je ne comprends pas. Qu'ai-je fait ? Je regrette. Je t'en prie, ne me regarde pas ainsi, implora-t-il, inquiet et honteux, fâché de s'être conduit comme un imbécile trop pressé. (Il lui effleura l'épaule :) Déoris, tu ne pleures pas ? Non, je t'en prie, je suis désolé, ma douce. Reviens là. Je promets de ne pas te toucher. Vois, je le jure. (Il ajouta, déconcerté :) Mais je n'ai pas pensé que tu ne voulais vraiment pas.

Elle pleurait à présent, et des sanglots sonores la secouaient.

— Va-t'en, va-t'en !

— Déoris ! (La voix encore mal assurée de Chédan passa dans un registre aigu.) Arrête de pleurer ainsi, on va t'entendre, petite sotte ! Je ne vais plus te toucher, jamais sans que tu le veuilles ! Je n'ai jamais violé personne de ma vie et je ne commencerai certainement pas avec toi ! Arrête maintenant, Déoris, arrête ! (Il lui prit les épaules et la secoua un peu :) Si on t'entend, on...

La voix de Déoris avait des accents aigus, hystériques :

— Va-t'en, va-t'en, c'est tout !

Les mains de Chédan retombèrent et ses joues s'empourprèrent. Sa fierté était blessée.

— Très bien, je m'en vais, dit-il d'une voix brève, et la porte claqua derrière lui.

Secouée de tremblements nerveux, Déoris se glissa dans son lit et rabattit le drap par-dessus sa tête. Elle avait honte, elle était malheureuse, et sa solitude était une présence trop tangible entre les murs. Même Chédan aurait été un réconfort.

Agitée, elle se leva et erra dans la pièce. Que s'était-il passé ? Elle avait été contente dans les bras de Chédan, la proximité du jeune homme avait en partie consolé et comblé le vide de son cœur et, l'instant d'après, une révolte furieuse avait traversé tout son corps. Pourtant, pendant des années, Chédan et elle s'étaient rapprochés lentement et inexorablement de ce moment ; tout le monde au temple pensait probablement qu'ils étaient déjà amants ! Pourquoi, confrontée à cette perspective, avait-elle explosé en un tel refus passionné ?

Obéissant à une impulsion, elle passa une cape légère sur son vêtement de nuit et sortit sur la pelouse. La rosée était froide à ses pieds, mais l'air humide de la nuit agréable sur son visage brûlant. Elle s'avança dans les rayons de la lune, et l'homme qui gravissait lentement le chemin retint son souffle avec une brusque satisfaction.

— Déoris ! dit Rivéda.

Elle fit volte-face, terrifiée, et pendant un instant l'adepte crut qu'elle allait s'enfuir ; puis elle reconnut sa voix et un long soupir trembla sur ses lèvres.

— Rivéda ! J'ai eu peur... c'est bien vous ?

— Nul autre, dit-il en riant, et il s'approcha d'elle, son grand corps se découpant sur les étoiles, ses robes scintillant comme du givre ; il semblait attirer la noirceur à lui pour la diffuser alentour.

Déoris lui tendit une petite main confiante, et il la prit.

— Mais, Déoris, tu es pieds nus ! Qu'est-ce qui t'a ainsi amenée à moi ? Non que j'en sois mécontent, ajouta-t-il.

Elle baissa les yeux, de nouveau consciente et honteuse de ce qui s'était passé :

— A... vous ? demanda-t-elle, méfiante.

— Tu viens toujours à moi, dit Rivéda.

Ce n'était pas une déclaration orgueilleuse, mais une simple constatation, comme s'il avait dit : *Le soleil se lève à l'est.*

— Tu dois le savoir à présent, c'est vers moi que vont tous tes chemins. Tu dois le savoir comme je le sais depuis longtemps. Déoris, veux-tu venir avec moi ?

Et Déoris s'entendit répondre « Bien sûr », et se rendit compte que sa décision était prise depuis longtemps. Elle murmura :

— Mais où ? Où allons-nous ?

Rivéda la contempla un instant en silence :

— A la crypte où dort le dieu, dit-il enfin.

Elle porta les mains à sa gorge. C'était un sacrilège pour une fille de la Lumière, elle le savait à présent. Et quand elle avait accompagné Rivéda, la première fois, les conséquences en avaient été épouvantables. Et pourtant Rivéda — il le disait, et elle le croyait — n'était pas responsable de ce qui était alors arrivé. *Ce qui était alors arrivé.* Elle lutta pour se souvenir, mais son esprit n'était que brume. Elle murmura :

— Dois-je...

Sa voix se brisa.

Les mains de Rivéda la libérèrent, retombèrent :

— Ne plaise à tous les dieux passés, présents et à venir que je te force jamais en aucune façon, Déoris.

S'il avait ordonné, s'il avait plaidé, s'il avait essayé de la persuader, elle se serait enfuie. Mais devant son visage silencieux, elle ne put que dire gravement :

— Je viendrai.

— Viens, alors.

Il lui posa une main légère sur l'épaule, la retourna vers la pyramide :

— Je t'ai emmenée au sommet cette nuit. Maintenant, je vais te montrer les profondeurs. Cela aussi est un mystère.

Il lui prit un bras, mais c'était un contact tout à fait impersonnel :

— Fais attention où tu marches, la colline est dangereuse dans le noir, la prévint-il.

Elle le suivit, docile. Il s'arrêta un moment, se retourna vers elle, leva un bras ; mais elle recula, affolée.

— Eh bien ? murmura Rivéda d'une voix presque inaudible. J'ai eu ma réponse sans même avoir posé la question.

— Que voulez-vous dire ?

— Tu l'ignores vraiment ? (Il eut un petit rire bref, dépourvu d'amusement :) Eh bien, tu l'apprendras aussi, peut-être, mais de ta propre volonté, toujours de ta propre volonté. Souviens-t'en. Le sommet... et les profondeurs. Tu verras.

Il la guida vers le cube de ténèbres qui s'élevait devant eux.

Des marches — elle ne les comptait pas, la descente était interminable — s'enfonçaient sans fin dans une semi-obscurité où la lumière tamisée ne suscitait aucune ombre. Sur des marches de pierre froide, aussi grises que la lumière, le son léger de ses pieds nus la suivait en échos qui se réverbéraient à l'infini. Son souffle sifflait à ses oreilles et semblait se glisser derrière elle, comme une présence sur ses talons. Elle se força à continuer, une main contre la paroi... Elle avait l'impression de fuir, même si ses pieds refusaient de changer de rythme, et les échos avaient la régularité d'un battement de cœur.

Une autre spire de l'escalier. Encore des marches. La grisaille se refermait sur eux et Déoris eut un frisson qui n'était pas seulement causé par la froide humidité. Elle traversait une brume grise aux côtés de la tunique grise de Rivéda, et sa crainte des lieux clos lui serrait la gorge, la certitude de son sacrilège lui vrillait l'esprit.

Vers le fond, toujours vers le fond, à travers des éternités d'effort douloureux.

Ses nerfs lui criaient de s'enfuir, de courir, mais le froid se refermait sur elle comme des sables mouvants, ralentissant ses mouvements. Soudain, les marches s'arrêtèrent. Une dernière volée de marches conduisait à une vaste salle voûtée, illuminée d'une lueur pâle, grise et dansante. Déoris fit quelques pas timides dans ces catacombes et s'immobilisa, pétrifiée.

Elle ne pouvait savoir que le simulacre du dieu endormi se révélait d'une façon différente à chaque aspirant. Elle savait seulement ceci : longtemps, très longtemps auparavant, bien au-delà de la courte mémoire des humains, la Lumière avait triomphé et elle régnait désormais, suprême Soleil. Pourtant, même les prêtres de la Lumière le concédaient, dans les cycles infinis du temps le règne du Soleil devrait en venir à son terme, et la Lumière réintégrerait Dyaus, le dieu caché, le dormeur... Il briserait ses chaînes et régnerait dans la vaste nuit du chaos.

Les yeux agrandis de Déoris contemplaient l'image de l'homme aux mains croisées, assis sous son oiseau sculpté dans la pierre.

Elle aurait voulu hurler, mais ses cris s'éteignirent dans sa gorge. Elle s'avança à pas lents, les paroles de Rivéda encore fraîches dans sa mémoire. Et devant l'avatar qui tremblait comme un mirage, elle s'agenouilla et rendit hommage.

III

Quand elle se releva enfin, raide et frigorifiée, elle vit Rivéda qui se tenait près d'elle, la capuche rejetée loin de sa tête massive. Sa crinière argentée brillait comme une auréole dans la lumière pâle. L'un de ses rares sourires illuminait son visage.

— Tu es courageuse, dit-il avec calme. Il y aura d'autres épreuves. Mais pour l'instant, il suffit.

Il vint se tenir avec elle devant la grande idole, mais ne s'inclina pas, la tête levée vers ce qui était pour lui un dieu dressé, sans visage, formidable, sévère sans être terrifiant, un pouvoir retenu mais non prisonnier. En se demandant sous quels traits Déoris voyait l'avatar, il posa une main légère sur le poignet de la jeune fille et une brève vision lui montra le dieu qui semblait se métamorphoser et prendre un instant l'aspect d'un homme assis aux mains croisées sur la poitrine. Rivéda secoua la tête, écarta cette vision et, resserrant son étreinte sur le poignet de Déoris, il la guida sous une porte voûtée jusque dans l'enfilade de salles à l'ameublement bizarre qui s'ouvrait au sortir de la grande crypte.

Ce labyrinthe souterrain était un mystère interdit à la plupart des occupants du temple. Les membres même de la secte des tuniques grises n'y allaient que rarement, bien que leur ordre et leurs rituels servent et gardent le dieu caché.

Rivéda lui-même ne savait pas jusqu'où s'étendaient les cavernes. Il n'avait jamais essayé d'en explorer à fond l'incroyable labyrinthe qui se creusait et se divisait sous l'enceinte du temple de la Lumière et avait dû être autrefois un vaste temple souterrain quotidiennement utilisé ; Rivéda ne pouvait pas même deviner quand, ou par qui, ces vastes passages et ces appartements souterrains avaient été construits, ni dans quel but.

Selon la rumeur, la secte secrète des tuniques noires usait de ces lieux interdits pour pratiquer la sorcellerie. Mais si

Rivéda avait souvent souhaité découvrir ses adeptes, les capturer et les juger pour leurs crimes, il n'avait ni le temps ni les ressources nécessaires pour explorer davantage qu'une petite partie du labyrinthe. Une fois, en vérité, lors de la nuit du Nadir, alors que ceux qui usurpaient ce droit — des tuniques noires ou d'autres — avaient essayé de capturer les terrifiantes puissances aux voix de tonnerre qui étaient l'apanage des seigneurs d'Ahtarrath et des royaumes de la mer, Rivéda avait pénétré dans ces cavernes et là, en cette nuit funeste, il avait trouvé sept morts, foudroyés et desséchés dans leurs robes noires, les mains recroquevillées, noircis, carbonisés comme par un feu violent, le visage méconnaissable, le crâne réduit en cendres. On ne pouvait cependant ni interroger ni punir des morts. Et quand il avait essayé d'explorer plus avant les passages dédaléens du temple souterrain, il s'était vite perdu ; il lui avait fallu des heures d'épuisante errance pour retrouver son chemin, et il n'avait pas osé s'y risquer de nouveau. Il ne pouvait l'explorer seul, et il n'y avait encore personne en qui il pût avoir assez confiance pour l'aider. Maintenant, peut-être... mais il écarta cette pensée, appelant à son aide des années de discipline. Ce temps n'était pas encore venu. Peut-être ne viendrait-il jamais.

Il conduisit Déoris dans l'une des salles les plus proches. Meublée avec austérité, dans un style antique, elle était faiblement éclairée par l'une de ses lampes éternelles dont les secrets résistaient toujours aux prêtres de la Lumière. Dans son éclat dansant, on pouvait distinguer les symboles énigmatiques et très anciens dont étaient décorés meubles et murs. Rivéda était heureux que la jeune fille ne pût les déchiffrer. Il en avait lui-même appris la signification depuis peu, après bien des efforts, et, malgré son sang-froid, leur obscénité l'avait ébranlé.

— Assieds-toi ici près de moi, lui ordonna-t-il, et la jeune fille obéit comme une enfant.

Derrière eux, tel un fantôme, le chéla franchit la porte et resta immobile, les yeux vides, comme aveugles. Rivéda se pencha, le menton en appui sur les mains, et Déoris le regarda, un peu curieuse, mais confiante.

— Déoris, dit-il enfin, il y a beaucoup de choses qu'un homme ne peut jamais savoir. Des femmes comme toi ont une certaine... conscience qu'aucun homme ne peut acquérir. Ou ne peut acquérir que sous la ferme conduite d'une telle femme.

Il fit une pause, et ses yeux froids étaient pensifs quand ils rencontrèrent ceux de Déoris :

— Une telle femme doit posséder courage, force, savoir et intuition. Tu es très jeune, Déoris, tu as encore beaucoup à apprendre, mais je crois plus que jamais que tu pourrais être une femme comme celle-là.

Il s'interrompit de nouveau, fit une pause qui donna un puissant relief à ses paroles. D'une voix plus profonde, il reprit :

— Je ne suis pas jeune, Déoris, et peut-être n'ai-je pas le droit de te demander cela, mais tu es la première à qui j'ai le sentiment de pouvoir faire confiance... ou que j'ai le sentiment de pouvoir suivre.

Sur ces paroles, son regard s'était brièvement détourné ; il la regarda de nouveau bien en face :

— Y consentirais-tu ? Me laisserais-tu te guider et t'instruire, t'amener à prendre conscience de la force qui est en toi, pour qu'un jour tu me guides à ton tour sur cette voie que nul homme ne peut parcourir seul, et où seule une femme peut le mener ?

Déoris pressa ses mains contre sa poitrine, persuadée que l'adepte pouvait entendre le battement de son cœur. Elle se sentait étourdie, elle avait la nausée, la panique lui donnait l'impression de ne pas toucher terre, mais elle savait surtout à quel point toute autre vie serait vide pour elle. Elle avait une envie frénétique de crier, d'exploser en un rire dévastateur, hystérique, mais elle força ses lèvres rebelles à lui obéir :

— Je le ferai, si vous pensez que je suis assez forte, murmura-t-elle, puis l'émotion l'étrangla, elle se sentit comme abasourdie par l'intensité de son adoration pour cet homme.

C'était tout ce qu'elle désirait, tout ce qu'elle avait jamais désiré : être plus proche de lui, plus intime qu'un acolyte avec son chéla, plus intime qu'aucune femme n'avait jamais pu l'être avec un homme... mais elle tremblait de savoir à quoi elle s'engageait ; elle avait une idée des chaînes que les tuniques grises imposaient à leurs femmes. Oui, elle serait... proche de Rivéda. Comment était-il, sous son masque cynique et moqueur ? Ce masque qui avait un peu glissé cette nuit...

La bouche de Rivéda frémit, comme s'il luttait contre une puissante émotion. Sa voix était étouffée, pour une fois presque douce :

— Déoris, dit-il, et il sourit faiblement, je ne peux t'appeler mon acolyte, les liens de cette relation sont bien définis, et ce que je désire se trouve au-delà. Le comprends-tu ?

— Je... je crois.

— Pendant un certain temps... je t'impose d'obéir... et de t'abandonner. Nous devons nous connaître totalement et... (Il relâcha la main de Déoris et regarda la jeune fille, un silence bref mais total donnant un accent particulier à ses paroles :) ... et de façon intime.

— Je... je sais, dit Déoris en essayant de garder une voix ferme. Je l'accepte aussi.

Rivéda inclina la tête — approbation laconique — comme s'il ne prêtait pas d'attention spéciale à ses paroles. Mais Déoris sentait qu'il était à présent moins sûr de lui. Et Rivéda doutait, en effet, au point d'en être effrayé ; il avait peur de briser par une parole ou un geste imprudent le charme magique dans lequel, sans l'avoir voulu, il avait plongé la jeune fille. Comprenait-elle réellement ce qu'il exigeait d'elle ? Il n'en savait rien.

Puis, d'un geste qui le surprit, Déoris se laissa glisser à genoux devant lui, la tête inclinée, en un abandon si absolu que Rivéda sentit sa gorge se serrer d'une émotion qui lui avait longtemps été étrangère.

Il la releva avec douceur et l'attira vers lui.

— Je t'ai déjà dit que je ne suis pas un homme à qui il faut faire confiance, dit-il d'une voix étouffée. Mais, Déoris, puissent les dieux me traiter comme je te traite !

Et ces paroles étaient un serment plus solennel encore que celui de Déoris.

Une protestation à demi instinctive, quand les mains de l'adepte se posèrent sur elle, un dernier vestige de crainte la traversèrent, puis moururent. Elle se sentit emportée, et la force de Rivéda lui fit pousser un petit cri étonné. Elle eut à peine conscience du mouvement, mais elle sut qu'il l'avait étendue sur une couche et se penchait sur elle, sa silhouette noire se découpant dans la lumière. Elle se rappelait plus qu'elle ne voyait la ligne cruelle de ses maxillaires, le dessin tendu de sa bouche à l'expression intense. Ses yeux étaient aussi froids qu'une aurore boréale, et aussi lointains.

Personne, et certainement pas Chédan, ne l'avait jamais touchée ainsi, personne ne l'avait touchée autrement qu'avec douceur, et elle sanglota un instant dans un spasme final de terreur. *Domaris... Chédan... l'homme aux mains croisées... le masque mortuaire de Micon...* L'instant d'un éclair, ces images se déployèrent dans son esprit avant qu'elle ne sentît le visage rude contre le sien, et les mains fortes et habiles sur les attaches de sa robe de nuit. Ensuite, il n'y eut plus que la lumière dansante, l'ombre d'une image... et Rivéda.

Le chéla, avec des murmures incohérents, resta accroupi jusqu'à l'aube sur le sol de pierre.

5

Paroles

I

Sous une tonnelle de vigne grimpante, près de la demeure des Douze, se trouvait un étang profond et clair connu sous le nom de miroir de la réflexion. Selon la tradition, il y avait eu là, autrefois, un oracle. Et l'on croyait encore que, à condition de le vouloir, on pouvait dans les moments de désarroi trouver, reflétée dans les eaux limpides, la réponse que l'on cherchait.

Déoris contemplait l'étang, à plat ventre sous les feuillages, apathique, pleine d'une amère rébellion. Après ce qui s'était passé la peur s'était emparée d'elle. Elle avait commis un sacrilège, elle avait trahi sa caste et les dieux. Elle se sentait morne et abandonnée, et la vague douleur qui la transperçait par moments était comme l'écho et l'ombre d'une peine à demi oubliée. Plus aigus que le souvenir de la douleur, elle éprouvait un étonnement et une honte diffus.

Elle s'était donnée à Rivéda dans une rêverie exaltée, non comme une vierge à son amant, mais dans un abandon aussi total que celui de la victime sur l'autel d'un dieu. Et il l'avait prise (cette pensée lui vint malgré elle) comme un hiérophante guide une acolyte dans un mystère sacré. Ce n'avait pas été de la passion, mais un rite mystique d'initiation, qui l'avait totalement bouleversée.

Tout en disséquant ses émotions, Déoris s'en étonnait ; l'acte physique était sans importance, mais son intimité avec Domaris avait rendu Déoris extrêmement consciente de ses propres motivations et elle avait appris qu'il était honteux de se donner, sinon par amour. Aimait-elle Rivéda ? L'aimait-il ? Elle l'ignorait, n'en serait jamais plus certaine qu'elle ne l'était à présent.

Maintenant même, elle ignorait si sa passion initiatique, cruelle et mystique, avait été une manifestation d'ardeur ou de brutalité.

Pendant un moment, Rivéda avait effacé toute autre préoccupation pour Déoris, et c'était la principale raison de sa honte ; elle avait compté sur sa propre capacité à séparer ses émotions de l'empire de son corps. Et pourtant, s'admonesta-t-elle sévèrement, je dois me discipliner et accepter la totale domination de Rivéda. La possession de mon corps n'était qu'un moyen pour atteindre ce but, l'abandon de ma volonté à la sienne.

De tout son cœur elle désirait suivre la voie de l'accomplissement spirituel que Rivéda lui avait décrite. Elle savait à présent qu'elle l'avait toujours désiré ; elle en avait voulu à Micon d'avoir essayé de la retenir, et quant à Rajasta... Eh bien, Rajasta avait instruit Domaris, et elle pouvait en voir le résultat !

Rivéda savait se mouvoir aussi silencieusement qu'un chat, et elle ne l'entendit pas s'approcher avant qu'il ne se penchât et la mît sur ses pieds, d'une seule flexion de ses bras musculeux.

— Eh bien, Déoris ? Consultes-tu l'oracle pour connaître ton destin ou le mien ?

Mais elle restait crispée entre ses bras et au bout d'un moment il la relâcha, étonné :

— Qu'y a-t-il, Déoris ? Es-tu irritée contre moi ?

La dernière étincelle de son ressentiment s'enflamma :

— Je n'aime pas me faire brutaliser ainsi !

L'adepte inclina cérémonieusement la tête :

— Pardonne-moi. Je m'en souviendrai.

— Oh, Rivéda !

Elle lui jeta les bras autour du cou, enfouissant sa tête dans les plis rugueux de sa tunique, l'étreignant avec un effroi désespéré :

— Rivéda, j'ai peur !

Les bras puissants de l'adepte se refermèrent sur elle un

278

moment, presque avec passion. Puis, avec une certaine sévérité, il se dégagea :

— Ne sois pas sotte, Déoris, la morigéna-t-il. Tu n'es pas une enfant, et je ne veux pas non plus te traiter comme telle. Rappelle-toi, je n'admire pas la faiblesse chez les femmes. Laisse cela aux jolies épouses dans les cours arrière du temple de la Lumière !

Piquée, Déoris leva le menton :

— Eh bien, nous avons tous les deux appris notre leçon, aujourd'hui !

Rivéda la dévisagea un moment, puis se mit à rire :

— En vérité ! s'exclama-t-il. Voilà qui est mieux. Je suis venu te chercher pour aller au temple gris.

Comme elle ne bougeait pas, il lui effleura la joue en souriant :

— Inutile d'avoir peur. Le misérable sorcier qui t'a plongée dans l'illusion l'autre fois a été exorcisé. Demande, si tu l'oses, quel sort a été le sien ! Sois assurée que nul n'osera plus jouer avec l'esprit de la novice que j'ai choisie !

Rassurée, elle le suivit et, raccourcissant ses longues enjambées pour les aligner sur les siennes, il poursuivit :

— Tu as vu l'une de nos cérémonies. Mais tu n'étais pas initiée ; maintenant, tu vas voir le reste. Notre temple est essentiellement un lieu d'expérimentation, et chacun y travaille de son côté comme il le désire, afin de développer ses propres pouvoirs.

Cela, Déoris pouvait le comprendre car, dans la caste des prêtres, on accordait une place considérable au travail sur soi. Mais ce qu'elle voulait savoir, c'était les buts, répréhensibles sans doute, que poursuivaient les magiciens en s'efforçant de se perfectionner...

L'adepte répondit à sa question implicite.

— D'abord, pour obtenir une totale maîtrise de soi. Le corps et l'esprit doivent être disciplinés et maîtrisés par... certains entraînements. Ensuite, chacun travaille seul sur le son ou la couleur, la lumière, les objets inanimés... selon ce qu'il choisit, développant les pouvoirs de son propre esprit et de son propre corps. Nous nous donnons le nom de magiciens, mais il n'y a pas de magie, il n'y a que des vibrations. Quand un homme peut accorder son corps sur n'importe quelle vibration, quand il peut si bien maîtriser la vibration du son qu'il fait exploser le roc ou peut transformer une couleur en une autre par la pensée, ce n'est pas de la magie. Celui qui se maîtrise lui-même maîtrise l'univers.

Ils passaient sous la grande arche qui surplombait les portes de bronze du temple gris et il lui fit signe de le précéder. Une voix désincarnée les interpella avec des mots inconnus, à laquelle répondit Rivéda. Alors qu'ils passaient les portes, il ajouta, à mi-voix :

— Je t'apprendrai les formules d'admission, Déoris, pour que tu puisses entrer ici, même en mon absence.

II

La grande salle aux contours indistincts semblait plus vaste encore que la première fois, car elle était presque vide. Instinctivement, Déoris chercha des yeux la niche où elle avait vu l'homme aux mains croisées, mais des voiles gris la dissimulaient. Elle se rappela pourtant un autre sanctuaire, profondément enfoui dans les entrailles de la terre, et ne put réprimer un frisson.

Rivéda lui dit à l'oreille :

— Sais-tu pourquoi le temple est gris, pourquoi nous sommes vêtus de gris ?

Elle secoua la tête, sans voix.

— Parce que la couleur est en soi une vibration. Chaque couleur a la sienne. Le gris permet à la vibration de se transmettre librement, sans l'interférence de la couleur. De surcroît, le noir absorbe la lumière et le blanc la reflète et l'intensifie. Le gris ne fait ni l'un ni l'autre, il permet simplement à la véritable qualité de la lumière d'être perçue en elle-même.

Il redevint silencieux, et Déoris se demanda si ses commentaires étaient aussi valides sur le plan symbolique que sur le plan scientifique.

Dans un coin de l'énorme salle, figés dans des attitudes raides et artificielles, cinq jeunes chélas formaient un cercle et psalmodiaient tour à tour des sons qui se mirent à résonner douloureusement dans la tête de Déoris. Rivéda écouta un moment, puis il dit :

— Attends ici. Je vais leur parler.

Elle resta immobile et le regarda s'approcher des chélas pour leur parler de façon véhémente, mais d'une voix si basse qu'elle ne pouvait distinguer un mot.

Elle jeta un coup d'œil autour d'elle. Elle avait entendu raconter des histoires horribles sur cet endroit, des histoires d'automutilation de femmes *saji*, de rites licencieux, mais il n'y avait rien ici d'effrayant. Trois adolescentes plus jeunes que Déoris, aux cheveux courts et ébouriffés, se tenaient à quelque distance des chélas et les observaient, leurs corps prépubères dissimulés par des voiles safran retenus par des ceintures argentées ; elles étaient assises en tailleur et semblaient étrangement gracieuses et détendues.

Déoris savait que les *saji* se recrutaient surtout parmi les sans-caste, les enfants sans nom qu'on déposait au pied des murailles de la cité : ils y attendaient la mort... ou les marchands d'esclaves. Comme tous ceux de la caste des prêtres, Déoris croyait que les *saji* étaient des prostituées ou, pire, qu'on les utilisait dans certains rituels. Mais ces adolescentes ne paraissaient pas particulièrement vicieuses ou dégénérées. Deux d'entre elles, en fait, étaient extrêmement belles ; la troisième était défigurée par un bec-de-lièvre, mais elle avait la grâce délicate d'une danseuse. Elles gazouillaient entre elles à mi-voix et toutes utilisaient leurs mains en parlant en des gestes expressifs et économes qui trahissaient un long entraînement.

Déoris détourna les yeux des *saji* et aperçut une adepte qu'elle avait déjà vue. Elle avait entendu Karahama prononcer le nom de cette femme : Maleina. Dans la secte des tuniques grises, elle ne cédait le pas qu'à Rivéda, mais on disait qu'ils étaient des ennemis jurés, pour une raison encore ignorée de Déoris.

Ce jour-là, Maleina avait rejeté sa capuche en arrière. Ses cheveux, que Déoris n'avait pas vus auparavant, étaient d'un roux flamboyant, et son visage maigre et anguleux, à l'ossature délicate, était empreint d'une étrange beauté ascétique. Elle était assise, immobile, sur le sol de pierre. Pas un battement de cils, pas un frémissement dans ses cheveux. Dans ses mains formant une coupe, elle tenait un objet lumineux qui pulsait

— lumière, obscurité, lumière, obscurité — avec la régularité d'un cœur. C'était tout ce qui semblait vivant en elle.

A peu de distance, un homme vêtu simplement d'un pagne se tenait gravement en équilibre sur la tête. Déoris dut retenir un rire nerveux, mais l'étroit visage de l'homme était d'un sérieux absolu.

Et à deux mètres à peine de Déoris, un garçonnet d'environ sept ans était étendu sur le dos, le regard perdu en direction de la voûte, respirant lentement, profondément, avec régularité. Il ne semblait rien faire, que respirer ; il était tellement détendu que Déoris avait envie de dormir rien qu'à le regarder, même si les yeux de l'enfant étaient grands ouverts et s'il était de toute évidence bien éveillé. Aucun de ses muscles ne semblait bouger... Au bout de quelques minutes, Déoris se rendit compte que la tête du garçonnet ne reposait plus sur le sol. Fascinée, elle continua à l'observer jusqu'à ce qu'il se retrouvât en position assise, sans qu'elle l'ait vu remuer un seul doigt. Brusquement, le garçonnet se secoua comme un chiot, bondit sur ses pieds et adressa à Déoris un grand sourire, un sourire de petit garçon qui ne correspondait pas du tout au contrôle parfait dont il avait fait preuve un instant plus tôt. C'est alors seulement que Déoris le reconnut : les cheveux argentés, les traits pointus... C'était le plus jeune enfant de Karahama, le frère de Démira.

Avec désinvolture, le garçonnet se dirigea vers le groupe de chélas que Rivéda était toujours en train de morigéner. L'adepte avait rabattu son capuchon gris sur la tête et il tenait à bout de bras un grand gong de bronze. Un par un, les chélas chantèrent une syllabe étrange ; chaque fois, le gong vibrait légèrement mais, une fois, il émit un écho sonore très spécial. Rivéda hocha la tête puis tendit le gong à l'un des garçons, se tourna vers lui et proféra d'une voix profonde et grave une unique syllabe.

Le gong se mit à résonner, puis laissa échapper une longue note puissante et métallique, comme s'il avait été frappé à plusieurs reprises par une barre d'acier. Rivéda répéta la syllabe grave ; de nouveau résonna la mélopée métallique. Les chélas avaient les yeux écarquillés. Rivéda, avec un éclat de rire, rejeta son capuchon en arrière et s'éloigna, en faisant un bref arrêt pour caresser la tête du petit garçon et lui poser à voix basse une question que Déoris ne put entendre.

L'adepte revint auprès de Déoris :

— Eh bien, en as-tu vu assez ? lui demanda-t-il en l'attirant dans son sillage jusqu'à ce qu'ils fussent de nouveau dans le corridor gris. (De nombreuses portes bordaient le passage, dont certaines s'éclairaient en leur centre d'une lumière pulsante et spectrale.) N'entre jamais dans une pièce dont la porte est éclairée, murmura-t-il. Cela signifie qu'il y a là quelqu'un qui ne veut pas être dérangé, ou qu'il serait dangereux de déranger. Je t'apprendrai le son qui suscite la lumière. Tu auras quelquefois besoin de t'exercer toi-même sans être dérangée.

Il trouva une porte sans lumière et l'ouvrit en prononçant une syllabe à la sonorité curieusement inhumaine. Il l'apprit aussitôt à Déoris en la lui faisant répéter à plusieurs reprises, jusqu'à ce qu'elle en eût bien saisi la double tonalité et fût venue à bout du procédé consistant à faire résonner sa voix simultanément dans les deux registres. On avait enseigné le chant à Déoris, bien entendu. Mais elle commençait à comprendre maintenant tout ce qu'elle avait encore à apprendre sur le son. Elle avait l'habitude des tonalités simples qui allumaient les lumières dans la bibliothèque et en d'autres endroits du temple, mais *ceci* !...

Rivéda se mit à rire devant sa perplexité :

— On n'utilise plus ces tonalités au temple de la Lumière en ces temps de décadence, et seuls quelques-uns peuvent encore les maîtriser. Jadis, un adepte amenait son chéla ici et le laissait enfermé dans l'une de ces cellules : il y mourait de faim ou de suffocation s'il n'était pas capable de prononcer le son qui le libérerait. Ainsi s'assurait-on que les êtres inférieurs ne survivaient pas pour transmettre leur infériorité ou leur stupidité. Mais à présent... (Il haussa les épaules avec un sourire.) Je ne t'aurais jamais amenée ici si j'avais pensé que tu ne pouvais apprendre.

Elle finit par imiter le son qui ouvrait la porte de pierre mais, quand le battant massif s'ouvrit, elle hésita sur le seuil :

— Cette... cette salle est horrible ! murmura-t-elle.

Il eut un sourire peu compromettant :

— Tout ce qui est inconnu est effrayant pour qui ne le comprend pas. Cette salle a été utilisée pour l'initiation des *saji* dont les pouvoirs n'étaient pas encore développés. Tu es une sensitive et tu perçois les émotions qui ont été éprouvées ici. N'aie pas peur, elles s'effaceront bientôt.

Déoris porta les mains à sa gorge pour toucher son amulette de cristal ; c'était un contact d'une rassurante familiarité.

Rivéda vit son geste mais l'interpréta de façon erronée, et une douceur subite détendit son visage rude tandis qu'il attirait Déoris contre lui :

— Ne crains rien, dit-il, même si j'ai l'air d'oublier parfois ta présence. Mes méditations peuvent m'emporter très loin, au plus profond de mon esprit, là où nul ne peut m'atteindre. Et puis... j'ai longtemps vécu seul, et je ne suis pas habitué à la présence d'une... de quelqu'un comme toi. Les femmes que j'ai connues, et il y en a beaucoup, Déoris, étaient des *saji* ou bien... de simples femmes. Mais toi, tu es...

Il se tut et la contempla avec intensité, comme s'il voulait graver en lui chacun de ses traits.

Déoris fut d'abord seulement surprise, car elle n'avait jamais vu Rivéda si évidemment à court de paroles. Elle se sentit fondre, devenir malléable entre ses mains. Submergée d'émotion, elle se mit à pleurer tout bas.

Avec une tendresse dont elle ne l'aurait jamais cru capable, Rivéda la serra contre lui. Il ne souriait plus :

— Tu es d'une beauté absolue, dit-il, et la simplicité de ces paroles leur conférait une signification et une tendresse inimaginables. Tu es faite de soie et de feu.

III

Déoris devait conserver ces paroles comme un trésor pendant les nombreux et mornes mois qui suivirent, car les accès de tendresse de Rivéda étaient plus rares que des diamants, et des jours d'humeur distante les suivaient inévitablement. Elle rassemblerait ces rares moments comme des joyaux pour en sentir la chaîne de son amour informulé, enfantin ; elle les garderait précieusement, seul réconfort d'une vie qui laissait son cœur solitaire et assoiffé, alors même qu'était satisfait son esprit avide de savoir.

Rivéda, bien entendu, fit immédiatement les démarches

284

nécessaires pour régulariser son statut. Déoris était née dans la caste des prêtres et ne pouvait être formellement acceptée dans la secte des tuniques grises ; c'était aussi une aspirante prêtresse de Caratra et, comme telle, elle avait des devoirs à remplir. Rivéda contourna aisément ce dernier obstacle au cours d'une brève discussion avec les grandes initiées de Caratra. Déoris, leur dit-il, avait déjà maîtrisé des talents qui dépassaient ce qu'elle avait appris à la demeure des naissances ; il serait peut-être bon pour elle de travailler exclusivement parmi les guérisseurs pendant un temps, jusqu'à ce que sa compétence dans ces arts eût égalé son savoir de sage-femme. Les prêtresses acceptèrent volontiers ; elles étaient fières de Déoris et constataient avec plaisir qu'elle avait attiré l'attention d'un guérisseur du rang de Rivéda.

Ainsi Déoris fut-elle légitimement admise dans l'ordre des guérisseurs, comme peut l'être même un prêtre de la Lumière, et elle y fut reconnue comme la novice de Rivéda.

Peu de temps après, Domaris tomba malade. Malgré toutes les précautions, elle accoucha prématurément et donna naissance à une petite fille mort-née. Domaris elle-même faillit perdre la vie et cette fois mère Ysouda, qui l'avait assistée, donna un avertissement : Domaris ne devait plus jamais essayer de porter un enfant.

Domaris remercia la vieille femme de son avis, écouta avec obéissance ses conseils, accepta les runes protectrices et les charmes qu'on lui donna, et garda un silence énigmatique. Elle pleura de longues heures en secret sur l'enfant qu'elle avait perdue, avec d'autant plus d'amertume qu'elle ne l'avait pas réellement désirée... Dans son for intérieur, elle était certaine que son manque d'amour envers Arvath avait d'une façon ou d'une autre frustré cette enfant de sa vie ; elle savait que c'était absurde, mais elle ne pouvait se débarrasser de cette conviction.

Elle recouvra ses forces avec une lenteur exaspérante. On s'était privé de Déoris pour qu'elle s'occupât de sa sœur, mais leur ancienne intimité avait disparu à jamais. Domaris restait étendue pendant des heures, silencieuse et triste, de pauvres larmes coulant sur son visage livide ; elle cajolait souvent Micail avec une tendresse insatiable. Déoris prenait soin de sa sœur avec une compétence exquise mais semblait distraite et rêveuse. Cette attitude déconcertait et irritait Domaris, qui avait au départ élevé de vigoureuses protestations contre la permission donnée à Déoris de travailler avec Rivéda, mais avait seulement réussi à s'aliéner ainsi plus complètement sa sœur.

Une fois seulement Domaris essaya de restaurer leur ancienne intimité. Micail s'était endormi dans ses bras et Déoris s'était penchée pour le prendre : l'enfant était lourd et s'agitait beaucoup en dormant, et Domaris ne pouvait encore supporter d'être traitée sans précaution ; elle sourit à la jeune fille :

— Ah, Déoris, tu sais si bien t'y prendre avec Micail, j'ai hâte de te voir avec un enfant à toi dans les bras !

Déoris sursauta et faillit laisser tomber Micail avant de comprendre que Domaris avait parlé sans intention particulière. Mais elle ne put retenir l'amertume qui la submergeait :

— Je préférerais mourir ! lança-t-elle, de toute la force de son cœur troublé.

Domaris eut une expression de reproche, les lèvres tremblantes :

— Oh, ma sœur, tu ne devrais pas dire d'aussi vilaines choses...

Comme une malédiction, Déoris lui lança :

— Le jour où je me saurai enceinte, Domaris, je me jetterai à la mer !

Domaris poussa un cri de douleur, comme si sa sœur l'avait frappée. Déoris se jeta aussitôt à ses genoux et lui demanda pardon pour ses paroles imprudentes, mais Domaris se tut, et elle ne parla plus à Déoris qu'avec une réserve polie et froide. Il fallut des années pour que l'effet de ces paroles amères et blessantes s'effaçât de son cœur.

6

Les enfants du dieu caché

I

Les magiciens se dispersaient dans le temple gris. Déoris, seule, saisie de vertiges après les rites effrayants auxquels elle avait assisté, sentit qu'on lui effleurait le bras et baissa les yeux pour voir le visage d'elfe de Démira.

— Rivéda ne vous l'a pas dit ? Vous devez venir avec moi. Le rituel leur interdit de parler à une femme ou de la toucher pendant une nuit et une journée après cette cérémonie. Et vous ne devez pas quitter l'enceinte du temple avant le coucher du soleil, demain.

Démira glissa une main confiante sous le bras de Déoris et celle-ci, trop étonnée pour protester, la suivit. Rivéda le lui avait bien dit : un chéla qui s'était trouvé dans le cercle souffrait quelquefois d'illusions curieuses et devait rester là où l'on pouvait appeler quelqu'un pour s'occuper de lui. Mais elle s'était attendue à demeurer auprès de Rivéda. Par-dessus tout, elle ne s'était pas attendue à se trouver avec Démira.

— Rivéda m'a dit de m'occuper de vous, dit Démira d'un ton hardi, et Déoris se rappela tardivement que les tuniques grises n'observaient pas les lois des castes.

Elle suivit docilement Démira et la fillette se mit aussitôt à bavarder avec enthousiasme :

— J'ai tellement pensé à vous, Déoris ! Domaris est votre sœur, n'est-ce pas ? Elle est si belle... Vous êtes jolie aussi, ajouta-t-elle, comme après réflexion.

Déoris rougit, en pensant en son for intérieur que Démira

était la plus ravissante créature qu'elle eût jamais vue. La fillette avait de longs cheveux lisses, très clairs, d'un blond argenté, comme ses cils et ses sourcils droits, et même comme les taches de rousseur qui parsemaient son pâle visage. Dans une autre lumière ses yeux auraient semblé gris, ou bleus, mais ils pouvaient aussi être d'argent. Sa voix était très douce, légère et pure, et elle se déplaçait avec la grâce inconsciente d'une plume au vent, et de façon tout aussi imprévisible.

Elle serra les doigts de Déoris, tout excitée :

— Vous avez peur, n'est-ce pas ? Je vous observais, et j'avais de la peine pour vous.

Déoris ne répondit pas, mais cela ne sembla pas déranger Démira le moins du monde. Bien sûr, se dit Déoris, elle a probablement l'habitude d'être ignorée ! Les magiciens et les adeptes ne sont pas des gens particulièrement bavards.

La lueur froide de la lune les entourait comme une écume marine, et d'autres femmes, seules ou en petits groupes, parcouraient comme elles le sentier. Mais personne ne leur parlait. Plusieurs femmes vinrent pourtant saluer Démira, mais quelque chose, peut-être la façon enfantine dont les deux jeunes filles marchaient main dans la main, les en empêcha. Ou peut-être reconnaissaient-elles en Déoris la novice de Rivéda, et cela les rendait-elles un peu nerveuses ; Déoris l'avait déjà remarqué auparavant.

Elles pénétrèrent dans une cour intérieure où un jet d'eau frais et argenté se déversait dans un large bassin ovale ; des arbres le protégeaient, noir et argent, occultant presque tout le ciel à l'exception de quelques échappées sombres saupoudrées d'étoiles ; de nombreuses fleurs répandaient leurs parfums dans l'air.

Des douzaines de salles minuscules, à peine plus que des cellules, s'ouvraient sur cette cour, et Démira conduisit Déoris dans l'une d'elles. Déoris jeta autour d'elle un regard apeuré ; elle n'était pas habituée à des pièces aussi étroites et obscures et elle avait l'impression que les murs se resserraient pour l'étouffer. Dans un coin, une vieille femme accroupie sur une couche se leva en soufflant pour s'avancer vers elles d'un pas traînant.

— Retirez vos sandales, dit Démira en un murmure réprobateur et Déoris, surprise, se pencha pour s'exécuter ; la vieille femme, avec un reniflement indigné, prit les sandales et les déposa dehors.

Une fois de plus, Déoris observa la petite salle. L'ameublement en était des plus réduit : un lit bas et assez étroit, surmonté d'un dais d'où pendaient des voiles de mousseline, un vieux coffre sculpté, un divan avec quelques coussins brodés. C'était tout.

Démira remarqua cet examen et dit avec fierté :

— Oh, d'autres n'ont rien qu'un matelas de paille sur la pierre, elles vivent dans des cellules nues et se livrent à des pratiques d'austérité comme les jeunes prêtres, mais le temple gris ne force personne à le faire, et je n'aime pas ça. Vous le saurez bien, plus tard. Venez, nous devons nous laver avant de dormir. Et puis vous êtes allée dans le cercle ! Il y a des choses... je vous montrerai quoi faire.

Démira se tourna brusquement vers la vieille femme et tapa du pied :

— Ne reste pas là à nous regarder ! Je ne supporte pas ça !

La vieille gloussa comme une poule :

— Et celle-là, qui c'est, ma petite maîtresse ? Une des jolies petites de Maleina qui se sent seule quand la bonne femme est allée participer aux rituels avec...

Elle s'interrompit et, avec une souplesse étonnante, évita l'une des sandales que Démira lui avait jetée à la tête. La fillette tapa de nouveau du pied, furieuse :

— Tiens ta langue, horrible sorcière !

Le gloussement de la vieille reprit de plus belle :

— Elle est trop vieille pour que les prêtres la prennent et...

— Je t'ai dit de tenir ta langue ! (Démira se jeta sur la vieille et la gifla avec colère :) Je dirai à Maleina ce que tu as dit sur elle, et elle te fera crucifier !

— Ce que je pourrais dire de Maleina, marmonna la vieille sorcière sans être impressionnée, ferait rougir la petite maîtresse pour toujours... si elle n'a pas déjà perdu toutes ses capacités en la matière !

Elle saisit brusquement les épaules de Démira dans ses mains flétries mais dures comme des serres et la tint fermement un moment, jusqu'à ce que la lueur irritée se fût évanouie des yeux incolores de Démira. Avec un petit rire, la fille se libéra de l'étreinte de la vieille femme.

— Donne-nous à manger, et disparais, dit-elle avec désin-volture.

Et, tandis que la vieille s'éloignait à pas pressés, elle se laissa tomber avec langueur sur le divan en souriant à Déoris.

— Ne l'écoutez pas, elle est vieille et à demi folle, mais, aïe, elle devrait être plus prudente... Ce que Maleina lui ferait si elle l'entendait ! (Elle émit de nouveau un rire léger :) Je ne voudrais pas être celle qui se moquerait de Maleina, non. Pas même dans les salles les plus profondes du labyrinthe ! Elle me lancerait un tel sort que je serais aveugle pendant trois jours, comme elle l'a fait au prêtre Nadastor quand il a essayé de la toucher.

Elle bondit sur ses pieds et s'approcha de Déoris qui était encore debout, comme pétrifiée :

— On dirait qu'on vous a jeté un sort, à vous aussi ! plaisanta-t-elle. (Puis elle se calma et ajouta gentiment :) Je sais que vous êtes effrayée, nous le sommes toutes au début. Vous auriez dû me voir jeter partout des regards fixes et hurler comme un chat sans pattes quand on m'a amenée ici, il y a cinq ans ! Personne ne vous fera de mal, Déoris, peu importe ce que vous avez entendu dire de nous. N'ayez pas peur. Venez au bassin.

II

Sur le pourtour du grand bassin de pierre, des femmes flânaient, parlaient et s'éclaboussaient sous le jet d'eau. Quelques-unes semblaient préoccupées et se tenaient à l'écart, mais la plupart gazouillaient ensemble, aussi insouciantes et conviviales qu'une volée d'hirondelles. Déoris les observa à la dérobée avec une curiosité mêlée d'effroi, l'esprit soudain submergé par toutes les horreurs qu'elle avait entendu raconter sur les *saji*.

C'était un groupe hétérogène ; quelques-unes appartenaient à la race esclave pygmée et avaient la peau brune, d'autres avaient la peau claire, la silhouette dodue et les cheveux blonds des femmes du peuple, dans la cité ; et d'autres enfin, très rares, étaient comme Déoris, grandes, la peau claire, les boucles soyeuses, noires ou rousses, de la caste des prêtres.

Même parmi ces femmes, cependant, le physique de Démira était tout à fait inhabituel.

Elles étaient toutes dévêtues de façon fort impudique, mais ce n'était pas nouveau pour Déoris, moins que le mélange insouciant des castes. Quelques femmes portaient de curieuses ceintures, ou des pectoraux gravés de symboles qui paraissaient vaguement obscènes à la relative innocence de Déoris ; une ou deux d'entre elles étaient tatouées de symboles encore plus anciens, et les fragments de conversations que surprit Déoris étaient d'une franchise incroyable, sans vergogne aucune. L'une des jeunes filles, une beauté basanée, avait autour des paupières quelque chose qui rappelait à Déoris les marchands de Kei-Lin. La fille lui jeta un regard rapide quand elle se débarrassa avec pudeur des voiles safranés que Rivéda lui avait demandé de porter. La fille posa ensuite à Démira une question indécente, qui donna envie à Déoris de s'enfoncer sous terre ; elle comprenait soudain ce qu'avaient signifié les quolibets de la vieille femme, un peu plus tôt.

Démira se contenta de murmurer une dénégation amusée tandis que Déoris les regardait fixement, prête à pleurer, sans comprendre qu'on lui faisait seulement subir les taquineries traditionnelles pour les nouvelles venues. *Pourquoi Rivéda m'a-t-il abandonnée parmi ces... ces prostituées ? Qui sont-elles pour se moquer de moi ?* Elle serra fièrement les lèvres, mais elle avait plutôt envie d'éclater en sanglots.

Démira ignora les taquineries et se pencha sur le rebord du bassin. Elle plongea ses paumes dans l'eau et, à voix basse, se livra à un rituel de purification rapide, se touchant les lèvres et les seins, de façon si formelle que les symboles en avaient perdu leur forme et leur sens originels : accompli à la va-vite, il ne semblait plus qu'une habitude. Une fois qu'elle eut terminé cependant, elle conduisit Déoris jusqu'à l'eau et, à mi-voix, lui expliqua les gestes symboliques.

Déoris l'interrompit, surprise : dans sa forme, le rituel était semblable aux cérémonies de purification imposées à une prêtresse de Caratra — mais la version des tuniques grises en était une adaptation tellement simplifiée que Démira elle-même ne semblait comprendre ni le sens des paroles ni celui des gestes. La ressemblance contribua pourtant beaucoup à rassurer Déoris ; le symbolisme des cérémonies des tuniques grises avait un caractère fortement érotique et elle le comprenait encore mieux à présent. Elle se livra au rapide rite lustral avec une minutie qui, sans raison, la calma et effaça son sentiment de profanation.

Démira l'observait avec respect, soudain frappée de gravité devant la signification profonde que Déoris accordait évidemment à ce qui n'était pour elle qu'un simple geste répété parce qu'on l'exigeait.

— Retournons à l'intérieur tout de suite, dit-elle, une fois que Déoris eut terminé. Vous étiez dans le cercle, et ça peut être terriblement épuisant, je le sais bien.

De ses yeux trop sages pour son visage à l'aspect si innocent, elle dévisagea Déoris :

— La première fois que je suis allée dans le cercle, je n'ai pas retrouvé mes forces avant des jours. Ils m'ont écartée cette nuit parce que Rivéda était là.

Déoris examina la fillette d'un œil curieux tandis que la vieille femme les enveloppait l'une et l'autre dans une tunique semblable à un drap. Rivéda n'avait-il pas violemment écarté Démira du cercle, la première fois, lors de cette lointaine et désastreuse première visite au temple gris ? *Quelle importance Rivéda a pour cette gamine sans nom ?* Déoris se sentit soudain presque malade de jalousie.

III

Démira sourit, d'un air malicieux et primesautier, tandis qu'elles revenaient dans la petite pièce.

— Oh, je vois maintenant pourquoi Rivéda m'a implorée de m'occuper de vous ! Innocente petite prêtresse de la Lumière, vous n'êtes pas la première avec Rivéda, et vous ne serez pas la dernière, chantonna-t-elle tout bas d'un air moqueur.

Déoris s'écarta d'elle avec humeur, mais la fillette la rattrapa avec une mine d'excuse et la serra contre elle avec une force étonnante — son petit corps grêle semblait fait de ressorts d'acier.

— Déoris, Déoris, roucoula-t-elle en souriant, ne soyez pas jalouse de moi. Voyons, de toutes les femmes, je suis la *seule* qui soit interdite à Rivéda ! Petite idiote ! Karahama ne vous a jamais dit que je suis la fille de Rivéda ?

Incapable de dire un mot, Déoris regarda Démira d'un œil nouveau... et maintenant elle discernait la ressemblance : les mêmes cheveux clairs, les yeux bizarres, l'impalpable, l'indéfinissable étrangeté.

— C'est pour cela que je ne suis jamais placée près de lui dans les rites, poursuivait Démira. C'est un homme du Nord, de Zaïadan, et vous savez comment ils considèrent l'inceste... n'est-ce pas ?

Déoris hocha la tête lentement. Elle comprenait. Il était bien connu que les compatriotes de Rivéda évitaient non seulement leurs sœurs mais même leurs demi-sœurs, et elle avait entendu dire qu'ils refusaient d'épouser leurs cousines, même si elle trouvait le dernier détail presque impossible à croire.

— Et avec les symboles qu'il y a là... (Démira continuait à jacasser avec confiance :) Oh, ça n'a pas été facile à Rivéda d'être si scrupuleux !

La vieille femme les habilla et leur apporta de la nourriture : des fruits et du pain, mais pas de lait ni de fromage, et pas de beurre. Pendant ce temps, Démira poursuivait :

— Eh oui, je suis la fille du grand adepte et maître-magicien Rivéda ! Ou du moins cela lui plaît-il de me proclamer sienne, officieusement, car Karahama n'admettra sans doute jamais qu'elle connaît le nom de mon père... elle était *saji* aussi, après tout, et je suis une enfant du rituel.

Le regard de Démira se fit mélancolique :

— Et maintenant, elle est prêtresse de Caratra ! Je voudrais... je voudrais... (Elle se reprit et continua de plus belle :) Je lui ai fait honte, je pense, parce que je suis née sans nom, et elle ne m'aime pas. Elle m'aurait exposée sur la muraille de la cité, je serais morte ou j'aurais été récupérée par les vieilles femmes qui vendent les bébés-filles, mais Rivéda m'a prise le jour où je suis née et m'a confiée à Maleina. Et quand j'ai eu dix ans, on m'a faite *saji*.

— *Dix ans !* répéta Déoris, choquée malgré sa résolution de ne pas l'être.

Démira gloussa, saisie par l'un de ses rapides changements d'humeur :

— Oh, on raconte des histoires horribles sur nous, n'est-ce

pas ? En tout cas, nous autres *saji*, nous savons tout ce qui se passe dans le temple ! Bien mieux que vos gardiens ! Nous savions la vérité à propos du prince atlante, mais nous n'avons rien dit. Nous ne disons jamais une miette de ce que nous savons ! Pourquoi le ferions-nous ? Nous sommes seulement des *non-personnes*, qui nous écouterait sinon nous-mêmes ? Et nous ne pouvons plus guère nous surprendre les unes les autres, maintenant. Mais je sais, ajouta-t-elle, désinvolte, avec un coup d'œil espiègle, qui a jeté cette illusion sur vous la première fois où vous êtes venue au temple gris.

Elle croqua une bouchée de fruit et la mâcha, en surveillant Déoris du coin de l'œil.

Déoris la regarda fixement, pétrifiée ; elle avait peur de poser la question, mais elle voulait aussi désespérément savoir, même si elle redoutait ce qu'elle apprendrait.

— C'était Craith, un tunique noire. Ils voulaient faire tuer Domaris. Pas à cause de Talkannon, bien sûr.

— Talkannon ? murmura Déoris, rendue presque muette par le choc.

Que venait faire son père là-dedans ?

Démira haussa les épaules et détourna les yeux, un peu nerveuse :

— Des mots, tout ça, des mots, juste des mots. Je suis contente que vous n'ayez pas tué Domaris, en tout cas !

Déoris était à présent totalement foudroyée :

— Vous savez tout cela ?

Sa voix était un murmure rauque que ses propres oreilles avaient du mal à reconnaître.

Si une légère malice avait initialement poussé Démira à parler, elle avait à présent disparu. La fillette glissa sa main minuscule dans la main inerte de Déoris :

— Oh, Déoris, quand j'étais petite fille, j'allais voler des fruits dans les jardins de Talkannon et je vous épiais, Domaris et vous, cachée derrière les buissons ! Domaris est tellement belle, comme une déesse, et elle vous aime tellement. Comme j'aurais voulu être vous ! Je crois... je crois que si Domaris me parlait gentiment, ou me parlait tout court... je mourrais de joie !

Sa voix avait une intonation triste qui parlait de solitude et

Déoris, plus émue qu'elle ne le croyait, attira la tête blonde sur son épaule.

Mais Démira secoua ses cheveux duveteux et ce sérieux passager :

— Alors, je n'ai pas eu de peine pour Craith, pas du tout ! Vous ne savez pas comment était Rivéda avant cela, Déoris. Il était simplement paisible, studieux, il ne venait pas parmi nous pendant des mois d'affilée... mais cette histoire-là l'a transformé en démon. Il a découvert ce que Craith avait fait, il l'a accusé d'avoir joué avec votre esprit, et d'avoir commis un crime contre une femme enceinte...

Après un rapide coup d'œil à Déoris, elle ajouta, en guise d'explication :

— Chez les tuniques grises, vous savez, c'est le pire des crimes.

— Au temple de la Lumière aussi, Démira.

— Au moins, là, on a un peu de bon sens ! s'exclama Démira. Alors, Rivéda a dit : « Eh bien, ces gardiens laissent leurs victimes s'en tirer à trop bon compte ! » Et il a fait fouetter Craith presque à mort, avant même de le livrer aux gardiens. Quand ils se sont rassemblés pour le juger, j'ai passé une blouse grise par-dessus ma robe de *saji* et j'ai accompagné Maleina...

Elle adressa à Déoris un autre petit regard circonspect.

— Maleina est une initiée de très haut rang, je ne sais pas lequel, mais personne ne peut l'empêcher de faire quoi que ce soit ; je crois qu'elle pourrait entrer dans la chapelle de Caratra et dessiner des images obscènes sur le mur, si elle le voulait, et personne n'oserait bouger ! C'est Maleina, vous savez, qui a libéré Karahama de sa servitude et qui s'est arrangée pour la faire entrer au temple de la Mère... (Démira eut un frisson soudain.) Mais je parlais de Craith. Ils l'ont jugé et ils l'ont condamné à mort. Rajasta était terrifiant ! Il tenait la dague de merci, mais il ne l'a pas offerte à Craith. Alors ils l'ont brûlé vif pour venger Domaris, et Micon !

Déoris se couvrit le visage de ses mains tremblantes.

Dans quel univers suis-je entrée, de ma propre volonté ?

IV

Mais Déoris se familiarisa vite avec l'univers du temple gris. Elle servait toujours, à l'occasion, à la demeure des naissances, mais elle passait maintenant le plus clair de son temps avec les guérisseurs, et elle en vint bientôt à se considérer exclusivement comme une prêtresse des tuniques grises.

Ils ne l'acceptèrent pas aussitôt, pourtant, et non sans d'âpres conflits. Rivéda était leur principal adepte, le dirigeant en titre de leur ordre, mais sa protection était plus un obstacle qu'un secours pour Déoris. En dépit de sa cordialité apparente, Rivéda n'était pas populaire parmi sa propre secte ; il était distant et réservé, beaucoup ne l'aimaient pas et tous le craignaient, en particulier les femmes. La discipline qu'il imposait était trop dure ; sa langue acérée n'épargnait personne, et son arrogance lui aliénait tout le monde, à l'exception des plus fanatiques.

De tout l'ordre des guérisseurs et des magiciens, Démira était peut-être la seule à vraiment l'aimer. Certes, d'autres le révéraient, le respectaient, le craignaient... et l'évitaient volontiers chaque fois qu'ils le pouvaient. Rivéda manifestait cependant à Démira une bonté désinvolte, totalement dépourvue d'affection paternelle, mais c'était ce qui s'en rapprochait assurément le plus pour cette enfant sans parents. En retour, Démira lui vouait une curieuse adoration mêlée de haine, l'émotion la plus profonde qu'elle eût sans doute jamais accordée.

De la même façon ambiguë, elle se fit la championne de Déoris parmi les *saji*. Elle avait des disputes constantes et virulentes avec Déoris elle-même, mais elle ne permettait à personne de parler à sa protégée de façon irrespectueuse. Comme tout le monde craignait l'humeur imprévisible de Démira et ses frénétiques crises de rage — elle était tout à fait capable d'étrangler une fille ou de lui arracher les yeux dans un de ces accès de fureur —, Déoris se gagna une sorte de tolérance ambiguë.

Insensiblement, Déoris se prit d'une réelle affection pour Démira, même si elle se rendait compte que la fillette était incapable d'une émotion un peu profonde, et qu'il aurait été plus sûr de se fier à un cobra prêt à frapper qu'à l'inconstante Démira dans ses pires moments.

Rivéda n'encourageait ni ne décourageait leur amitié. Il gardait Déoris auprès de lui quand il le pouvait, mais ses devoirs étaient nombreux et variés, et pendant certaines périodes, le rituel même de son ordre le lui interdisait. Déoris se mit à passer de plus en plus de temps dans le bizarre demi-monde des *saji*.

Elle découvrit bientôt qu'on ne les tenait pas à l'écart et ne les méprisait pas sans raison. Et pourtant, à mesure qu'elle les connaissait mieux, elle les trouvait plus pathétiques que méprisables. Quelques-unes d'entre elles gagnèrent même son respect et son admiration, car elles possédaient des pouvoirs étranges, qu'elles n'avaient pas acquis facilement.

Rivéda avait déjà dit à Déoris qu'elle pouvait apprendre beaucoup des *saji*, même si elle ne recevait pas elle-même leur entraînement. Elle lui en avait demandé la raison :

— Tu es trop âgée, d'abord. Une *saji* est choisie avant la puberté. Ensuite, tu as été éduquée dans un but tout différent. Et... de toute façon, je ne prendrais pas ce risque avec toi, même si je devais être ton seul initiateur. Une *saji* sur quatre...

Il s'était interrompu, mettant fin à la discussion par un haussement d'épaules, et Déoris s'était rappelé, avec un sursaut d'horreur, ce qu'on racontait sur la folie au temple gris.

Les *saji*, elle le savait désormais, n'étaient pas des prostituées ordinaires. Lors de certains rituels, elles offraient leur corps aux prêtres, mais c'était un rite traditionnel, accompli dans des conditions bien plus strictes que les codes en vigueur dans une société plus honorable, quoique fort différentes. Déoris ne comprit jamais entièrement ces traditions, car Démira était plutôt réticente sur ce sujet, et elle ne la pressa pas pour obtenir plus de détails ; en fait, elle avait le sentiment qu'elle préférait ne pas trop en savoir.

Mais Démira lui dit cependant ceci : à certaines étapes de l'initiation, un magicien qui cherchait à développer son contrôle sur ses réactions nerveuses les plus fines et les plus involontaires devait pratiquer certains rites avec une femme douée de la vision de ces centres nerveux, une femme qui savait comment accueillir et répartir le flot subtil de cette énergie mentale.

Jusque-là, Déoris pouvait comprendre, car on lui apprenait à développer une conscience de soi similaire à celle de ces magiciens. Rivéda était un adepte, et sa propre maîtrise était complète ; sa conscience pleinement développée agissait avec une force cathartique sur Déoris, éveillant en elle une puissante clairvoyance aussi bien spirituelle que physique. Ils étaient intimes, mais c'était une intimité étrange, presque impersonnelle ; un usage rituel et contrôlé de la sexualité permettait à Rivéda d'éveiller des forces latentes dans le corps de Déoris, qui se répercutaient à leur tour sur son esprit.

Elle subissait cet apprentissage alors qu'elle était arrivée à maturité, sauvegardée par le souci que Rivéda avait d'elle et par son insistance, aussi, sur la discipline, la modération, une compréhension prudente et une complète évaluation de chaque expérience, de chaque sensation. Les premiers enseignements qu'elle avait reçus comme prêtresse de Caratra n'avaient pas joué un rôle mineur dans son éveil, ils l'avaient préparée à l'acquisition équilibrée et durable de ces pouvoirs. A quel point c'était à la fois plus et moins que l'entraînement d'une *saji*, elle l'apprit de Démira.

Les *saji* étaient en vérité choisies très jeunes, parfois à six ans, et entraînées dans un seul et unique but : un développement psychique précoce et même prématuré.

Cet entraînement n'était pas entièrement lié à la sexualité, qui n'apparaissait que pendant la dernière phase, quand les *saji* approchaient de la puberté. Le symbolisme des tuniques grises coulait pourtant tel un courant phallique sous-jacent à travers tout leur apprentissage. D'abord, c'était la stimulation de leurs jeunes esprits, l'excitation de leur cerveau et de leur âme, tandis qu'on les soumettait à de riches expériences spirituelles qui auraient constitué un défi pour un adepte arrivé à maturité. La musique, les lois qui régissaient la vibration et la polarité, jouaient aussi un rôle important. Et tandis que ces germes contradictoires fleurissaient dans le riche terreau de ces esprits novices — car on les gardait délibérément dans un état proche de l'ignorance —, on suscitait avec habileté dans leurs esprits et leurs corps encore infantiles des émotions et, plus tard, des passions physiques précoces. Corps, esprit, affectivité, spiritualité étaient constamment stimulés et maintenus à un haut niveau d'agitation, sensibilisés plus qu'il n'était nécessaire, à un degré que beaucoup ne pouvaient même supporter. C'était un équilibre délicat, imposé par la force, et la source potentialisée d'une énergie nerveuse extraordinaire qui était continuellement refoulée.

Quand une enfant ainsi entraînée atteignait l'adolescence, elle devenait *saji*. Presque du jour au lendemain, son corps devenu pubère libérait le dynamisme des forces longtemps réprimées. Avec une soudaineté terrifiante, les potentiels latents se transformaient en une conscience réelle des centres-réflexes ; une sorte de cerveau second, clairvoyant, mené par l'instinct, entièrement psychique, s'actualisait de façon explosive en des ganglions nerveux complexes qui comprenaient les centres psychiques vitaux : la gorge, le plexus solaire, l'abdomen.

Les adeptes possédaient également une conscience de ce type, mais ils s'étaient préparés au choc en luttant longuement pour acquérir la maîtrise de soi grâce à la discipline, à des mortifications délibérées, et à une compréhension complète du processus. Chez les *saji*, c'était le résultat de la violence qui leur avait été faite, de contraintes imposées par autrui. L'équilibre, tel qu'il était, était un équilibre forcé, artificiel. Une fille sur quatre, à l'arrivée de la puberté, devenait complètement folle et mourait en spasmes nerveux convulsifs. L'éveil soudain était une expérience inconcevable, qu'on évoquait, parmi celles qui l'avaient traversée, sous le nom de *seuil noir*. Rares étaient celles qui le franchissaient en restant tout à fait saines d'esprit. Aucune n'y survivait sans dommage.

Démira était un peu différente ; elle n'avait pas été entraînée par un prêtre mais par l'adepte Maleina. Déoris devait apprendre, avec le temps, une partie des problèmes particuliers auxquels était confrontée une femme qui suivait la voie des magiciens, et elle finirait par ne plus tenir compte de la plupart des histoires qu'on racontait sur Maleina : c'étaient des mensonges, parce que l'imagination ne pouvait tout simplement pas égaler une vérité aussi fantastique.

Chez les autres filles entraînées par Maleina, une folie convulsive avait éclaté à la puberté, les transformant bientôt en idiotes au regard fixe... Mais Démira, à la surprise générale, avait franchi le seuil noir non seulement sans folie, mais en manifestant ensuite une relative stabilité mentale. Elle avait souffert l'agonie habituelle, les jours de délire et de décentration, mais elle s'était réveillée saine d'esprit, alerte et fort semblable à elle-même... en surface.

Elle ne s'en était pas tirée complètement intacte. Ces jours d'épouvantable tourment avaient fait d'elle un être visionnaire à l'écart du monde ordinaire des femmes. Son intimité avec Maleina avait aussi partiellement inversé chez Démira les courants du flux vital — et Déoris ne l'apprit que peu à peu, à mesure que lui apparaissait plus clairement la complexité du psychisme humain, dans tous ses courants nerveux et psychochimiques. Déoris pouvait en voir des signes chaque mois, quand la lune décroissait et déclinait : Démira devenait de plus en plus silencieuse, son caractère joueur et capricieux disparaissait ; elle restait assise, plongée dans de sombres méditations, les paupières baissées sur ses yeux de chat, et parfois elle explosait dans l'une de ses rages sans motif. D'autres fois, elle se glissait dans un coin à l'écart comme un animal malade et se repliait sur elle-même dans une torture muette, inhumaine. Personne n'osait l'approcher alors ; seule Maleina pouvait la calmer, lui rendre un semblant de raison. En ces occasions, le visage de Maleina avait une expression si terrible qu'hommes et femmes s'écartaient sur son passage : une expression hagarde, comme si elle était déchirée par une émotion que nul initié inférieur ne pouvait comprendre.

Déoris, avec le savoir intuitif qu'elle possédait déjà et ce qu'elle avait appris au temple de Caratra sur la complexité du corps féminin, finit par apprendre à prévoir ces terribles accès, à les soigner, et parfois à les prévenir : elle réussissait parfois à espacer ces jours terribles pour Démira ou à en alléger la souffrance. Elle commença à considérer que la fillette était sous sa responsabilité — car Démira n'avait pas encore douze ans lorsque Déoris était entrée au temple gris ; c'était une enfant dure, précoce, d'une sagesse qui inspirait la pitié, mais malgré tout, c'était une enfant. Une étrange petite fille, qui souffrait souvent. Et Déoris s'était prise d'affection pour cette petite fille, d'une affection qui allait se révéler désastreuse pour tous.

7

La clémence de Caratra

I

Une jeune *saji* que Déoris connaissait vaguement s'était absentée des rituels pendant plusieurs semaines, et il devint évident qu'elle était enceinte. Les grossesses étaient très rares : on croyait qu'une fois passé le seuil noir, une *saji* était tellement profanée que la Mère se retirait d'elle. Déoris, connaissant la nature essentiellement rituelle des cérémonies érotiques des tuniques grises, était devenue un peu sceptique sur cette explication.

Il n'en demeurait pas moins que, seules dans toute la structure sociale du temple-cité, les *saji* ne servaient pas au temple de Caratra et ne pouvaient se réclamer du privilège accordé aux esclaves et aux prostituées même : accoucher à la demeure des naissances.

Ecartées des rites de Caratra, les *saji* devaient s'en remettre aux bonnes grâces des femmes de leur entourage, ou de leurs esclaves ; ou encore, dans la pire extrémité, à quelque prêtre-guérisseur qui les prendrait en pitié. Même pour les *saji*, cependant, la présence d'un homme au lit d'une accouchée était une disgrâce ; elles préféraient les soins plus maladroits d'une esclave.

L'accouchement était difficile ; Déoris entendit la fille crier pendant presque toute la nuit. Elle avait participé au cercle, elle était épuisée, elle voulait dormir, et les gémissements torturés entrecoupés de cris rauques lui mettaient les nerfs à vif. Les autres filles, partagées entre la fascination et l'horreur, échangeaient des murmures effrayés, et Déoris écoutait, en songeant, honteuse, à son talent que Karahama avait tant loué.

A la fin, affolée et exaspérée par ces hurlements de suppliciée et à la pensée du traitement maladroit que la jeune *saji* devait être en train de subir, Déoris finit par se lever. Elle trouva sans mal la pièce où avait lieu l'accouchement. Elle s'engageait dans une terrible profanation ; elle le savait ; mais Karahama n'avait-elle pas été une *saji*, autrefois ?

En alternant prières et menaces, Déoris finit par se débarrasser des filles qui s'étaient en effet bien mal tirées d'affaire et, après une heure d'efforts frénétiques, elle mit au monde un enfant bien vivant, réussissant même à réparer certains des dommages causés par les esclaves ignorantes. Elle fit jurer à la fille de ne pas révéler qui s'était occupée d'elle. Mais, sans doute par le bavardage stupide des esclaves vexées, ou selon ces courants invisibles mais inévitables qui agitent les profondeurs de toute communauté à forte promiscuité, le secret finit par être éventé.

Lorsque ensuite Déoris s'en vint au temple de Caratra, elle s'en vit interdire l'entrée ; pis encore, on la détint et on l'interrogea interminablement sur ses actes. Après l'avoir mise au secret une journée et une nuit entières, pendant lesquelles l'état de Déoris confina presque à l'hystérie, on l'informa avec sévérité que son cas devait être réglé par les gardiens.

Rajasta avait appris ce qui s'était passé. Il avait d'abord réagi avec une répulsion scandalisée, mais il avait rejeté les diverses solutions qu'il avait imaginées, ou qu'on lui avait suggérées ; Déoris ne sut jamais à quoi elle avait échappé. L'option la plus logique était d'informer Rivéda, car c'était non seulement un adepte des tuniques grises, mais aussi l'initiateur personnel de Déoris, c'était à lui de prendre la décision appropriée. Rajasta écarta également cette idée, sans une hésitation.

Domaris aussi était une gardienne, et il aurait été raisonnable pour Rajasta d'en référer à elle pour cette affaire. Mais il savait que Domaris et Déoris n'étaient plus en bons termes, et qu'une telle solution aurait en fait causé plus de mal que de bien. Il finit par mander Déoris et, après avoir devisé quelque temps sur d'autres sujets, il lui demanda brusquement pourquoi elle avait risqué une violation aussi grave des lois de Caratra.

Déoris balbutia :

— Parce que... parce que je ne pouvais supporter la souffrance de cette fille. On nous apprend qu'en cette occasion toutes les femmes n'en font qu'une. Ç'aurait pu être Domaris ! Je veux dire...

Le regard de Rajasta était plein de compassion :

— Mon enfant, je peux comprendre. Mais pourquoi, à ton avis, les prêtresses de Caratra sont-elles si soigneusement protégées ? Elles travaillent parmi les femmes du temple et dans toute la cité. Une femme qui accouche est vulnérable, sensible à la plus minime perturbation psychique. Quel que soit le risque physique qu'elle encourt, ce n'est rien : son esprit et son âme sont exposés à des dangers considérables. Il n'y a pas longtemps, Domaris a perdu un enfant dans de grandes souffrances. Exposerais-tu d'autres femmes à un tel sort ?

Déoris, muette, contemplait fixement le sol dallé.

— Tu es protégée toi-même quand tu te trouves parmi les *saji*, dit Rajasta, conscient de son état d'esprit. Mais tu t'es occupée d'une *saji* au moment où elle était le plus vulnérable, et si on ne l'avait pas découvert, *toutes les femmes enceintes dont tu te serais occupée auraient perdu leur enfant !*

Déoris laissa échapper un cri étranglé, horrifiée mais encore à demi sceptique.

— Ma pauvre enfant, dit Rajasta avec douceur en secouant lentement la tête. On ne le sait pas, en général. Mais les lois du temple ne sont pas de simples interdits superstitieux, Déoris. C'est pourquoi adeptes et gardiens ne permettent pas à de jeunes novices et acolytes d'user de leur propre jugement. Car tu ne sais pas comment te garder toi-même de la contamination que tu portes, et je ne veux pas parler ici d'une contamination physique, mais de quelque chose d'infiniment plus grave : la contamination des courants vitaux eux-mêmes !

Déoris pressa ses doigts tremblants sur sa bouche et ne dit mot.

Emu malgré lui par sa soumission, d'autant plus qu'il avait prévu que leur rencontre se passerait plutôt mal, compte tenu de ce qu'il savait du tempérament de Déoris, Rajasta poursuivit :

— Mais peut-être doivent-ils être blâmés de ne point t'avoir prévenue. Et comme ce n'est pas avec une intention criminelle que tu as enfreint la loi, je vais recommander qu'on ne t'expulse pas du temple de Caratra, mais qu'on te suspende pendant deux ans. (Il fit une pause.) Tu as couru un grave danger personnel, mon enfant. Je continue de penser que tu es un peu trop sensible pour l'ordre des magiciens, mais...

Déoris l'interrompit avec passion :

— Dois-je donc toujours refuser mon aide à une femme dans le besoin ? Dénier le savoir qui m'a été enseigné parce qu'une femme qui est ma sœur n'appartient pas à la même caste que moi ? Est-ce là la clémence de Caratra ? Parce que je ne puis user de mon talent, une femme doit hurler jusqu'à en mourir ?

Rajasta soupira et prit les petites mains tremblantes ; le souvenir de Micon vint adoucir sa réplique :

— Ma petite fille, il en est qui abandonnent les voies de la Lumière pour aider ceux qui marchent dans l'obscurité. Si c'est ton karma de choisir cette voie clémente, puisses-tu avoir la force nécessaire, car tu en auras besoin pour défier les simples lois faites pour les femmes et les hommes ordinaires. Déoris, Déoris ! Je ne condamne point, mais je ne puis non plus approuver. Je ne peux que protéger, afin que les forces du mal ne puissent toucher les fils et les filles de la Lumière. Fais ce que tu dois, mon enfant. Tu es sensible... mais que cette sensibilité soit ta servante et non ta maîtresse. Apprends à te protéger toi-même, si tu ne veux pas causer de tort à autrui. (Il posa brièvement une main affectueuse sur la tête bouclée de Déoris :) Puisses-tu toujours errer du côté de la compassion ! Pendant tes années de pénitence, mon enfant, tu peux faire de ta faiblesse une force.

Ils demeurèrent un moment assis en silence tandis que Rajasta contemplait avec tendresse la femme qui se tenait devant lui — il savait que désormais Déoris n'était plus une enfant. La tristesse et le regret se mêlaient en lui à une étrange fierté, et il songea une fois de plus au nom qu'on avait donné à Déoris : Adsartha, l'enfant de l'Astre guerrier.

— Va, maintenant, dit-il avec douceur quand elle releva enfin la tête. Ne te présente pas devant moi tant que ta pénitence n'aura pas été accomplie.

Et, à l'insu de Déoris qui se détournait, il traça entre eux un symbole bénéfique, car il avait le sentiment qu'elle allait en avoir besoin.

Tandis que Déoris, misérable et ressentant pourtant un plaisir secret, parcourait à pas lents le chemin qui descendait vers le temple gris, une voix douce et profonde de contralto s'éleva, venue de nulle part, et qui murmura son nom. Déoris leva les yeux, mais ne vit personne. Puis il sembla y avoir dans l'atmosphère un léger frémissement, un scintillement, et Maleina apparut soudain ; elle pouvait avoir simplement surgi des buissons qui longeaient le chemin, mais Déoris crut alors, et elle le crut toujours, que Maleina s'était matérialisée devant elle.

— Au nom de Ni-Térat, que tu appelles Caratra, dit la voix grave et vibrante, je voudrais te parler.

Intimidée, Déoris inclina la tête ; elle craignait davantage cette femme que Rajasta, Rivéda ou n'importe quel prêtre ou prêtresse du temple. D'une voix presque inaudible, elle murmura :

— Que désires-tu, ô prêtresse ?

— Charmante enfant, n'aie pas peur, se hâta de dire Maleina. T'a-t-on interdit d'aller au temple de Caratra ?

Déoris leva les yeux avec hésitation :

— On m'a suspendue pour deux ans.

Maleina prit une profonde inspiration, et dit avec une lueur dure dans le regard :

— Je ne l'oublierai pas.

Déoris battit des paupières sans comprendre.

— Je suis née en Atlantis, lui dit Maleina, là où les magiciens sont tenus en bien plus haute estime qu'ici. Je n'aime pas ces nouvelles lois qui ont pratiquement interdit la magie.

La tunique grise fit une autre pause, puis demanda :

— Déoris... qu'es-tu pour Rivéda ?

Sous ce regard impérieux, la gorge de Déoris se serra, la rendant muette.

— Ecoute, mon enfant, poursuivit Maleina. Le temple gris n'est pas un endroit pour toi. En Atlantis, on honorerait quelqu'un comme toi. Ici, tu seras couverte de réprobation et de disgrâce, non seulement comme aujourd'hui, mais bien d'autres fois encore. Retourne au monde de tes pères pendant qu'il est encore temps, mon enfant ! Complète ta pénitence et retourne au temple de Caratra, pendant qu'il en est encore temps.

Déoris retrouva sa voix et sa fierté, avec quelque retard :

— De quel droit me donnez-vous de tels ordres ?

— Ce ne sont pas des ordres, dit Maleina avec tristesse. Je te parle… comme à une amie, qui m'a rendu un très grand service. Sémalis, la fille que tu as aidée sans penser au châtiment, est une de mes disciples, et je l'aime. Et je sais ce que tu as fait pour Démira. (Elle se mit à rire tout bas, d'un rire heurté et plutôt mélancolique :) Non, Déoris, ce n'est pas moi qui t'ai dénoncée aux gardiens, mais je l'aurais fait si j'avais pensé que cela pourrait mettre un peu de bon sens dans ta petite cervelle obstinée ! Déoris, *regarde-moi*.

Incapable de parler, Déoris s'exécuta.

Au bout d'un moment, Maleina détourna son regard impérieux et dit avec douceur :

— Non, je ne t'hypnotiserai pas. Je veux seulement que tu voies bien ce que je suis, petite.

Déoris l'examina avec attention. L'Atlante était grande et très mince, et ses cheveux lisses, laissés à découvert, étincelaient au-dessus de son visage basané ; elle tenait ses mains longues et délicates croisées sur sa poitrine, comme celles d'une magnifique statue. Mais son visage aux traits finement ciselés était marqué, hagard et, sous la tunique grise, elle avait une poitrine plate, un corps maigre et curieusement dépourvu de formes ; et ses épaules bien droites trahissaient pourtant l'affaissement de l'âge. Déoris vit soudain des mèches blanches, habilement tressées au milieu des cheveux éclatants.

— J'ai moi aussi commencé au temple de Caratra, dit gravement Maleina. Et maintenant qu'il est trop tard, je voudrais n'avoir jamais regardé plus loin. Retournes-y, Déoris, avant qu'il ne soit trop tard pour toi. Je suis vieille, je sais de quoi je parle. Voudrais-tu voir ta féminité se flétrir avant même de s'être vraiment éveillée en toi ? Déoris, comprends-tu enfin ce que je suis ? Tu as vu ce que j'ai infligé à Démira ! Retourne à Caratra, mon enfant.

Déoris baissa la tête, luttant contre les larmes, la gorge trop serrée pour parler.

Les longues mains fines lui effleurèrent les cheveux :

— Tu ne peux pas, n'est-ce pas ? murmura tristement Maleina. Est-il déjà trop tard ? Ma pauvre enfant !

Quand Déoris put de nouveau lever les yeux, la magicienne avait disparu.

8

La sphère de cristal

I

Pendant des jours, il arrivait à Déoris de ne pas quitter l'enceinte du temple gris. On menait une vie hédoniste et non-chalante dans l'univers féminin des tuniques grises, et Déoris se surprenait à y trouver un plaisir rêveur. Elle passait beaucoup de temps avec Démira, elle dormait, elle se baignait dans le bassin, elle bavardait sans fin, oisive — s'adonnant tantôt à un babil enfantin, tantôt à une conversation adulte étonnamment sérieuse. Démira avait une intelligence vive, bien qu'en friche, et Déoris était ravie de lui enseigner certaines choses qu'elle avait apprises elle-même enfant. Elles s'amusaient avec les petits chélas trop jeunes pour vivre parmi les hommes, et écoutaient avec avidité — en se cachant bien sûr — les conversations des prêtresses plus âgées et des *saji* plus expérimentées, des conversations qui scandalisaient souvent l'innocente Déoris, élevée parmi les prêtres de la Lumière. Démira prenait un plaisir pervers à lui expliquer les allusions les plus cryptiques ; elle en fut d'abord choquée, puis fascinée.

Elle s'entendait bien, en définitive, avec la fille de Rivéda. Elles étaient toutes deux jeunes, bien trop mûres pour leur âge, et contraintes à un éveil spirituel par des tactiques presque aussi contraires à la nature dans un cas que dans l'autre, même si Déoris ne s'en rendit jamais compte.

Domaris et elle étaient presque des étrangères à présent ; leurs rencontres étaient rares et contraintes. Assez curieusement, l'intimité de Déoris avec Rivéda ne s'était pas non plus approfondie ; il traitait Déoris d'une façon presque aussi impersonnelle que Micon, et rarement avec la même gentillesse.

Au temple gris, on menait surtout une vie nocturne. Pour Déoris, c'étaient des nuits d'un étrange apprentissage, d'abord dépourvues de sens ; des mots et des incantations dont on devait maîtriser l'intonation exacte, des gestes à répéter avec une précision mathématique, presque mécanique. A l'occasion, feignant un peu de plaisanter, Rivéda utilisait brièvement Déoris comme scribe. Et il l'emmenait souvent hors de l'enceinte du temple, car même s'il était lettré et adepte, son rôle de guérisseur était toujours le plus important pour lui. Sous sa direction, Déoris développa un talent presque égal au sien. Elle devint aussi une experte en hypnose ; parfois, quand on devait mettre des attelles à un membre fracturé, débrider et nettoyer une blessure grave, Rivéda faisait appel à elle pour maintenir le patient dans une transe profonde, afin de pouvoir prendre son temps et bien faire son travail.

Il ne lui avait pas souvent permis d'entrer dans le cercle des chélas. Il n'en donna aucune explication, mais elle pouvait aisément en imaginer une : Rivéda n'avait pas l'intention de donner l'occasion à d'autres tuniques grises de l'approcher. Elle en fut déconcertée : nul n'aurait pu moins ressembler à un amant ; en même temps, il manifestait une certaine possessivité pleine de jalousie, suffisamment nuancée de menace pour qu'elle ne se sentît jamais tentée de braver sa colère.

En fait, elle ne comprenait jamais Rivéda, n'avait pas la moindre idée des motifs qui causaient ses sautes d'humeur — car il était aussi changeant que le ciel à la saison des pluies. Pendant longtemps, il était doux, presque comme un amant ; ces périodes apportaient à Déoris la plus grande joie. L'adoration qu'elle éprouvait pour lui, même teintée de crainte, était trop innocente pour s'être complètement transformée en passion, mais elle était très près de l'aimer quand il était ainsi, simple et direct, avec les manières sans détour de ses ancêtres paysans... Elle ne pouvait pourtant jamais rien considérer comme acquis. Du jour au lendemain, en une métamorphose si totale qu'elle équivalait à de la sorcellerie, il devenait lointain, sarcastique, aussi froid avec elle qu'avec n'importe quel chéla ordinaire. Il la touchait rarement quand il était ainsi, mais quand il le faisait, une brutalité ordinaire aurait semblé une amoureuse caresse : elle apprit à l'éviter quand il était de cette humeur.

Néanmoins, en général, Déoris était heureuse. Sa vie oisive laissait à son esprit — et c'était un esprit acéré, bien entraîné — le loisir de se concentrer sur les étranges enseignements de Rivéda. Le temps passa, de son pas lent, et une année s'écoula, puis une autre.

II

Déoris se demandait parfois pourquoi elle n'avait jamais entretenu ne fût-ce que l'espoir de porter un enfant de Rivéda. Elle lui demanda pourquoi à plusieurs reprises ; il répondait parfois par un rire moqueur, un éclat agacé ou exaspéré et, à l'occasion, par une caresse silencieuse accompagnée d'un sourire lointain.

Elle avait presque dix-neuf ans quand l'insistance de Rivéda pour ce qui concernait gestes, sons et intonations rituels se fit plus exigeante, presque fanatique. Il avait complètement remodelé sa voix, jusqu'à lui donner une immense étendue et une flexibilité incroyable ; Déoris commençait maintenant à saisir quelque chose de la signification et de la puissance du son : des mots qui faisaient se mouvoir la conscience endormie, des gestes qui éveillaient des sens et des souvenirs latents...

Une nuit, vers la fin de l'année, Rivéda l'emmena au temple gris. La salle était déserte dans sa lumière froide, ce gris qui brûlait obscurément comme du gel sur les parois et les sols de pierre. L'air était sans odeur, frais et immobile, insonore, étranger à la réalité. Sur leurs talons se glissait le chéla Réio-ta, fantôme muet dans sa tunique grise, sa face cireuse semblable à un masque mortuaire dans la lumière glacée. Déoris, frissonnant dans ses minces voiles safranés, écoutait, craintive, les ordres laconiques et coupants de Rivéda. Sa voix était passée d'un clair ténor à un baryton sonore, le premier signe pour Déoris de l'ouragan qui se déchaînait dans l'âme de l'adepte.

Il se tourna vers elle et plaça entre ses mains tremblantes une sphère de cristal argenté à l'intérieur de laquelle se tordaient des lueurs paresseuses. Il referma les doigts de sa main gauche sur la sphère et lui fit signe de gagner sa place à l'intérieur du signe de mosaïque incrusté dans le sol du temple. Sa propre main tenait une baguette de métal argenté. Il la tendit vers le chéla, mais à son contact Réio-ta émit un son curieux, inarticulé, et sa main tendue pour recevoir la baguette se retira d'un geste convulsif et refusa de prendre l'objet, comme par un réflexe indépendant de sa volonté. Avec un haussement d'épaules exaspéré, Rivéda garda la baguette et fit signe au chéla de se mettre en position.

Ils formaient donc un triangle, Déoris et la sphère brillante dans sa main levée, le chéla dans une posture défensive, comme s'il avait brandi une épée, et Rivéda dont l'attitude trahissait une certaine agressivité.

Rivéda n'était pas sûr de ses propres motivations ; c'était un peu par curiosité qu'il tentait cette expérience, mais surtout pour mettre ses propres pouvoirs à l'épreuve, comme ceux de la jeune fille qu'il avait entraînée, et ceux de cet étranger dont l'esprit lui était toujours un livre fermé.

Après un léger haussement d'épaules, l'adepte modifia sa position, parachevant la configuration du triangle dans l'espace... Il sentit aussitôt jaillir une tension presque électrique. Déoris altéra très légèrement la position de la sphère, et le chéla celle d'une de ses mains.

Le triangle et son réseau étaient complets !

Déoris commença à émettre un roucoulement bas, une incantation, moins chantée que psalmodiée, moins psalmodiée que parlée, mais musicale, qui ondulait en vagues cadencées. A la première note, le chéla sembla renaître ; son regard prit une expression d'évidence, comme s'il avait reconnu quelque chose, même s'il n'avait pas bougé d'un pouce.

L'incantation se transforma en une bizarre mélodie en mineur, puis s'interrompit. Déoris inclina la tête et, lentement, avec une économie et une grâce splendides, enchaînant des mouvements équilibrés qui trahissaient des heures d'entraînement ardu, elle s'agenouilla en soulevant au-dessus de sa tête la sphère de cristal. Rivéda leva la baguette... et le chéla se pencha en avant, ses mains esquissant des mouvements automatiques, très lents, comme appris dans l'enfance et longtemps oubliés.

Le réseau des formes et des sons se transforma de façon subtile. Des lumières et des ombres ambrées passaient dans la sphère de cristal.

Rivéda commença à psalmodier de longues phrases qui montaient et retombaient en palpitations sonores et rythmées ; Déoris y ajouta sa voix en un complexe contrepoint. Le chéla était toujours silencieux, le regard pour la première fois en éveil, alerte, mais animé de mouvements saccadés de marionnette. Rivéda lui jeta seulement un bref regard, prisonnier de sa concentration, polarisé sur le rôle qu'il jouait lui-même dans ce rituel.

Le chéla s'en rappellerait-il assez ? Le stimulus du rituel familier — l'adepte ne doutait pas qu'il lui fût familier — suffirait-il à éveiller ce qui dormait dans sa mémoire ? Rivéda avait parié que Réio-ta était bel et bien détenteur du secret.

La tension électrique augmenta, battant avec toute la force d'un son sous la haute voûte. La sphère brillait, devenait presque transparente en surface, révélant des éclairs de couleurs mêlées. Elle se fit plus sombre, recommença à briller...

Les lèvres du chéla s'entrouvrirent. Il y passa sa langue, d'un mouvement convulsif, avec le regard égaré d'un prisonnier oublié. Puis il se mit à psalmodier à son tour, d'une voix rauque et hachée, comme si son cerveau lui-même tremblait sous l'effort, frénétique dans sa cage osseuse.

Non, se dit Déoris, grâce à l'espace de conscience qui n'était pas submergé par la cérémonie, *ce rite n'est pas nouveau pour lui.*

Rivéda avait parié et gagné. Les deux tiers du rituel étaient bien connus de tous, mais Réio-ta en connaissait la troisième partie, la partie secrète, qui en faisait une invocation d'un immense pouvoir. Il la connaissait et, contraint par la volonté plus forte de Rivéda comme par l'incantation familière qui stimulait son esprit enténébré, il l'utilisait, et de la façon appropriée !

Un petit fourmillement d'exultation traversa Déoris. Ils avaient brisé le mur ancien du mystère, ils entendaient et voyaient ce que nul n'avait jamais vu ni entendu, sinon les plus hauts initiés d'une secte secrète et presque légendaire — et ceux-ci ne l'avaient fait qu'en prêtant serment de garder le silence jusqu'à leur mort !

312

Elle sentit s'exacerber la tension magique, sa peau se hérissa et son esprit s'ouvrit pour laisser pénétrer le secret du rituel. La voix et les mouvements du chéla étaient plus nets à présent, tandis que les souvenirs revenaient en force dans son esprit et dans son corps. Il contrôlait tout à présent : la voix claire et précise, les gestes assurés, parfaits. Dans son visage rigide comme un masque, ses yeux de nouveau vivants étincelaient. L'incantation s'accélérait, emportant Déoris et Rivéda dans sa vague comme deux fétus de paille dans un torrent tumultueux.

Des éclairs palpitèrent dans la sphère et jaillirent de la baguette tenue par Rivéda. Une force palpitante vibrait entre les corps qui formaient le triangle, un battement lumineux presque visible, une alternance spasmodique d'ombre et de lumière. Un éclair jaillit au-dessus de leurs têtes, un coup de tonnerre énorme déchira l'atmosphère.

Le corps de Rivéda se tendit en arc, rigide comme de la pierre, et une terreur soudaine envahit Déoris. Le chéla était *contraint* à accomplir ce... ce rituel secret et sacré ! Et pourquoi ? C'était un sacrilège... un noir blasphème... il fallait que cela prît fin, d'une façon ou d'une autre ! Elle devait y mettre fin... mais elle n'était même plus capable de s'arrêter elle-même. Sa voix la trahissait, son corps était pétrifié, la puissance tyrannique les emportait tous dans son flot sauvage.

L'intolérable psalmodie descendait peu à peu dans les graves, pour devenir un unique mot interminable, un mot qu'une gorge solitaire ne pouvait prononcer, il fallait trois voix unies pour transformer cet innocent amas de syllabes en un rythme assez explosif pour tordre l'espace. Déoris le sentit sur sa langue, le sentit lui déchirer la gorge, faisant résonner les os de son crâne comme pour les réduire en atomes éparpillés...

Une flamme rouge jaillit avec un bruit de tonnerre, tandis que le mot tonnait à l'infini... Une angoisse aveugle fit hurler Déoris, et elle s'effondra en avant, saisie de convulsions. Rivéda bondit et la serra contre lui en un geste de protection féroce, mais la baguette lui collait aux doigts, se tordant comme douée d'une vie propre, comme si elle avait pris racine dans sa chair même. Le réseau était brisé, mais le feu palpitait autour d'eux, pâle, ardent, incontrôlable, charme puissant qui n'avait été libéré que pour se retourner contre ses profanateurs.

Le chéla pétrifié s'affaissa, comme soumis à une pression insupportable ; son visage cireux se tordait tandis que ses genoux cédaient sous lui. Mais il bondit soudain en avant, les mains tendues vers Déoris. En poussant un cri sauvage, Rivéda le cingla de sa baguette pour l'écarter, mais la force fulgurante de la folie éclatait dans le corps de Réio-ta qui le frappa farouchement au visage, évitant de justesse le halo crépitant de la baguette. Rivéda tomba, à demi étourdi, et Réio-ta, se glissant entre les lueurs et les flammes palpitantes comme si elles n'avaient été que des reflets dans un miroir, saisit les mains ravagées de Déoris et leur arracha la sphère. Puis, se retournant, il frappa de nouveau Rivéda qui se relevait en vacillant et lui arracha la baguette. Un seul hululement long et bas sortait de sa bouche ; il entrechoqua baguette et sphère puis les écarta l'une de l'autre avec difficulté, et les jeta avec violence aux deux extrémités de la salle.

La sphère explosa en morceaux. Des fragments inoffensifs de cristal retombèrent en constellations sur les mosaïques. La baguette émit un dernier crépitement et cessa de briller. Les éclairs disparurent.

Réio-ta se redressa et fit face à Rivéda. Sa voix était basse, furieuse. Et c'était la voix d'un homme sain d'esprit :

— *Répugnant sorcier noir, sois maudit !*

III

L'air était vide à nouveau, gris et froid. Il ne restait que de légères traces d'ozone. Tout était silencieux, à l'exception des douloureux gémissements de Déoris qui délirait, et de la respiration haletante du chéla. Les mains de Rivéda, brûlées, tremblantes, étaient sans force, mais il tenait la jeune fille sur ses genoux. Son visage paraissait d'une blancheur crayeuse et ses yeux étincelaient comme si des éclairs y étaient demeurés.

— Je te tuerai un jour pour avoir fait cela, Réio-ta.

Le chéla regardait l'adepte, de toute sa hauteur, puis concentra ses regards sur la jeune fille inconsciente. Son visage basané était livide de souffrance et de rage, sa voix presque inaudible :

— Tu m'as déjà tué, Rivéda, et tu t'es tué toi-même.

Mais Rivéda avait déjà oublié son existence. Déoris gémit à mi-voix, inconsciente, en esquissant de petits gestes convulsifs sur sa poitrine alors qu'il la déposait avec douceur sur les pierres froides du sol. Avec soin, il écarta les voiles noircis par les flammes, maladroitement, du bout de ses doigts blessés. Ses yeux de guérisseur en avaient beaucoup vu, mais ils se fermèrent avec horreur en constatant l'état de Déoris. Puis les gémissements de la jeune fille s'éteignirent ; elle soupira et s'affaissa. Pendant un terrible instant, Rivéda crut qu'elle était morte.

Réio-ta se tenait immobile à présent, agité de légers tremblements, la tête baissée, l'esprit concentré sur la marge étroite qui séparait sa conscience recouvrée d'une rechute dans les limbes.

Rivéda releva la tête pour croiser ce noir regard qui le condamnait. Puis l'adepte fit un geste bref et impérieux, et Réio-ta se baissa pour soulever Déoris et la déposer ensuite dans les bras tendus de Rivéda. Elle reposait comme un poids mort contre son épaule, et il serra les dents en se dirigeant vers la porte, pour l'emporter hors du temple.

Et derrière lui, le seul homme qui eût jamais maudit Rivéda et n'en fût pas mort lui emboîta le pas avec obéissance, en marmonnant pour lui seul, comme le font les idiots... Mais il y avait au fond de ses yeux une étincelle secrète et nouvelle.

La différence

I

Pendant les deux premières années de leur union, Arvath s'était convaincu qu'il pourrait faire oublier Micon à Domaris. Il avait manifesté bonté et patience, essayant de comprendre la lutte intérieure de Domaris, conscient de son courage, plein de tendresse après la perte de leur enfant.

Domaris n'était pas douée pour les faux-semblants et, pendant l'année qui venait de s'écouler, une tension croissante s'était installée entre eux, malgré tous leurs efforts. Arvath n'était pas entièrement innocent : aucun homme ne peut tout à fait pardonner à une femme qui reste complètement insensible à ses sentiments.

Pourtant, aux yeux du monde, Domaris était une bonne épouse. Elle était belle, modeste, conventionnelle, soumise, la fille d'un prêtre haut placé, elle-même prêtresse. Elle dirigeait bien leur maison, quoique avec indifférence, et quand elle comprit qu'Arvath éprouvait du ressentiment à l'égard de son jeune fils, elle s'arrangea pour tenir Micail hors de sa vue. Quand ils étaient seuls, elle était complaisante, affectueuse et même tendre ; passionnée, elle ne l'était pas, et ne prétendait pas l'être.

Arvath lisait souvent une curieuse pitié dans les yeux gris de Domaris. Et la pitié était bien l'unique chose qu'Arvath ne pouvait supporter. Elle le poussait à des scènes de colère jalouse, à d'interminables récriminations, et il avait parfois le sentiment que si Domaris avait pu consentir à lui répondre une seule fois avec violence, si elle avait protesté, ils auraient au moins eu un point de départ. Mais ses réponses étaient toujours les mêmes, le silence, ou un murmure à demi honteux :

— Je suis navrée, Arvath. Je t'avais prévenu qu'il en serait ainsi.

Et Arvath jurait alors, furieux et frustré, il la regardait, avec dans les yeux quelque chose qui ressemblait à de la haine, puis il sortait en coup de vent pour aller arpenter l'enceinte du temple, seul, en marmonnant pendant des heures. Si elle lui avait refusé quelque chose, si elle lui avait fait des reproches, il aurait pu lui pardonner, avec le temps ; mais son indifférence était bien plus grave, une retraite en un lieu secret où il ne pouvait la suivre. Elle n'était tout simplement pas présente dans la pièce avec lui.

— Je préférerais que tu me fasses cocu dans la cour avec un esclave-jardinier, au vu et au su de tout le monde ! lui cria-t-il une fois, au comble de la frustration. Au moins je pourrais le tuer, lui, et je serais content !

— Le serais-tu vraiment ? s'enquit-elle avec douceur, comme si elle avait seulement attendu sa réponse pour s'engager précisément dans cette ligne de conduite.

Arvath put sentir le goût amer de la haine dans sa bouche et il s'enfuit de la pièce en claquant la porte, d'un pas titubant, comprenant avec horreur que s'il restait, il allait la tuer sur place.

Il se demanda plus tard si elle n'avait pas justement tenté de l'y pousser...

Il découvrit qu'il pouvait venir à bout de son indifférence par la cruauté, et il se mit même à prendre un certain plaisir à la brutaliser, avec le sentiment que des paroles emportées et la haine valaient mieux que cette acceptation indifférente — sa tendresse à lui n'avait jamais gagné davantage. Il en vint à la maltraiter d'une façon honteuse. A la fin, blessée au-delà du supportable, Domaris menaça de se plaindre aux cinq mandataires.

— Toi, tu vas te plaindre ! se moqua Arvath. Eh bien, moi aussi je me plaindrai, et les cinq mandataires nous jetteront dehors pour que nous réglions la question entre nous !

— T'ai-je jamais rien refusé ? lui demanda Domaris avec amertume.

— Tu n'as jamais rien fait d'autre, espèce de...

Le terme qu'il employa n'avait pas de forme écrite, et en l'entendant dans la bouche d'un membre de la caste des prêtres, Domaris faillit s'évanouir de honte. Arvath, en la voyant pâlir, continua à la couvrir d'injures du même calibre, avec un plaisir sauvage :

— Je ne devrais pas parler ainsi, bien sûr, tu es une initiée, dit-il avec dérision. Tu connais les mystères du temple... et en particulier celui qui te permet de refuser délibérément de concevoir mon enfant ! (Il fit une petite courbette sarcastique :) Tout en protestant de ton innocence, bien entendu, comme il sied à une personne si haut placée.

L'injustice de cette accusation poussa Domaris à la dénégation, contrairement à son habitude, car elle avait enfoui l'avertissement de mère Ysouda dans son cœur et avait complètement oublié le conseil de celle-ci dès qu'elle l'avait reçu.

— Tu mens, dit-elle d'une voix tremblante, en élevant la voix pour la première fois. Tu mens, et tu le sais ! Je ne sais pas pourquoi les dieux nous refusent des enfants. Mais *mon* enfant porte mon nom, et celui de son père ! Voilà ton problème !

Arvath, saisi de rage, la domina de toute sa taille d'un air menaçant :

— Je ne vois pas le rapport ! Sinon que tu avais meilleure opinion de ton porc de prince atlante que de moi ! Ne penses-tu pas que je sache comment tu as toi-même empêché de vivre l'enfant que tu m'as presque donné ? Et tout cela à cause de ce... de ce...

Il avala sa salive, incapable de poursuivre, et saisit Domaris par les épaules pour la mettre brutalement debout :

— Maudite sois-tu, dis-moi la vérité ! Admets que je dis vrai. Je vais te tuer !

Elle se laissa aller entre ses mains :

— Tue-moi, alors, dit-elle avec lassitude. Tue-moi tout de suite, et finissons-en.

Arvath crut qu'elle tremblait parce qu'elle avait peur. Réellement effrayé lui-même, il la rassit avec douceur et desserra son étreinte violente :

— Non, je ne voulais pas dire cela, murmura-t-il, contrit.

Puis son visage se défit ; il se jeta aux genoux de Domaris, l'entourant de ses bras et enfouissant sa tête contre sa poitrine.

— Domaris, pardonne-moi, pardonne-moi, je n'avais pas l'intention d'être brutal ! Domaris, Domaris...

Il continua à répéter son nom, saisi d'une incohérente détresse, secoué des terribles sanglots d'un homme à la dérive.

La jeune femme se pencha enfin sur lui, le serra contre elle, les yeux assombris d'une compassion qui lui brisait le cœur, et elle se mit à pleurer aussi tout en le berçant contre sa poitrine. Elle aurait tant voulu l'aimer, tout son corps lui en faisait mal, son cœur, son être tout entier.

II

Plus tard, pleine d'effroi, déchirée par un âpre débat intérieur, elle fut tentée de lui parler au moins des avertissements de mère Ysouda. Mais même s'il la croyait, et si cela ne déclenchait pas la même horrible dispute, l'idée qu'il pourrait avoir pitié d'elle lui était intolérable. Elle se tut.

Avec timidité, avide de réconfort et de conseils paternels, elle alla voir Rajasta mais, en parlant avec lui, elle se mit à se blâmer elle-même. Ce n'était pas Arvath qui avait été cruel mais elle, qui avait essayé d'échapper à son devoir. Rajasta, qui l'observait tandis qu'elle lui parlait, ne put lui offrir aucun réconfort, car il ne doutait pas que Domaris avait délibérément fait de sa passivité un spectacle, qu'elle avait jeté son absence d'émotion à la face d'Arvath. Comment s'étonner si celui-ci lui en voulait d'un tel assaut contre sa dignité d'homme ? Domaris, de toute évidence, ne prenait pas plaisir à être une victime ; mais de façon tout aussi évidente, elle y trouvait une satisfaction perverse. Son visage était marqué de honte, mais une lueur ténue brillait dans ses yeux, et Rajasta pouvait y reconnaître trop aisément les signes de la victime qui participe à son propre martyre.

— Domaris, dit-il avec tristesse, ne te hais pas toi-même, ma fille. (Il s'arrêta et leva la main :) Je sais, tu accomplis tous les gestes commandés par ton devoir. Mais es-tu *son épouse*, Domaris ?

— Que voulez-vous dire ? murmura-t-elle ; mais son visage révélait qu'elle s'en doutait.

— Ce n'est pas moi qui te le demande, répondit Rajasta, impitoyable, c'est toi, si tu veux vivre avec toi-même. Si ta conscience était sans reproche, ma fille, tu ne serais pas venue me trouver ! Je sais ce que tu as donné à Arvath, et à quel prix. *Mais qu'est-ce que tu ne lui as pas donné ?* (Il s'interrompit en voyant qu'elle était sous le choc, incapable de soutenir son regard.) Mon enfant, ne m'en veuille point de te donner le conseil que tu sais être le bon.

Il prit l'une de ses mains qu'elle tenait contractées si fort qu'elles en étaient presque exsangues ; il la caressa avec douceur, jusqu'à ce que les doigts se détendent un peu :

— Tu es comme ta main, Domaris. Tu t'accroches trop fort au passé, et tu retournes ainsi le couteau dans ta propre plaie. Laisse aller, Domaris !

— Je... je ne puis, murmura-t-elle.

— Et tu ne peux non plus mourir simplement en le désirant, mon enfant. Il est trop tard pour cela.

— Vraiment ? demanda-t-elle avec un sourire étrange.

III

Le cœur de Rajasta souffrait pour Domaris. Le sourire amer et calme de la jeune femme le hanta longtemps et il en vint enfin à voir la situation comme elle la voyait elle-même. Il se rendit compte qu'il avait eu tort. Dans son for intérieur, il savait que Domaris était veuve : elle avait été, dans le sens le plus profond du terme, l'épouse de Micon, et ne serait jamais plus que la maîtresse d'Arvath. Rajasta ne lui avait jamais posé la question mais il *savait* qu'elle était vierge avant de connaître Micon. Son mariage avec Arvath était une comédie, un bal tristement masqué, un devoir las, une profanation... et personne n'y avait trouvé bénéfice.

Un matin, à la bibliothèque, incapable de se concentrer, il pensa soudain avec détresse : *C'est ma faute.* Déoris m'avait averti que Domaris ne devait pas avoir d'autre enfant, et je n'ai rien dit ! J'aurais pu les empêcher de la forcer à ce mariage. Au lieu de cela, j'ai joué les moralisateurs et j'ai détruit la vie de celle qui a été la fille de ma vieillesse sans enfant, l'enfant de mon âme. J'ai poussé ma fille à la prostitution ! Et sa honte assombrit ma propre lumière.

Il rejeta le rouleau qu'il essayait de lire en vain et se leva pour aller à la recherche de Domaris, avec l'intention de lui promettre que son mariage serait dissous, qu'il remuerait ciel et terre pour le faire annuler.

Il ne lui dit rien de tel, car avant même qu'il ne pût ouvrir la bouche, elle lui déclara, avec un étrange sourire qui n'était pas un sourire de tristesse, qu'elle portait l'enfant d'Arvath.

10

Dans le labyrinthe

I

Ce que Rivéda haïssait par-dessus tout, c'était l'échec. Il y était à présent confronté. Et un chéla ordinaire, son propre chéla, avait eu l'audace de le protéger ! Que l'intervention de Réio-ta leur eût bel et bien sauvé la vie à tous trois ne changeait rien à la haine que nourrissait Rivéda à son égard.

Ils avaient souffert tous les trois. Réio-ta s'en était le mieux tiré, avec quelques brûlures sur les épaules et les bras : facilement traitées, facilement expliquées. Les mains de Rivéda étaient brûlées jusqu'à l'os — il était mutilé à vie, pensait-il sombrement. Mais les éclairs du *dorje* avaient d'abord frappé Déoris de leur feu incandescent. Ses épaules, ses bras et ses flancs étaient noircis et couverts de plaies, et les fouets ardents avaient profondément marqué la chair de ses seins, y laissant leur dessin aisément reconnaissable comme un sceau cruel imprimé là par la flamme blasphématoire.

Rivéda, de ses mains presque inutiles, fit ce qu'il put. Il éprouvait pour la jeune fille tout l'amour dont il était capable, et la nécessité du secret le mettait en rage car il se savait à présent incapable de prendre soin d'elle comme il le fallait ; les remèdes appropriés lui faisaient défaut et ses mains mutilées amputaient ses habituels talents. Mais il n'osait demander de l'aide. Les prêtres de la Lumière, en voyant la coloration et les configurations effrayantes des blessures de Déoris, en comprendraient aussitôt l'origine. Il ne pouvait même pas se confier à ses tuniques grises ; mêmes eux n'oseraient pas dissimuler une manipulation aussi épouvantable de forces muselées à juste titre. Sa seule chance était les tuniques noires. Et si Déoris devait vivre, il devait prendre ce risque ; sans soins, elle ne survivrait pas une autre nuit.

Avec l'assistance de Réio-ta, il l'avait emmenée dans une salle secrète des souterrains du temple gris, mais il n'osait l'y laisser trop longtemps. Pour faire taire ses gémissements ininterrompus, il avait préparé un puissant sédatif, aussi puissant qu'il pouvait l'oser, et l'avait forcée à l'avaler. Elle était tombée dans un sommeil agité et, si ses plaintes n'avaient pas cessé, la drogue brouillait assez ses sens pour émousser la souffrance.

Avec un sursaut de culpabilité, Rivéda se surprit à évoquer de nouveau ce qu'il avait pensé à propos de Micon : *Pourquoi n'ont-ils pas limité leurs jeux infernaux à des gens sans importance, ou, après avoir osé aller si loin, pourquoi ne se sont-ils pas au moins assuré que leurs victimes ne s'échapperaient pas pour tout raconter ?*

Il aurait laissé Reio-ta mourir sans problème. Comme prince d'Ahtarrath, celui-ci était légalement mort depuis des années, et qu'était un chéla fou de plus ou de moins ? Déoris, cependant, était la fille d'un prêtre puissant ; sa mort entraînerait une enquête complète et sans complaisance. Talkannon était un adversaire de taille, et Rajasta soupçonnerait presque assurément Rivéda le premier.

L'adepte se sentait un peu honteux de sa faiblesse, mais il ne voulait toujours pas admettre, même en son for intérieur, qu'il aimait Déoris, qu'elle lui était devenue nécessaire, que la pensée de sa mort était en lui une noire souffrance, une souffrance si intense, si dévorante, qu'il en oubliait l'agonie de ses mains calcinées.

II

Après un long cauchemar confus où il lui semblait errer à travers des flammes, des éclairs et des fantômes surgis d'horribles légendes à demi oubliées, Déoris ouvrit les yeux sur une scène étrange.

Elle gisait sur une large couche de pierre sculptée, dans un amoncellement de coussins soyeux. Une lampe éternelle était fixée au-dessus de la couche, et sa flamme bondissante muait les formes sculptées sur les rebords du lit en silhouettes horriblement grotesques. L'air était saturé d'humidité glacée, répandant une odeur de moisi comme la pierre froide. Déoris se demanda d'abord si elle était morte et reposait dans une crypte, puis elle se rendit compte qu'elle était enveloppée de bandages humides et frais. Son corps éprouvait certes la douleur, mais de façon lointaine, comme si cette masse de pansements avait appartenu à quelqu'un d'autre.

Elle bougea un peu la tête, avec difficulté, et distingua la silhouette de Rivéda, familière, même si elle lui tournait le dos. Devant lui se tenait un homme qu'elle reconnut avec un petit frisson terrifié : Nadastor, un adepte des tuniques grises. D'âge moyen, émacié et d'apparence ascétique, il dégageait une inquiétante séduction. Et il n'était pas revêtu à présent de la tunique grise d'un magicien mais d'un long tabard noir et brodé, portant des blasons étranges. Coiffé d'une sorte de grande mitre, il tenait une mince baguette de verre.

Il était en train de parler, d'une voix basse à l'accent cultivé qui rappelait vaguement celui de Micon :

— Vous dites que ce n'est pas une *saji* ?

— Bien au contraire, répondit Rivéda d'une voix sèche. C'est la fille de Talkannon. De surcroît, une prêtresse.

Nadastor hocha lentement la tête :

— Je vois. Cela fait une différence, en effet. Bien entendu, s'il s'agissait simplement d'un intérêt personnel, je dirais encore que vous devriez la laisser mourir. Mais...

— J'en ai fait une *sakti sidhana*.

— Tout en restant à l'intérieur des limites dont vous vous êtes toujours imposé le fardeau, vous avez fait preuve de beaucoup d'audace, murmura Nadastor. Je savais bien entendu que vous possédiez un grand pouvoir, c'était clair dès le début. Si ce n'étaient des restrictions étriquées du rituel...

— J'en ai fini avec les restrictions ! dit férocement Rivéda. Je travaillerai comme j'en déciderai, moi seul ! Je ne me suis pas ménagé pour gagner ce pouvoir et personne, à présent, ne limitera mon droit à m'en servir !

Il leva sa main gauche, écarlate, écorchée, horriblement mutilée, et dessina avec lenteur un signe qui arracha une exclamation étouffée à Déoris. Impossible de revenir en arrière après un tel geste : ce signe, tracé de la main gauche, était un blasphème punissable de mort, même au temple gris. Il sembla flotter un instant dans l'air entre les adeptes.

Nadastor sourit :

— Soit, dit-il. Nous devons d'abord sauver vos mains. Quant à la fille...

— Rien du tout quant à la fille ! l'interrompit violemment Rivéda.

Le sourire de Nadastor s'était fait moqueur :

— Pour chaque force, une faiblesse, dit-il, ou vous n'en seriez pas là. Très bien, je vais m'en occuper.

Déoris se sentit soudain saisie d'une violente nausée : Rivéda s'était ainsi moqué de Micon et de Domaris.

— Si vous l'avez instruite comme vous le dites, elle a trop de valeur pour qu'on laisse sa féminité se flétrir et être détruite à cause de... ce qui l'a touchée.

Nadastor s'approcha du lit. Déoris ferma les yeux et resta immobile telle une morte tandis que le tunique noire défaisait les pansements mal posés et soignait adroitement ses blessures, d'une main aussi froide et impersonnelle que s'il avait manipulé une statue de pierre. Rivéda se tenait tout près et, quand Nadastor fut arrivé au terme de ses soins, l'adepte s'agenouilla et tendit vers Déoris une main enveloppée d'épais pansements.

— Rivéda, murmura-t-elle faiblement.

La voix de l'adepte était à peine plus distincte quand il lui dit :

— Ce n'était pas un échec. Nous en ferons un succès, toi et moi. Nous avons invoqué une terrible puissance, Déoris, et son usage nous appartient.

Déoris aurait voulu des paroles tendres ; ce discours sur le pouvoir l'écœurait et l'effrayait ; elle avait vu invoquer cette puissance et elle aurait bien voulu l'oublier.

— Une puissance... maléfique, parvint-elle à souffler, les lèvres sèches.

Son amertume ancienne resurgit, il répliqua avec violence :

— Toujours à jacasser du bien et du mal ! Tout doit-il naître dans la facilité et la beauté ? Vas-tu t'enfuir la première fois où tu vois une chose que tes jolis rêves ne t'avaient pas montrée ?

Honteuse et sur la défensive, comme toujours, elle murmura :

— Non. Pardonnez-moi.

La voix de Rivéda se radoucit :

— Non, je ne devrais pas te blâmer d'être effrayée, ma Déoris ! Le courage ne t'a jamais manqué quand il était nécessaire. A présent que tu es si gravement blessée, je ne devrais pas te rendre les choses plus difficiles. Essaie de dormir, à présent, Déoris. Retrouve tes forces.

Elle tendit une main vers lui, avide d'un contact physique, d'un mot d'amour et de réconfort. Mais tout à coup, avec une terrifiante violence, Rivéda explosa en blasphèmes insensés, en imprécations, en cris, proférant une abominable litanie de malédictions où plusieurs langues semblaient se confondre en un dialecte épouvantable. Choquée, terrorisée, incapable d'en supporter davantage, Déoris éclata en sanglots frénétiques. Rivéda ne s'arrêta que lorsque la voix lui fit défaut, et il se jeta sur la couche près de la jeune fille, en se voilant la face, le corps agité de tremblements, trop épuisé pour remuer ou parler encore.

Après un long moment, dans un effort douloureux, Déoris bougea. Elle plaça une main sur la joue de Rivéda toute proche de la sienne. Ce mouvement ranima un peu l'adepte ; il se retourna avec lassitude sur le côté et contempla Déoris avec de grands yeux pitoyables où des veinules éclatées avaient tressé de fines traînées rouges.

— Déoris, Déoris, que t'ai-je fait ? Comment puis-je te garder après cela ? Fuis pendant que tu le peux, abandonne-moi si tu le veux, je n'ai pas le droit de te demander davantage !

Elle augmenta la pression de sa main. Elle ne pouvait pas se redresser, mais sa voix tremblait de passion :

— Je vous ai donné ce droit ! *Je vais où vous allez !* Avec ou sans crainte. Rivéda, ne savez-vous pas encore que je vous aime ?

Les yeux injectés de sang hésitèrent un peu et, pour la première fois depuis bien des mois, il la serra contre lui et l'embrassa avec une intensité passionnée, la blessant tant il la serrait fort. Puis il se rappela son état et s'écarta avec circonspection, mais elle referma ses doigts sans force sur son bras droit, juste au-dessus du pansement.

— Je vous aime, murmura-t-elle faiblement, je vous aime assez pour défier les dieux comme les démons !

Les yeux de Rivéda, obscurcis par la souffrance et le chagrin, se fermèrent un instant. Quand il les rouvrit, il contrôlait de nouveau son expression : un masque de calme inébranlable.

— Il se peut que je te demande exactement cela, dit-il, d'une voix basse et tendue. Mais toujours, souviens-t'en, je ne serai qu'un pas derrière toi.

Nadastor, invisible dans les ombres au-delà de la porte voûtée, secoua la tête en riant tout bas, pour lui seul.

III

Déoris connut de brefs moments de lucidité au milieu de jours entiers de douleurs infernales et de cauchemars délirants causés par les drogues. Rivéda ne la quittait jamais ; quelle que fût l'heure où elle s'éveillait, il était là, émacié, impassible, plongé dans la méditation ou en train de déchiffrer d'anciens rouleaux.

Nadastor faisait de brefs passages. Déoris tentait d'écouter tout ce que se disaient les deux adeptes, mais ses intervalles de lucidité étaient si brefs qu'au début elle ne savait jamais où la réalité faisait place aux rêves ; elle se rappelait s'être éveillée une fois pour voir Rivéda caressant un serpent qui se lovait autour de sa tête, mais quand elle lui en parla bien plus tard, il la regarda fixement et nia que ce fût arrivé.

Nadastor traitait Rivéda avec un respect courtois, comme un égal, mais un égal dont l'éducation avait été lamentablement négligée et devait être améliorée. Quand Déoris fut hors de danger et put rester plus de quelques minutes éveillée sans le secours des drogues, Rivéda lui fit la lecture. Sur des sujets qui lui glacèrent le sang. De temps à autre, il lui démontrait son talent nouveau à manipuler la nature, et elle perdit peu à peu les craintes qu'elle pouvait avoir pour sa propre personne : jamais plus Rivéda ne permettrait par ignorance à un rituel de lui échapper !

Déoris n'avait qu'une contrariété : Rivéda était soudain devenu ambitieux. Son ancien désir de savoir s'était transformé en appétit de pouvoir. Mais elle n'exprima pas ses inquiétudes à ce sujet ; elle restait tranquille et écoutait l'adepte, trop débordante d'amour pour protester, et certaine de toute façon que, si elle protestait, il ne l'écouterait pas.

Jamais il n'avait été aussi gentil avec elle. C'était comme s'il avait passé toute sa vie écartelé entre des forces opposées, ce qui l'avait rendu sévère, rigide et distant dans son effort pour suivre la voie de la rectitude. A présent qu'il s'était enfin abandonné à la sorcellerie, les horreurs maléfiques de celle-ci absorbaient toute sa cruauté innée, laissant l'homme lui-même libre d'être bon, tendre, de manifester la simplicité et le bien dont il était capable. Déoris sentait que l'ancienne adoration enfantine qu'elle avait éprouvée pour lui se fondait en quelque chose d'autre, de plus profond... et en une occasion, alors qu'il l'embrassait avec cette tendresse nouvelle, elle s'accrocha à lui, dans l'éveil soudain d'un instinct aussi vieux que la féminité.

Il eut un petit rire et son visage se détendit en une expression amusée :

— Ma précieuse Déoris... (Puis il murmura, incertain :) Mais tu souffres encore trop.

— Pas beaucoup et... je désire être plus près de vous. Je veux dormir dans vos bras et m'y éveiller... comme je ne l'ai jamais fait jusqu'à présent.

Trop ému pour parler, Rivéda l'attira contre lui :

— Tu dormiras dans mes bras cette nuit, murmura-t-il enfin. Moi aussi... j'aimerais t'avoir près de moi.

Il la tenait avec délicatesse, comme s'il craignait de la meurtrir d'une caresse imprudente, et elle put sentir sa présence physique, si familière, que son corps connaissait de façon si intime, une présence si étrange, et pourtant complètement étrangère : après toutes ces années il était pour elle un inconnu... et elle se surprit à se sentir intimidée devant l'amant comme elle ne l'avait jamais été devant l'initiateur.

Au début un peu inquiet de la blesser, il lui fit l'amour avec douceur, avec une sincérité et une sensibilité qu'elle n'avait jamais crues possibles, même dans ses rêves. Puis, quand il fut rassuré, il alla puiser dans une réserve profonde de délicatesse, il se donna à elle avec la chaleur étrange et rare d'un homme qui a depuis longtemps cessé d'être jeune, sans passion, mais avec une extrême tendresse, un amour débordant. Depuis le temps qu'elle était avec lui, elle ne l'avait jamais vu ainsi. Et pendant des heures, ensuite, elle resta nichée dans ses bras, plus heureuse qu'elle ne l'avait jamais été de toute sa vie, qu'elle ne le serait jamais, tandis que d'une voix rauque, hésitante, il lui disait tout ce qu'une femme rêve d'entendre de son amant. Ses mains tremblantes et estropiées caressaient doucement la soie de sa chevelure.

11

Le sanctuaire des Ténèbres

I

Déoris demeura dans le labyrinthe souterrain pendant un mois, soignée par Rivéda et Nadastor. Elle ne vit personne d'autre, sinon une vieille sourde-muette qui lui apportait à manger. Nadastor la traitait avec une déférence cérémonieuse qui stupéfiait et terrifiait la jeune fille — surtout après qu'elle eut surpris une bribe de conversation...

Entre elle et Rivéda s'était développée une intimité tendre comme elle n'en avait jamais connu ; il ne manifestait plus ses humeurs sombres et maussades ; ce jour-là, il était resté avec elle un moment, lui traduisant les inscriptions anciennes avec une gaieté presque paillarde, la persuadant de manger avec toutes sortes de petits jeux amusants, comme si elle avait été une enfant malade. Au bout d'un moment, comme elle se fatiguait vite, il la recoucha, lui enveloppa les épaules d'une couverture de laine, et la quitta. Elle s'endormit, et fut réveillée par sa voix, qu'il ne retenait pas, comme si dans son irritation il avait oublié sa présence.

— ... *toute ma vie* j'ai détesté cela !

— Même au temple de la Lumière, disait Nadastor, frères et sœurs se marient parfois. La lignée reste pure, on ne veut pas de sang étranger qui pourrait y réintroduire les traits qu'on a réussi à supprimer dans la caste des prêtres. Les enfants de l'inceste sont souvent des clairvoyants-nés.

— Quand ils ne sont pas fous, remarqua Rivéda, cynique.

Déoris referma les yeux tandis que les voix redevenaient des murmures. Puis Rivéda éleva de nouveau le ton avec colère :

— *Laquelle,* de Talkannon... ?

— Vous allez réveiller la fille, le réprimanda Nadastor.

Pendant quelques instants, ils parlèrent si bas qu'elle ne put rien entendre. Elle surprit ensuite une déclaration neutre de Nadastor :

— Les humains croisent les animaux pour obtenir ce qu'ils désirent. Devraient-ils gaspiller leur propre semence ?

Sa voix redevint inaudible, puis, de nouveau :

— Je vous observe depuis longtemps, Rivéda. Je savais qu'un jour vous vous lasseriez des restrictions imposées par le rituel !

— Vous en saviez plus que moi, dans ce cas, répliqua Rivéda. Eh bien, je n'ai pas de regrets et, quoi que vous en pensiez, aucun scrupule en la matière. Voyons si je vous comprends bien. L'enfant d'un homme qui a dépassé l'âge de la passion et d'une fille à peine assez âgée pour concevoir peut... presque transcender les lois naturelles...

— Et être aussi peu soumis à leurs contraintes, conclut Nadastor.

Il se leva et quitta la pièce. Rivéda vint observer Déoris. Elle ferma les yeux et au bout d'un moment, comme il la croyait endormie, il se détourna.

II

Les brûlures furent bientôt guéries sur son dos et ses épaules, mais la marque cruelle avait profondément mordu la chair de ses seins. Quand elle fut à même de se lever de nouveau, sa poitrine était toujours bandée de pansements qu'elle ne pouvait supporter de toucher. Elle se sentait de plus en plus impatiente ; jamais elle ne s'était absentée aussi longtemps du temple de la Lumière, et Domaris devait s'inquiéter à son sujet — ou du moins poser des questions.

Rivéda apaisa un peu ses craintes :

— J'ai raconté une histoire à ton sujet. J'ai dit à Cadamiri que tu es tombée de la digue et que tu t'es brûlée à l'un des brasiers de signalisation. Cela expliquait aussi mes propres brûlures.

Il tendit les mains, libérées à présent de leurs bandages mais couvertes de terribles cicatrices, et trop raides pour jamais retrouver leur ancien talent.

— Nul ne met en doute mes capacités de guérisseur, Déoris, et personne n'a protesté quand j'ai dit qu'on devait te laisser tranquille. Quant à ta sœur... (Ses yeux se plissèrent un peu :) Elle m'a tendu une embuscade aujourd'hui à la bibliothèque. Elle est bel et bien inquiète à ton sujet, et en vérité, Déoris, je n'ai pu trouver aucune raison pour elle de ne pas venir te rendre visite : il vaudrait mieux que demain tu ne sois plus ici. Tu dois la voir et la rassurer, sinon... (Il posa une main lourde sur le bras de Déoris :)... les gardiens s'abattront sur nous. Dis à Domaris... ce que tu veux, je m'en moque, mais, quoi que tu fasses, Déoris, à moins de vouloir me voir mourir comme un chien, ne laisse pas même Domaris voir les cicatrices de ta poitrine tant qu'elles ne sont pas complètement guéries. Et si ta sœur insiste, il se peut que tu doives retourner au temple de la Lumière. Cela... me fait peine de te renvoyer, et je préférerais qu'il n'en soit pas ainsi, mais... les rituels interdisent à toute jeune fille née à la Lumière de vivre parmi les tuniques grises. C'est une loi ancienne, et rarement invoquée, qu'on a ignorée même bien souvent. Mais Domaris me l'a rappelée, et... je n'ose te mettre en danger en excitant son courroux.

Déoris hocha la tête en silence. Elle s'était doutée que cet interlude ne pourrait durer éternellement ; malgré toute la souffrance, et la terreur, et la crainte nouvelle qu'elle avait de Rivéda, ç'avait été une sorte d'idylle, détachée de tout, baignant dans la certitude inattendue de la proximité de Rivéda et de son amour. A présent, c'était déjà du passé...

— Tu seras parfaitement en sécurité sous la protection de ta sœur. Elle t'aime et ne posera pas de questions, je pense.

Rivéda saisit la main de Déoris et resta assis un long moment, immobile et silencieux.

— Je t'ai déjà dit, Déoris, que je n'étais pas un homme à qui faire confiance, dit-il enfin. J'imagine que je t'en ai maintenant donné la preuve.

Une intonation abattue et amère s'était de nouveau glissée dans sa voix. Puis, d'un ton égal et décidé, il demanda :

— Es-tu toujours... ma prêtresse ? J'ai forfait à mon droit de te donner des ordres, Déoris. Je t'offre de te libérer, si tu le désires.

Comme elle l'avait fait des années plus tôt, Déoris lui lâcha la main, tomba à genoux et pressa son visage contre sa tunique en signe de soumission. Elle murmura :

— Je vous ai dit que je défierais tout pour vous. Ne me croirez-vous donc jamais ?

Au bout d'un moment, Rivéda la releva avec douceur, d'une main prudente et légère.

— Il reste une chose, dit-il à voix basse. Tu as beaucoup souffert et je... je ne te contraindrai pas, mais si ce n'est pas cette nuit, une année complète doit passer avant que nous ne puissions essayer de nouveau. C'est la nuit du Nadir, et la seule où je puis aller au bout de ma quête.

Déoris n'hésita pas une seconde, même si sa voix tremblait un peu quand elle murmura «Je suis à vos ordres», la phrase rituelle des tuniques grises.

III

Quelques heures plus tard, la vieille sourde-muette arriva. Elle dévêtit Déoris, la baigna, la purifia et lui fit passer les curieux habits que Rivéda avait envoyés. D'abord une longue robe de lin diaphane, puis un tabard de soie lourdement brodé, décoré de symboles dont Déoris ne connaissait pas avec certitude la signification. Une résille d'argent retenait ses cheveux, qui avaient retrouvé toute leur longueur et leur abondance d'antan, et ses pieds furent peints d'un pigment foncé. Tandis que la sourde-muette en finissait avec cette dernière tâche, Rivéda fit son entrée et Déoris oublia l'étrangeté de son propre costume pour s'étonner de la métamorphose de l'adepte.

Elle ne l'avait jamais vu autrement qu'avec ses amples robes grises, ou la simple blouse grise qu'il revêtait pour exercer sa magie. Mais il était à présent revêtu de couleurs violentes, éclatantes, qui lui donnaient une apparence brutale, sinistre

— effrayante. Ses cheveux argentés brillaient comme de l'or vierge sous le frontal à deux pointes qui dissimulait en partie son visage ; il portait un tabard pourpre, brodé de symboles noirs dont Déoris détourna les yeux, honteuse : c'étaient des symboles magiques légitimes, mais jumelés aux décorations de ses propres vêtements, ils paraissaient obscènes. Sous son habit pourpre, il avait une tunique ajustée, teinte en bleu. C'était là pour Déoris le blasphème suprême, car le bleu était la couleur consacrée à Caratra, et réservée aux femmes. Elle s'aperçut qu'elle ne pouvait regarder Rivéda et que ses joues s'empourpraient. Par-dessus tous ces habits, l'adepte portait son ample manteau de magicien, qui pouvait être ramené autour de lui pour devenir une tunique noire. En constatant l'émotion de Déoris, Rivéda eut un sourire sévère.

— Tu ne *réfléchis* pas, Déoris ! Tu réagis avec les superstitions de ton enfance. Allons, que t'ai-je enseigné sur les vibrations et la couleur ?

Ce rappel la remplit davantage encore de honte et elle se sentit stupide :

— Le rouge vivifie et stimule, récita-t-elle à mi-voix, mais le bleu suscite le calme et la paix, il sert d'intermédiaire dans les cas d'inflammations et de fièvres. Et le noir absorbe et intensifie les vibrations.

— Voilà qui est mieux, approuva-t-il avec un sourire. (Il examina ensuite d'un œil critique les vêtements de Déoris et lui dit, une fois satisfait :) Une dernière chose. Voudrais-tu porter ceci pour moi, Déoris ?

Il lui tendait un corset fait d'anneaux de bois réunis par des cordons pourpres dont les nœuds formaient des dessins curieux. Des runes étaient gravées dans le bois : un instinct ancestral refit surface en Déoris, empêchant ses doigts de toucher l'objet.

— As-tu peur de le porter, Déoris ? demanda Rivéda avec une sévérité accrue. Devons-nous perdre du temps à te fournir une longue explication ?

Elle secoua la tête sous la réprimande et commença à attacher le corset. Mais Rivéda se pencha pour l'en empêcher. De ses puissantes mains couturées, il le lui attacha avec soin autour de la taille, noua les cordons d'un nœud solide et conclut avec un signe qu'elle ne comprit pas.

— Porte-le jusqu'à ce que je te permette de l'enlever, lui dit-il. Viens, maintenant.

Elle se rebella presque de nouveau quand elle vit où il l'emmenait : vers la terrifiante crypte voilée de l'avatar où se trouvait l'homme aux mains croisées, dans ses chaînes éternelles. Une fois là, pétrifiée, elle regarda Rivéda ranimer le feu rituel sur l'autel.

L'autel resté obscur pendant un million d'années.

De sa voix la plus grave, flamboyant dans ses tuniques chargées de symboles, il se mit à psalmodier une incantation et, en la reconnaissant, Déoris tremblante de terreur sut ce qu'elle invoquait. Rivéda était-il vraiment fou ? Ou faisait-il preuve d'un splendide, d'un superbe courage ? C'était le plus noir des blasphèmes... *mais l'était-ce vraiment ?* Et à quelles fins ?

Saisie de frissons, elle n'eut pas d'autre choix que d'ajouter sa propre voix à l'incantation. Les voix se répondaient en une ténébreuse supplication, strophe et antistrophe, elles appelaient... elles cajolaient...

Rivéda se tourna brusquement vers un autel de pierre surélevé où gisait un enfant et, avec un sursaut d'horreur, Déoris vit ce qu'il tenait en main. Elle se couvrit la bouche de ses mains pour ne pas crier quand elle reconnut l'enfant : Larmin. Le fils de Karahama, le petit frère de Démira, le propre fils de Rivéda...

L'enfant contemplait le spectacle d'un regard dépourvu de curiosité ; il avait été drogué. Cela se fit si vite qu'il laissa à peine échapper un gémissement d'appréhension, aussitôt étouffé, puis retomba dans son sommeil artificiel. Rivéda retourna à la terrible cérémonie qui était devenue, pour Déoris, un rite infernal célébré par un dément.

Nadastor sortit sans bruit des ombres, détacha le garçonnet, souleva de l'autel la petite silhouette inconsciente et l'emporta hors de la crypte. Déoris et Rivéda étaient seuls dans le sanctuaire des ténèbres, le sanctuaire même où Micon avait été torturé, seuls avec le dieu caché.

L'esprit de Déoris vacillait sous l'impact de ce qu'elle voyait et entendait. Elle commençait à comprendre sinon l'intégralité du rituel blasphématoire, du moins la voie qu'il empruntait. Rivéda n'avait rien moins que l'intention de déchaîner la terrifiante puissance captive du dieu des Ténèbres, de faire revenir l'Etoile noire. Mais il y avait davantage, quelque chose qu'elle ne pouvait tout à fait comprendre... ou bien n'osait-elle pas comprendre ?

Elle se laissa tomber à genoux. Une horreur intangible et mortelle lui serrait la gorge, et son esprit hurlait *non, non, non, non* ! mais elle ne pouvait ni bouger ni émettre un son. D'un simple mot, d'un simple geste de protestation, elle pouvait distordre et faire voler en éclats le dessin du rituel et Rivéda échouerait... mais parler était au-delà de ses forces, et elle ne pouvait ni remuer la tête ni lever un doigt. Et parce qu'en cette situation extrême elle ne pouvait trouver le courage de défier Rivéda, son esprit sombra dans l'incohérence, cherchant une échappatoire à sa terrible culpabilité. Elle ne pouvait — elle n'osait — comprendre ce qu'elle voyait et entendait, son esprit s'y refusait. Son regard devint opaque, aveugle. Rivéda vit bien le dernier lambeau de conscience s'effacer de ses yeux agrandis, mais il ne lui prêtait presque plus attention : il était trop enfermé dans ce qu'il était en train de faire.

Sur l'autel, les flammes s'élevèrent.

L'image enchaînée et sans visage frémit...

Déoris vit le sourire de l'homme aux mains croisées, lubrique dans les ombres difformes. Puis, un instant, elle vit ce que Rivéda voyait, une silhouette sans visage, enchaînée, qui se tenait dressée... mais cette image-là aussi disparut. A sa place se déployait une gigantesque forme aux contours effrayants, enveloppée de bandelettes comme un cadavre, une forme qui luttait contre ses liens.

Puis Déoris ne vit plus qu'une explosion de lumières tourbillonnantes, où elle tomba la tête la première. Elle sut à peine que Rivéda la saisissait, elle était inerte, au mieux à demi consciente ; sa véritable conscience était submergée par la compassion qui émanait du regard de l'homme aux mains croisées, aveuglée par la roue lumineuse qui flamboyait, en un tourbillon vertigineux, au-dessus de leurs têtes. Elle sut confusément que Rivéda la soulevait et la déposait sur l'autel, et elle ressentit un choc instantané, glacée de terreur, tandis qu'elle était étendue de force sur la pierre humide. Pas là, pas là, pas sur cette pierre tachée du sang de l'enfant...

Mais il n'est pas mort, se dit-elle, en une pensée absurde, il n'est pas mort, Rivéda ne l'a pas tué, c'est bien, s'il n'est pas mort...

IV

Comme si elle avait jailli de la crête d'une vague profonde et noire, Déoris revint soudain à elle, consciente du froid et de la douleur que lui causaient ses brûlures à demi cicatrisées. Sur l'autel, les flammes s'étaient éteintes. L'homme aux mains croisées n'était plus qu'une noirceur voilée.

Rivéda, dont toute la frénésie avait disparu, était en train de la soulever avec précaution de l'autel. Avec son habituelle froideur, il l'aida à arranger ses robes. Elle se sentait meurtrie, sans force, nauséeuse, elle se laissa aller lourdement contre lui en trébuchant un peu sur les pierres glacées. Et elle devina qu'il se rappelait une autre nuit, dans cette crypte, des années auparavant.

Dans le lointain du labyrinthe, elle pouvait entendre les sanglots effrayés d'un enfant qui souffrait. Ils semblèrent se fondre dans sa propre confusion, sa propre terreur, et elle porta ses mains à son visage pour être sûre qu'elle ne pleurait pas, pour savoir si ces sons venaient bien d'ailleurs, ou du fond d'elle-même.

A la porte de la salle où elle était demeurée pendant sa longue convalescence, Rivéda s'immobilisa, appela la sourde-muette et lui donna des ordres par signes. Il se tourna ensuite vers Déoris et, comme une formalité qui la glaça jusqu'à la moelle, il lui dit :

— Demain, on te conduira à la surface. Fie-toi sans crainte à Démira, mais sois prudente. Rappelle-toi ce que je t'ai dit, surtout en ce qui concerne ta sœur Domaris.

Il se tut, les mots lui faisant pour une fois défaut ; puis, avec une révérence soudaine et inattendue, il tomba à genoux devant la jeune fille terrifiée et prit entre les siennes sa main glacée. Il la porta à ses lèvres, puis à sa poitrine :

— Déoris, balbutia-t-il, ô mon amour...

Il lâcha précipitamment sa main, se releva et disparut avant que la jeune fille pût prononcer une seule parole.

LIVRE IV

Rivéda

Le bon sens commun veut que le Bien ait tendance à croître et se préserver, alors que le Mal tend à croître au point même que sa croissance le détruit. Mais peut-être y a-t-il une faille dans nos définitions, car serait-il bon pour le Bien de croître jusqu'à ce qu'il ait éliminé le Mal ?

(...) Chacun naît avec une provision de savoir qu'il ignore posséder. (...) Le corps humain de chair et de sang, qui doit se nourrir des plantes et de leurs fruits comme de la viande des bêtes, n'est pas une demeure appropriée à l'esprit éternel qui nous meut, ainsi devons-nous mourir. Mais quelque part dans l'avenir existe la certitude d'un corps nouveau, capable de survivre aux pierres immortelles. (...) Ce que nous apprenons allume des étincelles, et ces étincelles allument des feux. Et la lumière de ces feux révèle d'étranges mouvements dans l'obscurité. L'obscurité peut nous enseigner ce que la lumière n'a jamais vu, et ne sera jamais à même de voir (...).

Les plantes refusèrent de poursuivre une existence simplement minérale, et furent les premières rebelles. Mais les plaisirs d'une plante sont bornés aux moyens qu'elle a de contourner les lois gouvernant le monde minéral. (...) Il est des minéraux toxiques qui peuvent tuer des plantes, des animaux ou des humains ; et des plantes empoisonnées qui peuvent tuer des animaux et des humains. Il est des animaux venimeux (essentiellement des reptiles) qui peuvent tuer des humains. Mais l'être humain est incapable d'ajouter son maillon à la chaîne et d'empoisonner les autres créatures, même si cela lui est permis, car il n'a jamais trouvé comment empoisonner les dieux.

Extraits du Codex *de l'adepte Rivéda*

1

Un monde de rêves

— Mais pourquoi, Domaris ? demanda Déoris. Pourquoi le hais-tu à ce point ?

Domaris se laissa aller contre le dossier du banc de pierre sur lequel elles étaient assises, en enlevant distraitement une feuille des plis de sa robe pour la lancer dans le bassin à leurs pieds. De petites vagues concentriques ondulèrent, miroitant au soleil.

— Je ne crois pas haïr Rivéda, réfléchit Domaris à haute voix, et elle changea de position, gauchement, comme si sa grossesse la faisait souffrir : Mais je n'ai pas confiance en lui. Il y a... quelque chose en lui qui me fait frissonner.

Elle jeta un coup d'œil à Déoris et ce qu'elle vit sur le pâle visage de sa sœur lui fit ajouter, avec un geste d'excuse :

— Ne fais pas trop attention à moi. Tu connais Rivéda mieux que moi. Et... oh, c'est peut-être seulement mon imagination ! Les femmes enceintes ont des fantasmes ridicules.

A l'autre extrémité de la cour intérieure, la tête ébouriffée de Micail apparut derrière un buisson et disparut presque aussitôt. Il jouait à une sorte de cache-cache avec Lissa. La fillette courut dans l'herbe :

— Je te vois, Micail, cria-t-elle d'une voix aiguë en s'accroupissant dans les jupes de Domaris. Cou-cou !

Domaris se mit à rire et tapota l'épaule de la petite en regardant Déoris avec satisfaction. Les derniers six mois avaient suscité bien des changements chez la jeune fille. Elle n'était plus le frêle fantôme aux yeux immenses que Domaris avait ramenée du temple gris, enveloppée de bandages et affaiblie par la douleur. Son visage avait commencé à retrouver ses couleurs et elle n'était plus d'une maigreur aussi épouvantable, bien que Domaris lui trouvât encore mauvaise mine. Un soupçon persistant lui revint et elle fronça les sourcils. *Ce changement-là, je peux le reconnaître !* Elle ne forçait jamais les confidences, mais elle ne pouvait s'empêcher de se demander, furieuse, ce qu'on avait fait, en réalité, à Déoris. Cette histoire de chute de la digue dans un des brasiers de signalisation sonnait faux, lui semblait-il.

— Tu n'as pas de ces fantasmes, toi, Domaris, insista la jeune fille. Pourquoi n'as-tu pas confiance en Rivéda ?

— Parce que... parce que je ne *sens* pas la vérité en lui, il me cache ses pensées, et je crois qu'il m'a menti plus d'une fois. (La voix de Domaris se fit dure et froide :) Mais surtout à cause de ce qu'il te fait ! Il se sert de toi, Déoris... Est-il ton amant ? demanda-t-elle soudain, avec un regard scrutateur.

— Non !

Une dénégation irritée, presque instinctive.

Lissa, dont on avait oublié la présence, regardait tour à tour les deux sœurs, déconcertée et un peu inquiète. Puis elle sourit et courut à la poursuite de Micail ; les adultes se parlaient ainsi ; ça ne voulait pas vraiment dire grand-chose, à ce qu'elle pouvait en juger, et elle n'y faisait donc guère attention, on lui avait appris à ne pas interrompre ces conversations.

Domaris se rapprocha un peu de Déoris et lui demanda plus doucement :

— Qui, alors ?

— Je... je ne sais pas ce que tu veux dire, dit Déoris, mais son regard plein d'effroi était celui d'une créature prise au piège.

— Déoris, lui dit sa sœur avec bonté, sois honnête avec moi, mon chaton. Crois-tu pouvoir le dissimuler éternellement ? J'ai servi Caratra plus longtemps que toi, même si je ne l'ai pas aussi bien servie.

— Je ne suis pas enceinte ! C'est impossible ! Je ne le serai pas ! (Puis, maîtrisant sa panique, Déoris se réfugia dans l'arrogance :) Je n'ai pas d'amant !

Les yeux gris de Domaris l'observaient toujours :

342

— Tu es peut-être une magicienne, dit-elle délibérément, mais toute ta magie ne pourrait accomplir ce miracle-là.

Elle passa un bras autour des épaules de Déoris, mais la jeune fille s'en libéra d'un geste irrité :

— Ne fais pas ça ! Je ne suis pas enceinte !

La réaction était si immédiate, si furieuse, que Domaris ne put que contempler sa sœur, bouche bée. Comment Déoris pouvait-elle mentir avec une telle conviction ? A moins... Ce maudit tunique grise lui a-t-il enseigné ses propres talents de dissimulation ? Cette pensée la troubla.

— Déoris, dit-elle, à demi interrogative, est-ce Rivéda, alors ?

Déoris s'écarta d'elle, maussade, apeurée :

— Et même si c'était lui, ce qui n'est pas le cas, c'est mon droit ! Tu as bien fait valoir le tien !

Domaris soupira. Les choses allaient être difficiles avec Déoris.

— Oui, dit-elle avec lassitude, je n'ai pas le droit de te faire de reproches. Mais... (Les sourcils froncés, avec un demi-sourire troublé, elle regarda les enfants qui faisaient semblant de se battre de l'autre côté du jardin :)... Je pourrais vraiment souhaiter pour toi qu'il s'agisse de quelqu'un d'autre.

— Tu le hais bel et bien, s'écria Déoris. Je trouve que tu... je te hais !

Elle se leva avec précipitation et s'enfuit en courant du jardin, sans un regard en arrière. Domaris esquissa un mouvement pour la suivre, mais se laissa retomber lourdement avec un soupir. A quoi bon ? Elle se sentait lasse, usée, et peu encline à apaiser les crises de nerfs de Déoris ; elle était déjà bien incapable d'affronter les problèmes de sa propre vie, comment aurait-elle pu s'occuper de ceux de sa sœur ?

Pendant qu'elle attendait Micail, elle avait éprouvé un curieux respect pour son corps ; même l'ombre portée alors du destin fatal de Micon n'avait pas terni sa joie. Pour l'enfant d'Arvath, c'était différent. C'était un devoir, l'accomplissement d'une promesse ; elle y était résignée plus qu'elle ne s'en réjouissait. Fouillée par une douleur constante, elle vivait dans une crainte toujours renouvelée, et les paroles de mère Ysouda flottaient dans son esprit. Elle éprouvait pour le fils d'Arvath un amour coupable et contrit, comme si elle lui avait causé du tort en le concevant.

Et maintenant... *Pourquoi Déoris est-elle ainsi ? Peut-être n'est-ce pas l'enfant de Rivéda, et a-t-elle peur de sa réaction ?* Domaris secoua la tête, incapable d'élucider ce mystère. Grâce à des signes infimes, mais lumineux, elle était sûre de la grossesse de sa sœur. Les dénégations de la jeune fille l'attristaient et la peinaient ; le mensonge lui-même était sans importance, mais la raison de ce mensonge, pouvait être grave.

Qu'ai-je fait pour que ma propre sœur refuse de me faire confiance ?

Elle se leva en soupirant et se dirigea à pas lourds vers l'arche qui menait à l'édifice ; elle se reprochait amèrement sa négligence. Elle s'était perdue dans son chagrin à la mort de Micon ; puis il y avait eu son mariage, et la longue maladie qui avait suivi la perte de sa fille... Sans oublier ses devoirs au temple qui demandaient beaucoup d'énergie. Malgré tout cela, il aurait mieux valu qu'elle s'intéresse à Déoris, qu'elle prenne en compte les besoins de sa sœur, aussi mal exprimés fussent-ils.

Rajasta m'avait pourtant avertie, il y a des années, pensa Domaris avec tristesse. *Est-ce qu'il avait prévu ce qui se passe aujourd'hui ? Comme je voudrais l'avoir écouté ! Si Déoris ne me fait plus confiance...* Elle s'interrompit, essaya de se rassurer. *Déoris est une enfant étrange. Elle a toujours été rebelle. Et elle a été tellement souffrante, peut-être ne mentait-elle pas vraiment. Peut-être ne le sait-elle réellement pas, peut-être ne s'est-elle même pas donné la peine de penser à l'aspect physique de la chose. Ce serait bien d'elle !*

Pendant un moment, Domaris vit le jardin à travers un arc-en-ciel de larmes soudaines.

II

Durant les derniers mois, Déoris s'était abandonnée à l'instant, sans penser à l'avenir ni au passé. Elle dérivait à la surface des événements.

Elle avait toujours les mêmes rêves, ceux de la crypte, des cauchemars terrifiants, si nombreux qu'elle s'était presque persuadée que le sacrifice sanglant, l'invocation blasphématoire, tout ce qui s'était passé là-bas n'avait été qu'un autre rêve plus effrayant encore.

La facilité avec laquelle elle avait renoué les fils épars de sa vie l'avait encore renforcée dans cette impression : l'histoire inventée par Rivéda avait été acceptée sans question.

Domaris avait insisté pour que Déoris revienne habiter chez elle. Ce n'était plus au même endroit. La demeure des Douze abritait maintenant un nouveau groupe d'acolytes. Domaris et Arvath, comme Elis et Chédan et un autre jeune couple, habitaient maintenant des appartements agréables dans un autre édifice ; Déoris avait été la bienvenue, accueillie comme un nouveau membre de la famille ; jusqu'à ce jour, on ne lui avait pas posé une seule question sur les années écoulées.

Mais j'aurais dû m'y attendre ! se dit-elle, superstitieusement, en frissonnant.

La nuit précédente, très tard, Démira s'était glissée en secret dans les cours puis dans sa chambre. Déoris avait été réveillée par un murmure désespéré :

— Déoris, oh, Déoris, je ne devrais pas être là, je sais, mais ne me renvoie pas, j'ai tellement, tellement peur !

Déoris avait pris la fillette dans son lit et l'avait bercée jusqu'à ce que ses sanglots épouvantés se fussent apaisés. Puis elle avait demandé, d'une voix tremblante :

— Qu'y a-t-il, Démira, que s'est-il passé ?

Troublée, elle avait examiné la maigre petite silhouette blottie contre elle, en pensant à haute voix :

— Domaris ne viendrait sûrement pas chez moi à cette heure de la nuit, mais si elle le faisait, je lui dirais... je trouverais bien quelque chose.

— Domaris, dit Démira avec lenteur, en souriant de ce sourire triste et sage qui peinait toujours Déoris, un si vieux sourire sur ce visage si enfantin : Domaris ne sait même pas que j'existe. Ça ne changerait rien si elle me voyait.

Elle s'assit et contempla un instant Déoris, puis ses yeux gris argent se détournèrent de nouveau, comme aveugles, exorbités.

— *L'une de nous trois va mourir très bientôt,* dit-elle soudain d'une voix étrange, dépourvue d'intonation et aussi incolore que son regard. L'une de nous trois va mourir, et son enfant se flétrira. La seconde marchera en compagnie de la mort, mais la mort ne lui prendra que son enfant. Et la troisième suppliera la mort de les prendre, elle et son enfant, mais ils vivront tous deux pour maudire l'air même qu'ils respireront.

Déoris la saisit par les épaules et la secoua brutalement :

— Arrête ! ordonna-t-elle d'une voix aiguë, apeurée. *Sais-tu seulement ce que tu dis ?*

Démira eut un sourire curieux ; son visage s'était comme affaissé, ses traits s'étaient déformés :

— Domaris, et toi, et moi... Domaris, Déoris, Démira. Si on dit ces trois noms très vite, c'est difficile de savoir lequel on prononce, non ? Nous sommes liées par bien davantage, cependant, nous sommes toutes les trois liées par le destin, et toutes les trois nous attendons un enfant.

— Non ! s'écria Déoris, dans une révolte aussi vive que véhémente.

Non, non, pas de Rivéda, pas à la suite de cette cruauté, de cette trahison dans la crypte...

Elle secoua la tête, l'esprit confus et effrayé, incapable d'affronter ce jeune regard qui savait. Depuis la nuit où, avec Rivéda et le chéla, elle avait été captive du rituel qui avait déchaîné sur eux l'esprit flamboyant et qui l'avait marquée du sceau ardent du *dorje*, Déoris n'avait jamais eu à entrer en réclusion pour les purifications rituelles... Elle y avait pensé en se rappelant les histoires horribles qu'on se racontait parmi les *saji* à propos de femmes détruites, stériles, en se rappelant les avertissements si lointains de Maleina. Elle en était secrètement venue à croire que, tout comme ses seins portaient une cicatrice qui ne disparaîtrait jamais, elle avait été frappée au cœur même de sa féminité pour devenir une chose flétrie et asexuée, la simple enveloppe d'une femme. Même lorsque Domaris avait suggéré une explication plus simple — qu'elle pût être enceinte —, elle n'avait pu l'admettre. Assurément, si elle était capable de concevoir, elle aurait depuis longtemps porté l'enfant de Rivéda !

L'aurait-elle fait ? Rivéda était versé dans les mystères et à même de prévenir une conception s'il le désirait. Une pensée la traversa, un éclair d'intuition horrifiée, qu'elle écarta aussitôt écartée. *Oh non, pas cette nuit-là dans la crypte, avec cette invocation insensée... ce corset que je dissimule encore maintenant sous ma robe...*

Dans un effort désespéré, elle ferma son esprit à ce souvenir. *Ce n'est jamais arrivé, c'était un rêve... Mais pas le corset. Si c'était vrai, pourtant... Non ! Il doit y avoir une explication...*

Puis elle prit alors conscience de ce que Démira venait aussi de lui apprendre, et elle se concentra presque avec soulagement sur cette révélation :

— Toi ?

Démira lui adressa un regard désolé :

— Tu me croiras, dit-elle misérable. Tu ne vas pas te moquer de moi.

— Oh, non, Démira, bien sûr que non !

Déoris contempla le petit visage d'elfe qui s'était blotti avec confiance contre son épaule. Démira n'avait guère changé durant les trois années écoulées, elle, au moins ; elle était toujours l'étrange petite fille sauvage et malheureuse qui avait d'abord suscité chez Déoris une méfiance craintive, puis une compassion tendre. Démira avait maintenant quinze ans, mais elle était semblable à elle-même, elle en paraissait toujours douze : plus grande que Déoris, mais mince, fragile, avec cet aspect trompeur d'immaturité et de sagesse confondues.

Démira s'assit dans le lit et commença à compter sur ses doigts.

— C'était comme un horrible rêve. C'est arrivé... oh, peut-être une lune après que tu nous eus quittés.

— Il y a cinq mois, suggéra Déoris avec douceur.

— Un des petits m'a dit qu'on me demandait dans la chambre acoustique. Je n'y ai pas attaché d'importance. Je travaillais avec des chélas de Nadastor. Mais la salle était vide. J'ai attendu, et puis un prêtre est entré, mais il était... il était masqué, *et en noir*, avec des cornes sur le front ! Il n'a rien dit, il m'a seulement... prise, et... *Oh, Déoris !*

La fillette s'affaissa, secouée de sanglots amers.

— Démira, non !

Démira fit un effort pour étouffer ses larmes, et murmura :

— Tu me crois, tu ne te moqueras pas de moi ?

Déoris la berça comme un bébé.

— Non, ma chérie, non, l'apaisa-t-elle.

Elle savait très bien ce que voulait dire Démira. Hors du

temple gris, on méprisait Démira et celles qui partageaient sa condition, les considérant comme des prostituées, ou pire. Mais Déoris, qui avait vécu au temple gris, savait que Démira y était honorée et tenue en haute estime car elle était, comme les autres, sacrée, indispensable, sous la protection des plus hauts adeptes. Le viol d'une *saji*... c'était une idée impossible, fantastique... Presque incrédule, Déoris demanda :

— N'as-tu pas la *moindre* idée de qui ce pouvait être ?

— Non... Oh, j'aurais dû le dire à Rivéda, mais je ne pouvais pas, je ne pouvais pas, c'est tout ! Après que le... tunique noire fut parti, je suis juste restée là à pleurer et à pleurer. Je ne pouvais pas m'arrêter. C'est... c'est Rivéda qui m'a entendue, il est venu et il m'a trouvée là. Il a été... pour une fois, il a été gentil, il m'a relevée et il m'a tenue dans ses bras, et il... m'a grondée jusqu'à ce que j'arrête de pleurer. Il... il a essayé de me faire dire ce qui était arrivé, mais je... j'avais peur qu'il ne me croie pas.

Déoris lâcha la fillette, pétrifié, comme si elle était devenue une statue. Des lambeaux de conversations à demi entendues étaient revenus flotter dans son esprit. Son intuition les transformait maintenant en certitude et, de façon presque machinale, pour la première fois depuis des années, elle murmura l'invocation :

— *Mère Caratra, protège-la.*

Ce n'était pas possible, ce n'était tout simplement pas possible, c'était impensable... Elle ne bougea pas, craignant que son visage ne la trahît. Enfin, très raide, elle demanda :

— Mais tu l'as dit à Maleina, petite ? Elle te protégerait sûrement. Je crois qu'elle tuerait de ses propres mains quiconque t'a fait du mal ou de la peine.

Démira secoua la tête sans répondre ; après quelques instants, elle murmura enfin :

— J'ai peur de Maleina. Je suis venue te trouver parce que... à cause de Domaris. Elle a de l'influence auprès de Rajasta... La dernière fois que les tuniques noires sont venus dans notre temple, il y a eu bien des horreurs, et des morts, et maintenant, s'ils sont revenus... les gardiens doivent le savoir. Et Domaris est... elle est si bonne, si belle... elle peut avoir pitié même de moi...

— Je vais le dire à Domaris dès que je le pourrai, promit

Déoris, les lèvres durcies. (Mais un conflit intérieur la déchirait :) Démira, n'en attends pas trop.

— Oh, tu es si bonne, Déoris ! Déoris, comme je t'aime ! (Démira s'accrocha à la jeune fille, les yeux brillants de larmes :) Et si Rivéda doit le savoir... Lui diras-tu ? Il te permettra n'importe quoi, mais personne d'autre n'ose l'approcher maintenant ; depuis que tu es partie, personne n'ose lui parler à moins qu'il ne lui adresse la parole, et même alors... (Démira s'interrompit :) Il a été gentil quand il m'a trouvée mais j'avais tellement peur...

Déoris caressa doucement l'épaule de la fillette, et son visage se fit sévère. Son dernier doute s'évanouit. *Rivéda l'a entendue pleurer ? Dans une chambre acoustique bien fermée ? Je le croirai quand le soleil brillera à minuit !*

— Oui, dit sombrement Déoris, je vais parler à Rivéda.

III

— Elle n'a même pas deviné, Déoris. Je ne souhaitais pas non plus que tu le saches, mais puisque tu es si sagace, oui, je l'admets.

La voix de Rivéda était aussi profonde et dure que les vagues d'hiver ; de la même voix grave et froide, il reprit :

— Si tu essayais de le lui dire, je... Déoris, malgré tout ce que tu es pour moi, je te tuerais plutôt !

— Prenez garde si vous ne voulez pas être la victime, dit Déoris, glaciale. Supposez que Maleina parvienne à la même hypothèse que moi ?

— Maleina ! (Rivéda cracha pratiquement le nom de l'adepte.) Elle a fait ce qu'elle a pu pour ruiner cette enfant. Néanmoins, je ne suis pas un monstre, Déoris. Ce qu'elle ignore ne peut la tourmenter. Il serait... dommageable pour elle de savoir que je suis le père. Quel insensé j'ai été d'en laisser courir même un simple soupçon au temple gris ! J'en porterai la responsabilité. Il vaut mieux que Démira ne sache rien de plus que ce qu'elle sait déjà.

— Et vous me le confessez, à moi ? s'écria Déoris, révoltée.

Rivéda hocha lentement la tête :

— Je sais à présent que Démira a été conçue et élevée dans

ce seul but. Sinon, pourquoi aurais-je tendu la main pour la sauver d'une mort atroce sur le mur de la cité ? Je ne savais pas ce que je faisais, alors. Mais n'est-ce pas un miracle, ne vois-tu pas comment tout s'organise pour avoir un sens ? Cette gamine ne sert absolument à rien d'autre. Sa seule naissance m'a fait haïr de Karahama.

Pour la première fois, Déoris perçut une fissure dans l'armure de l'adepte, mais Rivéda poursuivit avec vivacité :

— Tu vois à présent comme tout cela fait partie du dessein d'ensemble ? Je l'ignorais à sa naissance, mais le sang de Karahama est le tien, comme celui de Démira, cette lignée de sensitives dans la caste des prêtres, et ainsi cette petite inexistence elle-même servira en partie dans le grand œuvre.

— N'y a-t-il donc rien d'autre qui compte pour vous ?

Déoris regardait Rivéda comme un inconnu ; en cet instant, il lui semblait aussi étranger que s'il était venu du fin fond des mers inexplorées. Ce discours sur les grands desseins, comme s'il avait planifié la naissance même de Démira, dans ce but bien précis... Avait-il donc perdu l'esprit ? Déoris avait toujours cru que la bizarrerie de ses discours dissimulait une entreprise importante et noble qu'elle était trop jeune et trop ignorante pour comprendre. Mais ceci, c'était une corruption insensée, elle le voyait bien, et il en parlait comme si c'était toujours cette grande et noble entreprise. Etait-ce folie, alors, illusion, s'y était-elle laissé entraîner, s'était-elle laissé corrompre en croyant qu'elle était l'élue du grand adepte ? Ses lèvres tremblaient, et elle luttait pour ne pas éclater en sanglots.

La bouche de Rivéda s'étira en sourire brutal :

— Mais, petite sotte, je crois bien que tu es jalouse !

Déoris secoua la tête, muette ; elle n'était pas sûre de pouvoir parler. Elle se détourna, mais Rivéda lui attrapa le bras :

— Vas-tu le dire à Démira ?

— A quelle fin ? demanda-t-elle avec froideur. Pour lui faire partager mon dégoût ? Non, je garderai votre secret. Et maintenant, lâchez-moi !

Les yeux de l'adepte s'agrandirent brièvement et il laissa retomber sa main :

— Déoris, dit-il d'une voix plus persuasive, tu m'as toujours compris, auparavant.

Les larmes montèrent aux paupières de Déoris :

— Vous comprendre ? Non, jamais. Et vous n'avez jamais été ainsi auparavant ! C'est... de la sorcellerie, de la perversion... de la magie noire !

Rivéda retint sa première réponse en se mordant les lèvres, et se contenta de murmurer, avec un certain accablement :

— Eh bien, traite-moi de magicien noir, et qu'on en finisse, alors.

Puis, avec cette tendresse si rare chez lui, il attira contre lui le corps rigide et passif de la jeune fille :

— Déoris, dit-il — et c'était une prière — tu as toujours été ma force. Ne m'abandonne pas maintenant ! Domaris t'a-t-elle si vite dressée contre moi ?

Elle ne put répondre : elle luttait contre ses larmes.

— Déoris, c'est fait, et j'en prends la responsabilité. Il est trop tard pour essayer d'en sortir maintenant, et le repentir n'effacerait pas ce qui est fait, de toute façon... Peut-être n'était-ce pas... sage. Et peut-être était-ce cruel. Mais c'est fait. Déoris, tu es la seule à qui j'ose me confier : occupe-toi de Démira, qu'elle devienne ton enfant. Sa mère l'a abandonnée depuis longtemps et moi... je n'ai plus de droits sur elle, si j'en ai jamais eu.

Il se tut, bouleversé. Il effleura les épouvantables cicatrices dissimulées par les vêtements de Déoris, puis ses mains descendirent jusqu'à sa taille pour toucher les anneaux de bois du corset symbolique, d'un geste curieusement hésitant. Il leva les yeux et elle vit sur son visage une expression douloureuse, à la fois interrogative et craintive, qu'elle ne comprenait toujours pas. Il murmura :

— Tu ne sais pas encore... que les dieux te sauvent et vous protègent toutes ! J'ai perdu tout droit à leur protection. J'ai été cruel envers toi... Déoris, aide-moi, aide-moi, aide-moi !

Et soudain sa froideur distante s'évanouit, et avec elle disparut toute la colère de Déoris. La gorge serrée, elle étreignit l'adepte en balbutiant, presque incohérente :

— Toujours, Rivéda, je le ferai toujours !

2

Le blasphème

1

Quelque part dans la nuit, la plainte aiguë d'un enfant déchira soudain le silence et Déoris leva la tête de son oreiller, en frottant ses paupières endolories. Une obscurité pesante emplissait la pièce, la lumière de la lune y pénétrait à travers les volets, zébrant l'espace de noir et de blanc. Déoris était tellement habituée au silence des *saji*... elle avait rêvé... Puis la mémoire lui revint. Elle n'était plus au temple gris, ni même dans les austères appartements de Rivéda, mais chez Domaris. Ce devait être Micail qui pleurait...

Elle se glissa hors du lit, traversa l'étroit corridor qui la séparait de la chambre de sa sœur. Au bruit de la porte qui s'ouvrait, Domaris releva la tête. Elle était à demi dévêtue, ses cheveux défaits répandus comme une brume cuivrée sur le garçonnet qui s'agrippait à elle en sanglotant.

— Déoris, ma chérie, t'a-t-il réveillée ? Je suis navrée. (Elle caressa les boucles emmêlées de Micail tout en le berçant doucement contre son épaule.) Là, là, chut, chut, murmura-t-elle.

Micail eut un hoquet tandis que ses sanglots s'apaisaient. Sa tête retomba sur l'épaule de Domaris, puis se redressa brièvement.

— Dé'ris, murmura-t-il.

La jeune fille s'approcha prestement.

— Laisse-moi le prendre, Domaris, il est trop lourd pour que tu le portes, maintenant, reprocha-t-elle gentiment à sa sœur.

Domaris protesta faiblement mais déposa son fardeau dans les bras de Déoris. Celle-ci regarda les yeux bleu foncé qui se fermaient, le semis de taches de rousseur sur le petit nez retroussé, et murmura :

— Il ressemblera beaucoup à...

Mais Domaris leva une main comme pour prévenir un coup, et Déoris se retint de prononcer le nom de Micon.

— Où dois-je le mettre ?

— Dans mon lit. Je le prendrai avec moi jusqu'à ce qu'il s'endorme, et il se tiendra peut-être tranquille. Je suis désolée qu'il t'ait réveillée. Tu as l'air si... fatiguée.

Domaris contempla le visage de sa sœur, pâle et tiré, son étrange expression de lassitude léthargique :

— Tu ne vas pas bien, Déoris ?

— Je vais assez bien, dit Déoris avec indifférence. Tu t'inquiètes trop. Tu ne te portes pas si bien toi-même, accusa-t-elle, soudain effrayée.

Ses yeux exercés de prêtresse guérisseuse voyaient à présent ce que ses préoccupations trop personnelles lui avaient dissimulé : à quel point Domaris était maigre malgré sa grossesse, comme les os délicats de son visage pointaient sous sa peau blanche, comme les veines de son front étaient proéminentes et bleues, et ses mains exsangues...

Domaris secoua la tête, mais l'enfant à naître pesait lourd et ses traits tirés trahissaient son mensonge. Elle le savait et sourit en passant les mains sur ses flancs gonflés avec un haussement d'épaules résigné :

— Les mauvaises intentions et la grossesse, deux choses qui ne décroissent jamais, cita-t-elle avec légèreté. Regarde, Micail s'est déjà endormi.

Déoris ne se laissa pas distraire et demanda d'une voix ferme :

— Où est Arvath ?

Domaris soupira :

— Il n'est pas là, il..., (Son mince visage s'empourpra, et la couleur s'étendit jusqu'à l'encolure de sa robe informe :) Déoris, j'ai... j'ai rempli ma part du contrat, à présent ! Et je ne me suis jamais plainte, je n'ai jamais essayé d'échapper à mes devoirs ! Pas plus que je n'ai utilisé ce qu'Elis... (Elle se mordit sauvagement les lèvres et poursuivit :) Ce sera le fils qu'il désire ! Cela devrait le satisfaire !

Déoris ne savait rien de l'avertissement de mère Ysouda, mais elle se rappelait le sien. Et son intuition lui disait le reste :

— Est-il cruel avec toi, Domaris ?

— C'est ma faute, je crois que j'ai tué ce qu'il y avait en lui de bonté. Assez ! Je ne devrais pas me plaindre. Mais son amour me semble une punition ! Je ne puis l'endurer plus longtemps !

Son visage avait perdu ses couleurs, remplacées par une pâleur mortelle.

Déoris se détourna avec compassion et se pencha pour border la couverture de Micail.

— Pourquoi ne laisses-tu pas Elara le prendre la nuit ? protesta-t-elle. Tu ne dors pas !

Domaris sourit :

— Je dormirais encore moins s'il était loin de moi, dit-elle en regardant son fils avec tendresse. Te rappelles-tu, je ne pouvais comprendre pourquoi Elis gardait toujours Lissa avec elle ? Et puis, Elara ne me sert plus que pendant la journée, à présent. Après son mariage, je l'aurais émancipée, mais elle dit qu'elle ne veut pas me laisser à une étrangère dans mon état.

Le rire de Domaris n'était qu'un spectre de grimace. Elle avait dû s'en rendre compte.

— Son enfant naîtra juste après le mien ! Et elle continue quand même à me servir !

Déoris, un peu boudeuse, remarqua :

— Je crois bien que toutes les femmes de ce temple sont enceintes !

Avec un sursaut de culpabilité, elle se força à se taire.

Domaris semblait n'avoir rien remarqué :

— La grossesse est une maladie qu'on attrape facilement, cita-t-elle encore d'un ton léger, puis elle se redressa et s'approcha de sa sœur : Ne t'en va pas, Déoris, parle-moi un peu. Tu m'as manqué.

— Si tu le désires, dit Déoris, de mauvais gré.

Puis, avec un sentiment de culpabilité, elle s'assit avec Domaris sur un divan bas.

Domaris sourit :

— Je le désire toujours, petite sœur.

— Je ne suis plus si petite, dit Déoris avec irritation en levant le menton. Pourquoi faut-il que tu me traites toujours comme un bébé ?

Domaris retint un éclat de rire et souleva l'une des mains de sa sœur, délicate et couverte de bagues :

— Peut-être... parce que tu étais mon bébé, avant la naissance de Micail.

Son regard tomba sur l'étroit corset sculpté que Déoris portait par-dessus sa chemise de nuit.

— Déoris, qu'est-ce que cela ? demanda-t-elle à mi-voix. Je ne t'ai jamais vue en porter.

— Juste un corset.

— Suis-je bête, dit Domaris avec sécheresse.

Ses doigts minces palpèrent le cordon pourpre qui nouait les maillons entre eux, curieusement tressé au travers des symboles sculptés dans le bois. Elle se pencha avec maladresse pour les examiner de plus près et, en retenant soudain son souffle, en compta les nœuds. Le cordon, dont les nœuds formaient de bizarres configurations, avait trois brins ; les emblèmes sculptés étaient au nombre de trois fois sept. C'était très beau, et pourtant...

— *Déoris !* souffla la jeune femme, d'une voix soudain coupante, est-ce Rivéda qui t'a donné *ça* ?

Effrayée par cette intonation, Déoris se fit maussade et réticente :

— Pourquoi pas ?

— Pourquoi pas, en vérité ?

La voix de Domaris était coupante ; sa main se referma avec force sur le fin poignet de Déoris :

— Et pourquoi devrait-il te lier ainsi avec un... une chose comme celle-là ? Déoris, réponds-moi !

— Il a le droit...

— Aucun amant n'a ce droit, Déoris.

— Il n'est *pas*...

Domaris secoua la tête :

— Tu mens, Déoris, dit-elle avec lassitude. Si ton amant était n'importe qui d'autre, il aurait tué Rivéda avant de le laisser te mettre ce... cette *chose* ! (Elle émit un son étrange, qui ressemblait à un sanglot :) Je t'en prie, ne me mens plus,

Déoris. Crois-tu pouvoir te cacher éternellement ? Combien de temps dois-je prétendre ne pas voir que **tu** portes un enfant sous ce... ce...

La voix lui manqua. Quelle pitoyable naïveté chez Déoris, comme si le simple fait de nier quelque chose pouvait l'empêcher d'exister !

Déoris lui repoussa la main, le regard rivé au plancher, le visage livide et pincé. La culpabilité, l'embarras et la peur se confondaient dans ses yeux assombris, et Domaris la prit dans ses bras :

— Déoris, Déoris, ne fais pas cette tête ! Ce n'est pas toi que je blâme !

Déoris se raidit sous son étreinte :

— Domaris, crois-moi, je n'ai rien fait.

Domaris lui releva le menton, jusqu'à ce que les yeux de sa sœur croisent les siens, sombres comme des violettes meurtries :

— Le père est Rivéda, dit-elle à voix basse, et cette fois Déoris ne la contredit point. Cela ne me donne pas la moindre petite satisfaction. Quelque chose ne va pas du tout là-dedans, Déoris, sinon tu n'agirais pas ainsi. Tu n'es pas une enfant, tu n'es pas ignorante, tu as été instruite comme moi, et plus encore en l'occurrence... Tu *sais*. Ecoute-moi, Déoris ! Tu sais que tu n'étais pas obligée de concevoir un enfant, à moins que ce ne soit ton désir, et celui de Rivéda, conclut-elle inexorablement, malgré les sanglots de Déoris et ses efforts pour échapper à son étreinte et à son regard accusateur : Déoris, regarde-moi, dis-moi la vérité. T'a-t-il forcée ?

— *Non !* (Cette dénégation avait la force de la vérité, cette fois.) Je me suis donnée à lui de mon plein gré, et la loi ne le contraint pas au célibat !

— C'est vrai. Mais pourquoi ne te prend-il pas comme épouse, ou ne reconnaît-il pas au moins son enfant ? demanda Domaris, le visage sévère. Ce... n'est pourtant pas nécessaire, Déoris. Tu portes l'enfant d'un des grands adeptes, peu importe ce que je peux penser de lui. Tu devrais être honorée de tous, au lieu de te cacher sous un corset à triple cordon, forcée de mentir, même à moi ! En esclavage ! Le sait-il ?

— Je... je crois...

— Tu *crois* ! La voix de Domaris était coupante comme de

la glace qui s'émiette : (Sois sûre, petite sœur, que s'il ne le sait pas maintenant, il le saura bientôt ! Ma petite enfant, cet homme te fait du tort !

— Tu... tu n'as pas le droit d'intervenir !

Avec un brusque sursaut d'énergie, Déoris se libéra de sa sœur, lui adressant un regard étincelant, même si elle ne faisait pas mine de s'en aller.

— Mais j'ai le droit de te protéger, petite sœur.

— Si je choisis de porter l'enfant de Rivéda...

— Alors Rivéda doit en assumer la responsabilité, dit Domaris d'une voix cassante. (Ses mains revinrent au corset qui ceignait la taille de Déoris :) Quant à cet objet répugnant... (Ses doigts évitaient les symboles alors même qu'ils dénouaient les nœuds du cordon :) Je vais le brûler ! Ma sœur n'est l'esclave d'aucun homme !

Déoris se leva d'un bond en agrippant les anneaux de bois :

— Tu vas trop loin, maintenant, ragea-t-elle.

Elle saisit le poignet de Domaris pour la tenir à distance :

— Tu n'y toucheras pas !

— Déoris, *j'insiste* !

— Non, j'ai dit !

Sous son aspect frêle, Déoris était forte, et trop furieuse pour faire attention à ce qu'elle faisait. Elle repoussa Domaris d'une violente bourrade qui arracha un cri de douleur à la jeune femme.

— Laisse-moi tranquille !

Domaris laissa retomber ses mains et poussa un cri étranglé quand ses genoux se dérobèrent sous elle.

Déoris la rattrapa en hâte, juste à temps pour lui éviter une lourde chute :

— Domaris, implora-t-elle, prompte au repentir, Domaris, pardonne-moi, t'ai-je fait mal ?

Domaris, avec une colère réprimée, se libéra du bras qui la soutenait et s'assit avec précaution dans le divan.

Déoris se mit à pleurer :

— Je ne voulais pas te faire de mal, tu sais que je ne te ferais jamais de...

— Et comment puis-je le savoir ? lui lança Domaris, presque avec désespoir. Je n'ai jamais oublié ce que tu...

Elle s'interrompit, haletante. Micon lui avait fait jurer de ne jamais en parler, en lui expliquant à plusieurs reprises que Déoris n'avait jamais eu et n'aurait jamais le moindre souvenir de ce qu'elle avait failli faire. Devant la peine qui se lisait dans les yeux de Déoris, Domaris reprit plus doucement :

— Je sais que tu ne me ferais jamais délibérément du mal. Mais si tu fais du mal à mon enfant, je ne pourrai jamais te le pardonner de nouveau. Et maintenant... *donne-moi ce maudit corset* !

Elle marcha sur Déoris d'un pas décidé et elle dénoua les cordons, avec une expression dégoûtée, comme si elle avait touché quelque chose d'impur.

La mince chemise de nuit retomba quand le corset fut desserré ; Domaris tendit une main pour en rassembler les plis... et s'immobilisa en sursautant. Sa main s'écarta des seins découverts. Le corset tomba sur le plancher sans qu'elle y prêtât attention.

— Déoris ! s'écria-t-elle, horrifiée. Laisse-moi voir... non, j'ai dit *laisse-moi voir* !

Sa voix s'était durcie, impérieuse, tandis que Déoris essayait de rabattre la chemise sur les cicatrices révélatrices. Domaris écarta de nouveau les plis de l'étoffe et effleura le bourrelet sur la rondeur du sein, puis sur le côté, rouge et gonflé, comme une caricature déchiquetée d'éclair.

— Oh, Déoris, balbutia Domaris épouvantée, oh, ma petite sœur !

— Je t'en prie, Domaris. (La jeune fille rassembla fiévreusement les plis de sa chemise de nuit :) Ce n'est rien...

Mais ses efforts frénétiques de dissimulation ne firent que confirmer les pires soupçons de Domaris :

— Rien, en vérité ! dit celle-ci, courroucée. Je suppose que tu vas essayer de me dire que ce sont des brûlures ordinaires ? C'est encore le fait de Rivéda, je suppose !

Elle relâcha son étreinte sur le bras de la jeune fille, en la regardant sombrement :

— C'est Rivéda. Toujours Rivéda, murmura-t-elle en contemplant Déoris recroquevillée...

Puis, avec lenteur, consciemment et délibérément, elle leva les bras dans un geste d'invocation et sa voix résonna dans la pièce silencieuse, basse et tremblante, mais bien claire :

— *Qu'il soit maudit !*

Déoris sursauta et porta ses mains à ses lèvres avec un regard horrifié.

— Qu'il soit maudit, répéta Domaris. Maudit dans l'éclair qui trahit son œuvre, maudit dans le tonnerre qui l'abattra ! Qu'il soit maudit dans les eaux qui submergeront sa vie et la rendront stérile ! Qu'il soit maudit par le soleil et la lune et la terre, par l'aube et le crépuscule, la veille et le sommeil, la vie et la mort, ici et dans l'au-delà ! Qu'il soit maudit au-delà de la vie et de la mort, et au-delà de la rédemption... à jamais !

Déoris s'étranglait en violents sanglots et elle s'écarta de sa sœur comme si elle avait elle-même été la cible des malédictions de Domaris.

— Non, gémit-elle, non !

Domaris ne lui prêta aucune attention, mais poursuivit :

— Maudit soit-il, sept fois, cent fois, jusqu'à ce que son péché soit effacé, et son karma accompli ! Qu'il soit maudit, lui et sa semence, dans ses fils, et les fils de ses fils, et leurs fils, jusqu'à l'éternité ! Qu'il soit maudit à son heure dernière... et que ma vie soit sa rançon plutôt que de voir ma malédiction annulée !

Avec un hurlement, Déoris s'écroula et resta étendue à terre, comme morte.

Micail s'agita juste un peu sous sa couverture et continua de dormir.

II

Quand Déoris sortit de sa brève inconscience, elle trouva Domaris agenouillée près d'elle, examinant avec douceur les cicatrices du *dorje* sur ses seins. Déoris referma les yeux, l'esprit encore vague, partagée entre le soulagement, la terreur et l'absence.

— Une autre expérience qu'il n'a pas contrôlée ? demanda Domaris, non sans bonté.

Déoris leva les yeux vers sa sœur et murmura :

— Ce n'était pas sa faute... il a été lui-même blessé bien plus gravement...

Ces paroles étaient l'ultime accusation, mais Déoris ne s'en rendit pas compte. L'horreur de Domaris était pourtant évidente :

— Cet homme t'a ensorcelée ! Vas-tu toujours le défendre... ?

Elle s'interrompit, implora presque avec désespoir :

— Ecoute, tu dois... on doit arrêter tout ceci, pour éviter que d'autres n'en souffrent ! Si tu ne le peux pas... alors tu es incapable d'agir comme une adulte, et d'autres doivent intervenir pour te protéger ! Par les dieux, Déoris, as-tu perdu l'esprit, pour avoir permis... une telle chose ?

— Quel droit as-tu...

La voix de Déoris hésita quand sa sœur s'écarta d'elle.

— C'est mon devoir, j'ai prêté serment, lui reprocha Domaris, d'une voix basse et sévère. Même si tu n'étais pas ma sœur... Ne le sais-tu donc pas ? Je suis gardienne.

Déoris, muette, la regardait fixement, et semblait voir une étrangère qui ressemblait à sa sœur. Le maintien rigide de Domaris trahissait une fureur glacée, comme sa voix au bord de se briser et les étincelles qui couvaient dans ses yeux. Son courroux était d'autant plus épouvantable qu'il était maîtrisé.

— Mais je dois tenir compte de ton implication dans cela, Déoris, poursuivit Domaris, les dents serrées. La tienne... et celle de ton enfant.

— L'enfant de Rivéda, dit Déoris d'une voix atone. Que... que vas-tu faire ? murmura-t-elle.

Domaris l'observa d'un œil sombre et ses mains tremblaient tandis qu'elle refermait la robe de nuit de sa sœur. Elle espérait ne pas avoir à se servir de ce qu'elle savait contre la sœur qu'elle aimait toujours plus que tout au monde, avec Micail et l'enfant à naître... Mais elle se sentait si faible. Le triple cordon écarlate et l'abominable contrôle qu'il impliquait, l'aspect effrayant des cicatrices sur le corps de Déoris... Elle se pencha avec maladresse et ramassa le corset sur le plancher où il se trouvait, presque oublié.

— Je ferai ce que je dois faire, dit-elle. Je ne veux pas te prendre ce que tu sembles tant priser mais...

Son visage était livide, comme les jointures de ses doigts crispés sur les anneaux sculptés ; elle haïssait ce symbole et le vil usage, qui, selon elle, en avait été fait.

— Si tu ne me jures pas de ne plus jamais porter ceci, je le brûlerai !

— Non ! (Déoris se leva d'un bond avec une lueur fiévreuse dans le regard :) Je ne te laisserai pas faire ça ! Domaris, rends-le-moi !

— Je préférerais te voir morte plutôt que transformée en outil, et manipulée d'une telle façon !

Le visage de Domaris aurait pu être sculpté dans la pierre ; sa voix était métallique tandis que ses paroles résonnaient durement. La peau de son visage était tirée sur ses pommettes ; ses lèvres étaient décolorées.

Déoris tendit des mains implorantes, puis recula devant le regard clair et accusateur de Domaris.

— Tu as été instruite comme moi, dit la jeune femme. Comment as-tu pu permettre une chose pareille, Déoris ? Toi que Micon aimait... toi qu'il a presque traitée comme une disciple ! Toi qui aurais pu...

Avec un geste désespéré, Domaris s'interrompit et se détourna pour se diriger d'un pas lourd vers le brasero qui se trouvait dans le coin le plus proche. Déoris, comprenant son intention, bondit derrière elle, mais Domaris avait déjà jeté le corset dans les charbons ardents. Le bois sec s'enflamma en un éclair, dans un rugissement, et la cordelette se tordit comme un serpent de feu. En quelques instants, ce n'étaient plus que des cendres.

Domaris se retourna et vit sa sœur qui contemplait les flammes, impuissante, en larmes, comme si elle voyait Rivéda lui-même brûler. A ce spectacle, la colère de la jeune femme se dissipa en grande partie.

— Déoris, dit-elle, Déoris, dis-moi... tu es allée au sanctuaire des Ténèbres ? Tu as vu le dieu endormi ?

— Oui, murmura Déoris.

Domaris n'avait pas besoin d'en savoir davantage. La forme du corset lui avait dit le reste. *Heureusement pour elle que j'ai agi à temps ! Le feu purifie !*

— Domaris !

C'était une supplication pathétique et horrifiée.

— Oh, sœurette, mon chaton...

Domaris débordait maintenant d'amour protecteur. Essayant de l'apaiser d'un murmure caressant, elle prit dans ses bras la jeune fille tremblante. Déoris cacha son visage contre l'épaule de sa sœur. La destruction du corset lui permettait d'entrevoir maintenant certaines implications, comme si son esprit n'était plus aussi embrumé ; elle ne pouvait cesser de penser à ce qui avait eu lieu à la crypte. En même temps, elle sut que ce n'avait pas été un rêve.

— J'ai peur, Domaris ! J'ai tellement peur. Je voudrais être morte ! Va-t-on... me brûler aussi ?

Les dents de Domaris se serrèrent sur une terreur soudaine comme une nausée. Il ne pouvait y avoir aucun espoir de clémence pour Rivéda, et Déoris, même si elle était innocente — cela, Domaris n'en doutait pas un instant —, portait le fruit du blasphème, conçu lors d'un sacrilège et protégé par l'abominable triple symbole — *un enfant que j'ai maudit moi-même !*

En prenant conscience de cela, il lui vint une idée. Elle ne pouvait s'arrêter à ce que cela coûterait, elle voulait agir pour protéger cet enfant que sa noire origine ne devait pas forcément assigner à des ténèbres éternelles...

— Déoris, dit-elle à mi-voix en prenant la main de sa sœur, ne me pose aucune question. Je peux te protéger, et je le ferai, mais ne me demande pas ce que je vais faire !

Déoris avala sa salive et réussit à murmurer une promesse.

Domaris, avec une dernière hésitation, jeta un coup d'œil à Micail ; mais il était toujours plongé dans son sommeil, bras et jambes abandonnés. Rassurée, elle se concentra de nouveau sur Déoris.

Une note basse, presque musicale, bannit la lumière de la pièce, pour faire place à une pénombre dorée où les deux sœurs se tenaient face à face, Déoris jeune et mince, des cicatrices écarlates sur ses seins, sa maternité prochaine à peine esquissée sous sa robe légère, et Domaris, dont l'énorme ventre déformait la beauté, mais qui pourtant gardait quelque chose de la paix immémoriale qu'elle évoquait. Elle leva avec lenteur ses mains jointes, les écarta et les abaissa d'un geste antique et rituel. Quelque chose dans ce geste, un souvenir instinctif peut-être, fit taire la question qui s'ébauchait sur les lèvres de Déoris.

— Que toute chose profane soit bannie de notre présence, murmura le clair soprano de Domaris, que soit banni de notre présence tout ce qui vit dans le mal. Que tout cela soit banni de notre présence, car l'éternité a ici jeté son ombre. Fuyez, brumes et vapeurs, étoiles des ténèbres, quittez ces lieux. Ecartez-vous de la trace de ses pas et de l'ombre de son voile. Nous avons ici trouvé refuge, sous le rideau de la nuit et dans le cercle de ses étoiles lumineuses.

Elle laissa retomber ses bras et les deux sœurs s'avancèrent ensemble vers l'autel qu'on trouvait dans toutes les chambres du temple. Domaris s'agenouilla avec difficulté et, devinant son intention, Déoris s'approcha vivement d'elle pour prendre la mèche de ses mains et allumer l'huile parfumée qui accompagnait les prières. Elle avait l'intention d'honorer sa promesse de ne pas poser de question, mais elle commençait à deviner ce que Domaris était en train de faire. Des années plus tôt, elle s'était enfuie quand on lui avait suggéré ce rituel ; à présent, confrontée à une terreur impensable, l'enfant à venir en son sein, elle pouvait encore éprouver de la gratitude à l'idée d'avoir affaire à Domaris, et non à une femme ou à une prêtresse qu'elle aurait dû craindre. En prenant part au rituel, en allumant la lampe à encens qui en ouvrait les portes, elle l'avait accepté. Et l'étreinte brève et légère des longs doigts de Domaris sur les siens indiquait que la jeune femme avait conscience de cette acceptation, et de ce qu'elle signifiait. Ce ne fut qu'un contact fugitif. Domaris lui fit ensuite signe de se relever.

Domaris tendit de nouveau la main et toucha sa sœur, au front, aux lèvres, à la poitrine ; et, suivant ses indications, Déoris en fit autant. Puis Domaris prit sa sœur dans ses bras et la serra contre elle un instant.

— Déoris, répète mes paroles, ordonna-t-elle à mi-voix.

Emplie d'une crainte respectueuse, mais non sans éprouver aussi un désir secret de s'écarter, de rire, de hurler, de faire n'importe quoi susceptible de détruire ce qui commençait à se développer, Déoris ferma brièvement les yeux.

D'une voix basse, paisible, Domaris se mit à psalmodier. La voix de Déoris lui faisait faiblement écho, sans posséder l'assurance de la sienne.

> *Femmes et sœurs, nous nous consacrons à toi*
> *Mère de la Vie*
> *Femme, et plus que femme*

Sœur, et plus que sœur
Nous nous tenons ici dans les ténèbres
Et l'ombre de la mort
Nous t'invoquons, ô Mère
Par tes propres souffrances, ô femme
Par la vie que nous portons
Ensemble devant toi, ô Mère, ô femme éternelle
Et voici ce que nous implorons de toi…

La lumière dorée elle-même avait disparu de la pièce, elle s'était éteinte sans ordre de leur part ; la lumière de la lune s'était tarie ; Déoris, partagée entre la terreur et la fascination, avait l'impression qu'elles se tenaient toutes deux au centre d'un espace immense et désert, dans le néant. L'univers tout entier s'était éteint, à l'exception de l'unique flamme vacillante qui brillait comme un œil minuscule et palpitant. Etait-ce le feu du brasero, ou le reflet d'une lumière plus vaste qu'elle pouvait sentir mais non voir ? Les bras de Domaris l'étreignaient toujours, seuls éléments réels et vivants dans ces espaces infinis, ainsi que les paroles qu'elle psalmodiait à mi-voix, tels des fils de soie sonore, des mantras qui tissaient un réseau de magie argentée dans les ténèbres mystiques…

Quelle que fût sa nature, la flamme brillait avec force puis diminuait, encore et encore, avec l'intensité hypnotique d'un vaste cœur battant, au rythme de l'invocation murmurée :

Que les fruits de nos vies te soient consacrés
O Mère, ô femme éternelle
Qui tient la vie la plus intime de tes filles
Entre tes mains croisées sur ton cœur…

L'invocation se déroulait, et Déoris, à la fois épouvantée et transportée, avait du mal à le croire. C'était le plus sacré des rituels. Elles se consacraient toutes deux à la déesse Mère, d'une incarnation à l'autre, à travers les âges, pour toujours, et l'autre versant du vœu les liait inextricablement, elles et leurs enfants, en un nœud karmique qui passerait d'une vie à l'autre pour l'éternité.

Emportée par son émotion, Domaris avait plongé bien plus profondément qu'elle ne l'avait prévu dans le rituel, et une main invisible déposa enfin sur elles son sceau antique. Plei-

364

nement initiées à présent au rituel le plus ancien et le plus sacré du temple et de leur monde, elles étaient désormais protégées par la Mère à laquelle elles s'étaient consacrées, non pas Caratra, mais l'autre mère qui l'emportait sur elle en puissance, la Mère obscure qui se trouvait derrière tous les humains, tous les rituels, tous les objets de la création. La flamme palpitante se déploya en de vastes ailes ardentes qui s'étendirent pour les envelopper d'une lumière radieuse.

Les deux femmes tombèrent à genoux côte à côte, puis face contre terre. Déoris sentit l'enfant de sa sœur bouger contre elle et, comme dans un rêve, le frémissement lointain de son propre enfant à naître. Saisie d'une clairvoyance inconsciente, magique, elle devina un engagement plus profond, au-delà de leur vie présente, au-delà du temps, une vague qui se propageait dans la mer turbulente et qui toucherait d'autres êtres que ces deux enfants... Et la gloire de lumière qui les entourait devint une voix que leurs oreilles ne percevaient pas, mais plus immédiate, qu'elles éprouvaient dans chaque fibre, chaque atome de leur chair.

— *Vous m'appartenez, puisqu'il en est ainsi, à travers les âges, tant que le temps durera... tant que la vie engendrera la vie. Sœurs, et plus que sœurs... femmes, et plus que femmes... Sachez-le, toutes deux, par le signe que je vous accorde...*

III

Le feu s'était éteint, la pièce était très sombre et très calme. Déoris reprit un peu ses esprits et se redressa pour regarder Domaris. Une lumière étrange émanait des seins gonflés et du corps alourdi de la jeune femme. Déoris se sentit de nouveau envahie par une révérence mêlée de crainte. Elle baissa la tête pour regarder son propre corps... et oui, là aussi, cette luminescence douce, le signe de la déesse...

Elle s'agenouilla et resta ainsi en silence, plongée dans une prière émerveillée. La luminescence disparut bientôt, et elle douta si elle l'avait bien vue. Peut-être, prise par le rituel exaltant, n'avait-elle fait qu'entrapercevoir une réalité normalement invisible au-delà de sa propre immanence et de son incarnation présente.

La nuit s'achevait quand Domaris bougea enfin, revenant lentement à la conscience après son extase. Elle se redressa avec un petit gémissement de douleur. Elle était très près d'accoucher, elle le savait, et elle savait aussi que ce qu'elle venait de faire avait encore raccourci le délai ; Déoris ne connaissait pas aussi bien qu'elle les effets du rituel magique sur les complexes réseaux nerveux du corps féminin. Avec un reste de crainte respectueuse et de vénération qui l'aida à ignorer les douleurs annonciatrices, elle s'appuya sur Déoris pour se relever. Elle pressa un instant son front contre l'épaule de sa sœur, affaiblie mais peu soucieuse de le montrer.

— Que mon fils ne fasse jamais autant de mal qu'il m'en fait, murmura-t-elle.

— Il n'en aura jamais l'occasion, dit Déoris, mais sa légèreté était factice.

Elle avait une conscience aiguë d'avoir été imprudente et d'avoir ajouté à la souffrance de sa sœur, et elle savait que des paroles de contrition ne seraient d'aucun secours. Sa sensibilité inaccoutumée à Domaris était d'une intensité presque physique, et elle aida sa sœur d'une main tendre et compréhensive.

Il n'y avait aucun reproche dans le regard las de Domaris, quand elle referma une main sur le poignet de la jeune fille.

— Ne pleure pas, mon chaton.

Une fois assise sur le divan, elle contempla un long moment les braises mourantes du feu puis dit à voix basse :

— Déoris, plus tard tu comprendras ce que j'ai fait et pourquoi. As-tu peur, à présent ?

— Seulement un peu... pour toi.

Ce n'était pas entièrement la vérité, une fois de plus, car les paroles de Domaris avaient averti Déoris qu'il y aurait d'autres conséquences ; la jeune femme était contrainte d'agir selon un code inflexible qui lui était propre, et Déoris ne pourrait rien dire pour le modifier.

Domaris était calme, mais d'un sérieux mortel :

— Je dois te quitter, à présent, Déoris. Reste ici jusqu'à mon retour, promis ? Tu feras cela pour moi, petite sœur ?

Elle l'attira contre elle en un geste de possession presque sauvage et l'embrassa farouchement :

— Plus que ma sœur, désormais ! Que la paix soit avec toi.

Et elle quitta la pièce d'un pas vif, malgré son corps alourdi.

Déoris resta agenouillée, les yeux fixés sur la porte refermée. Elle savait mieux que Domaris ne l'imaginait ce qu'impliquait le rituel auquel elle avait été initiée ; elle en avait entendu parler, elle en devinait la puissance, mais elle n'avait jamais osé rêver qu'un jour elle y participerait !

Est-ce ce qui a permis à Maleina d'aller où nul ne pouvait lui refuser d'entrer ? se demanda-t-elle. Ce qui a permis à Karahama, une *saji*, une des non-personnes, de servir au temple de Caratra ? Une puissance qui rachète ceux qui sont maudits ?

Elle connaissait la réponse, et elle n'avait plus peur. La luminescence avait disparu, mais elle avait laissé derrière elle son réconfort, et Déoris s'endormit, à genoux, la tête dans les bras.

IV

Dans le couloir, de nouveau saisie par les douleurs de son accouchement imminent, Domaris s'appuya contre le mur. Mais cet accès prit bientôt fin et elle se redressa, se hâtant dans le corridor, silencieuse et invisible. Elle fut pourtant obligée de s'arrêter encore une fois, pliée en deux par la douleur incessante qui lui déchirait les entrailles ; en gémissant sourdement, elle attendit que le spasme passe. Il lui fallut un certain temps pour atteindre le passage peu usité qui menait à une entrée secrète.

Elle s'immobilisa en se forçant à respirer régulièrement. Elle était sur le point de violer un sanctuaire ancien, elle risquait une sanction pire que la mort ; toutes les croyances de la prêtrise héréditaire dont elle était à la fois le produit et l'initiée lui criaient de revenir sur ses pas.

La légende du dieu endormi était horrible. Il y avait très longtemps de cela — c'était ce que disait l'histoire, — le dieu noir avait été enchaîné, emprisonné jusqu'au jour où il s'éveillerait et ravagerait le temps et l'espace en y semant un éternel et ténébreux désordre, jusqu'à la destruction totale de tout ce qui était ou pourrait jamais être...

Domaris savait à quoi s'en tenir. Une puissance avait été emprisonnée là, et elle soupçonnait que cette puissance avait été invoquée et déchaînée ; elle en était plus épouvantée qu'elle n'avait jamais pensé pouvoir l'être, pour elle-même, pour l'enfant qu'elle portait, pour Déoris et l'enfant conçu dans ce sanctuaire obscur, pour tout son peuple et ce qu'il représentait...

Elle serra les dents et une sueur glacée lui coula sur les flancs.

— Je le dois ! murmura-t-elle.

Puis, s'interdisant de penser plus avant, elle ouvrit la porte et entra, refermant vivement derrière elle.

Elle se tenait au sommet d'un immense escalier qui s'enfonçait interminablement dans les profondeurs : des marches grises, entre des parois grises, dans une brume grise, sans fin. Poussant un gémissement à chaque pas, elle entreprit de descendre une marche à la fois un choc sourd sur chaque marche, une répétition absurde. Elle essaya de compter les marches, pour s'empêcher de penser à toutes les histoires abominables à demi oubliées qu'elle avait entendu raconter sur cet endroit, pour s'empêcher de se demander si elle ne croyait pas un peu, malgré tout, à ces vieilles légendes. Elle abandonna le décompte après la cent quatre-vingt-unième marche.

Elle ne tenait plus la rampe mais titubait contre la paroi. La douleur la saisit de nouveau, la pliant en deux, la forçant à se mettre à genoux. La grisaille omniprésente était traversée d'écarlate quand elle se releva, perdue, frénétique, presque oublieuse de la sombre détermination qui l'avait amenée dans ce mausolée dont le souvenir se perdait au fond des âges...

Elle s'agrippa des deux mains à la rampe en luttant pour garder son équilibre, tandis que son visage grimaçait et qu'elle sanglotait, haïssant la rectitude de sa conscience qui l'avait ainsi envoyée vers les souterrains.

— Oh, dieux, non ! Prenez-moi plutôt ! murmura-t-elle en restant là un moment, désespérée.

Puis, de nouveau calme, se redressant péniblement, elle s'abandonna à la nécessité inexorable de ce qui devait être fait, qui la poussait toujours plus bas, dans la grisaille blafarde.

3

Une aube ténébreuse

Brusquement, Déoris tomba ; le choc la réveilla et la fit se redresser, effrayée. Micail dormait toujours, petit amas aux formes rondes, et, dans la pièce obscure maintenant éclairée par la pâleur rose de l'aube, il n'y avait aucun autre bruit que la respiration paisible du garçonnet. Pourtant, comme un écho lointain, Déoris eut l'impression d'entendre un cri, puis un silence palpable, le silence de la tombe, ou de la crypte.

Domaris ! Où était Domaris ? Elle n'était pas revenue. Avec une horrible et soudaine certitude, Déoris sut où elle se trouvait. Elle ne s'arrêta même pas pour jeter un autre vêtement sur sa robe de nuit, mais elle jeta un coup d'œil hésitant à Micail ; les esclaves de Domaris l'entendraient sûrement s'il se réveillait et se mettait à pleurer... et il n'y avait pas de temps à perdre ! Elle sortit en courant de la pièce et descendit à travers le jardin désert.

A l'aveuglette, dans un élan fou, elle courait comme si le simple mouvement pouvait prévenir sa terreur. Son cœur battait frénétiquement, des douleurs lancinantes irradiaient de ses côtes dans son corps tout entier, mais elle ne s'arrêta pas avant de se tenir dans l'ombre de la grande pyramide. Les mains pressées contre ses flancs douloureux, elle retrouva soudain ses esprits, réveillée par le vent de l'aube comme par une douche glacée.

Un prêtre mineur, silhouette floue dans ses robes lumineuses, s'avança vers elle d'un pas lent :

— Femme, dit-il avec sévérité, il est interdit de venir ici. Va en paix.

Déoris leva vers lui un visage sans crainte :

— Je suis la fille de Talkannon, dit-elle d'une voix claire et vibrante. Le gardien Rajasta est-il là ?

Le ton et l'expression du prêtre se transformèrent quand il la reconnut :

— Il est là, jeune sœur, dit-il, courtois, mais il est interdit de troubler la veille...

Il s'interrompit, muet de surprise : le soleil avait dépassé l'arête de la pyramide et les éclairait, révélant les cheveux dénoués de Déoris, ses vêtements trop légers et mal ajustés.

— C'est une question de vie *et* de mort, implora désespérément Déoris. *Je dois le voir !*

— Mon enfant... je n'ai pas l'autorité nécessaire pour...

— Oh, imbécile ! ragea-t-elle et, d'un mouvement félin, elle passa sous le bras du prêtre pour gravir à toute allure les marches de pierre brillantes. Elle se débattit un instant avec le loquet de la grande porte de bronze, écarta le voile protecteur et s'avança dans la lumière éclatante.

En entendant le bruit léger de ses pas — car la porte tournait en silence malgré son poids — Rajasta se détourna de l'autel. Sans tenir compte de son geste d'avertissement, Déoris courut se jeter à genoux devant lui.

— Rajasta, Rajasta !

Avec un certain dégoût, le prêtre de la Lumière se pencha pour la relever, en examinant sévèrement ses vêtements et ses cheveux en désordre :

— Déoris, que fais-tu ici ? Tu connais la loi... et pourquoi dans cet état ? Tu es à moitié nue ! Es-tu devenue complètement folle ?

Sa question était assez fondée, en vérité, car Déoris avait perdu toute trace de sang-froid ; elle levait vers lui un visage fiévreux et sa voix proférait des paroles sans suite :

— Domaris, Domaris ! Elle doit être allée à la crypte... au sanctuaire des Ténèbres !

— Tu as vraiment perdu l'esprit !

Non sans brusquerie, Rajasta la repoussa loin de l'autel :

— Tu sais très bien que tu n'as pas la permission de venir ici !

— Je sais, oui, je sais, mais écoutez-moi ! Je le sens, je le sais ! Elle a brûlé le corset et elle m'a obligée à lui dire...

Déoris se tut ; sa culpabilité et le conflit auquel elle était en proie se lisaient sur son visage : elle avait soudain compris qu'elle était maintenant en train de trahir de sa propre volonté son serment à Rivéda ! Et pourtant... elle était liée à Domaris par un serment plus puissant encore.

Rajasta lui agrippa les épaules :

— Quelles sont ces absurdités ?

Mais, la voyant trembler si violemment qu'elle avait peine à tenir debout, il lui passa un bras autour de la taille et la conduisit à un siège où il l'aida à s'asseoir.

— Maintenant, dis-moi clairement, si tu en es capable, de quoi tu veux parler, dit-il d'une voix empreinte de compassion tout autant que de mépris : S'il y a vraiment quelque chose ! Je suppose que Domaris a découvert que tu es la *saji* de Rivéda.

— Je ne l'étais pas ! Je ne l'ai jamais été ! s'emporta Déoris. (Puis, avec lassitude :) Oh, peu importe, vous ne comprendriez pas, vous ne me croiriez pas de toute façon ! Ce qui importe, c'est que Domaris est allée au sanctuaire des Ténèbres.

L'expression de Rajasta s'altérait à mesure qu'il comprenait ce qu'elle lui expliquait.

— Qu'est-ce que... mais pourquoi ?

— Elle a vu... un corset que je portais, que Rivéda m'a donné... et les cicatrices du *dorje*.

Presque avant qu'elle n'eût prononcé ce mot, la main de Rajasta, vive comme l'éclair, lui ferma la bouche :

— Ne prononce pas ce mot ici, ordonna-t-il, livide.

Déoris s'effondra en sanglotant, la tête dans les bras, et il lui prit les épaules pour la forcer à le regarder.

— Ecoute-moi, petite ! Pour l'amour de Domaris, pour toi, oui, même pour Rivéda ! *Un corset ?* Et le... le mot que tu as prononcé, qu'est-il arrivé à ce propos ? *Que s'est-il passé ?*

Déoris n'osait ni garder le silence ni mentir et, sous ce regard scrutateur, elle balbutia :

— Une triple cordelette... avec des nœuds... des anneaux de bois sculptés de...

Elle esquissa un geste vague.

Rajasta lui attrapa le poignet pour l'en empêcher.

— Garde tes signes révoltants de tunique grise pour le temple gris ! Mais même là on ne l'aurait pas permis ! Tu dois me le donner, ce corset !

— Domaris l'a brûlé.

— Les dieux en soient loués, dit Rajasta d'une voix lugubre. Rivéda a rejoint les tuniques noires. (C'était une constatation, non une question.) Qui d'autre ?

— Réio-ta... je veux dire, le chéla.

Déoris balbutiait en sanglotant ; un blocage puissant dans son esprit l'empêchait de parler, mais le pouvoir concentré de la volonté de Rajasta l'y contraignait. Le prêtre de la Lumière était parfaitement conscient que cet usage de son pouvoir avait de très minces justifications morales, et il en regrettait la nécessité, mais il savait tous les pouvoirs de Rivéda ligués contre lui, et s'il devait protéger autrui comme le lui commandaient ses vœux de gardien, il ne pouvait se permettre d'épargner la jeune fille. Déoris était au bord de l'évanouissement, sous la pression de l'hypnose que Rajasta exerçait contre le silence imposé par Rivéda. Lentement, une syllabe après l'autre parfois, au mieux phrase après phrase, malgré elle, elle en apprit assez à Rajasta pour condamner dix fois l'adepte.

Le prêtre de la Lumière était impitoyable parce qu'il le devait ; des yeux fixes et une voix monocorde et sans pitié ordonnaient :

— Continue... Quoi ? Comment ? Et qui ?

— J'ai été envoyée dans les pays clos pour servir de canal à la force, et quand je n'ai plus été à même de le faire, Larmin, le fils de Rivéda, a pris ma place pour voir...

— Attends !

Rajasta se leva d'un bond, entraînant la jeune fille avec lui.

— Par le Soleil central ! Tu mens, ou tu as perdu l'esprit ! Un garçon ne peut servir dans les pays clos, seule une vierge, ou une femme préparée au rituel ou... ou... Un garçon ne le peut, à moins d'être... (Rajasta était pâle comme un mort à présent, il balbutiait aussi, presque incohérent :) Déoris, *qu'a-t-on fait à Larmin* ?

Déoris tremblait devant son regard effrayant, épouvantée par la soudaine vague de courroux et de répulsion incontrôlables qui passait sur le visage du gardien. Il la secoua brutalement :

— Réponds-moi ! *A-t-il castré l'enfant ?*

Elle n'avait pas besoin de répondre. Rajasta la lâcha soudain, comme si sa seule présence le contaminait, et il la laissa s'affaisser lourdement sur le plancher. Ce qu'il venait de comprendre lui donnait la nausée.

En pleurs, avec des petits gémissements, Déoris rampa vers lui et, en la repoussant du bout de sa sandale, il cracha :

— Par les dieux, Déoris... toi, entre toutes les femmes ! Regarde-moi si tu l'oses... toi que Micon appelait sa sœur !

La jeune fille se recroquevillait à ses pieds, mais il n'y avait aucune clémence dans la voix du gardien.

— A genoux ! A genoux devant l'autel que tu as profané... la Lumière que tu as obscurcie... les ancêtres que tu as couverts de honte... la divinité que tu as oubliée !

Déoris se balançait d'avant en arrière, au comble de l'angoisse et de l'épouvante, et elle ne put voir la compassion qui remplaça soudain la terrible fureur de Rajasta. Il n'était pas aveugle au fait que Déoris avait délibérément compromis tout espoir de clémence pour elle afin de sauver Domaris, mais il faudrait une longue pénitence pour effacer son crime. Coulant un dernier regard compatissant sur la tête inclinée, il se détourna et quitta le temple. Il était plus choqué que furieux à présent, et plus écœuré même que choqué ; sa maturité et son expérience lui permettaient de prévoir ce que Domaris elle-même n'avait pas vu.

Il descendit en hâte les marches de la pyramide et le prêtre de garde se précipita à sa rencontre, puis s'immobilisa, bouche bée :

— Seigneur gardien !

— Allez, dit Rajasta d'une voix brève, prenez-en dix autres et arrêtez l'adepte Rivéda en mon nom. Enchaînez-le si nécessaire.

— Le prêtre guérisseur, seigneur ? Rivéda ?

Le garde était si incrédule que les yeux lui sortaient de la tête.

— L'adepte des magiciens... *l'enchaîner ?*

— Rivéda, ce répugnant sorcier, ce sorcier maudit, adepte et *autrefois* guérisseur !

Avec un effort, Rajasta ramena sa voix sonore à un volume normal :

— Ensuite, trouvez-moi un jeune garçon appelé Larmin, le fils de Karahama.

Très raide, le prêtre déclara :

— Seigneur, avec votre permission, la femme Karahama n'a pas d'enfants.

Avec une impatience irritée devant ce rappel de l'étiquette du temple qui refusait jusqu'à une existence légale aux non-personnes, Rajasta tonna :

— Vous trouverez un garçon au temple gris, du nom de Larmin, et renoncez à cette absurdité de prétendre que vous ne le connaissez pas ! Ne lui faites pas de mal, ne l'effrayez pas, gardez-le seulement en sécurité dans un lieu on pourra le sortir rapidement... et où il ne pourra pas être assassiné à loisir pour supprimer une preuve ! Ensuite, allez trouver... (Il s'interrompit :) Jurez de ne pas révéler les noms que je vais prononcer.

Le prêtre fit le signe sacré :

— Je le jure, Seigneur !

— Allez trouver Ragamon l'ancien, et Cadamiri, et dites-leur de rassembler les gardiens ici à midi. Puis allez chercher le grand prêtre Talkannon, et dites-lui discrètement que nous avons enfin trouvé des preuves. Rien d'autre. Il comprendra.

Le prêtre s'éloigna en hâte en laissant le temple de la Lumière sans gardien, pour la première fois depuis au moins trois siècles. Rajasta, le visage sombre, partit de son côté en courant.

II

Tout comme Domaris, il hésita, incertain, au sommet de l'escalier dérobé. Etait-il sage d'y aller seul ? Ne devrait-il pas demander de l'aide ?

Une vague de froid monta du puits interminable devant lui. Des espaces insondables monta un son, comme un cri, à une incroyable profondeur, assourdi et déformé par les réverbérations. Il aurait pu s'agir du cri d'une chauve-souris, ou de l'écho de son propre souffle... mais l'hésitation du gardien s'était évanouie.

Il se précipita quatre à quatre dans l'immense escalier, en

374

se rattrapant parfois à la paroi abrupte, parfois à la rampe qui vibrait. Ses pas claquaient, pressés, désespérés, éveillant des échos discordants, et il savait qu'il était en train d'avertir quiconque se trouvait plus bas, mais ce n'était plus le moment de dissimuler ou de faire silence. Sa gorge était sèche et son souffle haletant, car il n'était plus jeune ; comme dans un cauchemar, il était poussé par une nécessité inexorable, toujours plus bas au long des marches sans lumière, plus bas dans ce puits gris et immémorial, à travers des éternités d'échos qui s'accrochaient à lui comme des doigts, comme des toiles d'araignée en lambeaux. Ses talons soulevaient une poussière qui était restée intacte longtemps, très longtemps, et qui souillait à présent le blanc lumineux de sa tunique... Il descendait, il descendait, et la distance elle-même devenait dérisoire.

Il trébucha, faillit tomber quand les marches disparurent tout à coup. Il regarda autour de lui, saisi de vertige, en essayant de s'orienter, et il ressentit de nouveau la vanité sans espoir de sa situation : il connaissait cet endroit seulement par des cartes et des récits rédigés par d'autres. Il finit pourtant par trouver l'entrée de la grande salle voûtée, même s'il n'en fut pas certain avant d'avoir vu le sarcophage monstrueux, l'autel noirci par les âges, la silhouette fantomatique sous ses replis de pierre. Mais il ne vit aucun être humain dans le sanctuaire, et pendant un moment il éprouva une terreur insensée, non pour Domaris mais pour lui-même...

Il entendit un gémissement étouffé, impossible à situer, un son amplifié par l'obscurité résonnante et il fit volte-face, cherchant frénétiquement autour de lui, à moitié fou de terreur à l'idée de ce qu'il pourrait voir. Le gémissement s'éleva de nouveau, et cette fois Rajasta aperçut une silhouette floue, affaissée, une femme qui se tordait à terre devant le sarcophage, dans le nuage ardent de ses longs cheveux...

— Domaris ! (Ce nom était comme un sanglot sur les lèvres du prêtre.) Domaris ! Fille de mon âme !

D'une seule enjambée il fut près du corps inerte et convulsé. Il ferma un instant les yeux tandis que son univers tournoyait vertigineusement : il n'avait jamais mesuré la profondeur de son amour pour Domaris avant de la tenir dans ses bras, apparemment mourante.

Il releva la tête, regarda autour de lui avec un calme courroux. Non, elle n'a pas échoué, se dit-il avec une certaine exultation. La puissance a été libérée, mais elle a de nouveau été enchaînée, de justesse. Le sacrilège a été racheté. A quel prix pour Domaris ? Et je n'ose la laisser là, même pour aller chercher de l'aide. Il vaudrait mieux en tout cas qu'elle meure plutôt que de mettre son enfant au monde ici !

Après un moment de réflexions incohérentes, il se pencha et la souleva. Ce n'était pas un léger fardeau, mais Rajasta, dans sa juste fureur, le remarqua à peine. Il lui parla, d'une voix apaisante, car même si elle ne pouvait l'entendre, l'intonation de sa voix pouvait pénétrer son esprit obscurci. Elle ne se débattit pas quand il la souleva dans ses bras et, avec une obstination désespérée, s'apprêta à gravir l'interminable escalier. Il haletait et, quand il se tourna vers ce sommet incroyablement lointain, son visage déformé par l'effort avait une expression que personne n'y reverrait jamais. Ses lèvres frémirent, il prit une profonde inspiration, et il commença à monter.

4

Les lois du temple

I

Elara vaquait à ses occupations dans la cour en chantonnant, sereine. Elle laissa tomber son vase à demi plein de fleurs et se précipita vers le gardien qui traversait le jardin avec son fardeau inanimé. Ses yeux noirs étaient pleins d'angoisse lorsqu'elle tint la porte ouverte et courut enlever les coussins du lit pour que Rajasta y dépose le corps inerte de Domaris.

Le visage terreux d'épuisement, le gardien se redressa et mit un certain temps à reprendre son souffle. Elara évalua rapidement son état et le guida jusqu'à un siège, mais il l'écarta avec irritation :

— Occupe-toi de ta maîtresse.

— Elle est vivante, dit vivement l'esclave.

Mais, prévenant un nouvel ordre de Rajasta, elle retourna près de Domaris et se pencha, à la recherche du pouls au creux de la gorge. Satisfaite, elle se redressa d'un bond et alla fouiller longuement dans une armoire. Elle revint passer sous les narines pincées de sa maîtresse un flacon d'élixir aromatique. Après un long moment d'angoisse, Domaris gémit et ses paupières frémirent.

— Domaris... souffla Rajasta.

Les yeux de la jeune femme étaient grands ouverts, fixes, mais les pupilles dilatées ne voyaient ni le prêtre ni l'esclave anxieuse. Domaris gémit de nouveau ; ses mains s'ouvraient et se refermaient spasmodiquement. Elara les prit avec douceur, penchée sur sa maîtresse, le regard éperdu ne voyant maintenant que la robe déchirée, les bras et les joues meurtris, la grande marque livide sur les tempes.

Domaris hurla soudain :

— Non, non ! Non... pas pour moi, mais pouvez-vous... non, non, ils vont me déchirer, laissez-moi partir ! Lâchez-moi... Arvath ! Rajasta ! Père, père...

Sa voix s'éteignit de nouveau en faibles sanglots.

En lui tenant la tête, Elara murmura :

— Ma dame bien-aimée, vous êtes en sécurité ici avec moi, personne ne vous touchera.

— Elle délire, Elara, dit Rajasta avec lassitude.

Elara apporta une étoffe humide et essuya tendrement le sang séché à la racine des cheveux de Domaris. Plusieurs esclaves se pressaient à la porte, leurs grands yeux épouvantés ; seule la présence du prêtre faisait taire leurs questions. Elara les renvoya d'un geste et d'un murmure, puis se tourna vers le prêtre, le visage plein d'une horreur interrogative :

— Seigneur Rajasta, au nom de tous les dieux, que lui est-il arrivé ?

Sans attendre une réponse qu'elle n'espérait sans doute pas, elle se pencha de nouveau sur Domaris en écartant les plis de la robe déchiquetée. Rajasta la vit frissonner de détresse. Puis elle se redressa, couvrit décemment la jeune femme et dit à voix basse :

— Seigneur gardien, vous devez nous laisser. On doit la transporter immédiatement à la demeure des naissances. Il n'y a pas de temps à perdre... Vous connaissez le danger !

Rajasta secoua tristement la tête :

— Tu es bonne, Elara, et tu aimes Domaris, je le sais. Tu dois accepter ce que je vais te dire. Domaris ne doit pas... elle ne *peut* pas être emmenée à la demeure des naissances, et elle ne...

— Mon Seigneur, elle pourrait aisément y être transportée dans une litière, ce n'est pas pressé à ce point.

Rajasta lui fit impatiemment signe de se taire :

— Et elle ne peut pas non plus recevoir les soins d'une prêtresse consacrée. Elle est rituellement impure.

Elara explosa, scandalisée :

— Une prêtresse ? Comment ?

— Ma fille, je t'en prie, écoute-moi, soupira Rajasta, misérable. Un cruel sacrilège a été commis, et des châtiments plus terribles encore pourraient s'ensuivre. Elara... toi aussi tu attends un enfant, n'est-ce pas ?

Elara hocha timidement la tête :

— Le gardien a bien vu.

— Alors, ma fille, je dois t'ordonner de la laisser toi aussi, ou la vie de ton enfant pourrait également être en péril.

Le prêtre étudia le visage rond et troublé de la petite femme et il conclut à mi-voix :

— Elle a été trouvée dans la crypte du dieu endormi.

Elara, bouche bée, saisie d'une épouvante incontrôlée, recula d'un pas. Domaris était toujours comme inanimée. Puis, résolue, Elara s'arma de calme et son regard croisa posément celui du prêtre :

— Seigneur gardien, je ne peux l'abandonner à ces ignorantes. Si aucune femme du temple ne peut l'approcher... J'ai été élevée avec dame Domaris, seigneur gardien, et elle m'a traitée non pas comme une servante mais comme une amie, toute sa vie ! Quel que soit le risque, je le prendrai.

Les yeux de Rajasta s'illuminèrent d'un soulagement passager, qui s'évanouit tout aussitôt :

— Tu as le cœur généreux, Elara, mais je ne puis te le permettre, dit-il avec sévérité. Si tu étais la seule à courir ce risque... mais tu n'as pas le droit de mettre la vie de ton enfant en danger. Tout un processus a été mis en mouvement : chacun doit en subir les conséquences. Ne fais pas retomber la responsabilité d'une autre vie sur la tête de ta maîtresse ! Qu'elle ne soit pas également coupable de la mort de ton enfant !

Elara baissa la tête sans comprendre.

— Seigneur gardien, implora-t-elle, au temple de Caratra, il y a des prêtresses qui pourraient être prêtes à prendre le risque, et qui ont le droit comme le pouvoir de le faire sans danger pour elles ! La guérisseuse, Karahama... elle est exercée aux arts magiques...

— Tu peux le lui demander, dit Rajasta, sans grand espoir. (Il se redressa avec un effort :) Et je ne peux demeurer ici, Elara. La loi doit être respectée.

— Sa sœur... la prêtresse Déoris...

Rajasta s'abandonna à une explosion de colère aveugle :

— Femme, retiens ta langue stupide ! Ecoute bien : Déoris doit l'approcher *moins que toute autre* !

— Vieillard cruel et sans cœur, explosa Elara à son tour, en sanglotant.

Puis elle se recroquevilla d'effroi.

Rajasta l'avait à peine entendue. Il dit plus doucement :

— Chut, ma fille, tu ne sais pas ce que tu dis. Ta fortune est dans ton ignorance des affaires du temple, mais n'essaie pas de t'en mêler ! Et maintenant, obéis à mes ordres, Elara, si tu ne veux pas qu'il arrive pire encore.

II

Dans ses propres appartements, Rajasta se livra à une cérémonie de purification et mit à l'écart les vêtements qu'il avait portés dans le sanctuaire des Ténèbres. Il était épuisé de cette terrible descente dans les profondeurs et du retour plus terrible encore, mais il avait appris depuis longtemps à contrôler son corps. Il revêtit de nouveau ses habits cérémoniels de gardien et gravit enfin les degrés de la pyramide où Ragamon et Cadamiri l'attendaient. Une douzaine de prêtres vêtus de blanc, impassibles, marchaient en procession derrière lui, tels des fantômes.

Déoris était toujours prostrée devant l'autel, plongée dans une stupeur misérable. Rajasta la releva et scruta longuement son visage désespéré.

— Domaris ? demanda-t-elle d'une voix chancelante.

— Elle est vivante... mais elle pourrait mourir bientôt.

Il fronça les sourcils en secouant Déoris :

— Il est trop tard pour pleurer ! Vous et vous... (Il avait désigné deux prêtres :) emmenez Déoris chez Talkannon et envoyez-y ses servantes. Qu'elles l'habillent et prennent soin d'elle. Puis allez avec elle trouver l'autre enfant de Karahama, une fille du temple gris nommée Démira. Ne lui faites pas de mal, mais enfermez-la bien.

Puis, se tournant vers Déoris toujours apathique, il ajouta :

— Ma fille, tu ne parleras à personne d'autre qu'à ces prêtres.

Avec un hochement de tête hébété, Déoris s'en alla, encadrée de ses gardes.

Rajasta se tourna vers ceux qui restaient :

— Rivéda a-t-il été arrêté ?

L'un des hommes répondit :

— Nous l'avons trouvé alors qu'il dormait. Il s'est réveillé et s'est débattu en hurlant comme un fou, mais nous avons fini par le mater. Il... il a été enchaîné, comme vous l'avez ordonné.

Rajasta hocha la tête avec lassitude :

— Qu'on fouille sa demeure et le temple gris, pour y trouver des objets magiques.

A ce moment, le grand prêtre Talkannon entra dans la salle, promenant alentour ce regard qui voyait tout et tout le monde.

Rajasta s'avança vers lui, les lèvres serrées, et lui adressa le salut rituel :

— Nous avons enfin des preuves concrètes, dit-il, et nous pouvons arrêter les coupables, car nous *savons* !

Talkannon pâlit légèrement :

— Vous savez... quoi ?

Rajasta interpréta mal sa détresse inquiète :

— Oui, nous connaissons les coupables, Talkannon. Je crains que le mal n'ait aussi touché votre demeure. Domaris vit toujours, mais pour combien de temps, personne ne peut le dire. Déoris s'est repentie et nous aidera à arrêter ces... ces démons à forme humaine !

— Déoris ? (Talkannon regardait fixement le prêtre de la Lumière, incrédule et choqué :) Quoi ?

D'un air absent, il s'essuya le front. Puis, au prix d'un immense effort, il recouvra son calme. Quand il reprit la parole, sa voix était de nouveau égale :

— Mes filles sont depuis longtemps en âge de s'occuper de leurs affaires personnelles, murmura-t-il. Je ne savais rien de tout ceci, Rajasta. Mais bien entendu, comme tous ceux qui sont sous mes ordres, je suis à votre service en cette occasion, seigneur gardien...

— Voilà qui est bien dit.

Rajasta se mit à expliquer dans les grandes lignes ce qu'il voulait de Talkannon...

Mais derrière le dos du grand prêtre, Ragamon et Cadamiri échangeaient des regards troublés.

III

— Bienveillante mère Ysouda !

La vieille prêtresse abaissa son regard sur Elara en souriant avec bonté. En voyant la terreur qui faisait trembler le petit visage basané, elle dit, avec une gentillesse condescendante :

— N'aie crainte, ma fille, la Mère te protégera et sera avec toi. Ton temps est-il venu ?

— Non, non, je vais bien, dit Elara égarée, c'est ma maîtresse, la prêtresse Domaris.

La vieille femme retint son souffle :

— Puissent les dieux être compatissants ! murmura-t-elle. Que lui est-il arrivé, Elara ?

— Je ne peux pas vous le dire, mère, répondit Elara à voix basse. Je vous en prie, conduisez-moi à la prêtresse Karahama...

— La grande prêtresse ?

Devant l'expression pleine de détresse d'Elara, cependant, mère Ysouda ne perdit pas davantage de temps en questions mais l'entraîna dans le chemin jusqu'à un banc à l'ombre.

— Repose-toi ici, ma fille, ou ton propre enfant en souffrira. Le soleil est féroce aujourd'hui. Je vais moi-même aller chercher Karahama. Elle viendra plus vite pour moi que si j'envoie une servante ou une novice la chercher.

Elle n'attendit pas les remerciements reconnaissants d'Elara et se hâta en direction de l'édifice. Elara s'assit sur le banc indiqué, mais elle était trop impatiente et trop effrayée pour se reposer comme le lui avait ordonné mère Ysouda. En se tordant les mains, elle se leva avec agitation pour arpenter le chemin de long en large.

Elle savait que Domaris courait un très grave danger. Elle avait un peu servi au temple de Caratra et ne possédait qu'un savoir des plus élémentaires, mais elle savait au moins cela : Domaris était en travail depuis des heures, et si tout s'était passé comme prévu, l'enfant serait déjà né sans qu'il y eût besoin d'assistance.

L'avertissement de Rajasta résonnait avec des accents terribles à ses oreilles. Elara était une femme libre de la cité dont la mère avait été la nourrice de Domaris ; elles avaient été élevées ensemble et Elara servait Domaris de son propre gré, considérant cela comme un privilège plutôt qu'un devoir ; elle aurait risqué la mort sans y réfléchir deux fois pour la prêtresse qu'elle aimait, adorait presque — mais le souvenir des paroles de Rajasta tonnait, assourdissant, dans sa mémoire.

Elle est impure... tu es généreuse mais je ne peux le permettre ! Tu n'as pas le droit de mettre en danger la vie de ton enfant à naître... ne mets pas un autre crime sur la tête de Domaris ! Ne la rends pas coupable également de la mort de ton enfant !

Elle se retourna brusquement en entendant des pas sur le chemin. Une très jeune prêtresse se trouvait là ; jetant un coup d'œil dédaigneux et distrait à la tunique ordinaire d'Elara, elle lui dit :

— Mère Karahama va te recevoir.

Tremblante d'impatience, Elara suivit les pas mesurés de la jeune femme et se trouva bientôt en présence de Karahama. Elle s'agenouilla.

Avec bonté, Karahama lui fit signe de se relever :

— Tu viens au nom de la... fille de Talkannon ?

— Oh, ma dame, implora Elara, un sacrilège a été commis et on ne peut amener Domaris à la demeure des naissances... et Déoris non plus n'a pas le droit de l'assister ! Rajasta a dit... qu'elle est cérémoniellement impure. On l'a découverte dans la crypte, dans le sanctuaire des Ténèbres... (Sa voix se brisa en un sanglot ; elle n'entendit pas le cri douloureux de mère Ysouda, ni l'exclamation choquée de la jeune novice.) Oh ! ma dame, vous êtes une prêtresse ! Si vous le permettez... je vous en supplie, je vous en supplie !

— Si je le permets, répéta Karahama, en se rappelant la naissance du fils de Micon.

Quatre ans auparavant, en quelques mots, Domaris avait humilié Karahama devant ses disciples, en renvoyant la « femme sans nom » — qui était pourtant sa demi-sœur, même si elle n'était pas reconnue comme telle. *Vous avez dit que je dois être assistée uniquement par des égales.* Karahama pouvait encore entendre ces paroles comme si elles avaient été prononcées le matin même. *Puisque c'est ainsi, laissez-moi.* Avec quelle clarté elle se les rappelait !

Elle eut un lent sourire qui glaça le sang d'Elara. De sa voix mélodieuse, elle déclara :

— Je suis la grande prêtresse de Caratra. Les femmes qui me sont confiées doivent être protégées. Je ne peux permettre à aucune prêtresse de l'assister, et je ne peux moi-même approcher une femme aussi impure. Salue ma sœur, Elara, et dis-lui... (Les lèvres de Karahama s'incurvèrent :) Dis-lui que je ne pourrais avoir cette audace, et que dame Domaris devrait être assistée par ses égales.

— Madame, s'écria Elara horrifiée, ne soyez pas cruelle...

— Silence ! dit Karahama avec sévérité. Tu t'oublies. Mais je te pardonne. Va, Elara, et entends-moi bien, ne reste pas avec ta maîtresse si tu ne veux pas que ton enfant en souffre !

— Karahama... balbutia mère Ysouda.

Son visage était aussi blanc que ses cheveux, et ses lèvres remuèrent un moment sans qu'un son en sortît. Puis elle implora :

— Laissez-moi y aller, Karahama ! Il y a longtemps que ma féminité est tarie, je ne risque rien. S'il y a un danger, qu'il retombe sur moi, je le subirai avec joie, c'est ma petite fille, c'est comme ma propre enfant, Karahama, laissez-moi aller aider ma petite fille...

— Bienveillante mère, je ne vous le permets pas, dit la grande prêtresse avec une sévérité accrue. On n'insultera pas ainsi notre déesse ! Quoi, ses prêtresses doivent-elles assister les impures ? Un tel acte profanera notre temple. Elara, va-t'en ! Va chercher de l'aide pour ta maîtresse, si c'est nécessaire, parmi les guérisseurs, mais ne cherche aucune femme pour l'assister ! Et, écoute-moi bien, Elara, tiens-toi à l'écart ! Si ton enfant en souffre, je saurai que tu as désobéi, et tu subiras la pleine force du châtiment réservé au crime d'avortement !

Karahama renvoya Elara d'un geste dédaigneux et la femme, avec de bruyants sanglots, s'enfuit en courant. Mère Ysouda ouvrit la bouche pour protester et se retint, désespérée. Karahama n'avait fait qu'invoquer à la lettre les lois du temple de Caratra.

De nouveau, Karahama eut un sourire — un très léger sourire.

5

L'invocation du nom

Vers le coucher du soleil, Rajasta se rendit chez Cadamiri.

— Mon frère, vous êtes un guérisseur, un prêtre, le seul que je connaisse parmi les tuniques grises. (Il n'ajouta pas : Le seul auquel j'ose faire confiance, mais c'était implicite :) Craignez-vous... la contamination ?

Cadamiri comprit également cette question sans avoir besoin d'explications.

— Domaris ? Non, je ne crains rien.

Il étudia le visage hagard de Rajasta et demanda :

— Mais n'a-t-on pu trouver aucune prêtresse pour courir ce risque ?

— Non.

Rajasta ne s'étendit pas sur le sujet.

Les yeux de Cadamiri se plissèrent et ses traits austères, déjà impressionnants, se durcirent plus encore :

— Si Domaris devait mourir parce qu'une assistance adéquate ne lui avait pas été donnée, la honte de notre temple durerait bien plus longtemps que le karma engendré par une infraction à la loi !

Rajasta observa un moment son compagnon gardien, silencieux et pensif :

— L'esclave lui a amené deux des guérisseurs de Rivéda, mais...

Rajasta laissa sa phrase inachevée.

Cadamiri hocha la tête, déjà à la recherche de la petite mallette qui contenait les instruments nécessaires à l'exercice de son art.

— Je vais aller la voir, dit-il avec humilité.

Et lentement, comme à regret, il ajouta :

— N'attendez pas trop de moi, Rajasta. Les hommes ne sont pas... instruits dans ces arts, comme vous le savez. Je n'ai que la plus vague idée des mystères que les prêtresses réservent à ce genre d'urgence. Mais je ferai ce que je pourrai.

Il avait une expression affligée, car il aimait sa jeune parente, de l'amour passionné qu'un ascète convaincu peut parfois ressentir pour la pure beauté d'une femme.

Ils traversèrent rapidement les salles de l'édifice, ne s'arrêtant que pour recruter trois prêtres mineurs musclés, en cas de trouble. Ils n'échangèrent aucune parole en se hâtant vers la demeure de Domaris, et ils se séparèrent à la porte. Rajasta était déjà en retard à un rendez-vous, mais il resta un moment à regarder la porte se refermer sur Cadamiri.

Dans sa chambre, Domaris gisait comme morte, trop faible même pour se débattre. Ses vêtements étaient tachés de sang, comme les draps. Deux tuniques grises étaient là, un de chaque côté du lit ; il n'y avait personne d'autre dans la pièce, pas même la présence salvatrice d'une esclave. Plus tard, Cadamiri devait apprendre qu'Elis était obstinément restée au côté de sa cousine, presque toute la journée, défiant les menaces de Karahama et faisant de son mieux, sans grand effet. Mais l'air d'autorité avec lequel les tuniques grises s'étaient présentés l'avait induite en erreur : elle avait enfin été persuadée de leur laisser Domaris.

L'un des tuniques grises se retourna à l'entrée du gardien :

— Ah, Cadamiri, dit-il, je crains que vous n'arriviez trop tard.

Le sang de Cadamiri se glaça dans ses veines. Ces hommes n'étaient pas des guérisseurs et ne l'avaient jamais été : c'étaient des magiciens, Nadastor et son disciple Har-Maen. En serrant les dents de colère, il s'approcha du lit. Après un bref examen, il se redressa, épouvanté :

— Espèces de bouchers ! s'écria-t-il. Si cette femme meurt, je vous ferai garrotter pour meurtre ! Et si elle vit, pour torture !

Nadastor s'inclina sans broncher :

— Elle ne mourra pas... pour l'instant, murmura-t-il. Quant à vos menaces...

Cadamiri ouvrit la porte avec violence et appela l'escorte de prêtres :

— Arrêtez ces... ces répugnants *sorciers* ! ordonna-t-il d'une voix à peine reconnaissable.

Les deux magiciens se laissèrent conduire sans protester hors de la pièce et Cadamiri, les dents serrées, leur lança :

— Ne croyez pas que vous échapperez à la justice ! Je vous ferai couper les mains, et on vous fouettera nus pour vous jeter hors du temple comme des chiens que vous êtes ! Puissiez-vous pourrir comme des lépreux !

Har-Maen vacilla soudain et s'écroula. Puis Nadastor en fit autant, tombant dans les bras de ses gardes. Les prêtres en tunique blanche s'écartèrent d'un bond en faisant rapidement le signe sacré, tandis que Cadamiri ne pouvait que contempler fixement la scène, en se demandant s'il devenait fou.

Les deux tuniques grises qui se relevèrent, l'œil vague, placides dans leurs habits curieusement rétrécis, n'étaient ni Har-Maen ni Nadastor, mais deux jeunes guérisseurs que Cadamiri lui-même avait instruits. Ils jetèrent autour d'eux des regards hébétés et terrifiés, ayant de toute évidence oublié ce qui venait de se passer.

Une illusion ! Cadamiri serra les poings, submergé d'épouvante. *Grands dieux, secourez-nous tous !* Il contempla, impuissant, les jeunes novices tremblants et désorientés, en faisant le plus grand effort de sa vie pour se contrôler. Il dit enfin d'une voix rauque :

— Je n'ai pas le temps de m'occuper... de cela pour le moment. Emmenez-les et gardez-les bien jusqu'à ce que je... (La voix lui manqua :) Allez, allez ! réussit-il à dire, hors de ma vue !

Il claqua presque la porte sur leurs talons et retourna se pencher sur Domaris, confondu et affligé. Sa sœur gardienne avait en effet été bien cruellement traitée par... par ces illusions démoniaques ! Il fit un effort supplémentaire pour surmonter sa rage comme sa tristesse, et se concentra sur le corps violenté qui gisait devant lui. Il était certainement trop tard pour sauver l'enfant, et Domaris elle-même était dans une phase terminale d'épuisement ; les spasmes convulsifs qui la déchiraient étaient si faibles que son corps ne semblait même plus avoir la force de rejeter le fardeau de la mort.

Ses paupières battirent :

— Cadamiri ?

— Chut, ma sœur, dit-il d'une voix rauque mais pleine de bonté. N'essayez pas de parler.

— Je dois... Déoris... la crypte...

Elle se tordit en un spasme qui arracha ses mains de celles du gardien, mais elle était si épuisée que ses yeux se refermèrent sur les larmes qui y pointaient, et elle s'endormit subitement. Le visage de Cadamiri s'adoucit de compassion. Il pouvait comprendre, comme Rajasta lui-même le pouvait : depuis l'enfance, c'était là le cauchemar ultime de toute femme du temple, cette obscénité humiliante, qu'un homme assiste une femme en travail. Quand Elis avait été forcée de la quitter, l'esprit tourmenté et révolté de Domaris avait plongé dans un abîme de honte et de souffrance où nul ne pouvait l'atteindre ou la suivre. La bonté de Cadamiri n'était pas tellement meilleure que la brutalité obscène des sorciers.

Quand il fut clair qu'il ne pouvait rien faire de plus, Cadamiri alla à la porte et fit signe à Arvath d'approcher.

— Parlez-lui, suggéra-t-il avec bonté.

C'était une mesure désespérée : si l'époux de Domaris ne pouvait la toucher, sans doute personne ne le pouvait-il.

Arvath était pâle, le visage pincé. Il avait attendu presque toute la journée, tremblant et épouvanté, sans voir personne d'autre que mère Ysouda qui était restée un moment avec lui, en larmes. Il avait appris d'elle pour la première fois les dangers que Domaris avait délibérément courus, ce qui l'avait rempli de culpabilité et de confusion, mais il oublia tout en se penchant sur sa femme.

— Domaris... ma bien-aimée...

La voix aimante et familière ramena un instant Domaris à la conscience, mais elle ne vit pas Arvath ; la douleur et la honte l'avaient coupée de toute rationalité. Ses yeux s'ouvrirent ; la pupille en était tellement dilatée qu'ils semblaient noirs, aveugles ; ses lèvres qu'elle avait mordues jusqu'au sang s'incurvèrent dans son doux sourire d'autrefois.

— *Micon !* souffla-t-elle, Micon !

Elle battit des paupières puis ferma les yeux et s'endormit de nouveau en souriant.

Arvath se releva d'un bond, une malédiction sur les lèvres. En cet instant mourut le peu d'amour qu'il éprouvait pour Domaris, et un sentiment cruel et terrible le remplaça.

Cadamiri sentit la chose et retint Arvath par la manche :

— Paix, mon frère, implora-t-il. Elle délire, elle n'est pas du tout avec nous.

— Oh, comme vous êtes observateur, gronda Arvath. Maudit soyez-vous, *lâchez-moi* !

Il s'arracha sauvagement aux mains de Cadamiri et, lançant une autre malédiction épouvantable, il quitta la pièce.

Rajasta, incapable de partir, se trouvait toujours dans la cour. Il fit volte-face, immédiatement en alerte, quand Arvath sortit en titubant de l'édifice.

— Arvath ! Domaris est-elle...

— Que Domaris soit maudite à jamais ! dit le jeune prêtre entre ses dents, et vous aussi !

Il essaya de contourner Rajasta, comme il l'avait fait avec Cadamiri, mais le vieil homme était fort et déterminé.

— Vous êtes épuisé ou ivre, mon fils, dit-il avec tristesse. Ne parlez pas avec tant d'amertume ! Domaris s'est conduite avec bravoure, et elle l'a payé de la vie de son enfant... et sa propre vie pourrait bien se voir réclamée sous peu !

— Et elle était bien heureuse, dit Arvath très bas, d'être libérée de *mon* enfant !

— Arvath ! (L'étreinte de Rajasta se relâcha sur le bras du jeune prêtre, tandis que le choc le faisait pâlir :) Arvath, c'est votre épouse !

Avec un rire furieux, le jeune homme se libéra de Rajasta :

— Mon épouse ? Jamais ! Seulement la putain de ce bâtard d'Atlante qu'on m'a présenté toute ma vie comme un modèle de vertu ! Qu'ils soient maudits tous les deux, et vous aussi ! Je le jure, vous n'êtes qu'un vieil imbécile...

Arvath laissa retomber son poing menaçant et, saisi d'un spasme incoercible, vomit avec violence sur les dalles.

Rajasta se précipita vers lui en murmurant :

— Mon fils !

Arvath, qui luttait pour se maîtriser, écarta le gardien :

— Toujours clément ! s'écria-t-il, toujours compatissant !

Il se releva en titubant, le poing levé contre Rajasta :

— Je te crache dessus, et sur Domaris, et sur le temple, s'écria-t-il d'une voix aiguë qui se brisa brusquement.

Et, en écartant Rajasta d'un sauvage coup de coude, il s'enfuit dans la pénombre grandissante.

II

Cadamiri se retourna pour voir une silhouette émaciée, de haute taille dans les vêtements gris qui l'enveloppaient comme un suaire, et qui se tenait à quelques pas. La porte vibrait encore dans son embrasure après le départ d'Arvath. Personne n'avait bougé.

Le calme de Cadamiri le déserta pour la deuxième fois de la jounée :

— Que... comment êtes-vous entré ? demanda-t-il.

La silhouette grise leva une main étroite pour repousser son voile, révélant le visage hagard et les yeux étincelants de l'adepte Maleina. De sa voix profonde et vibrante, elle murmura :

— Je suis venue t'aider.

— Vous en avez déjà fait assez, bouchers gris ! s'écria Cadamiri. Laissez cette pauvre enfant en paix !

Les yeux de Maleina semblèrent s'enfoncer davantage dans leurs orbites :

— Je n'ai pas le droit de te reprocher ces paroles, dit-elle avec tristesse. Mais tu es un gardien, Cadamiri. Juge par ce que tu connais du bien et du mal. Je ne suis pas une sorcière. Je suis une magicienne, et une adepte !

Elle tendit ses mains maigres et vides vers lui, la paume levée... et les paroles que Cadamiri allait prononcer s'éteignirent sur ses lèvres, car il vit alors étinceler dans ces paumes le signe qu'il ne pouvait pas ne pas reconnaître. Il s'inclina avec révérence.

Avec dédain, Maleina lui fit signe de se relever :

— Je n'ai pas oublié que Déoris a été punie pour avoir aidé une femme qu'aucune prêtresse n'osait toucher ! Je suis... à peine une femme, désormais. Mais j'ai servi Caratra, et mes

390

talents ne sont pas mineurs. Bien plus, je hais Rivéda ! Lui, et bien plus encore ce qu'il a fait ! Ecarte-toi, maintenant.

Domaris gisait comme si toute vie l'avait déjà abandonnée, mais quand les mains décharnées de Maleina la touchèrent, ses lèvres laissèrent échapper un petit cri inarticulé. L'adepte ne prêtait plus attention à Cadamiri ; elle murmura, pensive :

— Je n'aime pas ce que je vais devoir faire.

Ses épaules se redressèrent, et elle leva les mains. Sa voix basse et sonore fit trembler la pièce :

— Isarma !

Ce n'était pas pour rien que les noms véritables étaient sacrés, et secrets. La vibration de son nom au temple, ainsi prononcé, alla chercher la conscience de Domaris où elle s'était retirée, et elle l'entendit, bien qu'à regret.

— Qui ? murmura-t-elle.

— Je suis une femme, et ta sœur, dit Maleina avec une autorité bienveillante, en lui posant une main sur le chakra du front pour la calmer. (Elle se tourna brusquement vers Cadamiri :) Son âme est revenue et vit de nouveau. Crois-moi, je ferais davantage si je le pouvais, mais elle va me résister, à présent. Tu dois m'aider, même si cela te paraît effrayant.

Quand Maleina la toucha de nouveau, Domaris, complètement déchaînée, se réveilla en hurlant dans un pur instinct animal de survie. Maleina fit un geste, et Cadamiri se jeta en travers du corps de la jeune femme qui se débattait, pour l'immobiliser. Domaris laissa échapper un cri convulsif. Cadamiri la sentit se détendre, enfin inconsciente.

Avec une expression horrifiée, Maleina saisit un tissu de lin et y enveloppa la chose horriblement mutilée qu'elle tenait. Cadamiri frissonna. Maleina tourna vers lui un regard sombre :

— Crois-moi, je n'ai pas tué, dit-elle, je l'ai seulement libérée de...

— D'une mort certaine, dit Cadamiri d'une voix faible. Je sais. Je n'aurais pas... osé.

— J'ai appris cela dans des circonstances moins honorables, dit Maleina, et les yeux de la vieille femme étaient humides tandis qu'elle considérait la forme inanimée de Domaris.

Elle se pencha avec douceur, arrangea les bras et les jambes de la jeune femme, et la couvrit d'une couverture propre.

— Elle vivra, dit-elle. Quant à ceci... (Elle recouvrit le corps mutilé de l'enfant mort :) Ne dis à personne qui en est la cause.

Cadamiri, avec un frisson, acquiesça :

— Qu'il en soit ainsi.

Sans un mouvement, elle avait disparu, et il n'y avait qu'un rayon de soleil là où l'adepte s'était trouvée un instant avant. Cadamiri s'agrippa au pied du lit, de crainte de s'évanouir malgré tout son entraînement. Au bout d'un moment, il reprit ses esprits et s'apprêta à aller dire à Rajasta que Domaris était vivante, et l'enfant d'Arvath mort.

6

Le prix à payer

I

On avait permis à Démira d'entendre le témoignage de Déoris, arraché en partie sous hypnose, mais aussi livré en pleine conscience, de telle façon qu'elle ne pourrait revenir sur sa parole sans que les conséquences karmiques ne s'en fissent sentir pendant des siècles. Rivéda avait également répondu à toutes les questions, en disant la vérité, jetant son mépris à la face de ses auditeurs. Les autres s'étaient réfugiés dans de vains mensonges.

Démira avait subi tout cela avec un calme relatif, mais quand elle apprit l'identité du père de son enfant, son hurlement couvrit les paroles de Déoris :

— Non !

— Silence ! ordonna Ragamon, et son regard transperça la fillette hurlante tandis qu'il l'adjurait avec solennité : Ce témoignage ne sera pas pris en compte. La lignée de cette enfant ne se trouve dans aucun registre, et aucun élément solide ne me permet de connaître son géniteur. Nous n'avons pas besoin d'accusations d'inceste !

Maleina pressa la tête dorée contre son épaule, étreignant Démira, lui témoignant un amour protecteur et douloureux ; son expression aurait pu être celle d'un ange affligé, ou d'un démon vengeur.

Ses yeux se posèrent sur Rivéda, tels des brasiers dans son visage sombre et décharné et, quand elle prit la parole, sa voix était sépulcrale :

— Rivéda ! Si les dieux sont justes, tu seras à la place de cette enfant !

Mais Démira s'arracha avec violence aux mains qui la tenaient, et elle s'enfuit en hurlant de la salle du jugement.

On la chercha toute la journée. Ce fut Karahama qui la trouva, à la nuit tombante, dans le sanctuaire le plus secret du temple de la Mère. Démira s'était pendue à l'une des poutres, avec une ceinture de mariage bleue, et son petit corps déformé se balançait horriblement comme un reproche à la déesse qui l'avait rejetée, à la mère qui l'avait reniée, au temple qui ne lui avait jamais permis de connaître la vie...

7

La coupe mortelle

I

Silence... le battement de son cœur... le bruit de l'eau qui suintait de la pierre, goutte après goutte, pour tomber sur le sol humide. Déoris se glissait dans l'obscurité immobile en appelant dans un murmure :

— *Rivéda !*

La voûte lui renvoyait le nom, dans un écho guttural et creux : « Rivéda... véda... véda... da... »

Déoris frissonna, ses yeux agrandis scrutant les ténèbres avec épouvante. Où l'avaient-ils emmené ?

Ses yeux s'accoutumèrent à la pénombre et elle distingua un mince éclat de lumière pâle... et, presque à ses pieds, la forme massive d'un homme étendu.

Rivéda ! Déoris tomba à genoux.

Il était désespérément immobile, il respirait comme s'il avait été drogué. Les lourdes chaînes qui l'emprisonnaient tendaient son corps vers l'arrière comme la corde d'un arc. Il s'anima brusquement, les mains tendues dans le noir.

— Déoris, dit-il, presque émerveillé, et il s'agita dans un bruit de grincement métallique.

Déoris prit ses mains tâtonnantes et pressa ses lèvres sur les poignets blessés à vif par le fer glacé. Rivéda lui effleura le visage d'un geste maladroit :

— T'ont-ils emprisonnée aussi ?

— Non, murmura-t-elle.

Il fit un effort pour s'asseoir puis, avec un soupir, y renonça :

— Je ne peux pas, admit-il avec lassitude. Ces chaînes sont pesantes... et glacées !

Avec horreur, Déoris se rendit compte qu'on avait littéralement chargé l'adepte de chaînes, lui encerclant tout le corps, lui attachant les mains et les pieds au sol, si court qu'il ne pouvait même pas s'asseoir... cette force immense si aisément écrasée ! *Mais comme ils doivent le craindre !*

Il sourit, mais, avec son visage décharné et ses yeux creusés, ce n'était plus qu'une grimace :

— Ils m'ont même attaché les mains, de peur que je ne me libère par quelque sortilège ! Ces couards superstitieux, ces imbéciles, marmonna-t-il. Ils ne connaissent rien à la magie, et ils ont peur de ce qu'aucun être vivant ne pourrait accomplir ! (Il ricana :) Je *pourrais* peut-être prononcer une incantation qui ferait tomber ces chaînes de mes poignets... si je voulais faire s'écrouler sur moi le cachot !

Avec maladresse, à cause du poids des chaînes et de son propre corps qui s'alourdissait, Déoris le tint contre elle, la tête posée sur ses cuisses.

— Combien de temps ai-je passé ici, Déoris ?

— Sept jours, murmura-t-elle.

Il s'agita, fâché parce qu'elle pleurait :

— Oh, arrête, ordonna-t-il. Je suppose que je vais mourir, et je peux l'accepter, mais je n'accepterai pas de te voir pleurnicher sur moi !

Posée avec douceur sur celle de Déoris, sa main démentait cependant ses paroles irritées.

— De toute façon, dit-il pensivement après un moment, j'ai toujours pensé que ma demeure se trouvait... quelque part là-bas dans le noir.

Les mots s'égrenaient en un calme murmure, à travers le bruit intermittent des eaux souterraines.

— Il y a bien des années, quand j'étais jeune, j'ai vu un brasier, et ce qui semblait être la mort... et au-delà, dans le noir, quelque chose... ou Quelqu'un, qui me connaissait. Vais-je enfin trouver comment revenir au monde merveilleux de la nuit ? (Il resta un moment sans bouger dans les bras de Déoris, souriant.) Etrange, dit-il enfin, après tout ce que j'ai fait, c'est mon seul acte de clémence qui me condamne à mort : parce que je me suis assuré que Larmin, avec son sang impur, ne grandisse pas pour devenir un homme... complet.

— Qui êtes-vous pour juger ! s'écria Déoris, soudain furieuse.

— Je l'ai fait... parce que j'avais le pouvoir de décider.

— N'y a-t-il aucun droit qui dépasse le simple pouvoir ? demanda-t-elle avec amertume.

Le sourire de Rivéda s'était fait ironique :

— Aucun, Déoris, aucun.

Une rébellion brûlante envahit Déoris, qui sentait frémir en elle le droit de son enfant à naître.

— C'est vous qui avez engendré Larmin et fait en sorte que cela lui dénie plus encore ses droits ! Et Démira ? Et l'enfant que vous avez conçu avec moi de votre propre volonté ? Manifesteriez-vous la même clémence envers cet enfant ?

— Il y avait... des choses que j'ignorais, quand j'ai engendré Larmin.

Dans l'obscurité, Déoris ne pouvait saisir la gravité que dissimulaient les paroles amusées de Rivéda :

— Quant à ton enfant, je crains de n'avoir qu'une seule clémence à lui manifester : le laisser sans père !

Soudain, il fut saisi d'un accès de rage hérétique et blasphématoire, luttant comme un insensé contre ses chaînes ; il frappa Déoris pour l'écarter de lui et se mit à hurler jusqu'à ce que la voix lui manquât. Il retomba alors, haletant, dans un fracas métallique.

Déoris reprit l'homme épuisé dans ses bras, et il ne bougea plus. Le silence les enveloppait, tandis qu'un éclat de lumière glissait lentement sur les traits de la jeune fille pour illuminer enfin les traits rudes de Rivéda endormi. Il avait sombré dans un lourd sommeil qui l'avait désarmé, un sommeil qui semblait tenir la main de la mort. Agenouillée dans l'obscurité, Déoris pouvait en sentir le battement paresseux dans l'eau qui tombait goutte à goutte, et dont le son clair, monotone, creusait dans son propre cœur un lit profond...

Rivéda remua enfin, avec peine. L'unique rayon de lumière dessinait son visage dur et obstiné sous les yeux pleins d'adoration de Déoris.

— Déoris, murmura-t-il, et sa main entravée lui toucha la taille... (Puis il soupira, la voix encore rauque, éraillée :) Bien sûr, ils l'ont brûlé ! (Il se tut, reprit :) Pardonne-moi, il valait mieux que tu... ne connaisses jamais... *notre* enfant.

Il émit un son étrange, indistinct, qui ressemblait à un sanglot, puis il posa son visage dans la main de la jeune fille et, pris d'une vénération aussi intense qu'inattendue, il pressa ses lèvres contre sa paume. Sa main retomba, dans le bruit des chaînes entrechoquées.

Pour la première fois dans sa longue vie égoïste et concentrée sur le savoir, Rivéda éprouvait un désespoir profond. Il ne craignait pas de mourir, il avait joué ses cartes et il avait perdu. *Mais quels dés ai-je jetés pour Déoris ? Elle doit vivre, et après moi son enfant vivra... cet enfant !* Rivéda comprit soudain toutes les conséquences de ses actes. Il fit face à ses responsabilités et sut que cette potion amère l'avait lui-même empoisonnée. Dans l'obscurité, il serra Déoris contre lui avec toute la tendresse dont il était capable en la circonstance, comme pour lui donner la protection qu'il avait si longtemps négligé de lui accorder... et ses pensées couraient tel un noir torrent.

Pour Déoris, cependant, la grisaille avait disparu. Dans le désespoir et le chagrin, elle avait enfin retrouvé l'homme qu'elle avait toujours connu et aimé, malgré le masque effrayant qu'il présentait au monde. En cette heure, elle n'était plus une enfant effrayée mais une femme, plus forte que la vie et la mort dans son amour pour cet homme qu'elle ne pourrait jamais haïr. Sa force ne durerait pas, mais, agenouillée près de lui, Déoris oubliait tout ce qui n'était pas Rivéda. Elle étreignait son corps enchaîné, et pour eux le temps s'était arrêté.

Elle le tenait encore quand les prêtres vinrent les chercher.

II

La grande salle était bondée de prêtres en tuniques blanches, bleues, bistres et grises, les hommes et les femmes du temple rassemblés devant la tribune du jugement. Ils s'écartèrent en murmurant lorsque Domaris s'avança à pas lents. Seuls ses cheveux de flamme lui conféraient quelque couleur, car son visage était plus pâle que le chatoiement blanc de sa mante. Elle était flanquée de deux prêtres en tuniques blanches qui marchaient gravement, en silence, à un pas de distance, attentifs, au cas où elle trébucherait. Mais elle s'avançait d'un pas égal et son regard impassible ne trahissait rien de ses pensées.

Ils arrivèrent à la tribune, impavides. Là, les prêtres s'arrêtèrent, mais Domaris continua, lente comme le destin, et gravit les marches. Elle n'accorda pas un regard à l'épouvantail enchaîné qui se trouvait au pied de la tribune, ni à la jeune fille accroupie près de lui, la tête enfouie dans son giron, ses longs cheveux épandus comme un noir filet. Domaris s'obligea à gravir les marches dignement et prit sa place entre Rajasta et Ragamon. Derrière eux se trouvaient Cadamiri et les autres gardiens, le visage dans l'ombre de leurs capuchons dorés.

Rajasta fit un pas en avant et parcourut des yeux l'assemblée des prêtres et des prêtresses, comme s'il avait cherché quelqu'un, dévisageant chacune des personnes qui se trouvaient dans la salle. Il poussa enfin un soupir et, selon la formule rituelle, déclara :

— Vous avez entendu les accusations. Y prêtez-vous foi ? Ont-elles été prouvées ?

La réponse gronda, comme un tonnerre profond et menaçant :

— *Nous y prêtons foi ! Elles ont été prouvées !*

— Reconnaissez-vous la culpabilité de cet homme ?

— *Nous la reconnaissons !*

— Et quel est votre jugement ? demanda gravement Rajasta. Pardonnez-vous ?

Le grondement des voix retentit de nouveau, avec la force d'une vague qui s'abat sur le rivage :

— *Nous ne pardonnons pas !*

Le visage de Rivéda était impassible, mais Déoris n'avait pu s'empêcher de tressaillir.

— Quelle est votre volonté ? demanda Rajasta. Condamnez-vous ?

— *Nous condamnons !*

— Quelle est votre volonté ? dit encore Rajasta, mais sa voix se brisait.

Il connaissait la réponse.

La voix de Cadamiri s'éleva, ferme et puissante, à sa gauche :

— Mort à celui qui a abusé de son pouvoir !

— *La mort !*

Les mots roulèrent dans la salle, se répercutèrent longuement pour n'être plus enfin qu'un léger murmure.

Rajasta se retourna et fit face au trône du jugement :

— En sommes-nous convenus ?

— Nous en sommes convenus !

La voix puissante de Cadamiri couvrit presque l'ensemble des déclarations, le sévère chevrotement de Ragamon, les murmures des autres. Domaris parla d'une voix si faible que Rajasta dut se pencher pour l'entendre :

— Nous... en sommes convenus.

— Si telle est votre volonté, je l'accepte.

Rajasta se retourna de nouveau pour faire face à Rivéda enchaîné :

— Vous avez entendu votre sentence, déclara-t-il avec gravité. Avez-vous quelque chose à dire ?

Les yeux d'un bleu glacé croisèrent ceux de Rajasta, longuement, comme si l'adepte hésitait entre plusieurs réponses, qui, toutes, auraient fait trembler le sol sous les pieds de Rajasta, mais seul un léger frémissement, ni sourire ni grimace, anima le visage carré, à présent couvert d'une ombre de barbe d'un roux doré.

— Rien, rien du tout, dit Rivéda, d'une voix basse et étrangement douce.

Rajasta fit le geste rituel.

— La décision est prise ! Le feu purifie, et nous vous envoyons au bûcher !

Il fit une pause, puis reprit d'un ton sévère :

— Soyez purifié.

— Et la *saji* ? cria une voix au fond de la salle.

— Chassez-la du temple ! cria une autre voix aiguë.

— Au bûcher ! Lapidez-la ! Brûlez-la aussi ! Sorcière ! Putain !

C'était une tempête de voix sifflantes et il se passa quelques instants avant que Rajasta ne levât un bras pour ordonner le silence. La main de Rivéda s'était crispée sur l'épaule de Déoris et il se mordait les lèvres, la mâchoire durcie. Déoris ne bougea pas, comme morte à ses genoux.

— Elle sera punie, dit Rajasta, sévère. Mais c'est une femme, et elle attend un enfant !

400

— Le fruit d'un sorcier aura-t-il le droit de vivre ? demanda une voix anonyme, et la tempête sonore s'éleva de nouveau, noyant les admonestations de Rajasta dans un chaos de clameurs.

Domaris se leva, puis s'avança d'un pas mal assuré. Le désordre se calma tandis que la gardienne se tenait immobile devant la foule, sa chevelure semblable à une flamme illuminant l'obscurité. Sa voix était égale et basse :

— Mes seigneurs, c'est impossible. J'offre ma vie pour la sienne.

Ragamon demanda sévèrement :

— De quel droit ?

— Elle a été consacrée à la Mère, dit Domaris, le regard ailleurs. C'est une initiée, elle est au-delà de la vengeance humaine. Demandez aux prêtresses : elle est sacro-sainte aux yeux de la loi. Que son crime soit le mien. J'ai échoué en tant que gardienne, et en tant que sœur. Je suis encore plus coupable : avec le pouvoir ancien des gardiens qui m'a été confié, j'ai maudit cet homme qui se tient condamné devant vous.

Les yeux de Domaris se posèrent presque avec douceur sur la tête arrogante de Rivéda.

— Je l'ai maudit à travers toutes ses vies dans le cycle du karma... par le rituel et la puissance, je l'ai maudit. Que mon crime soit châtié.

Elle laissa ses mains retomber et attendit, les yeux toujours fixés sur Rajasta, accusée par son propre témoignage.

Il lui rendit son regard, consterné. L'avenir s'était brusquement assombri devant ses yeux. *Domaris n'apprendra-t-elle jamais la prudence ? Elle ne me laisse aucun choix...*

Avec lassitude, Rajasta prit la parole :

— La gardienne a réclamé sa responsabilité ! Je laisse Déoris à sa sœur. Qu'elle mette son enfant au monde, et que son sort soit décidé plus tard. Mais je la dépouille de ses titres honorifiques. Elle ne pourra plus être appelée prêtresse ni scribe. (Il fit une pause, puis reprit, en s'adressant de nouveau à l'assemblée :) La gardienne a déclaré avoir prononcé une malédiction, selon l'ancien rituel et l'ancienne puissance. Est-ce un abus ?

La salle s'emplit de réponses vagues, ne produisant qu'un bruissement de murmures. Il n'y avait plus d'unanimité. Les voix se faisaient rares, se perdaient sous la voûte. La culpabilité de Rivéda avait été prouvée dans un procès public, et c'était un crime bien réel, mais il s'agissait maintenant d'un secret de la prêtrise, connu de quelques-uns seulement, et devant sa révélation publique les prêtres du commun étaient plus déconcertés qu'indignés, car ils n'avaient qu'une très vague idée de sa nature.

Une voix plus audacieuse que les autres s'éleva par-dessus les murmures :

— Que Rajasta s'occupe de son acolyte !

Une tempête de voix reprit ce cri :

— C'est la responsabilité de Rajasta ! Que Rajasta s'occupe de son acolyte !

— Elle n'est plus mon acolyte, claqua la voix de Rajasta, tel un fouet, et Domaris tressaillit de chagrin. Mais j'en accepte la responsabilité. Qu'il en soit ainsi.

— *Qu'il en soit ainsi !* tonnèrent les prêtres assemblés, de nouveau unanimes.

Rajasta s'inclina avec cérémonie :

— La décision est prise, annonça-t-il et il s'assit, les yeux fixés sur Domaris qui se tenait toujours debout, vacillant légèrement.

Furieux et affligé, il se demanda si Domaris avait la moindre idée de la façon dont on pouvait interpréter sa confession. Il était épouvanté par la chaîne des événements qu'elle avait mis en branle, elle, une initiée et une adepte. La puissance qu'on lui avait confiée était bien réelle, et en maudissant Rivéda comme elle l'avait fait, elle l'avait utilisée à des fins répréhensibles. Il savait ce qu'elle dirait, et cette certitude sapait son propre courage. Elle avait engendré un karma éternel pour lequel elle devrait payer, et qui sait combien d'autres avec elle, après elle ? C'était sa faute, à lui aussi, si Domaris avait laissé une telle chose arriver, et Rajasta ne niait pas sa responsabilité, même en son for intérieur.

Et Déoris...

Domaris avait parlé du mystère de Caratra, qu'aucun homme ne pouvait approcher : d'une simple phrase, elle s'était définitivement coupée de lui. Son sort était désormais entre les mains de la déesse, Rajasta ne pouvait plus intervenir, même pour faire preuve de clémence. Déoris aussi était au-delà du pouvoir du temple. Tout ce qu'on pouvait décider, c'était que le temple continue à abriter les deux sœurs...

Domaris descendit les marches à pas lents, comme si elle se concentrait sur l'effort, comme si la force de sa volonté pouvait l'emporter sur la fragilité de son corps. Elle s'approcha de Déoris et se pencha pour essayer de l'entraîner. La jeune fille lui opposa une résistance frénétique et Domaris, en désespoir de cause, finit par demander à l'un des prêtres de la prendre. Mais quand le prêtre la toucha, Déoris poussa un hurlement et s'accrocha à Rivéda, hystérique.

— Non ! Jamais, jamais ! Laissez-moi mourir aussi, je ne veux pas partir !

L'adepte releva la tête et plongea son regard dans les yeux de Déoris :

— Va, mon enfant, dit-il à mi-voix. C'est le dernier ordre que je te donnerai jamais. (De ses mains enchaînées, il effleura les boucles noires :) Tu as juré de m'obéir jusqu'à la fin, murmura-t-il. Et c'est la fin. Va, Déoris.

La jeune fille s'affaissa avec de terribles sanglots, mais se laissa emmener. Rivéda la suivit des yeux, trahissant une émotion sans fard, et ses lèvres frémirent lorsqu'il murmura pour la première et la dernière fois :

— Oh, ma bien-aimée !

Après une longue pause, il releva la tête et son regard de nouveau dur et maîtrisé croisa celui de la femme qui se tenait devant lui, vêtue de blanc.

— Votre triomphe, Domaris, dit-il avec amertume.

Mue par une impulsion étrange, celle-ci lui répondit :

— Notre défaite à tous deux !

Les yeux bleus et froids de Rivéda eurent un éclat curieux, et il se mit à rire :

— Vous êtes... une adversaire digne de moi !

Domaris eut un sourire fugitif : jamais auparavant Rivéda ne l'avait reconnue comme une égale.

Rajasta s'était levé pour adresser aux prêtres l'ultime question :

— Qui demande la clémence ?

Silence.

Rivéda tourna la tête et regarda ses accusateurs, dans les yeux, sans supplier.

Et Domaris dit à voix basse :

— Je demande la clémence, mes seigneurs. *Il aurait pu la laisser mourir !* Il a sauvé Déoris, il a risqué sa propre vie, alors qu'il aurait pu la laisser mourir ! Il l'a laissée vivre et porter les cicatrices qui l'accuseraient pour toujours. Ce n'est qu'une plume comparée au fardeau de son crime, mais dans la balance divine, une plume peut racheter une vie humaine tout entière. Je demande la clémence !

— C'est ton privilège, concéda Rajasta d'une voix rauque.

Domaris tira de sa tunique la dague d'or martelé qui était le symbole de son office.

— Voilà pour vous, dit-elle, et elle la déposa dans la main de Rivéda. Moi aussi j'ai besoin de merci, ajouta-t-elle, et ses robes blanches et dorées disparurent entre les rangs des prêtres.

Rivéda examina l'arme un long moment. Par quelque étrange coup du destin, la mort était l'unique présent que Domaris lui eût jamais fait, et c'était le don suprême. Un instant, brièvement, il se demanda si Micon avait eu raison : avec Domaris et Déoris, avaient-ils provoqué des événements qui les rassembleraient de nouveau, après cette séparation, dans les vies à venir ?

Il sourit, d'un sourire las de fin lettré. Il espérait sincèrement que ce ne serait pas le cas.

Il se releva et abandonna le symbole de clémence à Rajasta — bien des siècles s'étaient écoulés depuis qu'on avait ainsi utilisé la dague de merci. Il accepta en retour la coupe ornée de joyaux. L'adepte la tint un long moment, comme il l'avait fait de la dague, pensif. Il songeait, avec un plaisir presque charnel, une sensualité d'ascète, à l'obscurité qui l'attendait, à cette noirceur qu'il avait aimée et poursuivie toute sa vie. Sa vie menait à cet instant, et une pensée rapide, à demi formulée, le traversa : il avait obtenu exactement ce qu'il désirait... et il aurait pu l'obtenir bien plus aisément.

Il sourit de nouveau.

— Le monde merveilleux de la nuit, dit-il à haute voix, et il vida la coupe, d'une seule gorgée.

Puis, de ses dernières forces, dans un éclat de rire, il la jeta droit sur la tribune. Elle alla frapper Rajasta à la tempe. Le vieil homme s'écroula, inconscient, à l'instant même où, dans un fracas retentissant de chaînes, Rivéda s'affaissait sur les dalles de pierre.

8

Héritage

I

Les menues activités quotidiennes s'enchaînaient les unes aux autres, si semblables que Déoris perdait le fil du temps. Elle se repliait sur elle-même, et son esprit semblait être revenu aux jours anciens, où elle était enfant, avec Domaris. Elle s'accrochait à ces rêveries, les encourageait, et si le présent parvenait à se glisser au travers, elle en bannissait aussitôt la pensée.

Son corps s'était alourdi de cette vie étrange et forte qui y remuait, mais elle refusait de penser à son enfant. Son esprit restait figé sur cette nuit passée dans la crypte, sauf quand des cauchemars la faisaient hurler et la réveillaient. *Quel démon portait-elle, qui se tapissait en elle en attendant de naître ?*

Sur un plan plus profond, moins conscient, elle était fascinée, effrayée et même outragée. Son corps, invincible citadelle de son être, ne lui appartenait plus ; il avait été envahi, profané. *Quelle créature des ténèbres allait-elle, par l'entremise de Rivéda, lui faire donner naissance à un rejeton infernal ?*

Elle avait commencé à haïr son corps violenté, cette laideur méprisable. Ces derniers temps, elle se serrait d'une large ceinture pour contraindre ses formes récalcitrantes, à retrouver sa minceur passée, même si elle prenait soin d'arranger ses vêtements pour que ce ne soit pas trop apparent, et se dissimulait ainsi à Domaris.

Celle-ci n'ignorait pas les sentiments de Déoris ; elle pouvait même, jusqu'à un certain point, les comprendre : l'effroi, la réticence à se souvenir du passé et à faire face au futur, l'horreur désespérée... Elle accorda à la jeune fille quelques jours de rêve et de silence, en espérant que Déoris reprendrait ses esprits. Elle finit pourtant par aborder le sujet, contre son gré, mais poussée par une réelle nécessité.

— Déoris, ton enfant naîtra certainement handicapé si tu en entraves ainsi le développement, dit-elle.

Elle parlait avec douceur, avec compassion, comme si elle s'était adressée à une enfant.

— Tu sais bien qu'il ne faut pas faire cela !

Déoris s'arracha à ses mains, rebelle :

— Je n'irai pas montrer ma honte à toutes les souillons du temple pour qu'elles puissent me montrer du doigt et calculer quand je vais mettre bas !

Domaris se couvrit un instant le visage de ses mains, malade de tristesse. On s'était en effet moqué de Déoris et on l'avait tourmentée pendant les jours qui avaient suivi la mort de Rivéda. *Mais cette... cette violence faite à la nature ! Et Déoris a été une prêtresse de Caratra !*

— Ecoute-moi, Déoris, dit-elle, avec plus de sévérité qu'elle n'en avait manifesté depuis les désastreux événements, si tu es si sensible, reste chez nous où personne ne te verra. Mais tu ne dois pas te faire de mal ainsi, ni à ton enfant !

Elle défit avec douceur les nœuds serrés de la ceinture ; sur la peau rougie, des marques parallèles avaient mordu la chair.

— Mon enfant, ma pauvre petite fille ! Qu'est-ce qui t'a poussée à cela ? Comment as-tu pu faire une chose pareille ?

Déoris détourna son visage, amère, et Domaris soupira. *Elle doit mettre fin à... ce refus stupide d'affronter les faits !*

— On doit s'occuper de toi, dit Domaris. Si ce n'est pas moi, alors une autre.

Déoris laissa aussitôt échapper un « non ! » effrayé, et répéta :

— Non, Domaris, tu... tu ne vas pas m'abandonner !

— Je ne le puis, même si je le voulais, répondit Domaris. (Puis, dans une de ses rares tentatives d'humour, elle la taquina :) Tes robes ne vont plus t'aller, à présent ! Les aimais-tu donc tellement pour avoir recours à un tel artifice ?

Déoris répondit par son habituel sourire sans vie.

Domaris fouilla dans les affaires de sa sœur. Après quelques instants, elle se redressa, étonnée :

— Mais tu n'en as pas d'autre qui puisse t'aller ! Tu aurais dû y penser.

Déoris se détourna dans un silence hostile, et Domaris stupéfaite dut admettre que cet oubli avait été délibéré. Sans rien ajouter, mais avec l'impression qu'elle venait de se faire attaquer par une bête surgie de l'ombre, elle alla chercher dans ses propres affaires et finit par trouver quelques longueurs de tissu arachnéen, aux couleurs gaies, qu'on pouvait draper de façon conventionnelle en une ample tunique. Je portais cela avant la naissance de Micail, se souvint-elle ; elle était plus mince alors, mais on pouvait utiliser ces étoffes en les adaptant à la taille de Déoris...

— Viens, dit-elle en riant, écartant les souvenirs du temps où elle avait elle-même porté cette étoffe, je vais te montrer au moins une chose que je connais mieux que toi !

Comme si elle avait habillé une poupée, elle mit Déoris sur ses pieds et, en feignant la gaieté, montra à sa sœur comment disposer l'étoffe pour en faire une tunique.

Elle ne s'attendait pas à la réaction de Déoris : la jeune fille s'empara aussitôt du tissu, le déchira d'un geste sauvage et le jeta par terre. Puis, secouée de frissons, elle se jeta elle-même sur les dalles froides avec des sanglots violents.

— Je ne veux pas, je ne veux pas, je ne veux pas ! répétait-elle. Laisse-moi tranquille, je ne veux pas, je ne voulais pas ! Va-t'en, *va-t'en* ! Laisse-moi tranquille !

Il était tard dans la soirée. Des ombres mouvantes emplissaient la pièce, et la lumière délavée assombrissait les cheveux flamboyants de Domaris, mettant en relief l'unique mèche blanche qui les traversait. Son visage était maigre et tendu et son corps semblait ratatiné, avec une curieuse mollesse qui lui était inhabituelle. Le visage de Déoris était un ovale pâle et misérable. Elles restèrent un instant ainsi, dans un silence apeuré.

Domaris portait la tunique bleue et la résille dorée d'une initiée de Caratra, et elle avait ordonné à Déoris de se vêtir de même. C'était leur seul espoir.

— Domaris, dit Déoris d'une petite voix, que va-t-il se passer ?

— Je l'ignore, ma chérie.

La jeune femme étreignit la main de sa sœur dans les siennes, maigres et veinées de bleu.

— Mais elles ne peuvent te faire de mal, Déoris. Tu es... *nous sommes* ce que nous sommes ! Elles ne peuvent rien y changer.

Mais Domaris soupira, car elle n'en était pas aussi sûre qu'elle voulait en donner l'impression. Elle avait eu recours à cet expédient pour protéger Déoris, et cela les avait-il bien servies : sans quoi Déoris aurait partagé le sort de Rivéda ! Mais cela impliquait un sacrilège qui attaquait le cœur même de leur religion, car l'enfant de Déoris avait été conçu lors d'un rite monstrueux. Un enfant ainsi engendré pouvait-il être admis dans la caste des prêtres ?

Domaris ne regrettait pas ce qu'elle avait fait, même à présent, mais elle se rendait compte de son imprudence. Les conséquences de son acte l'inquiétaient. Son enfant était mort et, à travers son propre chagrin, elle savait que c'était inévitable. Elle acceptait sa culpabilité, mais elle avait résolu, avec une calme et féroce détermination, que l'enfant de Déoris serait sauf. Elle avait accepté la responsabilité de Déoris et de l'enfant à naître, et n'essaierait pas d'y échapper.

Et pourtant... *quelle créature infernale attendait de naître ?*

Elle prit la main de Déoris et elles se levèrent, côte à côte, tandis que leurs juges entraient dans la pièce : les cinq mandataires, revêtus des insignes de leur office, Karahama et les prêtresses qui l'accompagnaient, Rajasta et Cadamiri avec leur manteau doré et les emblèmes sacrés qui étincelaient dans la pièce obscure. Et, derrière Karahama, une silhouette décharnée se tenait immobile, enveloppée de gris, ses longues mains étroites croisées sur sa maigre poitrine. Sous les replis d'étoffe grise éclatait un bleu sourd, et dans les cheveux étincelants la résille ornée de saphirs rappelait les rites atlantes de Caratra sur le corps squelettique de Maleina. Même les cinq mandataires manifestaient de la déférence vis-à-vis de la vieille prêtresse et adepte.

Il y avait de la tristesse dans le regard de Rajasta, et Domaris crut détecter un éclair de sympathie sur le visage immobile de la vieille adepte, mais les autres avaient des expressions sévères ou impassibles. Karahama trahissait pourtant un vague mais perceptible sentiment de triomphe. Domaris regrettait depuis longtemps son moment d'orgueil, des années plus tôt : elle s'était fait une formidable ennemie. *C'est ce que Micon aurait appelé le karma... Micon !* Elle essaya de s'accrocher à ce nom et à cette image, comme à des talismans, mais en vain. Aurait-il condamné ses actes ? Il n'avait rien fait pour protéger Réio-ta, même sous la torture !

Domaris se recroquevilla sous le regard sans pitié de Cadamiri. On ne pouvait attendre de lui que la justice, sans clémence ; dans son regard brillait une lueur fanatique, qui ressemblait à la ferveur qu'elle avait perçue et redoutée chez Rivéda.

Ragamon l'ancien résuma rapidement la situation. Adsartha, autrefois aspirante-prêtresse de Caratra, *saji* de Rivéda condamné et maudit, portait un enfant conçu lors d'un indicible sacrilège. Le sachant, la gardienne Isarma avait pris la responsabilité de se lier à la prêtresse apostate à travers l'ancien rituel sacré de la Mère obscure, qui les plaçait toutes deux au-delà de la justice humaine...

— Est-ce la vérité ? demanda-t-il.

— Dans les grandes lignes, dit Domaris avec lassitude. Il y a encore quelques détails, mais vous ne les jugeriez pas importants.

Rajasta croisa son regard :

— Tu peux expliquer le cas selon tes propres termes, ma fille, si tu le désires.

— Merci. (Domaris croisa et décroisa les mains :) Déoris n'était pas une *saji*. Karahama peut en être témoin. N'est-ce pas, ma sœur *et plus que ma sœur* ?

Elle s'était délibérément servie de la formulation rituelle, saisie d'une soudaine intuition qui n'était guère plus qu'un hasardeux espoir .

— N'est-il pas vrai qu'aucune jeune fille ne peut être faite *saji* après sa maturité physique ?

Le visage de Karahama était livide et ses yeux exprimaient une colère contenue : elle se trouvait placée dans une situation où, contrainte par ses vœux, elle devait aider Domaris !

— C'est la vérité, reconnut-elle d'une voix tendue. Déoris n'était pas *saji*, mais *sakti sidhana*, et ainsi sacrée même aux yeux des prêtres de la Lumière.

Domaris poursuivit d'une voix paisible :

— Je l'ai consacrée à Caratra, non seulement pour la protéger du châtiment ou de la violence, mais pour la guider de nouveau vers la Lumière.

Interceptant le regard déconcerté et sceptique de Rajasta, elle ajouta impulsivement :

— Déoris aussi est née de la Lumière, tout comme moi. Et... j'ai eu le sentiment que son enfant méritait également d'être protégé.

— Vous dites la vérité, murmura Ragamon l'ancien. Et pourtant un enfant engendré au cours d'un blasphème aussi révoltant peut-il être accepté par la Mère ?

Domaris le regarda avec fierté :

— Les rituels de Caratra, dit-elle avec une assurance tranquille, sont dénués de toute discrimination. Ses prêtresses peuvent être de sang royal, ou esclaves, ou même des *non-personnes*.

Ses yeux s'attardèrent un instant sur Karahama.

— N'en est-il pas ainsi, ma sœur ?

— Ma sœur, en effet. Il en aurait été, de même si Déoris avait bel et bien été une *saji*, admit Karahama, suffoquée.

Sous le regard de Maleina, elle n'osait pas se taire, car celle-ci avait eu pitié d'elle, bien des années auparavant ; ce

411

n'était pas une coïncidence qui avait donné Démira comme élève à Maleina. Les trois filles de Talkannon se regardèrent, et seule Déoris baissa les yeux ; Domaris et Karahama restèrent ainsi un long moment, les yeux gris plongés dans les yeux couleur d'ambre. Il n'y avait pas d'amour dans ce regard, mais elles étaient unies par un lien à peine moins étroit que celui qui attachait Domaris à Déoris.

Cadamiri rompit brutalement le silence tendu :

— Il suffit ! Isarma n'est pas innocente, mais elle ne compte pas pour le moment. Il faut décider du sort de Déoris... L'enfant du sanctuaire des Ténèbres ne doit jamais être mis au monde !

— Que voulez-vous dire ? demanda Maleina avec sévérité.

— Rivéda a engendré cet enfant dans le blasphème et le sacrilège. L'enfant ne peut être ni reconnu ni accepté. Il ne doit jamais naître !

La voix de Cadamiri était pesante et aussi inflexible que son maintien.

D'un geste convulsif, Déoris saisit la main de sa sœur ; Domaris balbutia :

— Vous ne pensez pas...

— Soyons réalistes, ma sœur, dit Cadamiri, vous savez parfaitement bien ce que je veux dire. Karahama...

Mère Ysouda, choquée, s'écria :

— Cela va contre notre loi la plus stricte !

Mais la voix de Karahama s'éleva, mielleuse et musicale, presque caressante :

— Cadamiri a raison, mes sœurs. La loi contre l'avortement ne s'applique qu'aux enfants nés à la Lumière, acceptés et reconnus par la loi. Aucune lettre de la loi n'interdit d'anéantir le fruit d'une noire magie. Déoris elle-même aurait avantage à être délivrée de ce fardeau.

Elle parlait avec une grande douceur, mais sous ses épais sourcils horizontaux elle jeta à Déoris un regard de haine si nue que la jeune fille tressaillit. Karahama avait été son amie, son mentor... et maintenant, cela ! Lors des semaines écoulées, Déoris s'était habituée aux regards froids et aux visages qui se détournaient, au silence plein de murmures, aux gens qui l'évitaient superstitieusement... même Elis la regardait avec une hésitation embarrassée et trouvait des prétextes pour empêcher Lissa de rester avec elle. Mais la haine féroce qui se lisait dans les yeux de Karahama était autre chose, une blessure nouvelle pour Déoris.

En un sens, elle a raison, pensa Domaris désespérée. Comment une prêtresse, ou un prêtre, quels qu'ils soient, pourraient-ils tolérer l'idée d'un enfant dont la conception a eu lieu dans des circonstances aussi monstrueuses ?

— Il vaudrait mieux pour tout le monde, répéta Karahama, et surtout pour Déoris, que l'enfant ne prenne jamais son premier souffle.

Maleina s'avança et fit signe à Karahama de se taire.

— Adsartha, dit l'adepte avec sévérité — et l'usage de son nom de prêtresse tira Déoris de son effroi apathique — ton enfant a-t-il réellement été conçu dans le sanctuaire des Ténèbres ?

Domaris ouvrit la bouche, mais Maleina, sèchement, l'interrompit :

— Je vous prie, Isarma, de la laisser parler. C'était lors de la nuit du Nadir, dis-tu ?

Déoris murmura un acquiescement timide.

— Les documents du temple de Caratra, dont mère Ysouda peut attester, dit Maleina, toujours avec une froideur délibérée, montrent que chaque mois, à la nouvelle lune, et notez-le bien, avec une régularité *parfaite*, Déoris était relevée de ses devoirs parce qu'elle était alors cérémoniellement impure. Je l'ai remarqué moi-même au temple gris.

Les lèvres de Maleina se durcirent, comme sous l'effet d'une douleur soudaine, quand elle se rappela en quelle compagnie Déoris avait passé le plus clair de son temps au temple gris.

— La nuit du Nadir arrive après la nouvelle lune...

Elle s'interrompit ; Domaris et les hommes avaient seulement l'air déconcerté, tandis qu'un éclair de compréhension commençait à poindre sous les paupières lourdes de Karahama.

— Voyez, dit Maleina, avec une légère impatience. Rivéda était tunique grise bien avant d'être sorcier. Les habitudes des magiciens sont strictes et inflexibles. Il n'aurait pas permis à une femme rituellement impure de seulement se trouver en sa présence ! Quant à l'entraîner dans un tel rituel... Cela aurait entièrement ruiné son intention. Dois-je vous expliquer les faits élémentaires de la nature, mes frères ? Rivéda était peut-être malfaisant mais, croyez-moi, il n'était pas un imbécile !

— Eh bien, Déoris ?

Rajasta parlait d'un ton neutre mais son visage reflétait un faible espoir.

— La nuit du Nadir ? insista Maleina.

Déoris se sentit pâlir et se raidit, mais elle ne tenait pas à savoir pourquoi.

— Non, murmura-t-elle en tremblant, non, je n'étais pas pure à ce moment-là !

— Rivéda était fou ! Il a violé son propre rituel, protesta Cadamiri, et alors ? N'était-ce pas un blasphème de plus ? Je ne suis pas votre raisonnement.

Maleina lui fit face, dressée de toute sa taille :

— Voici ce que cela signifie, déclara-t-elle avec un mince sourire sarcastique. Déoris était déjà enceinte et le rituel de Rivéda fut une mascarade dépourvue de sens qu'il a lui-même rendue inopérante !

L'adepte fit une pause pour savourer cette idée :

— Quel ridicule pour lui !

Mais Déoris s'affaissa à terre, inanimée.

9

Le jugement des dieux

Après de longues délibérations, on prononça la sentence concernant Domaris : elle serait exilée à jamais du temple de la Lumière. Elle partirait avec honneur, en tant que prêtresse et en tant qu'initiée ; le mérite qu'elle s'était gagné ne pouvait lui être ôté. Mais elle partirait seule ; Micail lui-même ne pourrait l'accompagner, car il avait été confié par son père à Rajasta. Cependant, un instinct curieux avait fait choisir comme lieu de son exil le nouveau temple, en Atlantis, près d'Ahtarrath.

On n'avait pas encore décidé de la punition de Déoris ; son châtiment ne serait pas choisi avant la naissance de son enfant. Et à cause de l'inviolable serment, Domaris pouvait exiger de rester avec sa jeune sœur jusqu'à cette naissance. On ne fit aucune autre concession.

Quelques jours plus tard, dans l'après-midi, Rajasta était assis seul dans la bibliothèque, une carte astrologique déroulée devant lui, mais ses pensées s'attardaient sur l'amère altercation qui avait éclaté quand on avait emporté de la pièce Déoris inconsciente.

— Elles ne se cachent pas derrière les mystères, Cadamiri, avait dit Maleina d'une voix pesante et calme. Moi qui suis une initiée de Ni-Térat, que vous appelez ici Caratra, j'ai vu le signe, et il est impossible à contrefaire.

Le courroux de Cadamiri avait enfin éclaté :

— Iront-elles impunies, alors ? L'une est coupable de sorcellerie, car même si son enfant n'est pas celui du sanctuaire

415

des Ténèbres, elle était complice du rituel où il devait en être ainsi. Et l'autre a fait un vil usage de rituels sacrés ! Initions donc aux ordres sacrés tous nos criminels, les apostats, les hérétiques, et finissons-en !

— Ce n'était pas un vil usage, avait insisté Maleina, le visage gris de fatigue. N'importe quelle femme peut invoquer la protection de la Mère obscure et, si elle répond à ses prières, nul ne peut s'élever contre. Et ne dis pas qu'elles demeurent impunies, prêtre ! Elles se sont abandonnées au jugement des dieux, et nous ne devons pas prendre sur nous d'ajouter à ce qu'elles ont mis en branle ! Ne savez-vous pas... (Sa vieille voix tremblait d'une épouvante mal dissimulée :) ne savez-vous pas qu'elles se sont liées à l'enfant à naître jusqu'à la fin des temps ? Toutes leurs vies, *toutes leurs vies*, non seulement cette vie-ci mais dans la succession de toutes les autres ! Jamais aucune d'elles n'aura de demeure, d'amour, d'enfant, sans que les souffrances de l'autre, si elle en est privée, ne lui déchirent l'âme en mille lambeaux ! Aucune d'elles ne trouvera l'amour sans brûler au fer rouge le cœur de l'autre ! Elles ne seront jamais libres tant qu'elles n'auront pas complètement payé le prix. La vie de chacune influera sur leurs cœurs à toutes deux ! Nous pourrions les punir, certes, dans cette vie-ci. Mais elles ont en toute connaissance de cause invoqué le jugement de la Mère obscure, jusqu'à ce que les cycles du karma aient épuisé la malédiction de Domaris et que Rivéda en soit libéré.

Les paroles de Maleina avaient tonné dans le silence, suivies de murmures qui s'étaient éteints peu à peu. L'adepte avait enfin soufflé :

— Les malédictions humaines sont peu de chose en comparaison !

Et Cadamiri lui-même n'avait pu trouver de réplique ; il était resté assis un moment après le départ de tous les autres, les mains croisées devant lui ; et nul ne pouvait dire si c'était pour prier, ou parce qu'il était furieux, ou bien parce qu'il était foudroyé de stupeur.

II

Après avoir étudié les astres pour l'enfant à naître de Déoris, Rajasta fit venir Domaris et déroula la carte devant elle.

— Maleina avait raison, dit-il. Déoris a menti. Son enfant ne peut absolument pas avoir été conçu lors de la nuit du Nadir. C'est impossible.

— Déoris n'aurait pas menti alors qu'elle était liée par ce serment, Rajasta.

Rajasta adressa un regard perspicace à la jeune femme qu'il connaissait si bien.

— Tu lui fais encore confiance ? (Il s'interrompit et admit cette suggestion :) Si Rivéda l'avait su, bien des vies auraient été épargnées. Je ne puis rien imaginer de plus vain que de faire participer une femme déjà enceinte à... un rituel de cette sorte.

Sa voix trahissait une froide ironie, toute nouvelle chez lui.

Domaris ne la remarqua pas ; elle porta les mains à sa gorge et murmura :

— Mais alors son enfant... n'est pas... l'horreur qu'elle craint ?

— Non. (L'expression de Rajasta s'adoucit :) Si seulement Rivéda l'avait su ! répéta-t-il. Il est allé à la mort en croyant avoir engendré un monstre !

— C'était son intention. (Le regard de Domaris était froid et intraitable :) Les hommes sont punis pour leurs intentions comme pour leurs actions.

— Et il paiera pour elle, répliqua Rajasta, ta malédiction n'ajoutera rien à son destin !

— Pas plus que mon pardon ne l'allégera, déclara Domaris, inflexible, mais des larmes coulaient lentement sur ses joues : Pourtant, si cette idée avait pu adoucir sa mort...

Avec douceur, Rajasta lui posa le rouleau dans les mains :

— Déoris est vivante, lui rappela-t-il. Où que puisse être Rivéda désormais, Domaris, pour lui, qui révérait les forces de la vie avec tout ce qu'il y avait de meilleur en lui, au point qu'il s'est même incliné avec respect devant toi ; pour lui, au milieu des enfers les plus épouvantables, le plus cruel serait que Déoris haïsse son enfant. Qu'elle se torture, elle qui a été une prêtresse de Caratra, qu'elle maltraite assez son corps pour que l'enfant naisse handicapé !

Domaris le regarda longuement sans un mot.

— Crois-tu que je l'ignorais ? murmura Rajasta. Va maintenant. Porte-lui ceci, Domaris, car elle n'a aucune raison de haïr son enfant.

III

D'un pas mesuré, dans un bruissement de robes blanches, Rajasta s'approcha de l'homme qui gisait sur la couche basse et dure, dans une petite pièce froide aussi austère qu'une cellule.

— Paix, mon jeune frère, dit-il, en prévenant vivement son mouvement : N'essaie pas de te lever !

— Il est plus solide aujourd'hui, dit Cadamiri depuis son siège près de l'étroite fenêtre. Il a une révélation à faire, et il semble bien qu'il veuille vous la faire, à vous, uniquement.

Rajasta hocha la tête et Cadamiri se retira. Prenant le siège ainsi libéré, Rajasta s'assit, les yeux baissés sur l'homme qui avait été le chéla de Rivéda. Très affaibli par sa longue maladie, l'Atlante était de nouveau émacié, mais Rajasta n'avait guère besoin des assurances de Cadamiri pour voir que Réio-ta d'Ahtarrath était aussi sain d'esprit que lui-même.

A présent que la folie et la vacuité ne marquaient plus son visage, il avait l'air sérieux et déterminé ; une sombre intelligence se lisait dans ses yeux couleur d'ambre. On avait rasé ses cheveux pendant sa maladie, et ils commençaient seulement à repousser, formant un casque noir et lisse ; on lui avait fait revêtir les habits d'un prêtre du deuxième degré. Rajasta savait qu'il avait vingt-quatre ans, mais il semblait beaucoup plus jeune.

Sous le coup d'une bonté impulsive, Rajasta lui dit doucement :

— Mon jeune frère, aucun être humain ne peut être tenu responsable de ce qu'il fait lorsque son esprit l'a abandonné.

— Vous êtes... compatissant, dit Réio-ta avec hésitation. (A cause de toutes ses années de silence, sa voix avait perdu son timbre ; il ne devait plus jamais parler sans bégayer et sans trébucher :) Mais j'étais... en faute... avant. (D'une voix encore plus hachée, il ajouta :) Un homme qui perd... perd son esprit comme si c'était un jouet !

Rajasta vit la fièvre qui montait dans son regard et lui dit avec une douce sévérité :

— Chut, mon fils, vous allez encore vous rendre malade. Cadamiri prétend que vous voulez absolument me dire quelque chose, mais promettez-moi de ne pas trop vous agiter...

— Ce v-visage n'a jamais quitté ma mémoire un... un instant ! dit Réio-ta d'une voix étouffée. (Son élocution devint plus régulière, son ton plus bas :) Ce n'était pas un homme très grand, plutôt gros et rougeaud, lourdement bâti, avec de grandes mains longues et un nez épais à l'arête écrasée, des mâchoires larges avec de grandes dents... des cheveux noirs qui grisonnaient sur les tempes, et ces yeux ! Et une bouche au sourire cruel, le rictus d'un tigre ! Il... avait presque l'air trop aimable pour être si brutal... et des sourcils épais, couleur de sable, et une façon de parler abrupte, rude...

Rajasta avait l'impression de suffoquer. Il ne put que marmonner :

— Continuez !

— Il avait deux traits distinctifs. Ses dents de devant étaient très écartées... et de tels yeux ! Avez-vous vu la pr-prêtresse Karahama ? Des yeux de chat, des yeux de tigre... Les yeux dans le visage de cet homme, ç'auraient pu être ceux de Karahama...

Rajasta se passa une main sur le visage. Une multitude de souvenirs lui revenaient. *J'ai été plus aveugle que Micon ! Insensé... insensé que j'ai été de ne pas examiner de près l'histoire de Micon, sur ces hommes si pleins de bonté qui l'avaient amené chez Talkannon ! Insensé d'avoir fait confiance...* Rajasta serra les dents, laissa retomber sa main et demanda, d'une voix toujours étranglée :

— Savez-vous qui vous venez de décrire, mon fils ?

— Oui.

Réio-ta se laissa aller contre son oreiller, les paupières closes, une expression lasse et résignée sur le visage, certain que Rajasta n'avait pas cru une seule de ses paroles.

— Oui, je le sais : Talkannon.

Et Rajasta répéta, plein d'une certitude foudroyante et amère. :

— *Talkannon !*

10

Ombres noires

I

Domaris posa le rouleau sur les genoux de sa sœur.

— Es-tu capable de déchiffrer une carte astrologique, Déoris ? demanda-t-elle avec douceur. Je le ferais bien pour toi, mais je n'ai jamais su.

— Karahama me l'a appris, il y a des années, dit Déoris, avec faiblesse. Pourquoi ?

— Rajasta m'a donné celle-ci pour toi. Non ! (Elle prévint la protestation de Déoris :) Tu as refusé d'affronter la réalité jusqu'à ce qu'il ne soit plus temps pour moi de te forcer à agir. Nous devons maintenant convenir d'un arrangement pour que ton enfant soit reconnu. Si ton propre statut t'importe peu, pense à celui de ton enfant en tant que *non-personne* !

— Cela a-t-il de l'importance ? demanda Déoris avec indifférence.

— Pour toi, peut-être pas, répliqua Domaris, mais pour ton enfant, cela signifie vivre comme un être humain ou bien un paria. (Son regard s'attarda avec sévérité sur le jeune visage buté :) Rajasta me dit que tu auras une fille. Veux-tu la voir vivre comme Démira ?

— Ne dis pas cela ! s'écria convulsivement Déoris. (Elle s'affaissa, l'air défait :) Mais qui la reconnaîtrait, à présent ?

— Quelqu'un s'est offert.

Déoris était jeune, et malgré elle une légère curiosité vint secouer sa léthargie :

— Qui ?

421

— Le chéla de Rivéda.

Domaris n'essaya pas d'adoucir cette révélation ; Déoris avait trop souvent nié la réalité. *Qu'elle se débrouille avec cela !*

Déoris se leva d'un bond avec une exclamation révoltée.

— Non, jamais, dit-elle avec défi, il est fou !

— Il ne l'est plus, déclara paisiblement Domaris, et il présente cette offre comme une réparation partielle.

— Une réparation ! s'écria Déoris avec rage. Quel droit a-t-il... ?

Elle s'interrompit devant le regard de Domaris.

— Tu penses réellement que je devrais permettre...

— Je te le conseille vivement, dit Domaris avec fermeté.

— Oh, Domaris, je le hais ! Je t'en prie, ne m'oblige pas à...

Déoris sanglotait misérablement, à présent, mais Domaris resta inflexible :

— Tout ce qu'on te demande, Déoris, c'est d'être présente lors de la cérémonie de reconnaissance, dit-elle d'une voix brève. Il ne demandera... (Elle regarda sa sœur dans les yeux :) Il ne *permettra* rien de plus !

Livide et désespérée, Déoris se redressa et retourna s'asseoir d'un pas vacillant.

— Tu es dure, Domaris... Qu'il en soit fait selon ta volonté, alors. (Elle soupira :) J'espère que je mourrai !

— Il n'est pas si facile de mourir, Déoris.

— Oh, Domaris, *pourquoi* ? implora Déoris, pourquoi m'obliges-tu à faire cela ?

— Je ne puis te le dire. (Domaris se radoucit un peu, s'agenouilla près de sa sœur et la prit dans ses bras :) Tu sais que je t'aime, Déoris ! N'as-tu pas confiance en moi ?

— Oui, oui, bien sûr, mais...

— Alors fais-le parce que tu me fais confiance, ma chérie...

Déoris s'accrocha à la jeune femme, épuisée :

— Je ne peux me battre avec toi, murmura-t-elle. Je ferai comme tu le dis. Il n'y a personne d'autre.

— Mon enfant, mon enfant ! Avec Micail, tu es tout ce que j'aime. Et tu aimeras ton enfant, Déoris !

— Je... je ne peux pas !

C'était un cri de honte et de chagrin.

La gorge de Domaris se serra et elle sentit des larmes lui

monter aux yeux. Mais elle se contenta de caresser la petite tête abattue en promettant :

— Tu l'aimeras, quand tu la verras.

Déoris gémit à voix basse et s'agita entre ses bras ; Domaris, en desserrant son étreinte, se pencha pour ramasser le rouleau avec une petite grimace, car elle avait toujours un peu mal.

— Lis ceci, Déoris.

Avec obéissance, mais sans manifester d'intérêt, la jeune fille jeta un coup d'œil aux dessins. Elle se pencha soudain et se mit à les déchiffrer avec une furieuse concentration, les lèvres frémissantes, s'agrippant si farouchement de ses petits doigts au parchemin que Domaris crut un instant qu'ils allaient le transpercer. Puis Déoris se plia en deux, la tête sur le rouleau, en s'abandonnant à des sanglots passionnés.

Domaris la contempla sans comprendre, consternée, car elle ne pouvait pas imaginer la terreur qu'avait éprouvée Déoris et dont elle était soudain libérée. Elle pouvait encore moins savoir que Déoris avait précieusement conservé dans sa mémoire le souvenir de cette nuit où Rivéda n'avait pas été un adepte et un maître, mais un amant... Son intuition lui fit cependant reprendre Déoris dans ses bras avec beaucoup de douceur, et la tenir contre elle, soucieuse et tendre, en silence, presque sans respirer, tandis que Déoris pleurait et épuisait ses larmes.

Le soulagement de Domaris était indescriptible. Elle comprenait le chagrin, mais la léthargie hébétée, infantile, de Déoris, ses crises de rage furieuse alternant avec une totale apathie, tout cela l'avait effrayée plus qu'elle ne le pensait. A présent, Déoris épuisée contre elle, les yeux clos et un bras autour de son cou, Domaris eut brièvement l'impression que les années avaient inversé leur cours et qu'elles étaient de nouveau comme avant l'arrivée de Micon...

Dans un éclair de compréhension, Domaris sut alors ce que l'amour avait provoqué, et le souvenir de son propre deuil et de son propre chagrin lui revint, transfiguré. *Micon, Rivéda, quelle importance ? L'amour et le deuil sont identiques.* Et jusqu'au fond de son cœur, Domaris fut heureuse, heureuse qu'après si longtemps Déoris fût capable de pleurer pour Rivéda.

C'est les yeux secs et avec une raideur maussade et polie qu'elle revit Réio-ta devant l'entrée de la salle où ils devaient rencontrer les cinq mandataires. Le souvenir qu'elle avait de lui était encore celui du chéla fou, du fantôme qui suivait l'adepte noir, agile comme un chat. Ce jeune prêtre avenant et assuré la surprit. Pendant un moment, elle se demanda même qui il pouvait bien être. Sa voix trébucha lorsqu'elle lui adressa la formule rituelle :

— Prince Réio-ta d'Ahtarrath, je vous suis reconnaissante de votre bonté.

Il eut un léger sourire mais ne leva pas les yeux :

— Ce n'est pas une d-dette, Déoris, je suis à v-vos ordres en tout.

Elle gardait les yeux baissés sur la bordure bleue de son vêtement ample et informe mais elle prit la main offerte, avec une hésitation craintive. Son visage brûlait de honte et de détresse tandis qu'elle sentait le regard du jeune homme s'attarder sur son corps alourdi ; les yeux baissés, elle ne vit pas la tristesse et la compassion de Réio-ta.

La cérémonie fut très brève, mais elle parut interminable à Déoris. Seule la main ferme de Réio-ta, qui serrait la sienne, lui donna le courage de murmurer ses réponses d'une voix presque inaudible. Et elle tremblait si violemment que lorsqu'ils s'agenouillèrent ensemble pour la bénédiction, Réio-ta dut lui passer un bras autour des épaules pour l'aider à se tenir droite.

Ragamon posa enfin la question :

— Le nom de l'enfant ?

Déoris laissa échapper un sanglot et jeta un regard implorant à Réio-ta — c'était la première fois que leurs yeux se croisaient.

Il lui sourit puis, face aux cinq mandataires, il déclara paisiblement :

— Nous avons étudié les astres. Je nomme ma fille... Eilantha.

Eilantha ! Déoris avait atteint un rang assez élevé dans la prêtrise pour interpréter ce nom. *Eilantha*, la conséquence d'une cause, les cercles dans l'eau autour de l'impact de la pierre jetée, la force du karma.

— Eilantha, ta vie à venir est reconnue et bienvenue, répondit le prêtre.

De ce moment, l'enfant de Déoris était celle de Réio-ta, comme s'il l'avait lui-même réellement engendrée. La bénédiction sonore roula sur leurs têtes inclinées, puis Réio-ta aida la jeune femme à se relever. Elle se serait écartée de lui, mais il la conduisit avec cérémonie à l'entrée de la salle, et retint un instant ses doigts :

— Déoris, dit-il avec gravité, je ne voudrais pas v-vous embarrasser de trop de soucis. Je sais que vous n'êtes pas bien. Mais nous devons nous dire certaines choses. Notre enfant...

Déoris laissa échapper un autre sanglot et, lui arrachant sa main avec violence, elle s'enfuit de l'édifice. Réio-ta l'appela d'une voix brusque, surpris et blessé, puis se lança à sa poursuite, de peur qu'elle ne se blessât en tombant.

Mais quand il arriva au coin du bâtiment, elle avait disparu.

III

Déoris s'arrêta enfin pour se reposer dans un coin reculé des jardins du temple, se rendant compte qu'elle était partie bien plus loin qu'elle n'en avait eu l'intention. Elle n'était jamais venue dans ces parages auparavant et n'était pas sûre du chemin qui, parmi tous ces sentiers aux multiples bifurcations, pourrait la ramener vers la demeure de mère Ysouda. Alors qu'elle essayait de déterminer où elle se trouvait exactement et de quel côté partir, une silhouette accroupie près d'un buisson se dressa soudain, et elle se trouva en face de Karahama.

Instinctivement, Déoris recula d'un pas, pleine de rancune et d'effroi.

Un feu menaçant luisait dans les yeux de Karahama.

— *Toi !* cracha-t-elle avec mépris, *fille de la Lumière !*

Les habits de la prêtresse étaient déchirés du haut en bas ; ses cheveux sales et dépeignés pendaient en mèches emmêlées autour d'un visage où ne se lisait plus la sérénité, mais qui était à présent gonflé, avec des yeux rougis et enflammés ; ses lèvres se retroussaient sur ses dents comme celles d'une bête.

Terrifiée, Déoris se recroquevilla contre un mur, mais Karahama se pencha vers elle, la touchant presque. Tout à coup, Déoris comprit avec horreur que Karahama était devenue folle !

— Tortionnaire d'enfants ! Sorcière ! Chienne ! (Une rage furieuse grondait dans la voix de la prêtresse :) La plus fière des filles de Talkannon ! Il aurait mieux valu qu'on me laisse sur le mur de la cité pour y mourir, et que je ne voie pas ce jour ! Et toi pour qui j'ai souffert, fille de la grande dame qui ne pouvait s'abaisser à voir ma pauvre mère... Et Talkannon, maintenant, fille de la Lumière ? Il souhaitera s'être pendu lui-même comme Démira quand les prêtres en auront fini avec lui ! Ou la fière Domaris t'a-t-elle épargné ces nouvelles-là *aussi* ? Déchire tes vêtements, fille de Talkannon !

D'un geste sauvage, ses doigts recourbés comme des serres lacérèrent la robe de Déoris, de l'encolure à la cheville.

Hurlant de terreur, Déoris rassembla autour d'elle les pans de la robe abîmée et tenta de se libérer, mais Karahama, penchée sur elle, avait posé une lourde main sur son épaule et l'acculait contre le mur croulant.

— Déchire tes vêtements, fille de la Lumière ! Arrache-toi les cheveux, fille de Talkannon qui va mourir aujourd'hui ! Et Domaris, qui a été rejetée comme une putain, rejetée par Arvath comme la tige stérile qu'elle est !

Elle cracha et repoussa de nouveau brutalement Déoris contre le mur :

— Et toi, *ma sœur, ma petite sœur* ! chantonna-t-elle en imitant l'intonation de Domaris, mais comme en un écho venu de l'au-delà. Et ton sein s'alourdit d'une sœur de ces enfants que tu as torturés.

Les yeux fauves de Karahama se plissèrent, et sous ses paupières à demi baissées, ses énormes pupilles dilatées, sans profondeur, rouges comme celles d'une bête, contemplèrent Déoris :

— Puissent des esclaves et des filles de prostituées t'assister lors de ton accouchement ! Puisses-tu donner naissance à des monstres !

Les genoux de Déoris se dérobèrent sous elle et elle s'écroula sur le chemin sablonneux, accroupie contre les pierres :

— Karahama, Karahama, ne me maudis point ! implorat-elle. Les dieux savent... *Les dieux savent que je ne voulais pas faire de mal !*

— Elle ne voulait pas faire de mal, chantonna bizarrement la voix moqueuse et folle.

— Karahama, les dieux savent que je t'aimais. J'aimais ta fille, ne me maudis point !

Karahama s'agenouilla soudain près de Déoris, qui essaya de reculer. Mais des mains compatissantes et fortes l'aidèrent à se relever avec aisance. La lumière de la folie avait disparu des yeux de la prêtresse et, entre ses tresses défaites, son visage était de nouveau lucide et douloureux.

— Moi aussi j'ai été ainsi, Déoris, non pas innocente, mais profondément blessée. Et tu n'es pas innocente non plus ! Mais je ne te maudirai plus.

Déoris sanglota de soulagement, et le visage de Karahama, masque torturé, se brouilla à travers ses larmes dans une lumière écarlate. Les pierres branlantes du mur lui rapaient les épaules, mais elle n'aurait pu tenir debout sans assistance. Elle entendit soudain le bruit doux et monotone de la marée, et elle sut où elle se trouvait.

— Tu n'es pas à blâmer, dit Karahama, d'une voix à peine plus sonore que les vagues. Lui non plus, et moi non plus, Déoris ! Nous ne sommes que des ombres, mais des ombres bien noires ! Va en paix, petite sœur... Ton heure est venue, et il se peut que tu prononces quelque malédiction toi aussi, un de ces jours.

Déoris se couvrit le visage de ses mains... et tout s'obscurcit autour d'elle, un gouffre vertigineux s'ouvrit dans son esprit, et elle s'entendit hurler tandis qu'elle tombait, pendant une éternité, alors que le soleil disparaissait.

11

Visions

I

Comme Déoris tardait à revenir, Domaris s'inquiéta et finit par partir à la recherche de sa sœur, en vain. Les ombres s'étiraient en longs squelettes décharnés alors qu'elle cherchait encore. Elle fut saisie d'appréhension, puis de terreur. Les paroles lancées par Déoris, furieuse, bien des années auparavant, revenaient la hanter comme un coup de tonnerre dans son esprit : *Le jour où je me saurai enceinte, je me jetterai dans la mer...*

A la fin, malade d'effroi, elle alla trouver la seule personne sur laquelle Déoris pouvait un peu compter dans l'enceinte du temple, et implora son aide. Réio-ta, loin de se moquer de ses craintes, les accueillit avec la même inquiétude. Avec l'aide de ses serviteurs, ils cherchèrent toute la nuit, près des feux assourdis des brasiers, sur les plages, le long des sentiers et dans les buissons aux limites de l'enceinte. A l'aube, ils trouvèrent l'endroit d'où elle était tombée : une portion du mur s'était écroulée et les deux femmes gisaient en dessous, à demi recouvertes par la marée. Les pierres avaient écrasé la tête de Karahama, et le corps balafré de Déoris à demi nue était si recroquevillé et si tordu que pendant quelques épouvantables instants ils la crurent morte aussi.

Ils la transportèrent jusque dans la hutte d'un pêcheur proche de la ligne de marée haute, et là, à la lumière fumeuse d'une bougie, sans autre assistance que les mains malhabiles de l'esclave de Domaris, naquit Eilantha, dont le nom avait été inscrit ce même jour dans les rouleaux du temple. Une enfant minuscule, aux formes délicates, jetée deux mois trop tôt dans un monde qui l'accueillait sans joie, si fragile que Domaris n'osait espérer qu'elle survivrait. Elle enveloppa ce délicat bourgeon de vie dans son voile et le tint contre sa poitrine, souhaitant contre tout espoir que la chaleur fasse revivre l'enfant. Tandis que l'esclave s'occupait de Déoris et aidait Réio-ta à soigner son bras cassé, elle resta assise à pleurer, dans le chagrin renouvelé de la perte de son propre enfant.

Au bout d'un moment, l'enfant remua et se mit à pleurer faiblement, et ce mince filet de voix tira Déoris de son inconscience. Domaris se pencha vivement sur elle quand elle bougea :

— N'essaie pas de remuer le bras, Déoris, il est fracturé à l'épaule.

Les paroles de Déoris étaient moins qu'un murmure :

— Que s'est-il passé ? Où... (La mémoire lui revint brusquement :) Oh, Karahama !

— Elle est morte, Déoris, lui dit Domaris avec douceur — et elle se surprit à se demander vaguement si Déoris s'était jetée par-dessus le mur et si Karahama s'était tuée en essayant de l'en empêcher, si elles étaient simplement tombées, ou encore si Karahama avait poussé Déoris par-dessus le mur. Personne, pas même Déoris, ne le saurait jamais.

— Comment m'avez-vous trouvée ? demanda Déoris, sans grand intérêt pour la réponse.

— Réio-ta m'a aidée.

Les paupières de Déoris se fermèrent, tant elle était lasse.

— Ne pouvait-il... s'occuper de ses propres affaires... au moins une fois ? demanda-t-elle en détournant son visage.

Contre la poitrine de Domaris, l'enfant recommença à pleurer et Déoris ouvrit les yeux :

— Qu'est-ce que... ne...

Avec précaution, Domaris se baissa pour montrer l'enfant à sa sœur mais, après un bref coup d'œil à la petite créature, Déoris referma les yeux. Elle ne ressentait aucune autre émotion qu'un vague soulagement. L'enfant n'était pas un monstre... et dans cette petite face ridée comme celle d'un singe, elle ne pouvait distinguer aucune ressemblance avec Rivéda.

— Emmène-la, dit-elle, épuisée.

Et elle s'endormit.

Domaris contempla la jeune mère, avec une expression désespérée qui fit place à une tendresse inquiète :

— Ta mère est fatiguée et malade, petite fille, murmura-t-elle en berçant le bébé contre sa poitrine. Je crois qu'elle t'aimera, quand elle te connaîtra.

Mais l'épuisement ralentissait ses gestes comme sa voix. Ses propres forces s'étaient presque évanouies : elle ne s'était jamais remise du traitement qu'elle avait subi sous les mains des tuniques noires. De surcroît, elle n'osait garder trop longtemps cette naissance secrète ; Déoris, autant qu'elle pût en juger, ne courait aucun danger physique ; l'enfant était née facilement et si vite qu'ils n'avaient même pas eu le temps de demander de l'aide. Mais Déoris avait été exposée au froid et elle était en état de choc.

Domaris ne savait pas si elle se risquerait à prendre davantage de responsabilités. Le bébé toujours bien au chaud dans ses robes, elle s'assit sur un tabouret bas pour veiller sa sœur, et réfléchir...

II

Quand Déoris se réveilla, elle était seule. Elle resta étendue, immobile, sans dormir mais alourdie et lasse. Peu à peu, tandis que l'effet des drogues commençait à se dissiper, la douleur revint, battant lentement au travers de son corps déchiré et meurtri. Avec difficulté, elle tourna la tête et distingua les vagues contours d'un panier d'osier ; dans ce panier quelque chose gigotait et gémissait sans relâche. Elle aurait maintenant aimé tenir l'enfant, mais elle était trop faible et épuisée pour bouger.

Ce qui se passa ensuite, elle ne le sut jamais vraiment. Il lui sembla rester à demi endormie, les yeux ouverts, mais incapable de remuer, et même de parler, saisie par des cauchemars d'où il lui était impossible de distinguer la part de réalité. Et par la suite, personne ne put ou ne voulut lui dire ce qui s'était vraiment passé la nuit qui avait suivi la naissance de l'enfant de Rivéda, dans la petite hutte au bord de la mer...

Il lui semblait que le soleil se couchait. Une pâle lumière

rouge caressait son visage et semblait imprégner le panier d'osier où le bébé s'agitait et pleurait faiblement. Une chaleur fiévreuse s'était emparée de son corps endolori, et il lui semblait qu'elle gémissait, longtemps, faiblement, mais avec la désolation d'une enfant blessée. La lumière devenait une mer de feu sanglant, et le chéla entrait dans la hutte. Son regard sombre finissait par se fixer sur elle... Il portait un vêtement bizarre, peu familier, décoré des symboles d'une caste inconnue de prêtres, et pendant un moment Micon semblait se tenir devant elle, mais un jeune Micon émacié, au visage barbu. Ses yeux conservant leurs secrets se posaient sur Déoris, un long moment ; puis il allait verser de l'eau dans une coupe et se penchait, approchant la coupe de ses lèvres desséchées, en lui soulevant la tête avec tant de douceur qu'elle ne ressentait aucune douleur. Un instant, il lui semblait que Rivéda était là, nimbé de rose par le crépuscule, et il se penchait pour déposer un baiser sur ses lèvres, comme il l'avait si rarement fait de son vivant. Puis l'illusion disparaissait, et il n'y avait plus que le jeune visage solennel de Réio-ta qui la regardait avec gravité tandis qu'il reposait la coupe.

Il restait debout près d'elle un moment, et ses lèvres remuaient, mais sa voix semblait se perdre à d'incroyables distances. Déoris, errant à nouveau dans un silence troublé, ne pouvait comprendre ses paroles. Il finissait par se détourner brusquement pour aller au panier d'osier et prendre l'enfant dans ses bras. Toujours dans les griffes paralysantes de son cauchemar, Déoris le regardait se promener dans la hutte, l'enfant sur l'épaule. Puis il s'approchait d'elle à nouveau et, de la couche où elle gisait, il retirait un grand châle bleu tissé aux longues franges nouées, le vêtement d'une prêtresse de Caratra. Il y enveloppait l'enfant avec soin et, tenant son fardeau avec maladresse, il s'en allait.

Le bruit de la porte qui se refermait sortit Déoris de son demi-sommeil et, en s'éveillant complètement, elle poussa une exclamation étouffée. Le soleil mourant baignait la hutte d'une lumière sanglante, mais il n'y avait là personne d'autre qu'elle. Pas un bruit, pas un mouvement sinon le martèlement des vagues et le cri des mouettes qui tourbillonnaient dans le ciel.

Elle resta immobile un long moment, tandis que la fièvre la consumait et léchait comme une flamme les cicatrices de ses seins. Le soleil se coucha dans un bain de sang et l'obscurité tomba, déployant ses lourdes ailes silencieuses autour de son cœur. Après de nombreuses heures, Elis (ou était-ce Domaris ?) arriva avec une lampe et Déoris lui raconta son rêve d'une voix entrecoupée, mais cela ne semblait que délire à ses propres oreilles, absurdités, supplications frénétiques. Puis il y eut des éternités avec Domaris (ou Elis ?) penchée sur elle et répétant interminablement : « Parce que tu me fais confiance... tu me fais confiance... fais-le parce que tu as foi en moi... » Son bras cassé lui faisait abominablement mal, et elle était brûlante. Le rêve revint encore et encore, et pas une fois, sinon dans son sommeil agité, elle n'entendit le cri de cette enfant minuscule au visage de singe qui était la fille de Rivéda.

Elle reprit conscience un matin, dans ses anciens appartements du temple. La folie induite par la fièvre s'était évanouie et ne revint pas.

Elis s'occupait d'elle nuit et jour, avec autant de douceur que l'aurait fait Domaris. Ce fut Elis qui lui apprit la mort de Talkannon, celle de Karahama, et le départ de Domaris, des semaines plus tôt, sur un bateau faisant voile pour Atlantis. Et la disparition du chéla, on ne savait où. Enfin, avec ménagement, Elis lui dit que l'enfant de Rivéda était morte la nuit même de sa naissance.

Chaque fois que Déoris s'endormait, elle rêvait, et toujours le même rêve : la hutte sombre où son enfant était née et où elle avait été ramenée à la vie contre son gré par le chéla, le visage de celui-ci, ensanglanté par le soleil écarlate tandis qu'il emportait son enfant enveloppée dans les lambeaux maculés de la robe de Karahama... Et elle en vint à penser que ce n'était jamais arrivé. Tout le monde lui manifestait beaucoup de bonté, comme à une orpheline, et pendant de nombreuses années elle ne prononça même pas le nom de sa sœur.

LIVRE V

Tiriki

Au commencement, quand l'univers fut créé à partir du néant, il se désagrégea aussitôt par manque de cohésion, semblable à des milliers de minuscules pièces de mosaïque sans signification apparente : tous les fragments sont de taille et de forme identiques, seuls leurs couleurs et leurs dessins diffèrent peut-être. Et l'on n'a aucune idée d'ensemble de la mosaïque projetée. Nul ne peut savoir avec certitude quel en sera l'aspect, tant que la dernière pièce de la mosaïque n'est pas mise en place. (...) Trois outils servent à cette fin : une totale non-interférence, un contrôle actif de chaque mouvement, et une circulation des pouvoirs jusqu'à l'obtention d'un équilibre satisfaisant. Aucune de ces méthodes ne peut cependant réussir sans la collaboration des deux autres. On doit accepter ce principe fondamental, ou bien on ne possède aucune explication sur les événements passés.

Le problème n'est pas encore résolu. Mais nous progressons, par vagues. Un progrès dans les connaissances générales est suivi d'un recul au cours duquel bien des acquis se perdent, pour être redécouverts et perfectionnés lors de la vague suivante. Car la différence entre cette mosaïque et l'Univers, c'est qu'aucune mosaïque ne peut jamais devenir plus qu'une image où tout mouvement est suspendu, l'image de la mort. Nous ne progressons pas vers un temps où tout s'arrêtera, mais vers un temps où tout se retrouvera dans un état de mouvement continu satisfaisant pour tous : rochers, plantes, poissons, animaux, les humains.

Ce n'est pas et ne sera jamais une tâche facile. Mais la route édifiée dans l'espérance est plus plaisante à parcourir que la route édifiée dans le désespoir, même si elles conduisent au même point.

Extrait des Enseignements de Micon d'Ahtarrath,
transcrits par le mage Rajasta

1

L'exilée

I

L'obscurité s'épaississait et dans le port la brise était en train de fraîchir en un fort vent d'ouest qui faisait claquer mollement les voiles repliées tandis que le rythme doux des vagues berçait le bateau. En compagnie de Rajasta, Domaris regardait fixement les rives assombries, immobile, et ses robes blanches illuminaient sourdement les ombres profondes.

Le capitaine s'inclina profondément devant l'initiée :

— Ma dame... Nous allons quitter le port. Puis-je vous conduire dans votre cabine ? Le mouvement du bateau pourrait vous rendre malade.

— Je préférerais rester sur le pont, merci.

Le capitaine s'inclina de nouveau et se retira, les laissant seuls.

— Je dois te quitter aussi, Isarma, dit Rajasta en s'approchant du parapet. Tu as tes lettres de créance. On a pourvu à ta vie future. Je voudrais... (Il s'interrompit, les sourcils froncés, pour dire enfin :) Tout ira bien, ma fille. Va en paix.

Elle s'inclina pour lui baiser la main avec vénération. Rajasta se pencha pour la relever :

— Les dieux veillent sur toi, ma fille, dit-il d'une voix enrouée, et il l'embrassa sur le front.

— Oh, Rajasta, c'est intolérable, dit Domaris avec un sanglot. Micail, mon bébé ! Et Déoris...

— Chut, dit Rajasta, sévère, en écartant les mains qui l'imploraient ; mais il se radoucit presque aussitôt : Je suis

435

navré, ma fille. Il n'y a rien à faire. Tu *dois* subir. Et sache ceci : mon amour et ma bénédiction te suivent, ma bien-aimée, aujourd'hui et à jamais.

Le gardien leva la main pour tracer un signe archaïque. Avant que Domaris ne pût réagir, il tourna les talons et quitta rapidement le bateau. Elle le regarda partir, stupéfaite, en se demandant pourquoi il avait ainsi esquissé pour elle, condamnée à l'exil, le signe du serpent.

Une erreur ? Non, Rajasta ne fait pas de telles erreurs.

Après ce qui lui sembla une éternité, Domaris entendit le cliquetis de la chaîne qui remontait l'ancre, puis le chant rythmé des rameurs. Mais elle resta sur le pont, en essayant de retrouver dans la pénombre une dernière vision de son pays, du temple où elle était née et dont, de toute sa vie, elle ne s'était jamais éloignée de plus d'une lieue. Elle resta là, immobile, longtemps après que la nuit se fut déployée entre le bateau à la course rapide et la rive invisible.

II

C'était une nuit sans lune et il fallut longtemps à la jeune femme pour se rendre compte que quelqu'un était agenouillé près d'elle.

— Qu'est-ce ? demanda-t-elle d'une voix sans timbre.

— Ma dame...

La voix hésitante et monocorde de Réio-ta était un murmure implorant, à peine audible sous les bruits du bateau.

— Vous devez aller dans votre cabine.

— Je préfère rester là, Réio-ta, merci.

— Ma dame... il y a... quelque chose que je d-dois vous montrer.

Avec un soupir, soudain consciente du froid, de ses muscles noués et de son extrême fatigue, Domaris vacilla sur ses jambes engourdies et Réio-ta s'avança vivement vers elle pour la soutenir. Elle se redressa aussitôt, mais le jeune prêtre insista :

— Non, ma dame, prenez appui sur moi...

Elle soupira encore en le laissant l'aider. Une pensée jusqu'alors informulée la traversa, empreinte d'un réel soulagement : il ne ressemblait pas à Micon.

La petite cabine qui lui avait été allouée était faiblement éclairée d'une lampe unique, mais une esclave, une étrangère — Domaris n'aurait pu demander à Elara de quitter son époux et sa fille nouvellement née —, en avait fait un lieu confortable, ordonné. L'endroit sembla attirant et chaleureux à Domaris épuisée ; il y flottait une vague odeur de nourriture mêlée à la fumée légèrement âcre de la lampe, mais tout cela s'évanouit aux marges de sa conscience, à l'arrière-plan du balluchon qui reposait sur les coussins du lit bas. Maladroitement drapé dans des lambeaux tachés de robe bleue, cela s'agitait, comme doué de vie...

— Ma dame très vénérée, et ma sœur aînée, dit Réio-ta avec humilité, je voudrais vous imp-plorer de bien vouloir prendre soin de la fille que j'ai reconnue.

Domaris porta les mains à sa gorge en vacillant ; puis, dans une exclamation de compréhension, elle saisit le bébé et le serra contre son cœur.

— Pourquoi ? murmura-t-elle, *pourquoi* ?

Réio-ta baissa la tête :

— Il me fait p-peine de la prendre à sa m-mère, bégaya-t-il, mais c'était... c'était... vous savez comme moi qu'elle serait morte si je l'avais laissée là ! Et... c'est mon droit, devant la loi, d'emmener ma f-fille où il me plaît.

Les yeux humides, Domaris serra le bébé contre elle tandis que Réio-ta expliquait avec simplicité ce que Domaris n'avait pas osé comprendre :

— Elle n'appartient ni aux tuniques grises ni aux tuniques noires. Et ne vous y trompez pas, ma dame, il y a encore des tuniques noires, il y en aura jusqu'à ce que le temple s'écroule dans la mer, et peut-être encore après ! Ils ne laisseraient pas cette enfant vivre, ils p-pensent que c'est une enfant du sanctuaire des Ténèbres !

— Mais...

Les yeux agrandis, Domaris hésitait à poser les questions que ces paroles éveillaient en elle, mais Réio-ta, avec un petit rire ironique, devina aisément ses pensées :

— Un sacrilège pour les tuniques grises, murmura-t-il, et les tuniques noires ne verraient en elle qu'une possible victime sacrificielle ! Ou bien... qu'elle a été... p-p-profanée par les fils de la Lumière et n'était pas... l'incarnation de...

La voix de Réio-ta s'étrangla sur les mots qu'il ne pouvait prononcer.

Un moment, les lèvres de Domaris refusèrent aussi de lui obéir. Mais elle parvint enfin à dire, sous l'effet de la surprise :

— Sûrement les prêtres de la Lumière...

— N'interféreraient pas. Les prêtres de la Lumière... (Il jeta un coup d'œil implorant à Domaris :)... ont maudit Rivéda *et sa descendance* ! Ils ne seraient pas intervenus pour la sauver. Mais... une fois l'enfant partie, ou disparue... Déoris aussi sera en sécurité.

Domaris blottit son visage dans la robe déchirée qui enveloppait l'enfant endormie. Après un long moment, elle releva la tête, les yeux secs.

— Maudit, murmura-t-elle. Oui, cela aussi, c'est le karma... (Puis, s'adressant à Réio-ta :) Je m'en occuperai avec la plus grande tendresse, je le jure !

2

Le maître

La nuit douce et étoilée d'Ahtarrath était si calme qu'on pouvait entendre le glissement de leurs pieds nus dans l'herbe. Réio-ta prit la main de Domaris et elle s'y agrippa avec une force qui trahissait son émotion devant l'épreuve qui l'attendait. Son visage était pourtant serein, ravissant sous son calme étudié. Les yeux du jeune homme, secrets et pensifs sous ses cils noirs, lui adressèrent un regard rapide et approbateur tandis que, de sa main libre, il écartait le lourd rideau qui les séparait de l'autre pièce. La main de Domaris, froide dans la sienne, lui transmit un sentiment de totale désolation : la jeune femme était calme, mais il se rappela le moment où il avait conduit Déoris, tremblante, devant les cinq mandataires.

Réio-ta prit soudain la pleine mesure de ses actes et se sentit fouetté d'une haine presque intolérable vis-à-vis de lui-même ; son remords, comme une créature vivante, lui déchirait les entrailles. Une vie entière, des dizaines de vies ne pourraient effacer ce qu'il avait fait ! Et son intuition soudaine de ce que ressentait la jeune femme à ses côtés — cette femme qui aurait dû être sa sœur — était un supplice supplémentaire. Elle était si désespérée, si totalement seule !

Avec une tendresse pleine de douceur, comme pour se faire pardonner, il l'attira dans la seconde salle, une pièce austère où ils se retrouvèrent face à un vieil homme au visage maigre, assis sur un banc de bois dépourvu d'ornements. Il se leva aussitôt et les examina avec calme. Domaris apprit seulement des mois plus tard que Rathor, le vieux prêtre, était aveugle de naissance.

Réio-ta tomba à genoux pour demander la bénédiction de l'ancien.

— Bénissez-moi, seigneur Rathor, dit-il humblement. J'apporte des n-nouvelles de Micon. Il est mort en héros... et pour de nobles fins. Et je suis à blâmer.

Il y eut un long silence. Domaris tendit enfin des mains implorantes vers le vieil homme. Quand celui-ci bougea, le visage du jeune prêtre perdit son expression figée d'auto-accusation ; les yeux levés vers le vieillard, Réio-ta reprit :

— Je vous a-amène dame Domaris... la mère du fils de Micon.

Le vieux maître leva une main et murmura une seule phrase ; la douceur de sa voix accompagnerait Domaris jusqu'à sa mort :

— Je sais tout cela, et bien plus encore, dit-il. (Il aida Réio-ta à se relever, le serra contre lui et l'embrassa sur le front :) C'est le karma. Libère ton cœur, mon fils.

Réio-ta lutta pour parler d'une voix égale :

— M-maître !

Domaris se serait agenouillée aussi pour recevoir la bénédiction de Rathor, mais l'ancien l'en empêcha. Il se pencha pour embrasser l'ourlet de sa robe. Domaris laissa échapper une exclamation étranglée et releva vivement le vieil homme. Rathor leva une main et esquissa sur le front de Domaris un signe étrange — le signe même qu'elle avait offert à Micon lors de leur première rencontre. L'ancien eut un sourire d'infinie bénédiction... puis retourna s'asseoir sur le banc.

Avec maladresse, Réio-ta prit les mains de Domaris :

— Ma dame, il ne faut pas pleurer, implora-t-il, et il lui fit quitter la pièce.

3

La petite chanteuse

Avec le temps, Domaris finit par s'habituer à Ahtarrath. Micon avait vécu en ces lieux, avait aimé ce pays : ces pensées la réconfortaient. Pourtant, elle brûlait d'un mal du pays qui ne voulait point s'apaiser.

Elle aimait les vastes édifices de pierre grise, massifs et imposants, si différents des structures basses de l'ancien pays qui étaient d'un blanc lumineux mais tout aussi impressionnantes, à leur manière. Elle finit par accepter les jardins en terrasses qui descendaient en pente douce vers des lacs étincelants, les ramures entrelacées des arbres bien plus hauts que ceux qu'elle connaissait... Mais les fontaines lui manquaient, les cours intérieures et leurs bassins, et il lui fallut bien des années pour s'habituer aux édifices à étages, ou pour gravir des escaliers sans avoir le sentiment de profaner un mystère sacré destiné au seul usage du temple.

Elle habitait au dernier étage d'un édifice où étaient logées les prêtresses célibataires. On avait réservé toutes les pièces qui faisaient face à la mer à Domaris et à ses servantes, et à une autre personne dont elle ne se séparait que rarement, et jamais pour longtemps.

Elle avait gagné le respect immédiat de tous au nouveau temple, cette grande femme tranquille à la mèche blanche dans ses cheveux éclatants. Ils l'acceptèrent d'emblée comme l'une des leurs. Toujours prête à aider ou à soigner, rapide dans ses décisions mais peu prompte à la colère, toujours en

441

compagnie de la petite fille aux traits pointus qui trottinait sur ses talons, Domaris était aimée de tous, mais son étrangeté et son mystère les tenaient un peu à distance ; tous sentaient que cette femme accomplissait les gestes requis de l'existence, mais sans y attacher beaucoup d'importance.

Le grand prêtre du temple, Dirgat, un patriarche de haute taille et nimbé de sainteté, qui rappelait un peu Ragamon l'ancien à Domaris, vint une fois seulement lui faire des remontrances sur son manque apparent d'intérêt pour ses devoirs.

Elle inclina la tête en signe d'accord : le reproche était juste.

— Dites-moi où j'ai manqué à mes devoirs, père, et je verrai à me corriger.

— Vous n'avez pas négligé vos devoirs d'un iota, ma fille, lui dit le grand prêtre avec douceur. En vérité, vous êtes plus consciencieuse qu'il n'est d'usage. Vous ne manquez en rien à vos obligations, mais vous vous manquez à vous-même, mon enfant.

Domaris soupira mais ne protesta pas, et Dirgat, qui avait lui-même des filles, posa une main sur sa main amaigrie :

— Mon enfant, dit-il enfin, pardonnez-moi si je vous appelle ainsi, mais je suis en âge d'être votre grand-père et... j'ai de l'affection pour vous. Est-il au-delà de vos forces de trouver ici un peu de bonheur ? Qu'est-ce qui vous trouble, ma fille ? Ouvrez-moi votre cœur. Avons-nous échoué à vous donner le sentiment d'être la bienvenue ?

Domaris releva les yeux et le vieillard eut une petite toux embarrassée devant le chagrin sans larmes qui s'y lisait.

— Pardonnez-moi, mon père, dit la jeune femme, j'ai la nostalgie de mon pays, et de mon enfant... de mes enfants.

— Avez-vous donc d'autres enfants ? Si votre petite fille a pu vous accompagner, pourquoi pas les autres ?

— Tiriki n'est pas ma fille, expliqua posément Domaris, mais la fille de ma sœur. Elle était la fille d'un homme condamné et exécuté pour sorcellerie... et on aurait tué aussi cette enfant innocente... Je l'ai emmenée loin de ces dangers. Mais mes propres enfants...

Elle fit une pause, pour être sûre que sa voix ne la trahirait pas quand elle reprendrait la parole.

— On m'a interdit d'emmener mon fils aîné, car il doit être

élevé par quelqu'un qui soit... digne de la confiance de son père. Et je suis une exilée.

Elle soupira. Son exil avait été en partie volontaire, une pénitence qu'elle s'était elle-même imposée, mais le savoir ne rendait pas la situation plus facile à supporter ; sa voix trembla malgré elle quand elle conclut, d'un ton morne :

— J'ai eu deux autres enfants, qui sont morts à la naissance.

L'étreinte de Dirgat se resserra très légèrement sur ses doigts :

— Aucun être humain ne peut dire comment retombent les dés des dieux. Il se peut que vous revoyiez votre fils. (Après une petite pause, il demanda :) Serait-ce un réconfort de travailler parmi les enfants, ou cela ajouterait-il à votre tristesse ?

Domaris réfléchit un moment :

— Je crois que... ce pourrait être un réconfort.

Le grand prêtre sourit :

— Alors, on allégera certains de vos autres devoirs, pour un temps du moins, et vous serez chargée de la demeure des enfants.

En le regardant, Domaris sentit qu'elle allait pleurer devant les efforts de cet homme compatissant et sage pour la rendre heureuse :

— Vous êtes plein de bonté, mon père.

— Oh, ce n'est pas grand-chose, murmura-t-il avec embarras. Avez-vous d'autres soucis que je pourrais adoucir ?

Domaris baissa les yeux :

— Non, mon père. Aucun.

Même à ses propres servantes, Domaris ne voulait pas dire ce qu'elle savait depuis longtemps : elle était malade, et ne se rétablirait certainement jamais. Cela avait commencé à la naissance de l'enfant d'Arvath, avec le traitement maladroit et brutal qu'elle avait reçu alors. Non, il avait été brutal, mais non maladroit : la brutalité en avait été tout à fait délibérée.

Elle l'avait accepté alors, il lui importait peu de vivre ou de mourir. Elle avait simplement espéré que cela ne la tuerait pas tout de suite, afin que son enfant pût vivre... Mais ses tortionnaires avaient une autre idée de son châtiment : il leur fallait plutôt sa vie, et sa souffrance ! Et elle avait souffert, de souvenirs qui la hantaient jour et nuit et d'une douleur physique qui ne lui laissait jamais vraiment de répit, et qui gagnait maintenant du terrain, lente et sournoise. Elle soupçonnait que la mort qui l'attendait ne serait ni rapide ni facile.

Elle tournait son visage de nouveau serein et composé vers le grand prêtre quand ils entendirent le bruit de petits pieds pressés. Tiriki se précipita dans la pièce, ses cheveux soyeux tout ébouriffés autour de son visage d'elfe, sa petite tunique déchirée, un pied rose dans une sandale et l'autre nu. Sa démarche boitillante l'amena bien vite à Domaris. La jeune femme la prit dans ses bras et la serra contre sa poitrine, puis elle la tint contre ses genoux, tandis que l'enfant essayait de se dégager en se tortillant.

— Tiriki, songea le vieux prêtre à haute voix, c'est un joli nom. Il vient de chez vous ?

Domaris hocha la tête... Le troisième jour du voyage, alors qu'il ne restait plus rien de l'ancien pays à l'horizon, sinon l'ombre bleue des montagnes presque effacées, elle s'était tenue à la proue du vaisseau, le bébé dans les bras, rappelant à sa mémoire la sensation d'une poignante douceur : la nuit, sous les étoiles de l'été, elle contemplait le visage de Micon. Au loin, un chant résonnait. Elle avait à peine écouté à l'époque, mais il lui semblait à présent qu'elle pouvait entendre l'étrange son de deux voix confondues d'une grâce presque surhumaine : le soprano argenté de sa sœur s'entrelaçait au riche baryton rythmé de Rivéda. Elle s'était sentie plongée dans un âpre conflit, tenant dans ses bras hérissés de chair de poule l'enfant ensommeillée de la sœur qu'elle avait aimée plus que tout et de l'unique homme qu'elle eût jamais haï. Puis sa mémoire était encore revenue, curieusement, sur la voix, riche et chaude, de Rivéda, et sur la tendresse pensive de son visage rude, cette nuit-là au champ des Etoiles, alors que Déoris dormait sur les genoux de l'adepte.

Il a vraiment aimé Déoris, au moins pendant un temps, avait-elle pensé alors. Il n'était pas entièrement coupable, pas plus que nous ne sommes tous les victimes innocentes de ses crimes. Micon, Rajasta, moi-même... nous ne sommes pas innocents de la culpabilité de Rivéda. C'est aussi notre échec.

Dans ses bras, le bébé avait choisi cet instant pour se réveiller, avec un bizarre petit roucoulement. Domaris l'avait serré plus fort, en sanglotant :

— Ah, petite sœur !

444

Depuis, elle appelait toujours l'enfant « petite chanteuse ».

Tiriki était maintenant partie en exploration et s'approchait en vacillant du grand prêtre, qui tendit une main pour caresser la tête soyeuse. Puis, sans avertissement, elle ouvrit la bouche et ses petites dents d'écureuil se refermèrent sur la jambe de Dirgat. Il émit un grognement d'étonnement et de douleur, tout à fait dépourvu de solennité, mais avant de pouvoir gronder l'enfant ou même de reprendre ses esprits, il vit celle-ci s'éloigner en trottinant. Comme si la jambe du vieil homme n'avait pas été assez dure, Tiriki se mit à mâchonner l'un des pieds de la table de bois.

En étouffant un rire irrespectueux, malgré son embarras, Domaris attrapa l'enfant et balbutia des excuses confuses.

Dirgat les écarta d'un geste, en frottant la morsure de sa jambe.

— Vous dites que les prêtres de chez vous lui auraient ôté la vie, dit-il en riant, mais elle ne faisait qu'apporter un message de son père !

Il fit taire les dernières excuses de Domaris :

— J'ai des petits-enfants et des arrière-petits-enfants, ma fille ! Les dents du petit chiot sont en train de pousser, voilà tout.

Domaris enleva de son poignet un bracelet d'argent lisse et le donna à Tiriki :

— Petite cannibale ! la gronda-t-elle. Mâche donc ceci, mais épargne les meubles et mes invités, je te prie !

La petite fille leva vers elle d'immenses yeux brillants et porta le bracelet à sa bouche. Le trouvant trop grand pour l'y mettre en entier, malgré ses efforts, elle commença à en mordiller le bord d'une dent hésitante, puis tomba assise par terre avec un bruit sourd, et resta assise, concentrée sur le bracelet qu'elle mâchonnait.

— Une enfant charmante, dit Dirgat, d'un ton dénué de sarcasme. J'ai entendu dire que Réio-ta en a déclaré la paternité, et je m'en étonnais. Il n'y a pas la moindre trace de sang atlante dans ce petit morceau de blondeur, à ce que je puis voir !

— Elle ressemble beaucoup à son père, dit paisiblement Domaris. Un homme du Nord, qui a péché et qui a été...

détruit. Le principal adepte des tuniques grises, Rivéda de
Zaïadan.

Les yeux du grand prêtre trahissaient le trouble de ses
pensées quand il se leva pour prendre congé. Il avait entendu
parler de Rivéda, et ce n'était pas en bien ; si le sang de Rivéda
l'emportait dans cette enfant, cela se révélerait peut-être un
héritage regrettable. Dirgat n'en dit pas mot, mais les pensées
de Domaris étaient à l'unisson tandis que le regard de la jeune
femme se posait sur la fille de Rivéda.

Une fois de plus, farouchement, Domaris résolut que
l'enfant ne serait pas contaminée par son hérédité. Mais
comment lutter contre une souillure invisible du sang, ou de
l'âme ? Elle reprit Tiriki dans ses bras et, quand elle la laissa
s'éloigner, son visage était trempé de larmes.

4

Le spectre

I

Le bassin qu'on nommait miroir aux reflets étendait son éclat fragmenté sous les ramures entrelacées des arbres, imitant la fusion silencieuse de la lumière et de l'ombre dont était fait le passage des jours et des années.

L'endroit était peu fréquenté, l'atmosphère étrange. On prêtait à ce bassin la faculté de rassembler et de refléter les pensées de ceux qui avaient, même une seule fois, plongé leur regard dans les vaguelettes, quel que soit le lieu où ils se trouvaient par la suite. C'était donc un lieu solitaire et oublié, mais où on trouvait le calme, le silence et la sérénité.

C'est là que s'en vint Déoris, un jour, poussée par un sentiment d'inquiétude qui ne lui laissait pas de répit.

Elle avait l'impression que l'avenir s'étendait vide et informe devant ses yeux pleins d'orage. En fin de compte, on s'était servi d'un fouet pour tuer une mouche : Rivéda était mort, Talkannon était mort, Nadastor aussi, et ses disciples étaient morts ou en fuite. Domaris avait été exilée. Et Déoris elle-même... Qui se souciait de prononcer sa sentence à présent que l'enfant du sacrilège était morte ? Il est vrai qu'après avoir été initiée au plus grand mystère du temple, elle ne pouvait plus être simplement livrée à elle-même. Quand elle se fut remise de sa maladie et de ses blessures, on lui imposa une période disciplinaire de probation. Elle avait subi de longues épreuves, puis elle avait dû suivre l'enseignement le plus sévère qu'elle avait jamais connu, avec Maleina pour unique instructrice. Cette formation était terminée à présent, mais qu'allait-il se passer ensuite ? Déoris l'ignorait, et ne parvenait même pas, pour elle-même, à formuler la moindre hypothèse.

Elle se jeta de tout son long sur l'herbe de la berge et, laissant flotter d'amères pensées, contempla les profondeurs du bassin, d'un bleu plus profond que celui du ciel. Son cœur révolté regrettait une enfant dont elle n'avait presque aucun souvenir. Les larmes s'amassèrent sous ses paupières et brouillèrent peu à peu les eaux étincelantes ; ses lèvres salées de ses larmes, Déoris secoua la tête pour s'éclaircir la vue, sans cependant détourner du bassin son regard intense et méditatif.

Ainsi perdue dans une tristesse presque contemplative, elle vit sans surprise Domaris qui la regardait depuis le bassin : son visage plus maigre, à l'ossature délicate bien distincte, et empreint d'une expression implorante, contenait un appel plein d'amour. Alors même qu'elle regardait, le sourire familier apparut sur les lèvres de Domaris et les bras minces se tendirent en un mouvement impérieux pour attirer Déoris... Oh, comme elle connaissait bien ce geste !

Une brise vagabonde vint rider la surface de l'eau et l'image disparut. Puis, un instant, une autre image se forma, et le visage d'elfe de Démira étincela délicatement dans les vaguelettes. Déoris se couvrit le visage de ses mains, et la silhouette fantomatique disparut. Quand elle regarda de nouveau, seule la brise agitait la surface du bassin.

5

La voie élue

Avec les années, Elis avait perdu son ancienne joliesse, mais gagné en dignité, sa nouvelle maturité lui conférant un certain charme ; en sa présence, Déoris se sentait curieusement en paix. Elle prit dans ses bras le plus jeune enfant d'Elis, un bébé qui n'avait pas un mois, et le tint avec avidité un moment avant de le rendre à sa mère. Puis, dans un soudain accès de désespoir, elle se jeta à genoux près de sa cousine et se cacha le visage.

Elis respecta son chagrin ; au bout d'un moment Déoris leva les yeux avec un faible sourire :

— Je suis sotte, admit-elle. Mais... tu ressembles beaucoup à Domaris.

Elis effleura la tête baissée sous sa coiffe noire aux lourds replis.

— Tu lui ressembles toi-même davantage chaque jour, Déoris.

Déoris se leva prestement tandis que les autres enfants d'Elis entraient en courant dans la pièce sous la houlette de Lissa, qui était maintenant une grande fille sage de treize ans. En voyant les robes bleues d'une initiée de Caratra, les enfants s'immobilisèrent, retenant leur allégresse naturelle.

Seule Lissa trouva assez d'assurance pour la saluer :

— *Kiha* Déoris, j'ai quelque chose à vous dire !

Déoris passa un bras autour de la jeune fille ; avait-elle

jamais tenu dans ses bras cette demoiselle sophistiquée alors qu'elle était une enfant capricieuse ?

— Quel est ce grand secret, Lissa ?

Lissa levait vers elle un regard excité :

— Pas vraiment un secret, *kiha*... seulement que je vais servir au temple le mois prochain !

De multiples pensées agitaient Déoris, malgré son visage serein — le masque impassible d'une prêtresse exercée ; elle avait appris à contrôler ses expressions, mais pas ses pensées. Comme initiée de Caratra, elle était à jamais écartée de certaines étapes de l'accomplissement, mais Lissa... Lissa ne ressentirait certainement jamais rien qui ressemblât à sa propre rébellion. Déoris se souvenait : elle ne pouvait se rappeler avec précision *pourquoi*, quand elle avait treize ou quatorze ans, à peu près l'âge de Lissa, elle était si réticente à entrer au temple de Caratra, même pour une période limitée de service. Puis le courant impitoyable de ses pensées, qu'elle ne pouvait jamais arrêter ni ralentir une fois qu'elle s'y était abandonnée, lui ramena Karahama, et Démira, et le souvenir qu'elle ne parvenait pas à chasser. Si sa propre fille avait vécu, l'enfant de Rivéda, elle aurait été maintenant un peu plus jeune que Lissa, huit ou neuf ans, approchant le moment de devenir une femme.

Lissa ne put comprendre pourquoi Déoris la prenait soudain dans ses bras avec impétuosité, mais elle répondit volontiers à cette étreinte ; puis elle saisit son petit frère et s'éloigna à travers les pelouses en poussant les autres enfants devant elle, attentive. Les deux femmes la regardèrent, Elis avec un sourire de fierté, Déoris avec un peu de tristesse.

— Déjà une jeune prêtresse, Elis.

— Elle est très mûre pour son âge, répondit Elis, et comme Chédan est fier d'elle à présent ! Te rappelles-tu comme il lui en voulait quand elle était bébé ?

Elle se mit à rire à cette réminiscence.

— Maintenant, il se conduit vraiment comme un père ! Je suppose qu'Arvath serait bien content d'en réclamer la paternité, à présent. Il décide presque toujours de ce qu'il veut faire quand il est trop tard.

Ce n'était plus un secret. Quelques années auparavant, Arvath avait tardivement reconnu la paternité de Lissa et il avait essayé de la réclamer, comme Talkannon l'avait fait de Karahama dans une situation semblable ; Chédan avait cependant eu le dernier mot, en refusant de renoncer à sa fille adoptive. Arvath avait subi les punitions très strictes qu'on infligeait à un père délinquant — sans autre but, peut-être, que le salut de son âme.

Un petit tressaillement douloureux avait traversé la mémoire de Déoris à la mention d'Arvath. Elle savait qu'il avait joué un rôle essentiel dans la sentence prononcée contre Domaris, et elle lui en voulait encore ; elle ne l'avait pas rencontré deux fois dans l'année, ils étaient comme des étrangers. Il ne pouvait plus avancer dans la prêtrise puisqu'il n'avait toujours pas d'enfant.

Déoris se détourna pour prendre congé, mais Elis la retint un instant par la main. Sa voix était douce quand elle lui dit, avec cette intuition qui ne lui avait encore jamais fait défaut :

— Déoris... Il est temps pour toi d'avoir recours à la sagesse de Rajasta.

Déoris hocha lentement la tête.

— Je le ferai, promit-elle. Merci, Elis.

Une fois loin des yeux de sa cousine, cependant, Déoris perdit son assurance. Elle avait évité cette confrontation pendant sept ans, craignant la condamnation de Rajasta, son jugement sans compromis... Et pourtant, tandis qu'elle s'éloignait de chez Elis, elle hâta le pas.

De quoi avait-elle donc peur ? Il ne pouvait que l'obliger à se confronter à elle-même, à se connaître elle-même.

II

— Je ne peux te dire ce que tu dois faire, lui dit Rajasta, sans se radoucir. Il ne s'agit pas de ce que je pourrais exiger de toi, mais de ce que tu exigeras de toi-même. Tu as mis en branle une suite d'événements. Etudie-les. Quels châtiments a-t-on encourus à cause de toi ? Quelles obligations reposent maintenant sur toi ? Ton propre jugement sera plus sévère que le mien ne pourra jamais l'être, mais c'est la seule façon dont ton cœur pourra trouver la paix.

La jeune femme agenouillée devant l'initié croisa les bras sur sa poitrine, dans une attitude de stricte contemplation.

Il ajouta une exhortation à la prudence :

— Tu prononceras ta propre sentence, comme il sied à une initiée. Mais n'essaie plus d'attenter à la vie que les dieux t'ont donnée par trois fois ! On ne peut se condamner soi-même à mort. C'est la volonté des dieux que tu restes en vie. On ne peut exiger la mort que lorsqu'une âme humaine est si entachée d'erreur, si déformée qu'elle ne peut se repentir avant d'avoir été placée par la renaissance dans une enveloppe plus saine.

Avec une soudaine révolte, Déoris leva les yeux :

— Seigneur Rajasta, je ne puis accepter les honneurs qui me sont échus, et porter les noms de prêtresse et d'initiée, moi qui ai péché dans mon corps et dans mon esprit.

— Silence, dit-il, sévère. Ce n'est pas la moindre de tes punitions, Déoris. Endure-la en toute humilité, car cela aussi est une pénitence, et le gâchis est un crime. D'autres plus sages que nous ont décidé que tu peux mieux servir ainsi ! Une grande tâche t'attend lors de ta prochaine incarnation, Déoris. Ne crains rien, tu subiras un juste châtiment pour chacun de tes péchés. Mais une sentence de mort aurait été une échappatoire trop facile pour toi ! Si tu étais morte ou si nous t'avions exilée, les conséquences de tes actes se seraient multipliées à l'infini ! Non, Déoris, ta punition dans cette vie sera plus longue et plus sévère.

Déoris baissa les yeux sous la réprimande.

Avec un soupir à peine audible, Rajasta lui mit une main sur l'épaule :

— Lève-toi, ma fille, et assieds-toi près de moi.

Quand elle se fut exécutée, il lui demanda à mi-voix :

— Quel âge as-tu ?

— Vingt-sept étés.

Rajasta l'examina avec attention. Déoris ne s'était pas mariée et n'avait pas pris d'amant, il s'était donné la peine de le vérifier. Il n'était pas certain d'avoir été sage en permettant cette infraction à la coutume du temple : une femme célibataire à cet âge était un objet de mépris, et Déoris n'était ni épouse ni veuve... Le chagrin insidieux, qui ne l'abandonnait jamais longtemps, le ramena à Domaris ; le deuil de Micon l'avait laissée affectivement mutilée, insensible : Rivéda avait-il marqué Déoris d'un sceau aussi indélébile ?

La jeune femme releva enfin la tête et son regard était calme quand il croisa celui de Rajasta :

— Voici ce qui sera ma sentence, dit-elle, et elle la lui exposa.

Il l'observa attentivement pendant qu'elle parlait puis, quand elle eut terminé, il déclara avec une bonté qui faillit faire perdre à Déoris son sang-froid, bien plus que tout ce qu'elle avait vécu ces dernières années :

— Tu n'es pas tendre avec toi-même, ma fille.

Elle ne broncha pas :

— Domaris ne s'est pas épargnée, dit-elle avec lenteur. Je suppose que je ne verrai plus jamais ma sœur dans cette vie. Mais... (Elle baissa la tête, soudain intimidée pour continuer :) Je... voudrais vivre de façon que, la prochaine fois que nous nous rencontrerons... comme notre serment nous oblige à le faire dans d'autres vies... je n'aie pas honte devant elle.

Rajasta était trop ému pour parler :

— Qu'il en soit ainsi, déclara-t-il enfin. C'est ton propre choix, et ta sentence est... juste.

6

Sans attente

I

Dans la onzième année de son exil, Domaris se rendit compte qu'elle ne pouvait plus mener ses devoirs à bien sans assistance, comme elle l'avait fait si longtemps. Elle l'accepta de bonne grâce, avec la patiente tolérance qui marquait tous ses actes ; elle savait depuis longtemps qu'elle était souffrante, et que cet état ne ferait très certainement qu'empirer.

Elle vaquait aux tâches qu'elle assumait encore avec une assurance sereine qui rendait justice à chacun, mais sa lumineuse confiance avait disparu, comme le scintillement de son ancienne joie de vivre. Son maintien était maintenant calme et grave mais elle semblait vivre dans l'instant, refusant le passé comme l'avenir. Elle manifestait à tous respect et bonté, acceptait les hommages avec une douce réserve ; et si ces hommages éveillaient parfois en son cœur un écho ironique et triste, elle le gardait pour elle.

Mais que Domaris fût davantage qu'une coquille vide, nul n'en doutait dans les instants paisibles du rituel. Elle vivait alors, intensément. Elle était en vérité comme une flamme pure, sa chair même semblait devenir lumineuse. Elle n'avait pas la moindre idée de l'effet qu'elle produisait sur ses compagnes ou ses compagnons, mais elle éprouvait un étrange bonheur passif, elle se sentait réceptive. Elle ne le formula jamais clairement, mais c'était le mélange d'une intense vie intérieure en constant contact avec le mystère, et du sentiment de la proximité de Micon ici, dans son propre pays. Elle voyait

454

la contrée avec ses yeux, et si les jardins et les bassins aux eaux calmes ranimaient les souvenirs des cours intérieures et des fontaines de son propre pays, elle se sentait pourtant en paix.

Elle exerçait son rôle de gardienne avec une ferme bonté, sans jamais outrepasser ses droits, et elle se réservait à présent chaque jour un moment qu'elle consacrait à contempler le port, depuis sa haute fenêtre, avec un terrible sentiment de distance et d'isolement : chaque voile blanche en partance rendait plus cruelle sa solitude ; les vaisseaux qui arrivaient ne suscitaient pas en elle le même désir poignant, alors qu'elle attendait, tranquille, elle ne savait quoi. Son destin pesait sur elle et il lui semblait que cet intervalle de calme n'était que cela, un intervalle.

Elle était assise là-haut, un jour, les bras ballants, quand sa servante entra :

— Une dame de la noblesse vous demande audience, ma dame.

— Tu sais que je ne reçois personne à cette heure-ci.

— Je l'en ai informée, ma dame, mais elle a insisté.

— Insisté ? laissa échapper Domaris, rappelant ainsi ses anciennes manières.

— Elle dit qu'elle est venue de loin, et que c'est une affaire très grave et très importante.

Domaris soupira. Elle recevait ce genre de visite de temps en temps, d'ordinaire une femme stérile à la recherche d'un charme qui produirait des fils ! Ne cesserait-on jamais de l'importuner ?

— Je vais la recevoir, dit-elle avec lassitude.

Avec une lenteur digne, elle se dirigea vers l'antichambre. A la porte, elle s'immobilisa, une main agrippée à l'embrasure, et la pièce sembla chavirer autour d'elle.

Déoris !

Non, une ressemblance due au hasard, un caprice de la lumière... Déoris se trouve à des années d'ici, dans mon pays, mariée peut-être, morte peut-être.

Sa bouche était soudain sèche, et elle essaya en vain de parler. Son visage ressemblait à du marbre blanc sous la lune et elle tremblait, légèrement, mais dans chaque fibre de son être.

— Domaris ! (Et c'était la voix aimée, qui implorait :) Domaris, ne me reconnais-tu pas ?

Avec une exclamation étouffée, Domaris tendit les bras à sa sœur, puis ses forces l'abandonnèrent et elle s'affaissa inconsciente aux pieds de Déoris.

En pleurant, bouleversée de frayeur et de joie, Déoris s'agenouilla et la prit dans ses bras. La transformation de Domaris la frappa de plein fouet, et pendant un moment elle se demanda si sa sœur était morte, si le choc de son arrivée ne l'avait pas tuée. Avant d'avoir le temps de réfléchir, cependant, elle vit s'ouvrir les yeux gris, et une main tremblante se posa sur sa joue.

— C'est vraiment toi, Déoris !

Domaris gisait immobile entre les bras de sa sœur, le visage exsangue de joie, et les larmes de Déoris se répandaient sur elle, mais elles ne s'en rendaient compte ni l'une ni l'autre. Domaris finit par s'agiter, inquiète :

— Tu pleures, mais ce n'est pas nécessaire, murmura-t-elle, plus maintenant.

Là-dessus, elle se releva en entraînant Déoris. Elle sécha les larmes de la jeune femme et, en pinçant dans son mouchoir le nez encore mutin de Déoris, elle déclara, très grande sœur :

— Souffle !

II

Quand elles furent capables de parler sans pleurer ou sans rire, ou les deux, Domaris dévisagea cette belle femme étrangère et pourtant familière qu'était devenue sa sœur et lui demanda d'une voix hachée :

— Déoris, comment était... mon fils, quand tu l'as quitté ? Est-il... dis-moi vite, va-t-il bien ? Je suppose que c'est presque un homme, à présent. Ressemble-t-il beaucoup... à son père ?

— Tu pourras en juger par toi-même, ma chérie, dit Déoris avec une immense tendresse, il est dans l'autre pièce. Il m'a accompagnée.

— O dieux compatissants ! murmura Domaris, et elle sembla près de s'évanouir de nouveau. Déoris, mon bébé, mon petit garçon...

— Pardonne-moi, Domaris, mais... il faut que je te voie un moment seule.

456

— C'est bien, petite sœur, mais... oh, amène-le-moi *maintenant* !

Déoris se releva et alla à la porte, Domaris sur les talons, incapable d'attendre même un instant. A pas lents et plutôt timides, mais avec un sourire radieux, un grand adolescent s'avança pour étreindre Domaris.

Avec un petit soupir, Déoris se redressa et les contempla avec nostalgie ; il y avait dans son cœur une pointe de souffrance qui demeura quand elle quitta la pièce.

A son retour, Domaris était assise sur un divan et Micail, agenouillé à ses pieds, pressait contre sa main une joue déjà couverte d'un fin duvet.

Domaris leva sur Déoris un regard heureux mais interrogateur :

— Mais que vois-je, Déoris ? Ton enfant ? Comment... Amène-le ici, que je le voie.

Son regard ne cessait pourtant de retourner à son fils, alors même que Déoris défaisait les linges enveloppant l'enfant qu'elle avait amené. C'était presque douloureux de regarder les traits de Micail : ce jeune et fier visage basané était un reflet si exact de celui de Micon, avec ce demi-sourire qui ne disparaissait jamais bien longtemps, les yeux d'un bleu électrique sous les cheveux éclatants, seul trait qu'il avait hérité de sa mère... Les yeux de Domaris débordèrent de larmes tandis qu'elle passait une main amaigrie sur la nuque bouclée de l'adolescent.

— Eh bien, Micail, dit-elle, tu es un homme, on doit couper ces boucles.

Le garçon baissa les yeux, soudain intimidé de nouveau.

Domaris se tourna vers sa sœur :

— Donne-moi ton bébé, Déoris, je veux le voir... ou la voir ?

— C'est un garçon, dit Déoris, et elle déposa dans les bras de Domaris son fardeau rose d'à peine un an.

— Oh ! Il est si joli, il est ravissant, roucoula Domaris avec tendresse. Mais...

La jeune femme leva les yeux, avec sur les lèvres une question hésitante. Déoris, le visage grave, prit la main libre de sa sœur et lui offrit la seule explication qu'elle lui donnerait jamais :

— C'est en partie ma faute si ton enfant a perdu la vie.

Arvath n'a pu progresser dans les rangs de la prêtrise parce qu'il n'avait pas de fils. L'obligation à laquelle tu avais... manqué pouvait désormais être considérée comme la mienne et... Arvath n'était pas réticent.

— C'est donc... le fils d'Arvath ?

Déoris ne parut pas avoir entendu et poursuivit à mi-voix :

— Il m'aurait même épousée, mais je ne voulais pas marcher sur l'ourlet de ta robe. Et puis... ce fut comme un miracle ! Les parents d'Arvath vivent ici, tu sais, à Ahtarrath, et ils voulaient élever son fils puisque Arvath n'est pas... ne s'est pas remarié. Aussi m'a-t-il implorée d'entreprendre ce voyage : il ne pouvait envoyer personne d'autre. Et Rajasta s'est arrangé pour que je vienne te voir avec Micail, puisqu'à sa maturité il devra réclamer l'héritage et le rang de son père. Je me suis embarquée avec les enfants et...

Elle haussa les épaules avec un sourire.

— Tu en as d'autres ?

— Non. Nari est mon seul enfant.

Domaris contempla la tête bouclée de l'enfant assis sur ses genoux. Il se tenait là, très calme et souriant, jouant avec ses propres pouces, et maintenant qu'elle savait Domaris s'imaginait pouvoir distinguer sa ressemblance avec Arvath. Elle leva les yeux et vit l'expression de sa sœur, une sorte de regret.

— Déoris... commença-t-elle.

Mais la porte s'ouvrit et une fillette entra d'un pas dansant dans la pièce pour s'arrêter net et adressa un regard intimidé aux étrangers.

— *Kiha* Domaris, je suis désolée, murmura-t-elle, je ne savais pas que vous aviez des invités.

Déoris se tourna vers la fillette. C'était une enfant assez grande, d'environ dix ans, mince et délicate ; ses longs cheveux clairs dénoués sur les épaules encadraient un petit visage pointu finement ciselé où brillaient de grands yeux bleu argent, sous des cils fournis...

— Domaris, laissa échapper Déoris. Domaris, *qui est cette enfant* ? Suis-je folle, ou en train de rêver ?

— Ma chérie, ne peux-tu deviner ? demanda Domaris avec douceur.

— Non, Domaris, c'est insupportable ! (La voix de Déoris se brisa dans un sanglot :) Tu... n'as jamais vu Démira...

458

— Ma sœur, regarde-moi, ordonna Domaris. Ferais-je des plaisanteries aussi cruelles ? Déoris, c'est ton enfant, ta petite fille... Tiriki. Tiriki, ma chérie, viens là, viens près de ta mère...

La fillette lança un regard timide à Déoris, trop impressionnée pour bouger, et Domaris vit naître sur le visage de sa sœur un espoir, incrédule, à la fois fou et épouvanté.

— Mais Domaris, mon bébé est mort ! laissa échapper Déoris, et ses larmes jaillirent alors, des sanglots misérables, les marées solitaires qu'elle avait retenues pendant dix ans.

— *Ce n'était pas un rêve, alors !* J'ai rêvé que Réio-ta était venu la prendre... mais après, on m'a dit qu'elle était morte...

Domaris déposa le petit garçon sur le divan pour s'approcher vivement de sa sœur :

— Pardonne-moi, ma chérie, dit-elle, j'étais perdue à ce moment-là, je ne savais que dire ni que faire. C'est ce que j'ai dit à certains, au temple, pour qu'ils n'interviennent pas pendant que je ne savais pas encore quoi faire. Je ne pensais pas que... Oh, ma petite sœur, et pendant toutes ces années tu as pensé... Tiriki, viens là, dit-elle en relevant la tête.

La fillette se tenait encore à l'écart, mais quand Déoris lui adressa un regard implorant, presque incapable encore de croire au miracle, le petit cœur généreux de l'enfant s'ouvrit à cette belle étrangère qui la regardait avec un espoir si déchirant ; elle s'approcha et l'étreignit avec force, les yeux levés timidement vers cette femme qui était sa mère.

— Ne pleurez pas... oh, ne pleurez pas, implora-t-elle d'une petite voix sérieuse qui transperça de souvenirs le cœur de Déoris. *Kiha* Domaris, c'est vraiment ma mère ?

— Oui, ma chérie, oui, lui assura-t-on, et Tiriki se sentit alors enveloppée dans l'étreinte la plus passionnée qu'elle eût jamais connue.

Domaris riait et pleurait en même temps : le choc et la joie avaient été trop forts.

Micail les sauva. Toujours assis sur le plancher, il avait pris avec maladresse le bébé de Déoris, et il déclara d'un ton profondément dégoûté :

— *Les filles !*

7

La fleur qui ne fane point

Domaris jouait du luth. Elle posa l'instrument pour accueillir Déoris avec un sourire.

— Tu as l'air reposée, ma chérie, dit-elle en attirant la jeune femme près d'elle. Je suis si heureuse de t'avoir là ! Et... comment puis-je te remercier de m'avoir amené Micail ?

— Tu... que puis-je dire ? (Déoris prit la main fine de sa sœur :) Tu en as déjà tellement fait. Eilantha... Comment l'appelles-tu... Tiriki, tu l'as eue avec toi pendant tout ce temps ? Comment as-tu fait ?

Les yeux de Domaris avaient pris une expression distante, obscurcis par des souvenirs lointains :

— Réio-ta me l'a amenée. C'était son plan, en fait. Je ne savais pas qu'elle courait un si terrible danger. On ne l'aurait pas laissée vivre.

— Domaris ! (Le regard de Déoris, comme sa voix, indiquait qu'elle la croyait et qu'elle en était profondément bouleversée :) Mais pourquoi me l'a-t-on caché ?

Les yeux cernés de Domaris se tournèrent vers sa sœur :

— Réio-ta a essayé de te le dire. Je crois que tu étais trop souffrante pour le comprendre. J'avais peur que tu ne te trahisses toi-même...

Son regard se détourna :

— Ou que tu n'essaies de la détruire toi-même.

— Pouvais-tu penser...

— Je ne savais vraiment pas quoi penser, Déoris ! C'était déjà un miracle de pouvoir penser ! Et je n'étais certainement pas assez forte pour te contraindre. Mais, pour diverses raisons, ni les tuniques grises ni les tuniques noires ne l'auraient laissée vivre. Et les prêtres de la Lumière... (Domaris ne pouvait soutenir le regard de sa sœur :) Ils ont maudit Rivéda *et sa descendance.*

Il y eut un moment de silence. Puis Domaris écarta le sujet d'un revers de main :

— C'est du passé, dit-elle d'une voix ferme. Tiriki a vécu avec moi pendant tout ce temps. Réio-ta a été un père pour elle, et ses parents l'aiment beaucoup.

Elle sourit :

— Elle a été terriblement gâtée, je te préviens ! A demi prêtresse, à demi princesse...

Déoris tenait toujours la main exsangue de sa sœur, en observant celle-ci avec attention. Domaris était très mince, presque émaciée, seuls ses lèvres et ses yeux à l'éclat parfois fiévreux mettaient de la couleur dans son visage — ses lèvres comme une blessure — et, dans ses cheveux éclatants, il y avait de bien nombreuses mèches blanches.

— Mais, Domaris, tu es souffrante !

— Je vais assez bien, et j'irai mieux maintenant que tu es là. (Domaris avait pourtant tressailli devant le regard scrutateur de sa sœur :) Que penses-tu de Tiriki ?

— Elle est... ravissante. (Déoris eut un sourire de regret :) Mais je me sens si bizarre avec elle. M'aimera-t-elle ?

— Donne-lui-en le temps, conseilla Domaris avec un demi-sourire. Penses-tu que Micail se souvenait vraiment de moi ? Et il était bien plus vieux quand...

— Je me suis donné beaucoup de mal pour qu'il se rappelle, Domaris ! Même si je l'ai peu vu pendant les quatre ou cinq premières années. Il m'avait presque oubliée, moi aussi, quand on m'a permis de le voir de nouveau. Mais j'ai essayé.

— Tu as très bien réussi. (Il y avait dans la voix de Domaris une gratitude mêlée de souffrance :) Je voulais que Tiriki connaisse ton existence, mais... elle n'a eu que moi toute sa vie. Et je n'avais personne d'autre.

— Je peux le tolérer, qu'elle t'aime davantage, murmura bravement Déoris, mais seulement... le tolérer.

— Oh, ma chérie, ma chérie, tu sais sûrement que je ne te la prendrai jamais !

Déoris pleurait presque, et pourtant cela lui arrivait de

moins en moins. Elle parvint à se retenir, mais il y avait dans ses yeux bleu-violet une acceptation douloureuse qui toucha Domaris plus profondément que la révolte ou le chagrin.

Une voix claire et enfantine s'éleva :

— *Kiha* Domaris ?

Les deux femmes se retournèrent, pour voir Tiriki et Micail dans l'embrasure de la porte.

— Venez, mes chéris, leur dit Domaris. C'était à son fils qu'elle souriait, mais elle se sentait oppressée, car elle vit Micon lui rendre son regard...

Le garçon et la fillette s'avancèrent vaillamment dans la pièce, avec une timidité qu'ils ne maîtrisaient pas. Ils restèrent devant leurs mères, la main dans la main, s'accrochant l'un à l'autre, car s'ils étaient pratiquement des étrangers, ils partageaient la même stupéfaction : tout était devenu nouveau pour eux. Toute sa vie, Micail n'avait connu que l'austère discipline et la compagnie des prêtres ; en vérité, il n'avait jamais complètement oublié sa mère, mais il se sentait intimidé et embarrassé en sa présence. Tiriki, elle, avait toujours su, d'une façon confuse, que Domaris ne lui avait pas donné naissance, mais celle-ci l'avait dorlotée, gâtée, avec une affection si totale et si protectrice que sa mère ne lui avait jamais manqué.

L'étrangeté de la situation la submergea de nouveau et la fillette lâcha la main de Micail pour courir à Domaris ; elle s'accrocha jalousement à elle et cacha sa tête aux cheveux argentés dans son giron. Domaris caressa la chevelure étincelante, mais son regard ne quittait pas Micail :

— Tiriki, ma chérie, la sermonna-t-elle avec douceur, ne sais-tu pas que ta mère a désiré te voir pendant toutes ces années ? Et tu ne l'as même pas saluée. Où sont tes manières, petite ?

Tiriki resta muette, les yeux baissés, à la fois timide et emplie d'une rébellion jalouse. Déoris la regardait, le cœur transpercé. Elle s'était débarrassée de son ancienne possessivité à l'égard de Domaris, mais une souffrance plus profonde, plus poignante, l'avait remplacée ; et à présent, comme en transparence, il lui semblait pouvoir distinguer une autre tête aux cheveux argentés posée sur sa propre poitrine, et entendre la voix désolée de Démira qui murmurait : *Si Domaris me parlait gentiment, je crois que je mourrais de joie...*

Domaris n'avait jamais vu Démira, bien sûr ; et malgré tout ce que Déoris avait dit pour réconforter la petite *saji*, elle l'aurait traitée avec une arrogance dédaigneuse si elle l'avait vue. Mais en vérité, se dit Déoris avec tristesse, Tiriki est seulement ce que Démira serait devenue si on lui avait prodigué autant d'amour et d'attention. Elle a toute la beauté insouciante de Démira, sa grâce... un charme posé, aussi, que Démira n'avait pas, une douceur, un caractère chaleureux... de l'assurance ! Déoris se surprit à sourire malgré sa vision brouillée. *C'est l'œuvre de Domaris. Et peut-être tout sera-t-il pour le mieux. Je n'aurais pu en faire autant.*

Déoris tendit une main et caressa les cheveux éclatants et soyeux :

— Sais-tu, Tiriki, je ne t'ai vue qu'une seule fois avant que tu me sois enlevée, mais pendant toutes ces années il ne s'est pas passé un seul jour où tu n'étais dans mon cœur. Je pensais toujours à toi comme à un bébé alors que tu es presque une femme. Peut-être cela nous permettra-t-il d'être plus facilement... des amies ?

Sa voix s'étranglait, et le cœur généreux de Tiriki y était sensible.

Domaris avait fait signe à Micail de venir près d'elle et elle avait apparemment oublié l'existence des deux autres. Tiriki se rapprocha de Déoris et vit le regard nostalgique des yeux bleu-violet ; le tact que sa bien-aimée Domaris lui avait si soigneusement enseigné ne lui fit pas défaut en l'occasion. Encore intimidée, mais avec un calme assuré qui surprit Déoris, elle glissa sa main dans la main de la jeune femme.

— Vous n'avez pas l'air assez âgée pour être ma mère, dit-elle, avec une grâce si charmante que son audace n'était pas de l'impertinence.

Puis, impulsivement, elle passa les bras autour de la taille de Déoris et leva vers la jeune femme un regard confiant.

Tiriki avait d'abord simplement pensé : Qu'est-ce que *kiha* Domaris voudrait que je fasse ? Je ne dois pas lui faire honte ! Mais elle se trouvait maintenant profondément touchée par la tristesse retenue de Déoris.

— Maintenant j'ai une mère et un petit frère, dit la fillette, chaleureusement. Me laisserez-vous jouer avec mon petit frère ?

— Bien sûr, promit Déoris, toujours avec la même retenue. Tu es presque une femme toi-même, quand il grandira il pensera qu'il a deux mères. Viens avec moi, si tu veux, et tu regarderas sa nourrice le baigner et l'habiller, et ensuite tu nous montreras les jardins, à ton petit frère et à moi.

Il apparut bientôt que c'était exactement ce qu'il fallait dire : les dernières réserves de Tiriki s'évanouirent rapidement. Si Déoris et Tiriki ne devaient jamais en arriver à une véritable relation mère fille, elles devinrent bel et bien des amies et le restèrent pendant les longs mois, puis les longues années qui s'écoulèrent ensuite, presque sans événement marquant.

Le fils d'Arvath devint un garçonnet solide, puis un adolescent plein de vitalité. Tiriki grandit subitement et perdit ses rondeurs d'enfant. Puis la voix de Micail commença à muer, et lui aussi se transforma. Quand il eut quinze ans, sa ressemblance avec Micon devint encore plus marquée : ses yeux bleu foncé au regard à la fois clair et acéré, son corps mince et puissant, animé, comme son visage intelligent, de la même constante mobilité...

De temps à autre, le père de Micon, le prince Mikantor, régent des royaumes de la Mer, et sa deuxième épouse, la mère de Réio-ta, réclamaient pour quelques jours la présence de Micail. Et ils demandaient souvent que leur petit-fils demeurât au palais avec eux, en tant qu'héritier d'Ahtarrath.

— C'est notre droit, répétait sombrement Mikantor, qui prenait de l'âge. C'est le fils de Micon, il doit être élevé comme il sied à son rang, et non parmi les femmes ! Je ne veux pas diminuer ce que vous avez fait pour lui, bien sûr. Et la fille de Réio-ta a aussi sa place parmi nous.

Quand il parlait ainsi, les yeux de Mikantor se fixaient toujours sur Domaris avec la même affection patiente et triste : il l'aurait volontiers acceptée aussi comme sa fille bien-aimée, mais elle avait toujours conservé vis-à-vis de lui une certaine réserve.

Chaque fois qu'on abordait le sujet, elle admettait avec une tranquille dignité que Mikantor avait raison, que le fils de Micon était en vérité l'héritier d'Ahtarrath, mais que le garçon était aussi son fils.

— Il est élevé comme son père l'aurait désiré, je vous en fais serment, mais tant que je suis en vie, assurait-elle, il ne me quittera pas de nouveau. Tant que je suis en vie..., (Sa voix s'attardait sur ces mots :) Ce ne sera pas très long. Laissez-le-moi... jusque-là.

La conversation se répétait sans grandes variantes de mois en mois. Le vieux prince finit par s'incliner devant la volonté de l'initiée et cessa de l'importuner... mais il continua à leur rendre visite, encore plus fréquemment qu'auparavant.

Domaris accepta un compromis : elle permit à son fils de passer beaucoup de temps avec Réio-ta. Cet arrangement plaisait à tous ; Micail et Réio-ta devinrent vite des amis intimes. Réio-ta manifestait une profonde révérence au fils du frère aîné qu'il avait adoré et trahi, et Micail appréciait l'amitié et le caractère chaleureux du prince. Il avait été un garçon sauvage, renfrogné, et il trouvait difficile de s'adapter à cette nouvelle vie sans contrainte ; Rajasta l'avait habitué, dès sa troisième année, à l'autodiscipline sévère des plus hauts rangs de la prêtrise ; mais sa timidité anormale et sa réserve finirent par se dissiper, et Micail se mit à manifester le même charme accueillant et souriant qui avait rendu Micon si facile à aimer.

Tiriki y fut pour beaucoup, peut-être davantage que Réio-ta. Ils avaient sympathisé dès le début, et cette amitié avait bientôt fini par s'épanouir en un amour fraternel et pur, mais néanmoins de l'amour. Ils se querellaient souvent, certes, car ils étaient très différents : Micail se contrôlait, il était calme mais fier et réservé, avec un penchant pour le secret et la moquerie ; et Tiriki avait un caractère emporté sous son assurance, aussi volatil que du vif-argent. Mais c'étaient des querelles passagères, des emportements superficiels, et Tiriki était toujours la première à se repentir : elle se jetait au cou de Micail et, le couvrant de baisers, le suppliait de redevenir son ami ; Micail tirait alors ses longs cheveux, trop fins et trop raides pour rester nattés plus de quelques minutes, et la taquinait jusqu'à ce qu'elle implore merci.

Déoris se réjouissait de leur amitié et Réio-ta en était tout à fait ravi ; mais ils soupçonnaient tous deux que Domaris n'en était pas contente. Quand elle regardait Tiriki, ces derniers temps, son visage prenait une expression étrange, elle serrait les lèvres et fronçait un peu les sourcils ; puis elle appelait Tiriki et la serrait contre elle, comme pour compenser quelque condamnation silencieuse.

Tiriki n'avait pas encore treize ans mais elle avait déjà l'air d'une femme, comme si quelque chose avait fermenté en elle, dans l'attente d'un catalyseur qui ferait rayonner sa pleine maturité. Elle était une adolescente étrange aux allures d'elfe, absolument ravissante, et Micail comprit bien vite que les choses ne pourraient rester longtemps telles quelles : sa petite cousine le fascinait beaucoup trop.

Tiriki avait pourtant l'innocence impulsive d'une enfant, et cela arriva très simplement : une promenade à deux le long du rivage, une caresse, un baiser de jeu... et ils restèrent un long moment dans les bras l'un de l'autre, ayant peur de bouger, de briser le charme. Puis Micail se dégagea avec une grande douceur et écarta de lui l'adolescente :

— Eilantha, murmura-t-il, très bas.

Et Tiriki, en comprenant pourquoi il avait utilisé le nom qu'elle portait au temple, baissa les yeux et n'essaya pas de le toucher de nouveau. L'intuition de l'adolescente fut le sceau apposé à la jeune certitude de Micail : il sourit, avec une compréhension nouvelle, adulte, de ses responsabilités, et lui prit la main, seulement la main :

— Viens, nous devons retourner au temple.

— Oh, Micail, murmura l'adolescente, la rébellion au front, maintenant que nous nous sommes trouvés, devons-nous nous perdre aussi vite ? Oseras-tu seulement m'embrasser encore ?

Le sourire grave de Micail lui fit détourner les yeux, embarrassée :

— Souvent, j'espère. Mais pas ici ni maintenant. Tu m'es... trop chère. Et tu es très jeune, Tiriki, comme je le suis moi-même. Viens.

Son autorité tranquille était de nouveau celle d'un grand frère mais, alors qu'ils gravissaient le long chemin qui montait à la porte du Temple, il se radoucit et se tourna vers elle, un franc sourire aux lèvres :

— Je vais te raconter une petite histoire, dit-il avec une douceur teintée de sérieux.

Ils s'assirent sur les marches taillées dans la pierre.

— Il était une fois un homme qui vivait dans une forêt, très seul, seul avec les étoiles et les grands arbres. Un jour, il trouva une magnifique gazelle, et il courut vers elle pour essayer de passer ses bras autour de son cou et atténuer ainsi sa solitude.

Mais la gazelle prit peur et s'enfuit, et il ne la retrouva jamais. Pourtant, après des lunes d'errance, il trouva une ravissante fleur en bouton. C'était un homme plus sage, alors, car sa solitude avait duré bien longtemps. Aussi ne dérangea-t-il pas le bouton qui sommeillait au soleil : il resta assis de longues heures à le regarder s'ouvrir et se déployer vers la lumière. Et quand la fleur s'ouvrit, elle se tourna vers lui, car il se tenait tout près, dans un profond silence. Et quand elle fut ouverte, toute parfumée, il vit que c'était une fleur de la passion, qui ne se fanerait jamais.

Il y avait un vague sourire dans les yeux bleu argent de Tiriki :

— J'ai souvent entendu cette histoire, dit-elle, mais c'est seulement maintenant que j'en comprends le sens.

Elle serra la main de Micail, puis se leva et gravit quelques marches d'un pas dansant :

— Viens, lui dit-elle, joyeuse, on va nous attendre... et j'ai promis à mon petit frère que je lui cueillerais des baies dans le jardin !

8

Devoir

Ce printemps-là, la maladie que Domaris avait réussi à tenir à distance finit par triompher. Pendant toutes les pluies de printemps et la saison des fleurs et des fruits, elle resta dans sa chambre au dernier étage, incapable de se lever. Elle ne se plaignait pas et écartait la sollicitude qu'on lui témoignait : elle irait sûrement mieux une fois l'automne arrivé.

Déoris s'occupait d'elle avec une tendresse attentive, mais son amour pour sa sœur l'aveuglait et elle ne voyait pas ce qui était évident pour tous. Finalement, ni Déoris ni personne ne pouvait apporter de secours à la femme qui était étendue là, si patiente, sans force, tout au long des jours et des longues nuits. Il y avait des années que personne ne pouvait plus rien pour Domaris.

Déoris apprit seulement alors, car Domaris était trop souffrante pour essayer plus longtemps de dissimuler, la cruauté du traitement enduré par sa sœur aux mains des tuniques noires. Après cette découverte, Déoris se sentit écrasée de culpabilité, car un autre détail avait surgi, qu'elle ignorait : c'est à quel point Domaris avait été atteinte lors de cet étrange intermède onirique, toujours enveloppé pour Déoris dans un noir réseau de rêves confus et le souvenir fugitif du village des idiots. Les révélations de Domaris firent enfin comprendre à Déoris pourquoi sa sœur n'avait pu mettre au monde le premier enfant d'Arvath et, plus encore, elle fut stupéfaite que Domaris ait pu porter celui de Micon.

Le prince Mikantor vit enfin réalisé son vœu le plus cher : on envoya Micail au palais ; Domaris regrettait son fils, mais elle ne voulait pas qu'il la vît souffrir. Tiriki, cependant, ne se laissa pas tenir à l'écart et, pour la première fois de sa vie, défia la volonté de Déoris et même de Domaris. Son enfance était définitivement derrière elle ; à treize ans, elle était plus grande que Déoris, bien que très mince et encore loin de la maturité, comme l'avait été Démira. A l'instar aussi de Démira, ses yeux bleu argent manifestaient une gravité précoce, comme les traits préoccupés de son visage mince. Déoris était si enfantine à treize ans qu'aucune des deux sœurs ne remarquait, ou ne comprenait, qu'à cet âge Tiriki était déjà adulte : elles n'avaient pas pensé à son héritage zaïadanais et ne prirent pas Tiriki très au sérieux.

On fit ce qu'on put pour la tenir à l'écart pendant les jours les plus difficiles. Mais un soir, alors que Déoris, épuisée par plusieurs jours presque sans sommeil, se reposait un moment dans la pièce attenante, Tiriki se glissa dans la chambre de Domaris et la vit étendue, les yeux grands ouverts, immobile, le visage aussi blanc que la mèche, dans ses cheveux encore éclatants.

Tiriki se glissa plus près en murmurant :

— *Kiha ?*

— Oui, ma chérie, dit Domaris d'une voix défaillante.

Mais elle ne pouvait plus se forcer à sourire, même pour Tiriki. L'adolescente s'approcha davantage, prit une des mains veinées de bleu et la pressa passionnément contre sa joue, en embrassant les doigts cireux avec une adoration désespérée. De sa main libre, avec difficulté, Domaris prit les petites mains chaudes de la fillette :

— Doucement, ma chérie, dit-elle, ne pleure pas.

— Je ne pleure pas, déclara Tiriki en relevant son visage sans larmes. Mais... ne puis-je rien faire pour vous, *Kiha* Domaris ? Je... vous... ça fait très mal, n'est-ce pas ?

Sous le regard agrandi de l'adolescente, Domaris dit simplement :

— Oui, mon enfant.

— Je voudrais pouvoir me mettre à votre place !

Domaris réussit alors à sourire, en un frémissement de ses lèvres exsangues :

— N'importe quoi plutôt que cela, Tiriki, ma chérie. Va maintenant, ma petite, va jouer.

— Je ne suis plus un bébé, *Kiha* ! Je vous en prie, laissez-moi rester avec vous, implora Tiriki et, devant cette supplication, Domaris ferma les yeux et resta silencieuse un moment.

Je ne trahirai pas ma souffrance devant cette enfant, se dit-elle, mais il y avait une goutte de salive sur sa lèvre inférieure.

Tiriki s'assit au bord du lit. Domaris était prête à l'écarter car elle ne pouvait tolérer le plus léger contact, et parfois, quand l'une des esclaves bousculait accidentellement son lit, elle criait, comme sous une intolérable torture. Mais elle réalisa avec stupéfaction que Tiriki avait bougé avec tant de délicatesse qu'elle n'avait pas eu la moindre douleur, même quand l'adolescente se pencha pour lui passer les bras autour du cou.

Elle est comme un chaton, songea Domaris, elle pourrait me marcher dessus que je ne sentirais rien ! Elle a au moins hérité de Rivéda quelque chose de bon !

Pendant des semaines, Domaris n'avait toléré aucun contact à l'exception de celui de sa sœur, et même les mains exercées de Déoris risquaient de lui infliger d'horribles tourments. Et maintenant, Tiriki... Le petit corps de la fillette avait aisément trouvé sa place dans l'espace étroit qui séparait la couche du mur, elle s'y était agenouillée, les bras autour de sa mère adoptive, et elle était restée là si longtemps que Domaris en fut stupéfaite.

— Tiriki, finit-elle par lui reprocher, à regret, car la présence de l'enfant était curieusement réconfortante, tu ne dois pas te fatiguer.

Tiriki se contenta de lui adresser un sourire protecteur, d'une étonnante maturité, et la tint plus étroitement encore. Tout à coup, Domaris se demanda si son imagination... mais non, *c'était vrai*, la douleur diminuait peu à peu, une sorte de force renaissait dans son corps épuisé. Un instant, ce soulagement béni fut tout ce dont elle put avoir conscience, et elle se détendit avec un long soupir. Puis le soulagement s'effaça devant la stupéfaction soudaine, et la compréhension.

— Vous sentez-vous mieux à présent, *Kiha* ?

— Oui, lui dit Domaris, résolue à ne rien révéler.

Il était absurde de penser qu'une enfant de treize ans fût capable de faire ce que les plus hauts adeptes ne pouvaient espérer qu'après un long entraînement discipliné ! C'était sa faiblesse, une illusion, rien d'autre. Un restant de prudence

470

lui dit que si c'était vrai, pourtant, Tiriki, pour son propre bien, devrait être tenue à l'écart... Mais c'était plus facile à décider qu'à faire.

Les jours suivants, Tiriki passa beaucoup de temps avec Domaris, relayant en partie Déoris, épuisée, mais Domaris se contrôla sévèrement : aucune parole, aucun geste ne devait la trahir devant cette femme-enfant. Ridicule, se disait-elle avec colère, de devoir se garder contre une fillette de treize ans !

Un jour, Tiriki s'était blottie comme un chat près d'elle ; Domaris le permettait, car la proximité de l'enfant était réconfortante et Tiriki, qui avait pourtant été une petite fille remuante, ne bougeait pas un cil ; Domaris savait qu'elle apprenait ainsi la patience et une douceur mystérieuse, mais elle ne voulait pas la voir se fatiguer et elle lui dit :

— Tu es comme une petite souris, Tiriki. N'es-tu pas lasse de rester avec moi ?

— Non. Ne me renvoyez pas, je vous en prie, *Kiha* Domaris !

— Je n'oserais pas, mais promets-moi de ne pas te fatiguer.

Tiriki promit. Domaris caressa d'un doigt pâle les cheveux de lin et resta immobile. Les grands yeux de chat de Tiriki avaient un regard pensif et rêveur... *A quoi peut-elle bien penser ? Quelle petite sorcière elle fait ! Et ce curieux... instinct de guérison.* Déoris et Rivéda avaient tous deux quelque chose de ce genre, se rappela-t-elle, j'aurais dû m'y attendre... Mais ses pensées ne purent suivre bien longtemps cette voie ; la souffrance prenait trop de place, désormais ; Domaris ne pouvait même plus se rappeler ce qu'était ne pas souffrir.

Tiriki sortit de sa rêverie ; son petit visage portait les traces légères de son épuisement. Elle contempla Domaris, misérable, impuissante. Puis, dans un désir soudain de protection, elle la prit dans ses bras, avec délicatesse, et la serra doucement contre elle. Et cette fois, ce n'était pas une illusion : Domaris sentit le flot soudain de vitalité, le rapide recul des vagues douloureuses ; mais l'inexpérience, la maladresse de Tiriki firent que Domaris se sentit saisie de vertige sous l'effet de cette force soudaine qui l'envahissait.

Dès qu'elle le put, elle repoussa vivement Tiriki :

— Ma chérie, dit-elle, tu ne dois pas...

Elle s'interrompit en réalisant que la fillette ne l'écoutait pas. Elle prit une profonde inspiration et se redressa avec peine sur un coude :

— Eilantha, ordonna-t-elle d'une voix brève, je suis sérieuse ! Tu ne dois jamais plus faire cela ! Je te l'interdis ! Si tu essaies... je te renverrai définitivement !

Tiriki s'assit. Son mince visage était empourpré et une curieuse petite ride marquait son front :

— *Kiha*, commença-t-elle d'un ton persuasif.

— Ecoute, ma chérie, dit plus doucement Domaris, en se laissant aller de nouveau contre ses oreillers. Crois-moi, je te suis reconnaissante. Un jour tu comprendras pourquoi je ne peux te laisser... (Elle se reprit :)... te dérober ainsi ta propre énergie. Je ne sais comment tu as fait... c'est un don des dieux, ma chérie... mais pas ainsi ! Et pas pour moi !

— Mais... mais c'est *seulement* pour vous, *Kiha* ! Parce que je vous aime !

— Mais, ma petite fille...

Les mots firent défaut à Domaris, qui resta immobile, les yeux levés vers le visage serein de la fillette. Au bout d'un long moment, l'expression rêveuse de celle-ci s'assombrit.

— *Kiha*, murmura-t-elle avec une étrange insistance, quand... où... où et quand était-ce ? Vous disiez... vous me disiez...

Elle se tut, scrutant douloureusement le visage de la femme, les sourcils sévèrement froncés :

— Oh, *Kiha*, pourquoi est-ce si dur de se rappeler ?

— Se rappeler quoi, Tiriki ?

La fillette ferma les yeux :

— C'était vous... vous me disiez... (Les grands yeux gris s'ouvrirent sur un regard égaré et Tiriki murmura :) Ma sœur... et plus que ma sœur... nous, femmes et sœurs... nous nous vouons à toi, Mère... là où nous nous tenons dans la nuit.

Sa voix se brouilla, et elle se mit à pleurer.

Domaris laissa échapper une exclamation étouffée :

— Tu ne te rappelles pas, tu ne peux pas... Eilantha, tu ne peux pas, tu nous as espionnées, tu as écouté, tu ne pouvais pas...

— Non, non, c'était *vous*, *Kiha* ! dit Tiriki d'un ton passionné. Je me rappelle, mais c'est comme... un rêve, comme rêver d'un rêve.

— Tiriki, mon petit bébé, ce sont des paroles de petite folle, tu parles de quelque chose qui est arrivé avant que tu...

— C'est arrivé, alors ! Vraiment ! Voulez-vous que je vous raconte le reste ? ragea Tiriki. Pourquoi ne me croyez-vous pas ?

— Mais c'était avant ta naissance, laissa échapper Domaris, *comment est-ce possible* ?

Livide, les yeux étincelants, Tiriki répéta les paroles du rituel sans hésiter, mais elle n'en avait dit que quelques versets quand Domaris, pâle comme la mort, l'arrêta :

— Non, non, Eilantha ! Arrête ! Tu ne dois pas répéter ces paroles, jamais, jamais, tant que tu ne sauras pas ce qu'elles signifient ! Ce qu'elles impliquent... (Elle tendit ses bras amaigris, sans force :) *Promets-moi* !

Tiriki s'affaissa contre sa poitrine en sanglotant, mais elle finit par murmurer une promesse.

— Un jour... et si je ne puis, Déoris t'en parlera. Un jour... on a fait de toi une offrande, on t'a consacrée à Caratra avant ta naissance, et un jour...

— Tu ferais mieux de le lui dire maintenant, dit la voix calme de Déoris depuis la porte. Pardonne-moi, Domaris, je n'ai pu m'empêcher d'entendre.

Mais Tiriki se leva d'un bond, furieuse :

— Vous ! Il fallait que vous veniez, que vous écoutiez, que vous m'espionniez ! Vous ne pouvez jamais me laisser un moment tranquille avec *Kiha* Domaris, vous êtes jalouse parce que je peux l'aider et que vous ne pouvez pas ! Je vous hais, je vous hais, Déoris !

Elle sanglotait furieusement, et Déoris resta là, foudroyée, car Domaris avait attiré Tiriki contre elle et la petite pleurait désespérément dans ses bras, le visage blotti contre son épaule, tandis que Domaris la tenait avec une tendresse inquiète. Déoris baissa la tête et se détourna pour quitter la pièce, sans un mot, quand Domaris reprit la parole :

— Tiriki, chut, mon enfant, ordonna-t-elle. Déoris, viens ici, tout près de moi, ma chérie. Toi aussi, petite, ajouta-t-elle à l'adresse de Tiriki, qui s'était un peu écartée et fixait sur Déoris un regard plein de ressentiment.

Domaris posa une main pâle et émaciée sur celle de Tiriki, puis tendit son autre main à Déoris :

— Maintenant, murmura-t-elle, écoutez-moi toutes les deux, car c'est peut-être la dernière fois que je peux vous parler ainsi, la dernière fois.

La mer et le vaisseau

L'été fit place à l'automne, et même les enfants abandonnèrent tout espoir et toute prétention à un prochain rétablissement de Domaris. Elle gisait dans sa chambre, à l'étage, regardant jour après jour le soleil scintiller sur les vagues blanches d'écume, rêveuse. Parfois, quand un vaisseau aux voiles semblables à des ailes d'oiseau apparaissait à l'horizon, avec ses oriflammes au sommet des mâts, elle se demandait si Rajasta avait reçu son message. Mais cela même semblait maintenant dénué d'importance. Des jours, puis des mois passèrent, et chaque jour elle devenait plus pâle, plus faible, épuisée par une douleur qui avait dépassé les bornes de la douleur, épuisée par l'effort de respirer pour continuer à vivre.

Rathor, le vieux maître, lui rendit visite une fois et se tint longtemps près de son lit, les mains dans les siennes, son vieux regard aveugle posé sur le visage usé comme s'ils avaient vu non point une vision lointaine, mais le visage de la femme qui était en train de mourir.

A la nouvelle année, Déoris, flétrie par les jours et les nuits passés à veiller sa sœur, se vit ordonner sans équivoque de se reposer. La plupart du temps, Domaris ne la reconnaissait plus, à présent, et l'on ne pouvait plus faire grand-chose. Avec réticence, Déoris laissa sa sœur aux mains d'autres prêtresses-guérisseuses et, un matin, emmena les enfants sur la plage. Micail les y rejoignit. Depuis l'aggravation de l'état de sa mère, il avait très rarement vu Tiriki. Il se rappellerait cette journée, plus tard, comme le dernier jour de son enfance.

Tiriki courait de-ci de-là, ses longs cheveux pâles tout dénattés, en tirant son petit frère par la main ; Micail courait derrière eux et ils s'excitèrent beaucoup à crier, à patauger, à se bousculer et à se chasser dans les vagues et sur le sable. Déoris elle-même jeta ses sandales et se précipita gaiement dans l'eau avec eux. Quand ils s'en furent lassés, Tiriki se mit à construire des châteaux dans le sable pour son petit frère, tandis que Micail ramassait des coquillages près de la ligne des hautes eaux, et les lui apportait.

Assise sur un grand rocher tiédi par le soleil, Déoris les regardait en pensant : ils jouent seulement à être des enfants, pour Nari et pour moi. Ils ont grandi, tous les deux, pendant que j'étais tout occupée de Domaris... Il lui paraissait injuste qu'un garçon de seize ans et une fille de treize ans fussent si mûrs, si sérieux, si adultes... même s'ils se comportaient en ce moment comme des petits enfants !

Mais ils finirent par se calmer et restèrent étendus aux pieds de Déoris, en l'invitant à admirer leurs sculptures de sable.

— Regardez, dit Micail : un palais, et un temple !

— Tu vois ma pyramide ? demanda le petit Nari d'une voix aiguë.

Tiriki pointa le doigt :

— D'ici, le palais ressemble à un bijou posé sur une colline verte... Réio-ta m'a dit, une fois...

Elle s'assit brusquement et demanda :

— Déoris, ai-je jamais eu un véritable père ? J'aime Réio-ta comme s'il était réellement mon père mais... vous êtes sœurs, *Kiha* Domaris et vous, et Réio-ta est le frère du père de Micail...

Elle s'interrompit de nouveau avec un regard troublé à Micail.

Il comprit aussitôt ce qu'elle voulait dire et tendit une main pour lui pincer l'oreille, mais se reprit en cours de route et se contenta de la lui tordre gentiment.

Déoris adressa un regard grave à sa fille :

— Bien sûr, Tiriki. Mais ton père est mort avant de pouvoir te reconnaître.

— Comment était-il ? demanda l'adolescente, pensive.

Avant que Déoris pût répondre, le petit Nari leva les yeux avec une moue de dédain :

— S'il est mort avant de la reconnaître, comment pourrait-il être son père ? demanda-t-il, avec sa logique dévastatrice d'enfant. (Il enfonça un doigt dodu dans les côtes de sa demi-sœur :) Creuse-moi un trou, Tiriki !

— Idiot de bébé, le gronda Micail.

Nari fit une grimace :

— Pas un bébé, insista-t-il, mon père est un prêtre !

— Et celui de Micail aussi, Nari, dit doucement Déoris. Et aussi celui de Tiriki. Nous sommes tous des enfants de prêtres, ici.

Mais Nari ne fit que revenir avec plus de vigueur au paradoxe qu'il avait découvert :

— Si le père de Tiriki est mort *avant* qu'elle soit née, alors, elle n'a pas de père, parce qu'il n'était pas vivant pour être son père !

Micail, amusé par l'innocence enfantine de Nari, eut un sourire ravi. Même Tiriki se mit à rire, mais elle redevint grave en voyant l'expression de Déoris.

— Ne voulez-vous pas me parler de lui ?

Une souffrance étrange tordit une fois de plus le cœur de Déoris. Pendant des mois, parfois, elle ne pensait pas du tout à Rivéda, et puis une parole ou un geste de Tiriki le lui ramenait, ravivant la peine intense, douce-amère. Rivéda avait marqué son âme d'une façon aussi indélébile que les cicatrices du *dorje* sur sa poitrine, mais elle avait appris à se contrôler, à être calme ; au bout d'un moment, d'une voix parfaitement égale, elle déclara :

— C'était un adepte de la caste des magiciens, Tiriki.

— Un prêtre, comme le père de Micail, disiez-vous ?

— Non, mon enfant, pas du tout comme le père de Micail. J'ai dit que c'était un prêtre parce que... eh bien, les adeptes sont comme des prêtres, d'une certaine façon, bien qu'ils ne soient pas aussi hautement honorés dans l'ancien pays. Ton père appartenait à la secte des tuniques grises. C'était un homme du Nord, de Zaïadan. Tu as ses cheveux et ses yeux. C'était un guérisseur de grand talent.

— Quel était son nom ? demanda Tiriki avec une intense curiosité.

Déoris ne répondit pas tout de suite. L'idée lui traversa l'esprit que Domaris n'avait jamais abordé le sujet avec Tiriki, et puisqu'elle avait élevé Tiriki comme la fille de Réio-ta, c'était son droit de ne pas... Elle dit enfin :

— Tiriki, dans tout ce qui compte, c'est Réio-ta ton père.

— Oh, je le sais, ce n'est pas que je ne l'aime pas, s'exclama Tiriki, contrite. (Mais, comme poussée par une force irrésistible, elle poursuivit :) Dites-moi quand même, Déoris, parce que je me rappelle, quand j'étais seulement un bébé... Domaris a parlé de lui à une autre prêtresse, non, un prêtre... Oh, je ne me rappelle pas bien, en réalité, mais...

Elle eut un bizarre petit geste d'impuissance.

Déoris soupira :

— Comme tu veux. Son nom était Rivéda.

Tirika répéta le nom, curieuse :

— Rivéda...

— Je l'ignorais, intervint Micail, soudain troublé. Déoris, est-ce le même Rivéda dont j'ai entendu parler dans la cour des prêtres quand j'étais enfant ? Etait-ce... le sorcier, l'hérétique ?

Il s'interrompit devant la détresse qui se lisait dans les yeux de Déoris, l'expression misérable de sa bouche.

Nari leva la tête en claironnant :

— C'est quoi, un hérétique ?

Regrettant aussitôt son intervention imprudente, Micail déplia ses longues jambes et hissa le garçonnet sur ses épaules :

— Un hérétique est quelqu'un qui fait de vilaines choses, et je vais faire une vilaine chose : je vais te jeter dans la mer si tu n'arrêtes pas d'ennuyer Déoris avec de stupides questions ! Regarde, je crois que ce bateau va jeter l'ancre, viens, allons le regarder, je vais te porter sur mes épaules !

Nari poussa un cri de pur ravissement, et Micail partit en galopant avec lui. Ils ne furent bientôt plus que deux petites silhouettes lointaines sur la plage.

Déoris sortit de sa rêverie pour sentir la main de Tiriki qui se glissait dans la sienne, et entendre la fillette dire à voix basse :

— Je ne voulais pas vous ennuyer, Déoris, je... je voulais seulement être sûre que... Micail et moi ne sommes pas des cousins trop proches.

Elle rougit et, d'une voix implorante, ajouta :

— Oh, Déoris, vous devez savoir pourquoi !

Pour la première fois, de sa propre volonté, elle tendit son visage au baiser de sa mère.

Déoris prit la frêle enfant dans ses bras :

— Bien sûr que je le sais, ma petite fleur en bouton, et je suis très heureuse. Viens, irons-nous aussi voir le bateau ?

Main dans la main, côte à côte, elles suivirent les traces de la course de Micail dans le sable et allèrent retrouver les deux garçons.

Déoris prit son fils dans ses bras (Nari était à elle seule, lui, au moins pour un temps, se dit-elle) et elle écouta en souriant Micail qui parlait du vaisseau aux ailes d'oiseau qui glissait dans le port. Il avait la mer dans le sang, comme son père ; pendant le long voyage qui les avait amenés de l'ancien pays, il avait été fou de joie.

— Je me demande si ce bateau vient de l'ancien pays, dit Tiriki avec curiosité.

— Ça ne m'étonnerait pas, répliqua Micail d'un ton avisé. Regarde, ils descendent une barque. C'est curieux, ils n'abordent généralement pas au temple, ils vont à la cité !

— Il y a un prêtre dans la première barque, dit Tiriki quand le petit canot fut arrivé sur la plage.

Six hommes, des marins, se dirigèrent vers le chemin qui suivait la rive, mais le septième resta immobile, à regarder la colline où le temple luisait comme une étoile blanche. Le cœur de Déoris s'arrêta presque de battre. C'était...

— Rajasta ! s'écria Micail avec une joie soudaine et, oubliant sa dignité toute neuve, il courut sur le sable rejoindre l'homme vêtu de blanc.

Le prêtre leva les yeux et son visage s'illumina quand il vit le garçon :

— Mon cher, cher fils, s'exclama-t-il en l'étreignant.

Déoris, qui avait suivi d'un pas plus lent avec les enfants, vit que le visage du gardien était humide de larmes.

Un bras autour de Micail, Rajasta se retourna pour saluer les autres. Déoris se serait agenouillée, mais il l'étreignit de son bras libre :

— Ma petite fille, voilà un bon présage pour ma mission, même si ce n'est pas une mission joyeuse, lui dit-il.

A sa grande surprise, Déoris constata qu'elle pleurait. Embarrassé, Rajasta la serra contre lui un moment avec de maladroites paroles de réconfort tandis qu'elle sanglotait, et que le petit Nari tirait la robe de sa mère.

— Tu me donnerais la fessée, pour ça, Déoris, lui reprocha-t-il de sa voix aiguë.

Cela fit rire Déoris, qui recouvra un peu ses esprits :

— Pardonnez-moi, seigneur Rajasta, dit-elle en s'empourprant, et elle attira Tiriki vers elle : Il m'est arrivé un miracle, mon père, car lorsque je suis arrivée ici, j'ai trouvé... ma propre petite fille, dont Domaris s'est occupée.

Le sourire de Rajasta était une bénédiction.

— Je le savais, ma fille, Réio-ta m'avait fait part de son plan.

— Vous le saviez ? Et pendant tout ce temps...

Elle baissa la tête. Il avait été plus sage, en vérité, de lui laisser croire que son enfant était perdue à jamais.

Tiriki s'accrochait à elle, intimidée, et Rajasta posa une main sur sa chevelure soyeuse :

— Ne crains rien, petite. Je connaissais ta mère quand elle était plus jeune que toi, et ton père était mon parent. Tu peux m'appeler oncle, si tu le désires.

Nari, embusqué derrière sa sœur, risqua un coup d'œil :

— Mon père à moi était un prêtre ! dit-il vaillamment. Vous êtes mon oncle aussi, seigneur Gardien ?

— Si tu veux, dit gentiment Rajasta, et il donna une petite tape sur la tête aux boucles emmêlées. Domaris va-t-elle bien, ma fille ?

Déoris pâlit, consternée :

— N'avez-vous pas reçu la lettre ? Vous ne savez pas ?

Rajasta pâlit à son tour :

— Non, je n'ai eu aucune nouvelle... Le temple est dans la confusion la plus totale, Déoris, nous n'avons reçu aucune lettre. Je suis venu ici pour les affaires du temple, même si j'espérais bien vous voir toutes les deux. Que... que lui est-il arrivé ?

— Domaris est mourante, dit Déoris d'une voix chancelante.

L'expression du prêtre devint hagarde et, pour la première fois de sa vie, Déoris se rendit compte que c'était un très, très vieil homme.

— Je craignais... je sentais... dit le gardien d'une voix rau-

480

que, j'avais une prémonition du destin funeste qui planait sur sa tête...

Il regarda de nouveau le mince et fier visage de Micail :

— Tu ressembles à ton père, mon fils, tu as ses yeux...

Mais les pensées de Rajasta allaient plus loin que ses paroles : *Il ressemble à Domaris aussi.* Domaris, qu'il avait aimée plus qu'une fille ! Aucun enfant de sa chair n'avait été aussi précieux pour Rajasta, et Déoris disait qu'elle était en train de mourir ! Mais il se rappela avec une sévère tristesse que la part essentielle de Domaris était morte depuis longtemps.

Ils renvoyèrent les enfants près du dortoir des prêtresses. Seuls, ils gravirent les marches.

— Vous allez la trouver très changée, le prévint Déoris.

— Je sais, dit Rajasta, avec une profonde tristesse.

Il s'appuyait lourdement sur le bras que la jeune femme lui avait offert.

Elle frappa doucement à la porte.

— Déoris ? demanda une voix faible, et Déoris laissa passer le gardien. Elle entendit de nouveau son propre nom, comme une interrogation, puis un cri joyeux :

— Rajasta, Rajasta, mon père !

La voix de Domaris se brisa en un sanglot et Rajasta se hâta vers son chevet. Elle essaya de se redresser, mais son visage se tordit de douleur et elle dut se laisser retomber. Rajasta se pencha et la prit avec douceur dans ses bras :

— Domaris, mon enfant, ma délicieuse enfant !

Déoris se retira en silence.

10

Karma

I

Debout sur la terrasse, Déoris écoutait les cris des enfants du temple dans les jardins en contrebas ; elle entendit un pas léger derrière elle et leva les yeux sur le visage souriant de Réio-ta.

— Le seigneur Rajasta est avec Domaris ?

Déoris hocha la tête. Ses yeux devinrent tristes.

— Elle ne vivait que pour cela. Ce ne sera plus très long, maintenant.

Réio-ta lui prit la main :

— Il ne faut pas avoir trop de peine, Déoris. Elle... n'a pas été tout à fait vivante pendant des années.

— Ce n'est pas pour elle, murmura Déoris, mais pour moi. Je suis égoïste, je l'ai toujours été : quand elle sera partie, je serai seule.

— Non, dit Réio-ta, vous ne serez pas seule.

Et, sans surprise, elle se retrouva dans ses bras, sa bouche contre la sienne :

— Déoris, murmura-t-il enfin, je vous ai aimée depuis le début ! Depuis le moment où je suis sorti du... maelström où je m'étais noyé et vous ai vue gisant sur le sol d'un temple que je ne connaissais pas, aux pieds d'un tunique grise dont je ne savais même pas le nom. Et ces terribles brûlures sur vous ! Je vous ai aimée alors, Déoris ! C'est tout ce qui m'a donné la force de défier...

D'une voix neutre, Déoris prononça à sa place le nom

sur lequel, après toutes ses années, sa langue trébuchait encore :

— Rivéda.

— Pouvez-vous m'aimer un peu ? demanda-t-il avec passion. Ou êtes-vous encore trop prisonnière du passé ?

Sans rien dire, Déoris posa sa main sur celle du jeune homme, réconfortée par une soudaine confiance, un espoir nouveau. Elle savait, sans analyser cette certitude, qu'elle avait attendu cela toute sa vie. Elle ne ressentirait jamais pour Réio-ta la folle adoration qu'elle avait éprouvée pour Rivéda ; elle avait aimé — non, adoré Rivéda comme un suppliant adore un dieu. Arvath l'avait considérée comme une femme ; il n'y avait eu entre eux que l'amitié et le lien de l'enfant qu'elle lui avait donné à la place de sa sœur ; mais Arvath n'avait jamais éveillé ses émotions. A présent, en pleine maturité, Déoris sentait sa capacité et son désir de faire un pas de plus dans le monde. Elle se dégagea de l'étreinte du jeune homme, mais lui offrit un sourire.

Il l'accepta, et le lui rendit :

— Nous ne sommes plus jeunes, dit-il, nous pouvons attendre.

— Nous avons tout le temps, répondit-elle avec douceur.

Elle lui reprit la main, et ils descendirent ensemble vers les jardins.

II

Le soleil était bas sur l'horizon quand Rajasta les rassembla sur une terrasse proche des appartements de Domaris.

— Je n'en ai pas parlé à Domaris, dit-il avec gravité, mais je voudrais vous dire cette nuit ce que je vais expliquer demain aux prêtres du temple. Le temple de notre patrie, le grand temple va être détruit.

— Oh, non ! s'écria Déoris.

— Oui, reprit Rajasta, avec une expression solennelle. Il y a six mois, on a découvert que la grande pyramide s'enfonce de plus en plus. Et il y a eu des éboulements en bord de mer, à plusieurs endroits. Et des tremblements de terre. La mer a commencé à s'infiltrer en sous-sol, et quelques-unes des salles souterraines sont en train de s'écrouler. Avant long temps... avant long temps, le grand temple sombrera sous les vagues.

Il y eut une volée de questions confuses et consternées, qu'il fit taire d'un geste :

— Vous savez que la pyramide se trouve au-dessus de la crypte du dieu caché...

— Je voudrais ne pas le savoir, murmura Réio-ta, très bas.

— Cette crypte est le nadir des forces magnétiques terrestres, c'est la raison pour laquelle les tuniques grises voulaient la garder soigneusement à l'abri de toute profanation. Mais, il y a plus de dix ans... (Il jeta un regard involontaire à Tiriki, qui était assise, les yeux agrandis, tremblante.) ...un grand sacrilège y a été commis, et l'on a prononcé là de puissants mots magiques. Réio-ta n'avait que trop raison, semble-t-il, nous n'avions toujours pas chassé les vers de nos fondations !

Un moment, le regard de Rajasta s'assombrit, hanté par une horreur que les autres ne pouvaient pas même deviner.

— Plus tard, on a prononcé des sortilèges plus puissants encore que les leurs, et on a contenu le mal le plus grave, mais... le dieu caché a reçu une blessure mortelle. Et son agonie va submerger bien plus que le temple !

Déoris enfouit son visage dans ses mains.

Rajasta continua, d'une voix basse et monocorde :

— La vibration des mots magiques a brisé le roc, elle a détruit la matière pour la ramener à son état initial. Et une fois déclenchées à ce niveau fondamental, les vibrations ne peuvent être arrêtées, elles doivent cesser d'elles-mêmes. Autour de la crypte, tous les jours, la terre tremble, et les secousses s'étendent toujours plus loin ! Dans sept ans, tout au plus, le temple tout entier, peut-être le rivage, la cité et toutes les terres alentour, sur des lieues et des lieues, s'effondreront dans la mer.

Déoris laissa échapper une exclamation étranglée d'horreur.

Réio-ta baissa la tête, en proie à un terrible sentiment de culpabilité :

— Dieux, murmura-t-il, j'ai une responsabilité dans ce qui arrive !

— S'il faut parler de culpabilité, dit Rajasta avec plus de douceur qu'à l'accoutumée, je ne suis pas moins coupable que quiconque ; j'ai permis à Rivéda de s'adonner à la sorcellerie la plus noire tandis que j'étais gardien. Micon a tardé à avoir un fils et, pour cette raison, il a résisté à la torture. Et nous ne pouvons omettre le prêtre qui l'a instruit, les parents et les serviteurs qui l'ont élevé, l'arrière-arrière-grand-père du capitaine du vaisseau qui a amené le grand-père de Rivéda, et le mien, de Zaïadan... Nul ne peut évaluer justement les causes et les conséquences, encore moins à une telle échelle. C'est le karma. Que ton cœur soit libéré, mon fils.

Il y eut une longue pause. Tiriki et Micail regardaient avec de grands yeux, silencieux, la main dans la main, sans vraiment comprendre. La tête de Réio-ta resta penchée sur ses mains jointes, tandis que Déoris était aussi immobile qu'une statue, la gorge serrée par des doigts invisibles.

Enfin, l'œil sec, blanche comme la craie, elle passa la langue sur ses lèvres sèches et dit d'une voix rauque :

— Ce... ce n'est pas tout, n'est-ce pas ?

Rajasta hocha tristement la tête :

— Non. Dans... peut-être dix ans, la catastrophe touchera aussi Atlantis. Ces tremblements de terre vont s'étendre, peut-être au monde entier. L'endroit même où nous nous tenons sera sûrement détruit et se retrouvera un jour sous les eaux. Et il se peut aussi qu'aucun lieu ne demeure intact. Mais je ne puis croire qu'on en arrivera là ! Les vies humaines sont déjà bien insignifiantes, ceux dont le destin a décrété qu'ils vivront, vivront, même s'ils doivent se faire pousser des branchies et passer leurs jours à nager dans des profondeurs inimaginables, ou se faire pousser des ailes et voler comme les oiseaux jusqu'à ce que les eaux se retirent. Et ceux qui ont semé les graines de leur propre mort mourront, si habiles et si déterminés soient-ils... Mais pour éviter qu'un karma pire encore ne soit engendré, les secrets de la vérité du temple ne doivent pas périr.

— Mais... si vous dites vrai, comment peut-on les préserver ? murmura Réio-ta.

Rajasta le regarda, puis regarda Micail :

— Quelques endroits seront sûrs, je pense, répliqua-t-il enfin, et de nouveaux temples y seront édifiés, où l'on pourra rassembler et conserver le savoir. La sagesse de notre monde sera peut-être dispersée aux quatre vents et disparaîtra pendant longtemps, mais elle ne mourra pas à jamais. Un de ces temples te sera confié, Micail.

Micail sursauta :

— Moi ? Mais je suis trop jeune !

— Fils d'Ahtarrath, dit sévèrement Rajasta, il est interdit d'ordinaire à un humain de connaître sa destinée, de peur qu'il ne s'en remette aux dieux et ne renonce à utiliser ses propres forces. Mais il est nécessaire que tu le saches, et que tu te prépares ! Réio-ta t'y aidera. Même s'il ne peut quant à lui atteindre les plus hauts sommets, ses fils hériteront des pouvoirs d'Ahtarrath.

Micail baissa les yeux sur ses mains fines mais vigoureuses, et Déoris se rappela soudain des mains émaciées et tordues reposant sur une table. Puis Micail releva le menton et croisa le regard de Rajasta :

— Alors, mon père, dit-il en tendant une main à Tiriki, nous voudrions nous marier aussitôt que possible !

Rajasta contempla gravement la fille de Rivéda, pensif :

— Qu'il en soit ainsi, dit-il enfin. Il y avait une prophétie, il y a très longtemps, dans ma jeunesse. *Une enfant naîtra, dans une lignée d'abord anoblie puis rabaissée. Une enfant qui engendrera une nouvelle lignée, pour défaire à jamais les crimes de son père.* Vous êtes jeunes... (Il jeta un autre coup d'œil au visage enfantin de Tiriki ; ce qu'il y vit lui fit baisser la tête et ajouter :) mais le nouveau monde sera un monde jeune ! C'est bien. Cela aussi, c'est le karma.

En frissonnant, Tiriki demanda :

— Les prêtres seront-ils les seuls à être sauvés ?

— Bien sûr que non, se moqua gentiment Rajasta. Même les prêtres ne peuvent décider de la vie et de la mort. Nous avertirons tout le monde du danger, on leur dira où trouver refuge et on les assistera de toutes les façons possibles. Mais on ne peut les contraindre comme on peut le faire avec les prêtres. Beaucoup refuseront de nous croire, et se moqueront de nous. Même ceux qui ne se moqueront pas refuseront peut-être d'abandonner leurs demeures et leurs biens. Certains feront confiance à des cavernes, à de hautes montagnes, à des bateaux et, qui sait, ils s'en tireront peut-être mieux que nous. Ceux qui souffriront et mourront seront ceux qui ont semé les graines de leur propre destruction.

486

— Je comprends, dit Déoris à voix basse. Pourquoi n'avez-vous pas appris tout cela à Domaris ?

— Je crois qu'elle sait, répondit Rajasta. Elle est très proche d'une porte ouverte qui mène bien au-delà d'une vie et d'une durée uniques. (Il leur tendit les mains ; sa voix baissa, comme pour annoncer une prophétie :) En d'autres temps, je nous vois dispersés, mais réunis de nouveau. Des liens se sont forgés dans cette vie que rien ne pourra jamais défaire entre nous, nous tous. Micon, Domaris... Talkannon, Rivéda... même toi, Tiriki, et cette sœur que tu n'as jamais connue, Démira, ils n'ont fait que quitter une scène dans un drame qui ne finira jamais. Ils changeront, en restant identiques. Mais il est un réseau, un réseau obscur qui nous unit tous, et tant qu'il durera, on ne pourra ni le distendre ni s'en libérer. C'est le karma.

III

Depuis que Rajasta l'avait quittée, Domaris était tombée dans une rêverie et des pensées vagues qui n'avaient aucun rapport avec sa souffrance ou la faiblesse de son corps épuisé. Le visage et la voix de Micon étaient tout proches, elle pouvait sentir sa main sur son bras, non pas le toucher prudent et frêle de ses mains mutilées, mais une étreinte solide et bien vivante autour de son poignet. Elle ne croyait pas qu'il y eût des retrouvailles immédiates après la mort, mais elle savait, avec une foi sereine, qu'elle avait forgé avec Micon un lien d'amour qui ne pourrait manquer de les réunir à nouveau, un unique fil étincelant dans l'obscur réseau qui les unissait ; ils auraient beau être séparés pendant de nombreuses vies, où d'autres liens seraient reconnus et d'autres obligations remplies, ils se rencontreraient de nouveau. Elle ne serait pas non plus séparée de Déoris ; la force de leur serment les liait l'une à l'autre, et aux enfants qu'elles avaient consacrés à la Mère pour l'éternité. Son seul regret, c'était qu'elle ne verrait pas Micail devenir adulte dans cette vie, ne connaîtrait jamais la jeune fille qu'il prendrait un jour comme épouse, ne tiendrait jamais ses fils dans ses bras...

Puis, avec la lucidité des mourants, elle sut qu'elle n'avait pas besoin d'attendre pour voir la mère des enfants de Micail : elle l'avait élevée dans son exil solitaire, elle l'avait consacrée avant même sa naissance à la déesse qu'ils serviraient tous à travers l'éternité. Elle sourit, de son ancien sourire joyeux, et elle ouvrit les yeux sur le visage de Micon... *Micon ?* Non, car ce visage souriant et basané était couronné de cheveux de flamme, comme les siens autrefois, et le sourire qui répondait au sien était jeune et hésitant, comme la main encore osseuse qui se resserrait sur la sienne. Derrière lui, un instant, elle aperçut Déoris. Non la prêtresse pondérée mais l'enfant aux boucles dansantes emmêlées par le vent, tour à tour joyeuse et maussade, qui avait fait ses délices et qui avait aussi été le seul chagrin de sa jeunesse insouciante. Rajasta aussi était là, souriant, parfois bienveillant, parfois sévère. Et le sourire hésitant et troublé de Réio-ta.

Tous ceux que j'aime, pensa-t-elle, et elle le dit presque à haute voix quand elle vit les cheveux pâles de la petite *saji*, l'enfant qui appartenait aux *non-personnes*, qui avait échappé à Karahama pour conduire Domaris auprès de Déoris, ce jour-là, dans le temple gris... Mais non. Le temps avait passé sur eux. C'était le visage de Tiriki, rougi par les larmes, qui flottait dans la lumière. Domaris retrouva son ancien sourire glorieux qui semblait pénétrer tous les cœurs.

Micon murmura :

— Cœur de flamme !

Ou était-ce la voix tremblante de Rajasta qui avait prononcé ces paroles de tendresse ? Domaris ne voyait plus rien à présent, mais elle sentit que Déoris se penchait sur elle dans la lumière faiblissante :

— Petite sœur, murmura Domaris, puis, avec un sourire : Non, tu n'es plus petite...

— Tu as l'air... si heureuse, Domaris, dit Déoris, émerveillée.

— Je suis très heureuse, murmura Domaris, et ses yeux lumineux étaient deux étoiles qui reflétaient leurs visages à tous.

Un instant, une vague de stupéfaction, presque de douleur, obscurcit sa joie étincelante ; elle s'agita un peu et murmura d'une voix qui se brisa :

— *Micon !*

Micail lui étreignit farouchement la main :

— Domaris !

De nouveau ses yeux s'ouvrirent, joyeux :

— Fils du Soleil, dit-elle, d'une voix très claire. Et maintenant... tout recommence.

Elle tourna un peu son visage sur l'oreiller et s'endormit. Et dans ses rêves, elle était une fois de plus assise dans l'herbe à l'abri du vieil arbre, dans le jardin du temple, dans son pays natal, tandis que Micon la caressait et la tenait contre lui en lui murmurant doucement à l'oreille...

IV

Domaris mourut juste avant l'aube, sans avoir repris conscience. Les oiseaux les plus matinaux gazouillaient à sa fenêtre quand elle bougea un peu, en murmurant, toujours endormie :

— Comme le bassin est calme aujourd'hui...

Et ses mains aux doigts inertes retombèrent au bord du lit.

Déoris laissa Micail et Tiriki sangloter désespérément dans les bras l'un de l'autre et sortit sur le balcon où elle resta longtemps immobile, en contemplant le ciel gris et la mer. Elle ne pensait à rien de précis, pas même à son deuil et à son chagrin. Elle avait appris la réalité de la mort depuis si longtemps que ceci n'était qu'une confirmation. *Domaris morte ? Jamais !* La chose défaite et pâle, déchirée de douleur, avait disparu. Et Domaris vivait de nouveau, jeune et alerte, si belle...

Elle n'entendit pas Réio-ta avant qu'il ne prononçât son nom. Elle se retourna. Il y avait une question dans les yeux du jeune homme, et dans les siens, une réponse. Les paroles étaient superflues.

— Elle est partie ? dit-il.

— Elle est libre, répondit-elle.

— Les enfants ?

— Ils sont jeunes, ils doivent pleurer. Laissons-les la pleurer comme ils le désirent.

Pendant un moment, ils restèrent silencieux, seuls. Puis Tiriki et Micail entrèrent. Le visage de l'adolescente était bouffi par les larmes, les yeux de Micail rougis, ses joues tachées. Mais sa voix était calme quand il dit « Déoris » et s'approcha d'elle. Tiriki entoura son père adoptif de ses bras, et Réio-ta la serra contre lui, en regardant Déoris par-dessus les cheveux éclatants de l'adolescente. Elle regarda à son tour le garçon qu'elle tenait dans ses bras, et la fille qui s'accrochait au prêtre, en pensant : c'est bien. Ce sont nos enfants. Nous resterons avec eux.

Puis elle se rappela deux hommes face à face, opposés en tout et pourtant liés par une loi unique à travers le temps, comme elle avait été liée à Domaris. Domaris était partie, Micon était parti, Rivéda, Démira, Karahama, partis trouver leur place dans le temps. Mais ils reviendraient.

La mort était ce qu'il y avait de moins définitif au monde.

Rajasta, avec une expression calme et sereine, sortit sur le balcon et se mit à psalmodier l'hymne du matin :

> *O toi, splendide à l'horizon oriental,*
> *Fais de la lumière un jour nouveau, ô étoile de l'Est,*
> *Etoile du matin, éveille-toi et monte !*
> *Maîtresse et pourvoyeuse de vie, éveille-toi !*
> *Joie de lumière, pourvoyeuse de lumière, lève-toi !*

Un rayon doré glissa sur la mer, illuminant les cheveux blancs du gardien, ses yeux étincelants et ses robes blanches de prêtre.

— Regardez, souffla Tiriki, la nuit est finie.

Déoris sourit, et ses larmes firent éclater le soleil du matin : un arc-en-ciel dans ses yeux se leva.

— Le jour commence, murmura-t-elle, le nouveau jour !

Et sa voix magnifique reprit l'hymne du matin, qui résonna jusqu'aux confins du monde :

> *O toi, splendide à l'horizon oriental,*
> *Etoile du matin, éveille-toi et monte !*

Postface

L'une des questions qu'on pose *ad nauseam* aux écrivains, c'est : « Où trouvez-vous vos idées ? »

Quand j'y réponds, j'ai tendance à être brusque et laconique : comme si les « idées » étaient une infestation grossière, étrangère à l'univers de celui qui pose la question, comme si être capable d'avoir des « idées » était quelque chose d'inhabituel ! Alors que je ne peux quant à moi imaginer une vie dépourvue d'idées. Chaque heure du jour m'amène plus d'idées que je ne pourrais jamais en utiliser dans une seule existence.

De façon plus rationnelle, je sais que la personne qui me demande cela cherche simplement, sans pouvoir formuler correctement sa curiosité, à comprendre un processus créatif qui lui est inconnu. Eh bien, lorsqu'il s'agit de savoir d'où m'est venue l'idée d'un livre comme *La Chute d'Atlantis*, je peux répondre que je n'en ai pas la moindre idée.

D'où viennent les rêves, en vérité ?

L'un de mes souvenirs les plus anciens date de l'époque où j'étais presque un bébé : je construisais d'immenses et imposantes structures avec des morceaux de bois que mon père, un menuisier, nous donnait pour ajouter à notre mince réserve de jouets. Quand on me demandait ce que je construisais, je répondais toujours : « Des temples ». Le terme m'était étranger ; je soupçonnais que c'était « quelque chose comme des églises » (ça, je connaissais), « mais *encore plus* ».

Je me rappelle avoir vu une image de Stonehenge, et *l'avoir reconnue*. Je n'ai pas vu l'édifice lui-même avant d'avoir la quarantaine. Et pourtant, quand je l'ai vu, le « choc de la recon-

491

naissance » était encore là. On ne m'avait pas emmenée voir assez de films — essentiellement des films comiques ou des westerns, qui n'étaient d'ailleurs pas d'un très grand intérêt pour une enfant comme moi ; et dans mon enfance, il n'y avait pas de télévision. Où donc ai-je trouvé le désir de recréer les imposantes structures des temples égyptiens ou hindous, et ces grandes rangées de colonnes entre lesquelles passaient toujours des foules de prêtres et de prêtresses vêtus de longs manteaux dont la couleur définissait le rôle ?

Les seules images concrètes de mon enfance (à quatre ans, je veux dire, avant de pouvoir lire beaucoup plus qu'*Alice au pays des merveilles*), viennent des *Contes* de Tanglewood, avec ses merveilleux paysages, et des images d'un monde antique qui n'a sûrement jamais existé ailleurs que dans le poème de Wordsworth *Ode on Intimations of Immortality* (un texte qui m'a peut-être bien été lu avant même que je ne sois capable de le comprendre, ma mère étant une romantique convaincue). Mais je savais que ce monde d'images existait : je les reconnaissais dans les paysages de Maxfield Parish ; et quand mon imagination (nourrie de Rider Haggard et de Sax Rohmer) commença à grouiller de ces personnages et de ces intrigues, bien avant de découvrir la *fantasy* et la science-fiction, tout ce que je peux supposer, c'est que je les ai mentalement adaptés aux temples et aux scènes que j'avais fabriqués avec mes blocs de bois, comme un dramaturge adapte ses personnages à la scène d'un théâtre pour enfants qu'il a peut-être possédé quand il était petit.

D'où viennent les rêves, en vérité ? De cette source mystérieuse et d'elle seule j'ai pu obtenir les « idées » de *La Chute d'Atlantis*. Et c'est dans cette mystérieuse fontaine que j'ai de nouveau plongé, des années plus tard, pour trouver les visions qui m'ont donné *Les Brumes d'Avalon*.

D'où viennent donc les rêves ?

Marion Zimmer Bradley

Table